Le Jardin d'hiver

Frédérique de Keyser

Le Jardin d'hiver

Pygmalion

© Pygmalion, département des Éditions Flammarion, 2015.
ISBN : 978-2-7564-1796-7

Prologue

Le jour ne tarderait plus à se lever sur l'île de Dilmun.

Lorsque les rayons du levant raseraient la nécropole d'A'Aali, les ombres jetées sur les tumuli leur donneraient plus que jamais l'apparence d'un immense champ dévasté par une armée de taupes géantes amatrices de terre desséchée…

Après une éclipse plusieurs fois millénaire, le soleil semblait vouloir de nouveau éclairer les civilisations les plus anciennes.

L'Humanité redécouvrait son Histoire…

Le site historique d'A'Aali n'avait pas encore dévoilé tous ses secrets ni entièrement contenté les espoirs des équipes archéologiques. L'on en avait pourtant déjà extrait nombre de vases, sceaux et armes, statuettes votives ou monnaies, et autres petits éléments de bijoux en or. Autant de précieux témoignages d'une société éteinte.

Autant de trésors monnayables pour les pilleurs qui, à l'instar de leurs antiques collègues, se livraient toujours à leurs illicites recherches.

L'ombre qui s'était faufilée à l'intérieur de l'un des tumulus en ressortit peu de temps après, dépitée de n'y avoir, en tout et pour tout, trouvé qu'une poterie de médiocre facture.

Un autre visiteur nocturne l'attendait.

Un solifuge, énorme, qui déguerpit dès que la lumière de la lampe torche du voleur le prit dans son faisceau.

Si le pilleur détala lui aussi, la cause en était moins cette rencontre inattendue que ses conséquences. La confrontation accidentelle avec l'arthropode lui fit lâcher son maigre butin qui se brisa sur la terre sèche avec un bruit mat que les ténèbres et le silence emportèrent sur leurs ailes.

L'homme n'aimait pas les scorpions du vent mais ne les craignait pas.

En revanche, les esprits et démons peuplant la nuit le terrifiaient.

N'était-ce pas l'un d'eux qui venait de le frôler ?

Chapitre 1

Sophia voulait un chien. Ou un chat, à la rigueur.

Non pas pour lui tenir compagnie, mais pour entamer une série de clichés dédiée aux nomades de tous poils, aux abandonnés, aux oubliés et autres évadés. Sujet récurrent dans son travail trahissant sans doute un peu trop son propre sentiment de solitude.

Photographe de presse indépendante de profession, photographe en toute circonstance, les yeux de Sophia se trouvaient rarement très loin de son objectif. Elle aurait même pu dire que sa vie tenait tout entière dans son regard. Aligner son cœur et son âme sur le même axe que son œil pour réaliser *la* bonne photo lui était devenu une seconde nature. Sa manière et – presque – sa raison de vivre.

Le froid et la pluie régnant sur cette fin de nuit lui offraient l'ambiance qu'elle souhaitait pour les photos qu'elle avait en tête depuis quelque temps. Il lui avait fallu attendre ses vacances pour attaquer ce projet. Des congés bien mérités et les premiers depuis pas moins de trois ans.

Si Annette avait été avec elle plutôt que dans les bras son amant du moment – un musicien si Sophia avait bonne mémoire –, son amie n'aurait pas manqué de lui faire remarquer qu'elle était vraiment une drôle de fille, voire complètement

9

folle pour se lever à une heure aussi indécente alors qu'elle entamait son premier jour de vacances. Et pour bosser qui plus est. Sophia aurait objecté qu'elle disposait de plusieurs semaines pour se reposer. Sa copine l'aurait alors regardée d'un air entendu et Sophia aurait pu lire dans ses beaux yeux bleus quelle foi elle prêtait à sa fallacieuse justification.

Sophia sourit. Annette aurait eu raison de douter. Elle avait prévu de nombreuses choses pour ses congés. Glandouiller ou traîner au lit n'en faisait pas partie.

Une bourrasque porteuse d'un froid piquant aux senteurs de l'aube enveloppa Sophia, la ramenant à la réalité sombre et humide de la rue. Quelques larmes lui montèrent aux yeux, soutirées par un temps bien trop glacial pour une nuit d'avril. L'une d'elles s'en échappa, vite séchée par un nouveau coup de vent qui fit la frissonner. Elle resserra le col de son manteau. Se lever tôt, pas de souci, mais pas question d'attraper une angine.

L'ondée récente faisait luire la rue déserte, les halos des réverbères perçant partiellement les ténèbres ou éclairant la brume qui se levait donnaient aux lieux un aspect intemporel et mystérieux. Aux yeux de la jeune femme, les pavés s'étaient transformés en une mosaïque sur laquelle ne manquait plus que le sujet principal. Peut-être était-il parti se promener, profitant de l'obscurité et de n'avoir aucun témoin de son escapade nocturne ?

L'idée l'amusa et fit remonter une phrase de Brassaï du fond de sa mémoire : « J'étais à la recherche de la poésie du brouillard qui transforme les choses, de la poésie de la nuit qui transforme la ville, la poésie du temps qui transforme les êtres… »

Sans oser se comparer à lui ou aux autres grands photographes mondialement reconnus, Sophia possédait une sorte de don. Petit détail qu'elle avait toutefois pris soin de taire. Combien auraient-ils été à la croire si elle l'avait évoqué ? De toute manière, personne n'avait besoin de savoir comment elle travaillait ni pourquoi elle « ressentait » précisément le moment idéal pour obtenir, non pas un simple cliché, mais une émotion, une idée. Cette faculté se manifestait physiquement, se traduisant la plupart du temps par un frisson parcourant son échine, qui courait ensuite sur son bras, remontait jusqu'à son index qui alors se mouvait pile au bon moment.

Sophia se surprenait parfois à rêver que son regard posséderait un jour la capacité de modifier ce qu'elle voyait à travers son objectif afin que la réalité se transforme et corresponde à ce que sa créativité lui susurrait. Elle n'était même pas certaine que cela eût le pouvoir de changer quoi que ce soit à sa carrière, cela dit. Parce que, aussi douée soit-elle, Sophia n'avait pas obtenu la plus petite reconnaissance de la qualité de son travail jusqu'ici. Pire, la veille, elle avait reçu un ultime refus à sa demande d'édition, auquel, pour faire bonne mesure, s'était adjoint un énième rejet à sa sollicitation pour une exposition. La jeune femme avait beau s'interdire de les énumérer, un compteur clignotait dans sa tête, affichant en rouge et en gros le nombre de ses échecs.

Si Sophia doutait de plus en plus de son talent, elle n'avait pas pour autant l'intention de baisser les bras. D'où sa présence dès potron-minet dans les rues de cette ville qu'elle aimait tant.

S'il n'y avait eu le bruit lointain d'une circulation encore timide, Sophia aurait aisément pu se croire au début du siècle précédent. Elle chérissait Paris, pour beaucoup de raisons mais plus particulièrement pour celle-ci : la capitale changeait, se maquillait de produits modernes tout en demeurant la même, cachait parmi ses constructions récentes ses trésors du passé. Certains étaient flagrants, d'autres, beaucoup plus discrets avaient parfois besoin de la nuit pour se révéler ; ils n'en restaient pas moins sa mémoire, belle et touchante. Paris recelait tant de richesses. Ils étaient si peu à s'en souvenir, à les voir alors qu'ils les côtoyaient chaque jour ! Des oubliés eux aussi. Des anonymes au même titre que les égarés qu'elles recherchaient.

Très peu certaine d'en dégoter un cette nuit-là, Sophia n'était cependant pas encline à dédaigner la lumière s'offrant à elle. L'occasion était trop belle.

Remontant très lentement la rue Quincampoix qu'elle avait empruntée depuis la rue des Lombards, le chuintement des semelles de ses tennis trahissant à peine sa présence, l'œil aux aguets derrière son objectif, la jeune femme s'immobilisa presque immédiatement, là où la voie s'étrécissait brusquement sous l'avancée d'un bâtiment en encorbellement. Elle ne pouvait voir l'extrémité de la rue, pas plus qu'en plein jour puisque celle-ci décrivait une légère courbe quelques mètres plus loin. Le ruban noir de la voie paraissait ne mener nulle part, fût-elle jalonnée de rares lanternes accrochées aux parois des immeubles. La lueur pâlotte des plus éloignées se nimbant de brouillard les faisait ressembler à des sphères de mousseline flottant dans l'air comme par magie. Sophia prit quelques clichés. Elle savait déjà qu'ils ne lui conviendraient pas, pas forcément ou pas tout de suite, mais ils pourraient plaire. Attendant le frisson habituel, elle continua son avancée.

Son cœur battit soudain plus vite – son instinct peut-être – l'incitant à se retourner. Elle se trouvait dans une oasis d'ombre, entre deux lampions, momentanément exclue du monde. Et voyeuse. Le cliquetis caractéristique des griffes d'un chien sur les pavés se fit entendre. Elle ne repéra l'animal à la robe noire que lorsqu'il s'arrêta sous l'une des lanternes. Il s'agissait d'un petit bâtard au pelage hirsute, un de ces chiens qui semblaient toujours contents et très intelligents. Fort occupé à renifler toutes les odeurs intéressantes sur ce territoire qu'il avait l'air de bien connaître, l'animal ne paraissait pas avoir perçu sa présence. Peut-être la dédaignait-il en réalité ? Sophia ne s'en offusqua pas. Se tenant parfaitement immobile, elle restait attentive non pas au chien mais à son ombre se découpant sur les pavés luisants.

Le frisson attendu courut le long du dos de Sophia. L'œil déjà à l'affût derrière son objectif, elle était prête à appuyer sur le déclencheur.

L'animal leva la patte puis reprit tranquillement sa piste olfactive. À mesure qu'il s'éloignait de la source de lumière, son ombre grandissait, s'étirait, se déformait.

La vibration remonta le long de son bras, parcourut sa main. Sophia devinait déjà ce qu'elle allait immortaliser. Il n'y avait qu'à voir le double immatériel du chien se transformer lentement en une silhouette quasi monstrueuse. Son échine semblait s'être hérissée de fines écailles acérées, le corps du chien paraissait squelettique, juché sur de longues pattes osseuses aux articulations noueuses. Une créature tout droit sortie des abysses.

Le déclic de son appareil alerta le chien qui se figea et scruta les ténèbres. Heureusement pour Sophia, il n'avait pas l'air agressif. Seulement prudent et curieux. Il resta immobile suffisamment longtemps pour lui permettre de prendre quelques clichés en rafale.

Un sifflement retentit, faisant sursauter la jeune femme et rappelant le chien à l'ordre. Le petit bâtard fila en trottinant, lui offrant l'opportunité de capturer quelques images supplémentaires. Son ombre fantasmagorique rejoignit celle de son propriétaire dont la silhouette noire non moins mystérieuse se découpa un instant sur la brume grise au bout de la rue. Ils formaient vraiment un couple d'enfer, songea-t-elle, un sourire fleurissant sur ses lèvres.

Sophia attendit que le duo se soit éloigné et regagna un îlot de clarté.

Un coup d'œil au ciel lui apprit que le soleil s'apprêtait à lui voler son décor. Ce coquin n'avait jamais aucun scrupule à dévoiler ses sujets, à les dépouiller de leur poésie nocturne.

Pas grave. Sophia avait eu ce qu'elle voulait.

Et puis elle avait faim, comme le lui rappela bruyamment son estomac. Un son incongru brisant définitivement la magie des dernières minutes.

Sophia récupéra sa voiture garée rue Rambuteau. La circulation encore praticable à cette heure lui permit de rejoindre la rue Bleue relativement rapidement. Elle ne regagna pas immédiatement son petit appartement et s'offrit le plaisir d'un grand crème accompagné de quelques croissants tout chauds dans un bistrot au bout de sa rue.

Mettant à profit le temps nécessaire à la préparation de sa commande, Sophia passa son travail de la nuit en revue, sourde aux discussions, aux bruits des percolateurs, au tintement des verres ou des tasses, des pieds des chaises raclant le carrelage. À mesure que les clichés défilaient sur l'écran de son Reflex, sa satisfaction étira ses lèvres. Poursuivant sa vérification alors que le serveur se présentait avec son café et ses croissants, lui jetant à peine un coup d'œil, elle s'adossa à son siège pour lui permettre de les déposer devant elle et marmonna un merci.

Son sourire se figea lorsqu'un son attira son attention. Un son qu'elle ne se serait jamais attendue à entendre si elle n'en était pas à l'origine. Et pour cause. Il s'agissait d'un bruit d'appareil photo. Celui très caractéristique d'un argentique. Sourcils froncés, elle releva vivement le nez et scruta la salle du café.

Lorsqu'elle y était entrée, la jeune femme avait marché tête baissée comme à son habitude, pour éviter les regards des clients déjà présents et était allée s'isoler dans un coin tout au fond de l'établissement, position lui permettant d'observer les gens tout en restant à l'abri de l'attention des autres consommateurs. Elle s'était manifestement trompée quant à l'efficacité de sa protection. L'homme qui venait de la photographier, assis trois tables plus loin, baissa son appareil, lui dévoilant son visage. Pour le moins stupéfaite, hésitant entre colère et indulgence, Sophia mit un peu de temps à lui rendre son sourire. En fait d'homme, il s'agissait d'un jeune homme. Très séduisant. Ceci expliquant sans doute l'éviction de toute irritation. Charmant et apparemment entreprenant, il quitta sa place pour la rejoindre. Sans demander si cela la dérangerait, il s'installa en face d'elle.

— Bonjour.

Il avait une belle voix, douce et agréable, un pétillant regard bleu ciel.

— Bonjour, répondit-elle. Vous faites ça souvent ?

— Aborder les jolies femmes ou les prendre en photo ?

— Les deux.

Un grand sourire éclaira ses traits, et ses yeux.

Définitivement charmant.

— Bien sûr ! Aussi souvent que possible !

— Je vois, marmonna Sophia, réprimant son envie de s'esclaffer à ces mots très spontanés.

— Je peux la garder ? enchaîna-t-il, d'un ton plein d'espoir. Enfin, je veux dire, vous m'autorisez à l'inclure dans mes travaux.

Sophia était bien placée pour savoir que ceux de ses collègues traquant les visages d'anonymes rencontraient parfois des problèmes pour recueillir l'autorisation de conserver les clichés. Elle n'avait pas envie de décevoir ce jeune homme, d'autant moins qu'il était vraiment très très mignon et qu'elle connaissait les difficultés du métier. Seulement, s'être trouvée de l'autre côté de l'objectif à son insu, réaliser qu'ensuite elle serait peut-être exposée à des regards, avait le don de la mettre mal

15

à l'aise. C'était idiot. Ou puéril. Mais Sophia préférait l'anonymat et rester dans l'ombre des autres. Son ego n'avait aucune envie d'être flatté de cette manière-là.

Elle hésita, soutenant le faisceau bleu des yeux de l'inconnu. Elle se surprit à se demander s'il lui arrivait à elle aussi d'user de ce regard-là lorsqu'elle voulait vraiment quelque chose.

— S'il vous plaît, insista-t-il, lui sortant le grand jeu : yeux implorants, mine un peu triste, humble également. Vous êtes superbe.

Quel comédien ! Quel dragueur aussi ! D'ici cinq minutes, elle aurait droit à la mine de Chat Potté. Elle dut se retenir de pouffer.

— Et vous dégagez une telle sérénité, poursuivit-il sur sa lancée, une aura si douce et calme.

Pour le coup, Sophia aurait carrément éclaté de rire. Elle ? Sereine ? C'était bien la première fois qu'on lui attribuait cet adjectif. Mais son vis-à-vis était photographe, peut-être voyait-il aussi des choses qui échappaient au commun des mortels. N'empêche, elle ne se sentait pas sereine. Plutôt désabusée.

— Très bien, consentit-elle pour l'empêcher de continuer. À condition que vous m'envoyiez un tirage.

Elle était curieuse de découvrir ce que révélerait un autre regard que le sien sur elle.

— Promis ! s'exclama-t-il *illico*. Merci.

Sophia chercha une carte de visite dans son sac à dos et la fit glisser sur la table vers le jeune homme qui s'en saisit et y jeta un rapide coup d'œil.

— Merci, Sophia. Vraiment.

— Je vous en prie… heu…

— Axel, l'informa-t-il en se soulevant pour extirper sa propre carte d'une poche arrière de son jean.

Il venait de se rasseoir lorsque son mobile se manifesta… *Dans l'antre du roi de la montagne.* Sophia ne put s'empêcher de songer à *M le maudit.*

Apparemment, le jeune homme s'attendait à cet appel. Ou l'attendait plutôt. Son regard se mit à briller d'une lueur particulière que Sophia aurait qualifiée de tendre et qui le trahit. Il se releva, prit la communication et demanda à son interlocuteur de patienter un instant.

— Je dois filer. Bonne journée.

Sophia lui rendit sa politesse et le suivit des yeux tandis qu'il quittait l'établissement, profitant de ce qu'il ne la verrait pas faire pour les laisser errer sur sa silhouette athlétique.

Avec une petite pause au niveau des poches arrière de son pantalon.

Miam.

Chapitre 2

Shax n'était pas d'une nature anxieuse. Sombre, secret, à peu près aussi démonstratif qu'une statue, il s'inquiétait rarement. Sauf en ce qui concernait Sam. Les deux hommes étant amis de longue date, presque des frères, le souci qu'il pouvait se faire pour lui était donc des plus naturel. Mais, au-delà de cette amitié, l'attention de tous les instants qu'il lui accordait relevait plus du devoir. Pourtant Shax s'en acquittait sans contrainte.

Enfin... il le faisait si Sam le lui permettait, c'est-à-dire quand il ne se terrait pas des jours entiers dans son appartement ou dans son antre en refusant le moindre contact. Comme c'était le cas en ce moment.

Un tel isolement n'était pas surprenant de la part d'un artiste. Nombreux étaient ceux détestant être dérangés lorsqu'ils écrivaient, ou ne supportant aucune compagnie lorsqu'ils composaient ou peignaient. Si Sam pouvait se targuer d'en être un – au sens le plus large du terme puisqu'à ses talents d'écrivain s'ajoutaient ceux de peintre, sculpteur et photographe notamment –, ce besoin de se retirer du monde trouvait ses racines dans une souffrance profondément ancrée en lui.

Ami et garde-fou, Shax faisait de son mieux pour soutenir Sam et veiller sur lui. Malheureusement, cela n'était pas suffisant, ne l'avait jamais été. Le jeune homme en était d'autant plus conscient qu'il était témoin des crises auxquelles le mal rongeant Sam le portait périodiquement depuis des années, récurrence contre laquelle ni l'un ni l'autre ne pouvaient rien.

Lors des plus violentes, il arrivait à Sam de vouloir s'en prendre à tout ce qui pouvait se trouver à portée de main. Et Shax ne comptait plus les fois où il avait dû intervenir pour l'empêcher de lacérer ses toiles ou déchiqueter l'un de ses manuscrits dans un accès de rage ou de détruire une des œuvres de sa collection personnelle parce qu'il était au désespoir.

Les autres manifestations du trouble de Sam l'inquiétaient autrement plus, parce que, dans ces cas-là, son ami s'isolait de toutes les manières possibles, se nourrissait à peine, vivait encore moins. Durant les phases de calme apparent, le poison n'en rongeait pas moins l'esprit de son ami, silencieusement, sournoisement. Chaque fois plus profondément. Il ne faudrait plus longtemps pour qu'il atteigne son cœur et son âme.

Shax ignorait ce qui se passait précisément dans la tête de Sam. Quelles que soient leurs manifestations, ces périodes de détresse avaient la même origine. Sam n'en parlait jamais. Shax avait donc pris son parti de ne pas l'interroger ; il doutait qu'en discuter lui soit d'une aide quelconque. Il était au courant de l'essentiel, connaissait l'histoire aussi bien que Sam et c'était amplement suffisant pour se faire une idée de l'enfer qu'il vivait.

Car c'était bel et bien d'une torture qu'il s'agissait, infligée délibérément par un être doué d'un sens de la cruauté particulièrement développé et vicieux, qui en outre ne se gênait jamais pour en user, voire en abuser.

Quel gâchis !

Sam était quelqu'un de bien, un homme extraordinaire, intelligent, sensible, doté d'une culture exceptionnelle et d'un sens de la justice exacerbé, pour qui l'amitié n'était pas un vain mot. Son caractère n'était pas nécessairement parfait pour autant. Qui pouvait se targuer de l'être ? Qui aurait *souhaité* l'être ? Combatif, parfois même un peu trop dur ou agressif, il savait pourtant se montrer compréhensif, généreux et assez protecteur avec qui parvenait à le toucher. Lui-même était bouleversant. Une putain de tête de mule également, mais là n'était pas question. Encore que... C'était peut-être son obstination qui l'avait préservé jusqu'ici, son entêtement *et* sa certitude d'avoir bien agi. En dépit de ce qui le menaçait, Sam essayait vaille que vaille de rester celui qu'il avait été, mais son mal tendait à tout pervertir, à le dépouiller peu à peu de sa personnalité qui finirait tôt ou tard par s'étioler. Qui pouvait savoir comment cela se terminerait, savoir ce qu'il adviendrait alors de Sam ? Même lui l'ignorait.

Un être était pourtant en mesure de l'aider. Un seul. Il persistait à demeurer introuvable.

Ce n'était pas faute d'avoir mis en œuvre tout ce qu'il était humainement possible pour lui mettre la main dessus. Et même ce qui ne l'était pas. Il fallait au moins cela. Le pire, le plus difficile à endurer pour Sam était de savoir – et ce verbe n'était pas innocent – que son remède était là, quelque part, entre les mains de l'un des sept milliards d'individus peuplant la Terre. État de fait donnant tout son sens à l'expression « chercher une aiguille dans une meule de foin ».

Ni Shax ni Sam n'étaient parvenus à le localiser jusqu'ici, pas plus qu'ils n'avaient réussi à déterminer s'il se cachait délibérément ou non.

Jusqu'à un incident, il y avait déjà quelques années de cela.

À cette époque, Sam travaillait à l'une de ses toiles iconoclastes. Shax n'en avait rien dit à son ami, ni à ce moment-là ni plus tard, mais le voir bosser sur autre chose qu'une énième silhouette sans visage l'avait rassuré. Quoiqu'il ait une préférence plus marquée pour les œuvres érotiques de Sam, peintures ou photographies empreintes de beauté et de sensualité véritables. Cependant, il devait bien avouer que cette représentation impie de la nativité, dont peu sans doute comprendrait la portée, avait fait naître un large sourire sur ses lèvres. À n'en pas douter, cette toile était de celles destinées à choquer en cette période de fêtes hivernales. Bien entendu, l'artiste se débrouillerait pour qu'elle inonde Internet fort à propos.

Empruntant son talent à Johann Heinrich Füssli, Sam avait représenté cet épisode de la foi chrétienne en faisant intervenir Isis, Osiris et Horus Harpocrate en lieu et place de Marie, Joseph et Jésus, dans le cadre d'un riche temple égyptien naturellement. Quant au bœuf et à l'âne, ils avaient été remplacés par Hathor et Seth…

Sam travaillait aux finitions de cette œuvre lorsqu'il avait été pris d'une sorte de malaise, faiblesse dont il n'était pas coutumier et d'autant plus inquiétante. Shax l'avait trouvé inconscient sur le sol, près de son chevalet. Craignant l'inéluctable, il avait été prêt à le ressusciter à grands coups de poing s'il l'avait fallu. Shax ne supportait tout simplement pas l'idée que le monde puisse un jour être privé de Sam. Aussi curieux que cela puisse paraître eu égard à sa réputation, avec sa disparition, l'humanité perdrait l'un de ses plus fervents alliés. Peut-être le dernier à croire encore en elle.

Sam avait rouvert les yeux dès que Shax s'était accroupi près de lui, puis il lui avait souri. S'il avait cru aux miracles, c'est ce mot que le jeune homme aurait utilisé pour qualifier ce sourire-là.

— Il s'est passé quelque chose, avait murmuré Sam.

— Je veux bien te croire, avait grommelé Shax en réponse, son cœur peinant à retrouver un rythme normal.

— Non, il s'est passé *quelque chose*, *quelque part*.

— Tu sais où ? Et quoi ?

— Non.

Le regard de Sam s'était voilé, un court instant seulement, l'espérance l'éclairant de nouveau.

— Tu es certain qu'il ne s'agit pas d'une illusion ?

Shax espérait que non, sincèrement, mais se devait de poser la question. L'âme de son ami était un instrument puissant et indompté parfaitement capable de lui jouer des tours.

— Absolument, lui avait certifié Sam en se redressant pour s'asseoir. C'était comme un courant d'énergie dans ma tête, fulgurant, comme un souffle de vie dans mon corps. Ça ne peut vouloir dire qu'une chose.

Sam avait passé la main dans ses cheveux et l'avait regardé droit dans les yeux. Un regard presque trop direct pour être soutenu, même par Shax qui, pourtant, avait l'habitude. Car il y avait entraperçu la brèche occasionnée par l'événement, et, à travers elle, la force qui animait Sam au plus profond de son être, celle qui ne l'avait jamais quitté, celle capable de venir à bout de tout. Celle dont il était fait.

— Et ça ne peut pas venir de lui, avait-il ajouté dans un soupir las.

Non, bien entendu. Rien de bon ne pouvait venir de *lui* lorsqu'il était question de Sam. Sa haine était féroce. Le jeune homme la lui rendait bien.

Shax s'était abstenu du moindre commentaire et avait acquiescé silencieusement. Sam n'avait pas non plus besoin de ses exhortations à la patience. Malheureusement si, depuis ce jour-là, Sam semblait moins angoissé et abattu, ces émotions avaient été remplacées par de la surexcitation, de l'exaltation même, l'exposant à une instabilité plus marquée que jamais. Son tempérament ainsi altéré, il se montrait parfois franchement insupportable.

À l'époque, Sam n'avait eu qu'un signe. Une impression.

Aujourd'hui, Shax tenait du tangible.

Du moins espérait-il ne pas se tromper. Dans le cas contraire, il n'osait imaginer les conséquences.

D'ordinaire, pas plus lui que Sam n'accordaient une grande attention à la pléthore de mails que ce dernier recevait quotidiennement via le site Internet lui servant de vitrine et de bouclier à la fois. D'une part, il était humainement impossible de s'y consacrer, sauf à ne faire que cela de ses journées ou à embaucher une kyrielle de personnes pour y répondre et, d'autre part, la plupart des messages émanaient de fans, de curieux ou de journalistes sollicitant un rendez-vous, ou de bien-pensants ulcérés se répandant en insultes et menaces diverses et variées. Mais ce message-là avait été envoyé sur une adresse que fort peu connaissaient ou étaient capables d'obtenir. C'était suffisamment surprenant en soi pour que Shax prenne le temps de le lire. Il avait bien fait. Son contenu l'avait interpellé. Il aurait même pu avouer avoir entendu une sorte de déclic résonner dans son esprit.

Une liasse de feuilles à la main, Shax sortit du bureau de Sam, prit sur sa droite pour remonter le hall du château et rejoindre le grand escalier central. Seul le bruit de ses énormes New Rock ferrées frappant le dallage de marbre perturbait le silence de la demeure.

En fait de résidence, Shax aurait plus volontiers parlé de prison dorée ou de mausolée. Sam, lui, le qualifiait de cénotaphe, mais il était beaucoup plus romantique.

Gagnant le grand escalier à vis desservant aussi bien les étages supérieurs de la demeure que le sous-sol, il descendit deux volées de marches, rejoignant ainsi une arcade dont les deux colonnes circonscrivaient le palier de la crypte. Il s'immobilisa au centre de la mosaïque décorant le sol. Réalisée grâce à un pavage opposant marbre blanc et marbre noir, elle représentait un labyrinthe, moins grand mais identique à celui que l'on pouvait parcourir dans la cathédrale de Chartres. À ceci près que nul n'avait dérobé la plaque centrale figurant Thésée, Dédale et le Minotaure. Shax avait une affection particulière pour la bestiole. Allez savoir pourquoi…

Il écouta un moment le silence baignant la demeure. Son regard s'éleva jusqu'aux voûtes sculptées copiant cette fois-ci l'architecture et les ornements de la nef de l'opéra Garnier, et plus particulièrement l'alcôve accueillant le bassin de la Pythie, sous le grand escalier. En lieu et place de la sculpture se trouvait une porte massive à double battant.

Y frapper était exclu. Si Sam bossait, le bruit le dérangerait. Si ce n'était pas le cas, il ne répondrait pas.

Shax actionna la poignée et poussa l'un des panneaux.

Autre lieu, autre style. Sam aimait le mélange des genres.

L'escalier menant à la crypte n'était éclairé que par une applique évoquant une torche médiévale fixée au mur en pierre de taille nue. Elle n'était qu'un falot dans la nuit, sa lueur ne s'étendait pas jusqu'au bas des marches, donnant l'impression à celui qui s'y risquait d'une descente vers le néant.

Très gothique. Mais après tout, qui était-il pour juger des goûts de son ami en matière de décoration ? Ses propres préférences n'étaient pas nécessairement de bon ton et assurément décadentes.

Shax descendit. Le bruit de ses pas martelant la pierre résonna contre les parois. Un écho un peu sinistre, un peu martial aussi dans sa régularité.

La crypte, immense et représentant plus de la moitié de la surface au sol du château, les tours ouest et sud incluses, n'était pas plongée dans l'obscurité totale comme Shax s'y était attendu. On pouvait y distinguer la silhouette des nombreuses statues antiques qu'elle abritait, délicates ou majestueuses ; la douce lueur de quelques bougies disposées sur des sellettes semblait les caresser avec la dévotion qui leur était due. Quant aux vitrines et bibliothèques accueillant des trésors inestimables de l'histoire de l'Humanité, elles luisaient d'un éclat plus doux encore, presque une patine, comme s'ils n'avaient été que peints en trompe-l'œil par un artiste exceptionnellement talentueux. Shax était bien placé pour savoir que les reliques qu'elles abritaient étaient bien réelles et d'une valeur inouïe, dans tous les sens du terme.

L'antre de Sam n'était pas uniquement l'équivalent d'un musée ; il lui servait aussi d'atelier, de bureau, de studio et de chambre noire. Son ami y avait également aménagé une espèce de coin salon, un carré ouvert formé par trois luxueux sofas.

Shax connaissait parfaitement les lieux ; il aurait pu s'y déplacer les yeux fermés. La lumière l'en dispensa et lui permit de localiser Sam rapidement.

Étendu sur l'un des Chesterfield en cuir noir, un bras rabattu sur son front, on aurait pu le croire endormi. Shax savait que ce n'était pas le cas et que son ami s'était perdu dans une contemplation du plafond. Il savait aussi qu'il ne le voyait pas vraiment et que la pierre nue lui servait d'écran où faire défiler ses espoirs, et son désespoir.

— Casse-toi, gronda Sam avec hargne avant que Shax n'ait esquissé le moindre pas vers lui.

Aussi surprenant que cela puisse paraître eu égard à la taille de la salle, sa voix ne produisit aucun écho. Les mots avaient été comme une flèche décochée avec précision ; elle fila droit sur sa cible, l'atteignit mais ne le blessa pas.

La pièce aurait aisément pu servir de salle de torture moyenâgeuse… ou de donjon, songea Shax dans un accès de lubricité. Ce qu'il s'y passait y restait, même les sons ne s'en échappaient pas. Il n'était dès lors pas très surprenant que Sam s'y terre lorsqu'il allait mal. Il pouvait hurler tout son saoul sans que cela se sache.

Sam n'avait pas gueulé son injonction à déguerpir ; son exaspération n'avait aucun besoin de décibels pour être perceptible.

26

Shax l'avait reçue cinq sur cinq, mais n'en tint pas compte. Cela faisait bien longtemps qu'il ne faisait plus attention à ses manières parfois brutales. Il savait que son agressivité n'était pas dirigée contre lui. En revanche, il demeurait attentif au reste et nota que si son ami n'allait pas bien, il n'était pas non plus dans une phase critique.

— J'ai quelque chose à te montrer, répondit l'indésirable, calmement.

— Rien à foutre, opposa Sam.

— Je crois que si, au contraire.

Sam soupira, profondément. Sa souffrance était perceptible dans le bruit ténu de ce souffle, une douleur ancienne, une compagne un peu trop fidèle. Shax la ressentit aussi et grimaça. Cependant, ce qu'il tenait entre ses mains avait le pouvoir de l'en détourner.

— Tu as reçu un mail, reprit-il.

— Whouah ! Tu veux que j'ouvre une bouteille de champagne ?

— D'une fille qui te propose de jeter un œil sur des photos, poursuivit Shax, imperturbable.

— Porno ?

Qu'elles le soient ou pas, Sam n'avait aucune espèce d'envie de les voir. La seule et unique chose qu'il désirait lui était refusée. Et ça le mettait dans une colère aux couleurs du chaos, une rage violente et douloureuse qu'il n'avait d'autre choix que de retourner contre lui la plupart du temps.

— Non, mais tu devrais vraiment regarder, Sam. Je crois que...

— Si c'est le prix pour que tu me foutes la paix... souffla-t-il en se redressant.

L'exercice semblait un effort que son corps rechignait à fournir ; le crissement du cuir du canapé provoqué par son mouvement résonna d'un écho bien trop assorti à ce qu'il paraissait ressentir.

Ses traits étaient tirés, sa voix éraillée faute d'avoir servi depuis un moment. Au moins n'était-il pas dans cet état de vacuité totale le faisant ressembler à un corps sans âme... ou à une âme désincarnée.

Sans le regarder, gardant délibérément la tête baissée, Sam leva la main pour récupérer la liasse de feuilles que Shax lui tendait. Des mèches claires retombèrent sur son front, sa chevelure semblant vouloir obéir à l'ordre de son propriétaire pour l'aider à dissimuler ce qu'il refusait de montrer. Shax savait de quoi il s'agissait et n'était pas choqué, ni même ne l'aurait été s'il avait vu. Il garda le silence, se contentant de lui confier les feuillets.

Dédaignant celui correspondant au texte du mail, Sam s'intéressa directement aux pièces jointes.

Il y en avait environ une quinzaine, mais Sam se figea dès qu'il posa les yeux sur la première. Le cœur dont on l'accusait d'être dépourvu s'emballa. Ou se remit à battre. Le phénomène s'accompagna d'une vive douleur. Celle d'un espoir s'y engouffrant et prenant toute la place, bien trop vite et bien trop fort.

Il ne lui avait fallu qu'une demi-seconde pour comprendre ce qu'il regardait réellement : un début de piste. Enfin ! Bien sûr, il pouvait se tromper, mais refusait que ce soit le cas.

Et puis Shax y avait décelé quelque chose qui l'avait interpellé lui aussi, suffisamment pour venir le voir. C'était bon signe, non ?

La peur ne lui en noua pas moins le ventre, ce pouvait être un piège. Il la repoussa de toutes ses forces – celles qui lui restaient – et étudia attentivement les clichés auxquels les tirages papier ne rendaient pas justice.

Les six premières photos présentaient des arbres. Choix somme toute banal de premier abord, si le photographe n'avait pas sélectionné des spécimens hors du commun, soit du fait de leur situation soit de celui de l'auguste majesté les distinguant de leurs voisins. Il avait en outre admirablement su en saisir l'élégance et en capter la puissance, l'énergie à la fois chtonienne et céleste, et l'isolement, pour un résultat magnifiquement mélancolique…

Sur les tirages suivants, l'artiste – car il ou elle l'était indéniablement – avait choisi de photographier d'autres vieillards solitaires, châteaux ou tours en ruines, titans de pierre n'émergeant encore qu'à peine de leur gangue de terre sur quelque chantier de fouilles ou livres anciens abandonnés sur les étagères poussiéreuses d'un oublieux.

Tant de force et de vie émanaient de ces clichés ! Une vitalité endormie pourtant, contenue ou… oubliée peut-être. Leurs titres évoquaient aussi le sommeil et l'oubli, avec toutefois une note d'optimisme, une notion de renaissance implicite. La puissance de ces photos tenait sans doute à la sensibilité du photographe qui ne s'était pas contenté de figer un objet dans le temps, pas plus qu'il n'avait réalisé une composition compliquée et prétentieuse. Il avait su se faire complice des ombres, celles projetées par les rayons du soleil à travers un feuillage ou effleurant les racines traçantes d'un arbre, celles de la Lune faisant ressortir les aspérités de la roche, celles du crépuscule caressant le cuir craquelé d'un livre qu'elle faisait luire, ou celles de l'aube embrassant le grain d'un papier.

En plus de la beauté se dégageant de ces épreuves, ou celle de leurs sujets, ce que Sam ressentait en les observant le troublait infiniment. La personne qui les avait réalisés semblait utiliser le même langage que lui et ses mots lui parlaient étonnamment fort. Surtout sur la première qu'il avait regardée. L'extrayant de la liasse, Sam l'examina à nouveau. Cette photographie était la plus mélancolique de toutes. Prise par une nuit de pleine lune, elle ne montrait qu'un arbre isolé au beau milieu d'un désert que la froide lumière sélène paraissait transformer en champ de neige. Il connaissait cet arbre, ainsi que son surnom et n'ignorait – bien entendu – rien de l'histoire de la contrée où il poussait. L'artiste ne pouvait qu'être au courant lui aussi. Jamais il n'aurait intitulé sa photo *Vie* si tel n'avait pas été le cas.

Sam voulait y déceler un signe, ou mieux, un message d'espoir qui lui aurait personnellement été adressé. Il le souhaitait si fort qu'il le vit, après qu'il eut rapidement parcouru le mail – ses mains tremblant légèrement tant il était fébrile.

Reposant la liasse de feuilles sur l'assise du canapé, Sam se laissa aller contre le dossier.

Le sourire flottant sur ses lèvres associé à la flamme scintillant désormais dans ses yeux était de nature à surprendre son acolyte dont le regard s'agrandit imperceptiblement. Il avait beau fouiller sa mémoire, jamais Shax n'avait vu Sam si près de redevenir celui qu'il avait été.

— Quelle heure est-il ? demanda Sam, levant les yeux vers son ami pour la première fois depuis que celui-ci l'avait rejoint.

Shax eut un petit rictus, manifestation très éloignée de la satisfaction qu'il éprouvait. Il n'était pas tout à fait dans la même galère que Sam, mais restait concerné. Et le vent semblait tourner.

— Onze heures passées.

— Tu sais quoi répondre à cette fille ?

— Ouaip !

— Et... est-ce que...

Sam n'eut pas besoin d'aller plus loin. Une moue franchement ironique aux lèvres, Shax extirpa une feuille pliée en quatre de la poche de son jean.

— Tu n'es qu'un enfoiré de veinard, articula-t-il d'une voix grave en la tendant à Sam

Chapitre 3

Annette n'en menait pas large. La tromperie n'était pas vraiment son genre et, sur le moment, elle n'avait pas eu l'impression de trahir la confiance de Sophia. Pourtant, ce qui lui avait semblé être une bonne idée le matin même lui apparaissait désormais comme une félonie sans nom ; elle ne pouvait s'empêcher de se sentir coupable.

Elle aurait beau essayer de se justifier auprès de son amie, arguer des meilleures intentions du monde ou avancer qu'elle avait agi ainsi exclusivement dans son intérêt, Sophia ne lui pardonnerait jamais. Elle allait même la trucider. Ou la bouder durant des siècles, ce qui serait pire. L'angoisse lui nouant le ventre, Annette tenta une profonde inspiration puis une longue expiration, espérant qu'elles la libéreraient de la boule qu'elle avait dans la gorge.

Ben non.

Prenant sur elle, la jeune femme sortit de sa Mini Cooper noir et rose garée non loin de l'immeuble où logeait Sophia et la verrouilla. Un coup d'œil un peu plus loin dans la rue lui confirma que son plan avait fonctionné du tonnerre. Son angoisse grimpa d'un cran. Faire machine arrière semblait impossible désormais.

Le bruit des talons aiguilles de ses Louboutin sur le trottoir alors qu'elle se rapprochait de l'entrée de l'immeuble lui évoqua le tic-tac d'une horloge, celle annonçant la fin prochaine de leur si belle amitié. Un peu mélo, elle en convenait. Annette aimait le mélo. C'était dans sa nature. Elle vivait tout ainsi, intensément, avec passion et panache, parfois même grandiloquence, et surtout avec des émotions, fortes de préférence.

La jeune femme regretta presque que Sophia soit chez elle comme le lui assurait la présence de son antique Coccinelle garée juste devant la porte de son bâtiment.

Annette sonna à l'interphone.

— C'est moi, ma chérie ! s'annonça-t-elle d'un ton guilleret dès que la voix de Sophia résonna.

Annette se faisait l'effet d'un Judas en jupons et ne s'enorgueillit pas de ses talents d'actrice. Pas cette fois. Une grimace déforma ses lèvres parfaitement maquillées.

Sophia avait déjà ouvert sa porte lorsqu'Annette déboucha sur le palier du second étage ; elle l'accueillit avec un sourire radieux. Savoir que sa déloyauté bientôt révélée allait le faire disparaître l'écœura ; elle fit de son mieux pour le cacher et pénétra un chouia trop vite dans le petit trois-pièces pour se soustraire au regard de sa copine.

Le salon était tel qu'Annette le voyait la plupart du temps quand elle rendait visite à Sophia, une exposition permanente du travail de la jeune femme et un flagrant délit de son autre passion : la lecture. Livres et photos étaient partout et constituaient pratiquement la seule décoration de la pièce. Un roman à moitié lu et retourné sur la table basse la renseigna sur l'occupation de Sophia avant son arrivée impromptue. Elle en conclut que son amie avait prévu d'occuper ses vacances de la même manière que tous les autres jours de l'année : photos et bouquins. Son cœur se pinça. Moins parce que son intervention contrarierait ce plan de vol que parce qu'il semblait n'y avoir définitivement pas plus de place pour un homme dans l'appartement de son amie que dans sa vie.

— Tu veux un thé ? lui proposa Sophia en refermant la porte de son logement. J'allais m'en faire un.

— Non merci, refusa Annette en se tournant vers elle.

Sa luxuriante chevelure auburn approximativement ramenée en chignon fixé avec deux baguettes, Sophia la fixait de ses grands yeux noirs. Quelques mèches folles auréolaient son beau visage, si serein qu'Annette s'en voulut encore plus.

— Quelque chose ne va pas ? s'inquiéta Sophia, ses sourcils se fronçant légèrement. Tu n'as pas l'air dans ton assiette.

Elle la rejoignit ; Annette dut fournir un effort inouï pour ne pas reculer et s'enfuir à toutes jambes.

— J'ai fait une grosse bêtise, avoua-t-elle dans un murmure, soutenant tant bien que mal le regard soucieux de la jeune femme.

— Avec ton musicien ?

Si ce n'était que ça…

— Mais non ! s'exclama Annette avec impatience, reprochant à sa très chère amie de ne pas lire dans ses pensées, ce qui lui aurait évité d'avoir à prononcer les mots de la honte préludant l'anathème. On se voit plus, mais je… je…, se mit-elle à bafouiller.

Baissant vivement la tête, Annette récupéra une feuille dans son sac à main et la tendit à Sophia.

Et en plus, elle était lâche !

De plus en plus intriguée – et alarmée désormais –, Sophia s'en empara et la déplia. Elle parcourut rapidement les quelques mots imprimés. Son regard n'aurait pu s'agrandir plus.

Il n'était plus que ténèbres incrédules lorsqu'elle le riva à nouveau aux eaux claires de celui d'Annette.

*

33

— Tu n'as pas fait ça ?! s'écria Sophia, stupéfaite et pas loin d'être horrifiée, comme en attestait son teint blême.

— Si, souffla Annette, mortifiée. Je lui ai envoyé un mail ce matin et…

— Avec des photos ?

— Avec des photos, confirma la traîtresse, s'attirant un regard assassin. Il a répondu presque immédiatement.

— Bon sang, mais qu'est-ce qui t'a pris ? explosa-t-elle.

— Sophia, plaida Annette. Tu avais l'air tellement anéantie hier, quand tu m'as dit qu'on refusait encore tes projets…

— Oui ! Bien sûr, j'étais dégoûtée ! Mais pas au point de faire appel à ce… à cet individu ! Si j'avais voulu m'abaisser à ça, ce serait fait depuis longtemps.

— Si tu l'avais fait, tu serais déjà une artiste reconnue depuis belle lurette !

Annette avait prévu la réaction de son amie, bien entendu. Maintenant qu'elle y était confrontée, la jeune femme refusait que Sophia soit en colère contre elle ; c'était contre nature, insupportable. Elle avait agi pour son bien enfin !

— Peut-être, convint Sophia. Mais on parle de Sam Nahash, Annette ! éructa-t-elle, une moue de dégoût très révélatrice de ce qu'elle pensait de l'individu altérant la perfection de sa bouche.

— Mais qu'est-ce que tu lui reproches à la fin ? s'emporta Annette à son tour. Il est connu et reconnu, plein aux as, et il veut seulement te voir pour parler de ton travail.

— C'est un être détestable ! trancha Sophia.

— Oh ? Et comment le sais-tu ? Tu l'as déjà rencontré ? persifla Annette.

— Bien sûr que non ! Pas la peine de l'avoir rencontré pour savoir qu'il…

— Si tu voulais bien te calmer, la coupa son amie, déterminée à lui faire entendre raison, tu comprendrais que d'ici une heure ou deux, tu aurais la chance, *toi,* de coiffer tout le monde au poteau avec un tel rendez-vous. Tu imagines le scoop ?

— La chance ?! Le scoop ?! répéta la jeune femme, atterrée.

Elle n'arrivait pas à croire qu'Annette pouvait être sincère et aussi butée.

Et puis, d'autres de ses mots firent leur chemin dans son cerveau où ils prirent tout leur sens.

— D'ici une heure ou deux, tu dis ? releva Sophia, incrédule.

— Oui, heu… sa voiture attend déjà en bas, en fait.

C'en était trop !

Comme subitement privée d'énergie, Sophia se laissa lourdement tomber dans son fauteuil. Son vieil ami au cuir défraîchi, complice de ses lectures et de ses réflexions les plus intimes, ne lui fut d'aucun réconfort.

— Qu'est-ce que tu as fait ? se lamenta la jeune femme dans un souffle et se tassant sur elle-même.

— Allez, ce n'est pas si grave, tenta Annette sans toutefois prendre le risque de s'approcher de Sophia.

Garder une distance de sécurité était de mise. Elle pouvait très bien recevoir un coussin ou un livre en plein visage. C'était là la seule violence dont elle imaginait Sophia capable. Mais quand même.

Annette n'obtint aucune réponse. Ce silence était pire encore qu'un geste dicté par sa colère.

— Je t'aime et j'ai fait ce qu'il fallait pour toi, plaida-t-elle à nouveau.

— Je ne t'ai rien demandé, fit Sophia avec aigreur.

Sophia regrettait déjà ses mots et son ton acide ; elle n'était toutefois pas disposée à ce que l'objet de son exaspération en soit conscient.

— Tu m'en veux ? risqua Annette d'une petite voix.

Elle connaissait Sophia sur le bout des doigts et savait que le plus gros de la tempête était passé. Ce qui pour autant ne signifiait pas qu'elle allait passer l'éponge de sitôt.

— Je suis encore trop perturbée pour l'instant, mais ne t'inquiète pas, ça va venir, marmonna Sophia entre ses dents en relevant la tête.

C'était un mensonge. Elle ne restait jamais fâchée très longtemps et encore moins contre Annette. Elle en était incapable.

Annette était son amie, un rayon de soleil dans son existence, un souffle de joie et de vie.

Excessivement jolie et raffinée, la jeune femme était aussi fantasque que Sophia pouvait paraître sage, optimiste incurable et délurée. Chose qu'elle-même n'était assurément pas. Sophia l'enviait un peu, jalousait cette faculté qu'elle avait de vivre sa vie à fond, de son insouciance et de sa capacité à ne pas autoriser une contrariété à trop empiéter sur son humeur. Faute d'être dotée de ces aptitudes, Sophia se laissait contaminer par la lumière d'Annette de très bon gré. Peu certaine d'être elle-même une affaire en tant qu'amie, car doutant pouvoir lui être d'un quelconque bénéfice en retour, Sophia lui offrait cependant sa confiance pleine et entière et son amitié. Du moins, jusqu'à ce jour.

Elle soupira.

Annette arborait pour l'heure une mine peut-être sincèrement désolée. Le tout étant de savoir s'il s'agissait de contrition pour ses actes ou de dépit vis-à-vis de son entêtement à vouloir rejeter l'occasion s'offrant à elle sans raison valable. Aux yeux de Sophia, qu'Annette ait fait appel à cet homme était une raison excessivement valable au contraire.

Sophia relut la partie du mail la concernant pour se donner le temps de réfléchir à ce qu'elle allait faire, ou devait faire, prenant peu à peu conscience qu'elle se trouvait à la croisée de deux chemins. Presque lapidaire, à la limite du télégramme, le message était un curieux mélange d'enthousiasme, de suffisance et d'exigence. La jeune femme avait une sainte horreur des personnes abusant de leur statut social pour écraser ceux sollicitant un service ou quoi que ce soit de leur haute bienveillance...

Mademoiselle,

Votre travail me semble intéressant.

Si vous estimez que je doive en voir plus, apportez vos books.

Tous.

S.N.

Voilà qui n'était guère étonnant de la part de Nahash. Voilà qui ne l'incitait pas non plus à accepter de le voir, pas même pour en retirer un quelconque bénéfice. Néanmoins, par acquit de conscience, Sophia prit le temps de faire le tri dans les infos que recelait sa mémoire concernant l'individu. Au final, pas grand-chose. Logique. Le zig était probablement la personne la plus secrète de l'univers et préservait son anonymat bec et ongles. Cet homme, dont tout le monde avait entendu parler à un moment ou à un autre, mais que nul n'avait jamais vu, cet écrivain dont les livres se vendaient comme des petits pains était une énigme. Presque une rumeur.

Personne ne savait donc à quoi il ressemblait, qui il était ou son âge, et encore moins où il se cachait. Pas un journaliste, pas un photographe de presse, pas même des paparazzis n'étaient parvenus à lui subtiliser une seule information, même minuscule. Les seules qui circulaient parfois étaient celles que Nahash lui-même distillait de temps à autre. De plus, à sa connaissance, il refusait systématiquement les interviews qu'on lui proposait. Ce qui tendait à appuyer la thèse qu'en réalité il n'existait pas. Il pouvait au demeurant n'être effectivement qu'une invention, un produit marketing.

Bon, admettons qu'une personne bien réelle se cache derrière ce nom.

Pourquoi aurait-il décidé de la rencontrer, elle, artiste inconnue, alors qu'il s'évertuait à vivre en marge de la société, seul ? Uniquement à cause des quelques photos qu'Annette lui avait envoyées ? Ou s'agissait-il de la phase suivante dans son plan de com ? L'idée qu'il puisse brusquement devenir philanthrope était tout bonnement risible.

Quoi qu'il en soit, si Nahash existait bel et bien, et en dépit de son désir de reconnaissance, Sophia n'avait pas particulièrement envie d'avoir ce « privilège ». Parce qu'elle était à peu près certaine de détester celui qui se cachait derrière ce nom et la réputation séditieuse qui y collait.

Sophia devait pourtant reconnaître qu'une part d'elle était piquée par la curiosité. Elle avait beau s'en défendre, la photographe de presse en elle se voyait déjà percer le mystère entourant Sam Nahash et découvrir pourquoi ses écrits étaient aussi cyniques. Encore que le mot soit faible. Mais comment lui était venue cette espèce de dégoût, quand il ne s'agissait pas de haine, pour la société ou tout ce qui s'y rapportait, la religion et le clergé, ou simplement les humains, et qui ressortait systématiquement de ses textes ? Sans compter que Monsieur Misanthrope semblait doté d'un humour des plus douteux.

Plus particulièrement réputé pour ses écrits, même si certaines de ses productions graphiques émergeaient de temps à autre, Nahash avait intitulé la plupart de ses ouvrages avec des parodies de titres de bouquins ou œuvres célèbres aussi provocatrices que le contenu des livres. Ainsi, la vision très personnelle et caustique de ce Monsieur sur la société et ceux qui la composaient était parue sous des titres tels que : *Le Code pénible*, avec une couverture évoquant celle bien connue des Codes civil et pénal, *Malbaise dans la civilisation* ou encore *L'École des Ânes*, pour tailler un costume à l'ensemble de la classe politique et dont la première de couverture rappelait le fameux petit dessin de presse faisant le lien entre un âne et un élève de l'ENA.

Quant à son opinion sur les religions, qu'il mettait toutes dans le même panier, il avait frappé très fort avec son *Père qui êtes odieux*, succès éditorial qu'aucune des autorités religieuses concernées n'étaient parvenues à faire interdire. Encore plus curieux, il n'y avait jamais eu de procès. À n'en pas douter, il avait bénéficié des conseils de l'avocat du Diable en personne pour défendre ses intérêts. Lui peut-être... ?

L'éditeur de cet enfant terrible, mais auteur à succès car aussi haï de ses cibles qu'aimé du public, n'étant autre que Nahash lui-même, il n'était dès lors pas surprenant qu'il figure parmi les artistes les plus fortunés du vieux continent.

Sans doute, Nahash avait-il commis d'autres œuvres. Sophia n'avait pas été jusqu'à s'intéresser suffisamment à ses productions, et encore moins à lui, pour le savoir.

Mais l'homme ? Qui était-il à la fin ?

Qu'est-ce qui avait bien pu motiver une telle vie de réclusion auréolée de mystère ? Agissait-il ainsi uniquement pour assurer un succès commercial ? Pour se protéger de représailles ? Parce qu'il fuyait quelque chose ? Peut-être cachait-il un honteux secret... ?

La jeune femme était en outre convaincue – ou tentait de s'en convaincre pour finir de brosser son tableau peu avantageux – que cet homme – qu'elle avait d'ores et déjà classé dans son top 10 des personnalités à éviter – pouvait également être rangé dans la catégorie des sagouins libidineux. S'en souvenir était le seul moyen de lutter contre l'irrépressible et soudaine curiosité qui s'était emparée d'elle.

Si elle avait cru à l'existence d'êtres doués de pouvoirs magiques, Sophia n'aurait pas été surprise d'apprendre qu'elle faisait les frais d'une petite démonstration en cette minute. Et si elle avait été une personne optimiste, elle aurait dit qu'elle nageait en pleine féerie. Malheureusement, elle ne l'était pas et songeait plutôt qu'elle venait de pénétrer dans la quatrième dimension. Car, comme un fait exprès, alors qu'elle réfléchissait à Nahash, le mobile d'Annette se fit entendre. Sans comprendre comment elle pouvait en être aussi certaine, avant même que son amie, cette traîtresse, ne décroche, Sophia sut que l'appel lui était destiné, et de qui il émanait. Cet appel-là avait nécessairement un lien avec le bout de papier qu'elle tenait encore à la main. Elle en eut confirmation lorsque la jeune femme la fixa avec un mélange d'anxiété et d'espoir dans les yeux après avoir récupéré son téléphone au fond de son sac.

Annette le laissa sonner deux fois ; son pouce en suspens au-dessus de son écran pour décrocher. Sophia hocha imperceptiblement la tête. Annette prit l'appel juste après la troisième sonnerie, écouta et lui tendit l'appareil presque tout de suite.

— *Mademoiselle Sikil ? Sam Nahash,* articula une belle voix profonde.

Le cœur de Sophia se logea dans sa gorge. Dans son esprit, le trouble le disputait à une fascination fort singulière et totalement déplacée en plus d'être terrifiante. Les quelques mots lui avaient fait l'effet d'une sombre caresse envoûtante. Ce timbre était trop grave et trop agréable pour n'être pas dangereux. Comment associer une voix pareille à un sinistre individu ? La plupart de ses signaux d'alarme se déclenchèrent. Juste après un délicieux frisson.

Sophia n'avait pas envie de répondre qu'elle était enchantée, c'était faux. Aussi se contenta-t-elle d'un simple bonjour. Un pitoyable bonjour en réalité, que l'on aurait cru articulé par une enfant intimidée.

— *Vous ne semblez pas surprise,* enchaîna Nahash. *J'en conclus que votre amie vous a mise au courant de mon invitation.*

— Oui, souffla la jeune femme.

— *Ma réponse vous a-t-elle surprise ?*

— Oui.

— *Parce qu'elle est favorable ?*

— Oui.

— *Vous répondez toujours oui à tout ?*

Quelque chose dans son intonation laissait à penser que la question était aussi sibylline qu'ironique.

— Oui… heu… non. Ça dépend…

Sophia roula des yeux et se morigéna mentalement. La voix, hypnotique, douce et chaude, mais recelant aussi une autorité implacable, l'impressionnait suffisamment pour qu'elle se sente *illico* redevenue aussi émotive qu'une gamine et se mette à bredouiller. Qu'est-ce que ça allait donner quand elle se trouverait en face de lui ? Si elle acceptait l'invitation, naturellement.

— *Allez-vous accepter mon invitation ?* s'inquiéta-t-il ensuite, fort à propos du reste.

Sophia crut déceler comme une angoisse affleurant sous ses mots. Nahash semblait réellement tenir à ce qu'ils se rencontrent. Étrange. Elle plissa les yeux comme elle l'aurait fait pour tenter de voir au-delà des apparences si l'homme avait été en face d'elle.

Allait-elle accepter ?

Sophia jeta un coup d'œil à Annette qui la dévisageait avec intensité. Ses pupilles réduites à deux minuscules têtes d'épingle se noyaient dans le bleu éclatant de ses iris. La jeune femme soutint le regard de son amie, comme si cela avait pu l'aider à prendre sa décision.

Mais la décision finale lui appartenait. À elle seule !

Récapitulons. Annette l'avait presque jetée en pâture à un homme qu'elle était à peu près certaine de détester. Seulement, ledit individu avait les moyens sinon le pouvoir de lui offrir l'une des choses qu'elle désirait le plus au monde. Son esprit était le lieu d'un vaste chaos, engendré par le combat entre le pour et le contre.

— *Sophia* ? insista Nahash, tout bas, presque avec affection, comme s'il existait déjà une quelconque intimité entre eux.

Elle devait impérativement cesser de frissonner au moindre de ses mots. Et répondre. Dire n'importe quoi au besoin. Ce qu'elle fit, se rendit-elle compte, trop tard.

— J'accepterais si vous répondez honnêtement à deux questions, exigea-t-elle.

Avait-elle vraiment dit : honnêtement ? Elle aurait de la chance s'il ne prenait pas mal cette insinuation qu'il n'était pas un habitué de la probité et l'ultimatum que constituait sa requête. Sans parler du fait que, dans cette affaire, c'était elle qui était demandeuse.

La jeune femme vit son amie se crisper et s'empêcher de lever yeux au ciel, attitude qu'elle aurait assortie d'une grimace qui en d'autres temps l'aurait amusée. Sophia eut du mal à déglutir.

— *Je vous écoute,* finit-il par répondre après avoir laissé s'écouler quelques interminables secondes.

Pfiou...

— Parmi les photos que vous avez vues, laquelle a votre préférence ?

— Le *Sharajat-al-Hayat,* répondit-il sans hésiter une seconde et sans le moindre accent français, nota-t-elle.

Sophia sourit intérieurement. Elle avait pour ainsi dire grandi au pied du vieil arbre solitaire et lui vouait une affection toute particulière.

— Pourquoi ?

— *Je me sens proche de lui.*

Réponse tout aussi spontanée que la première qui la satisfit, lui procurant toutefois une drôle de sensation sur laquelle elle ne s'attarda pas.

— Et, pouvez-vous me dire…

— *Vous aviez dit deux questions, Sophia. À tout à l'heure.*

La communication fut coupée. La jeune femme aurait juré avoir perçu du rire dans les mots de Nahash. Elle fixa le portable d'un air mauvais comme si c'était l'appareil qui venait de lui raccrocher au nez.

Ce fut là qu'Annette reprit les choses en mains, l'envoyant se changer pendant que, de son côté, elle rassemblerait ce dont Sophia aurait besoin pour cette entrevue dont elle ne voulait pas vraiment. La jeune femme lui rendit son téléphone et se dirigea vers sa chambre sans daigner lui répondre ni même lui faire l'aumône d'un regard. Elle avait horreur qu'on lui force la main, et détestait encore plus cette sensation que la situation lui échappait totalement.

Oh, elle honorerait ce rendez-vous. Elle n'avait qu'une parole et quoi qu'elle en pense, elle ne pouvait laisser passer une telle occasion. Pourtant, elle ne pouvait se départir de cette impression que Nahash, avec sa belle voix à la douceur de miel, l'avait bien plus troublée que cela n'aurait dû. Cela l'horripilait et, honnêtement, l'inquiétait un peu aussi. Elle redoutait qu'une fois en face de lui, il ne veuille abuser de la situation pour lui extorquer des conditions… inacceptables.

A priori, elle ne courait aucun autre danger que devoir supporter la compagnie d'un marginal cynique, mais un risque persistait. Non, deux. Celui de devoir repousser d'éventuelles avances et celui de se laisser impressionner par la personnalité de son hôte.

Dans l'immédiat, le mieux à faire était donc de se reprendre *illico*, d'oublier la bonne impression que sa courte conversation avec Nahash lui avait laissée et de mettre à profit le temps dont elle disposait encore pour se préparer à l'affrontement. Sa tenue de combat déjà. Pas question de se pomponner. Elle troqua son tee-shirt et son pantalon de yoga contre un jean et un pull. Ce serait amplement suffisant. Ce n'était pas elle qu'il devrait voir, mais son travail. Et s'il dépassait les bornes, alors elle se ferait un plaisir de le remettre à sa place.

Sophia sortit de sa chambre armée de sa détermination.

Aveugle au regard réprobateur d'Annette jugeant très probablement sa tenue d'une banalité indécente, elle récupéra ses bottines. Espérant sans doute se faire pardonner en lui servant de cámeriste, Annette lui tendit son manteau et son sac à dos. Au poids qu'il faisait, la jeune femme en conclut qu'Annette y avait placé ses books et y avait laissé son appareil, son ami, son complice de tous les instants. Et un peu son gri-gri aussi. C'était bien la connaître.

*

Deux surprises attendaient Sophia dans la rue.

En fait de surprises, il s'agissait plutôt de deux preuves supplémentaires qu'elle ne se trompait sans doute pas beaucoup concernant Nahash.

Primo, son chauffeur était une femme. Superbe. Blonde et pleines de formes.

Peu coutumière des jugements à l'emporte-pièce, elle n'en conclut pas moins immédiatement que cette splendide créature était pour Nahash bien plus que son chauffeur. Et puis cela en disait long sur le genre d'homme qu'il était, exactement ce qu'elle avait subodoré : un homme aimant à s'entourer de créatures de rêve pour flatter son ego. Entre autres.

Rien de nouveau sous le soleil, donc.

Secundo, la voiture.

Mmm, l'association blonde pulpeuse et grosse voiture était tellement… pathétiquement cliché ! Mais pas si surprenante.

Sophia n'aurait pas été particulièrement étonnée non plus d'apprendre que Nahash était en plus propriétaire d'un ou deux jets privés accessoirisés à l'extrême comme les milliardaires aimaient à en posséder, c'est-à-dire avec, au choix, piscine, hammam, home cinéma, voire mini-golf, jardin potager, ou manège.

Tsss…

Cela étant, le véhicule n'était pas de l'un de ces bolides tape-à-l'œil, mais une limousine dont la taille n'avait d'égal que l'élégance.

Besoin de compenser quelque chose, Monsieur Nahash ? se demanda malicieusement Sophia en prenant place sur la luxueuse banquette en cuir noir.

L'inconvénient de ce genre de véhicules était bien souvent leurs vitres teintées. En l'occurrence, celles de la limousine interdisaient aux personnes extérieures de savoir qui occupait l'habitacle, mais empêchaient aussi aux passagers de voir l'extérieur. Ajoutez à cela que les voyageurs étaient totalement coupés du chauffeur et vous aviez l'impression de voyager dans un sarcophage. Heureusement, Sophia n'était pas claustrophobe. Elle pouvait même dire qu'elle se sentait en sécurité ainsi dissimulée à la vue de tous.

Pourquoi une telle précaution ? Et pourquoi le véhicule était-il blindé ? Sophia avait remarqué l'épaisseur de la porte lorsque le chauffeur la lui avait tenue ouverte.

Apprendre que Nahash avait des ennemis ne l'aurait pas étonnée plus que cela étant donné le personnage. Au moins, il n'était pas totalement inconscient et prenait soin de ses invités. Cela avait quelque chose de rassurant.

Comme il n'était que justice qu'Annette soit embarquée dans la même galère qu'elle. Il n'y avait pas de raison !

Lorsque le chauffeur lui avait indiqué qu'elle pouvait accompagner son amie, Sophia n'avait pas réagi. À la différence d'Annette qui en avait tout d'abord été comme deux ronds de flan. Elle n'avait pas mis longtemps à rebondir. Avant de la rejoindre dans l'habitacle, la jeune femme avait sauté sur son téléphone pour prévenir le rédacteur en chef de *So People*, le magazine pour lequel toutes deux travaillaient, et l'informer qu'elle était sur un super gros coup. Annette n'en avait pas dit plus et certainement pas chez qui elle se rendait. Max, son supérieur donc, la connaissant suffisamment pour lui faire confiance, avait donné son feu vert et carte blanche à son reporter.

Faute, donc, de pouvoir observer le paysage, et par conséquent de savoir quelle direction prenait le véhicule, les deux jeunes femmes n'eurent d'autre choix que se tenir mutuellement compagnie.

Sophia, bras croisés contre sa poitrine, tête en appui contre la vitre et yeux à demi clos, faisait mine de somnoler.

— Tu boudes toujours ? lui demanda Annette après avoir tenu un bon quart d'heure à faire semblant de consulter très sérieusement son agenda sur son smartphone.

Sophia n'avait pas été dupe un seul instant et l'avait surprise à lui jeter de furtifs coups d'œil. À peu près toutes les trente secondes.

Après l'hiver qu'elle lui avait opposé, la jeune femme lui accorda enfin le redoux, estimant qu'elle l'avait laissé mariner assez longtemps.

— Non. Plus depuis un moment déjà.

— Sale bête, souffla Annette.

Sophia lui offrit un sourire horripilant que son amie lui rendit, mais seulement après lui avoir tiré la langue.

— Moi aussi, je t'adore, répliqua Sophia.

Mais la mine d'Annette redevint sérieuse.

— Je suis vraiment désolée, commença-t-elle. Je n'aurais pas dû agir dans ton d...

— Je sais pourquoi tu l'as fait, la coupa Sophia afin de l'empêcher de se répandre en excuses.

— J'espère au moins que cela débouchera sur quelque chose de positif, répondit Annette, visiblement soulagée que l'incident soit clos.

Doutant un peu de l'issue favorable de cette entrevue, Sophia garda ses commentaires pour elle.

— Tu le mérites vraiment, ajouta Annette.

— Merci, c'est gentil. Et même si ce n'est pas le cas, tu auras de quoi faire un super papier. Tu pourrais le titrer : « La femme qui a vu l'antre du dragon. »

Annette eut un sourire en coin.

— À ton avis, il ressemble à quoi ?

Sophia avait attendu cette question, s'étonnant d'ailleurs que sa copine ne l'ait pas posée plus tôt. Sans remettre une seule seconde son professionnalisme en cause, elle connaissait aussi parfaitement la jeune femme. Et s'il y avait la moindre chance pour faire une rencontre intéressante, dans le sens charnel du terme, elle ne la laisserait pas passer. Pour sa part, Sophia avait pris un soin tout particulier à ne pas tenter d'imaginer Sam Nahash. Surtout depuis qu'elle avait eu un aperçu de sa voix. C'était par trop dangereux… et dégoûtant, ajouta-t-elle avec une pincée de mauvaise foi. Elle tenait à son tableau peu flatteur.

Sophia haussa les épaules avant de répondre :

— Aucune idée.

— Plutôt Gainsbourg ou une petite gueule d'amour comme...

— Quoi qu'il en soit, il fume, la coupa Sophia.

Une légère odeur de tabac italien flottait dans l'habitacle, un parfum doux et un peu sucré.

— Et puis, il est peut-être plusieurs personnes, poursuivit-elle.

— Oh ? Tu crois ?

— Un seul homme ne peut pas réunir autant de travers, ne peut receler en lui autant de haine contre tout et tout le monde, philosopha-t-elle.

— Sauf s'il est provocateur et joueur dans l'âme.

À supposer qu'il en ait une...

— Nous le saurons bientôt, soupira Sophia, beaucoup moins pressée que sa copine d'apprendre qui était Sam Nahash. Curieuse, mais pas impatiente.

Chapitre 4

Le trajet dura un peu moins d'une heure. Ce qui ne constituait pas vraiment une indication sur la localisation du fief de Nahash parce que le chauffeur se fit le plaisir de mépriser les limitations de vitesse autant que possible. Les deux jeunes femmes ressentirent les accélérations de la puissante mécanique mais ne s'en soucièrent pas. Elles étaient bien trop occupées à tenter d'imaginer le nid d'aigle de l'écrivain agitateur. Tout y passa. Du château de Dracula à la villa de star, en passant par la demeure romaine antique, le château du parc Disney et le blockhaus, ce qui, dans un cas comme dans les autres, aurait été signalé depuis longtemps, surtout à proximité de Paris. Une propriété singulière ou jurant avec son environnement ne manquait jamais d'être remarquée.

Lorsque enfin la voiture s'immobilisa, et faute de savoir si un quelconque protocole était de mise, les deux jeunes femmes patientèrent. Leur chauffeur ne tarda pas à leur ouvrir la portière.

Une bourrasque porteuse de senteurs fraîches de campagne et de forêt enveloppa les deux jeunes femmes à leur sortie. Sophia repoussa une mèche de cheveux tombée sur son visage, leva les yeux sur la vaste résidence se dressant devant elles ; ils s'écarquillèrent.

Aussi fertiles qu'aient été leurs imaginations, elles ne les avaient pas préparées à ce qu'elles découvrirent.

— Chambord ? murmura Sophia, incrédule.

Elle n'était plus certaine que ses yeux lui montrent la réalité des choses – ce qui en soi était assez angoissant pour un photographe – et se demandait également comment un individu comme Sam Nahash, c'est-à-dire aussi irrespectueux d'à peu près tout, pouvait vivre dans une demeure aussi délicieuse.

Le regard de la jeune femme parcourut rapidement la façade. Il ne s'agissait pas du palais bien connu. Le château, de taille beaucoup plus modeste que le bijou qu'il imitait, n'en possédait pas moins une ressemblance architecturale frappante avec l'original. À ceci près qu'il était dépourvu de ses deux ailes latérales accolées au donjon central. Ce dernier était quand même flanqué des quatre tours rondes à chaque angle, mêlant la rudesse d'un logis médiéval à l'exquise délicatesse de la renaissance italienne.

Autre différence : l'édifice n'arborait ni le blanc lumineux ni l'éclat de son modèle qui en faisait une perle déposée sur un écrin de verdure. Cela dit, le ciel plombé y était peut-être pour beaucoup.

Enfin, en lieu et place de la tour lanterne surplombant le fameux escalier à vis à double révolution de l'authentique Chambord, l'on pouvait apercevoir une partie d'un dôme de verre et ses armatures de métal laissant à penser que la propriété accueillait une serre en ses murs.

Sophia en était encore à admirer le château, et à conclure que leur hôte, en plus de ses autres défauts, devait donc être doté d'un ego aussi grandiose que sa demeure, lorsque la porte digne de toute forteresse médiévale qui se respecte s'ouvrit, livrant passage à un homme intégralement vêtu de noir.

Un homme ? Vraiment ? se surprit-elle à penser.

Sophia ne se souvenait pas avoir déjà posé les yeux sur un mâle tel que celui-ci, aussi grand et sombre, au point de paraître absorber la luminosité environnante. Manifestement, Annette était de son avis, quoique son étonnement soit un tantinet plus expressif que le sien. Plus expressif et surtout beaucoup plus enthousiaste.

— Nom de Dieu de nom de Dieu ! l'entendit-elle marmonner. C'est pas un mec, c'est un titan.

Honnêtement, Sophia n'aurait pas mieux dit, à ceci près qu'il n'y aurait pas eu cette gourmandise dans sa voix. Mais son amie avait toujours eu un gros faible pour les colosses bâtis comme des chars d'assaut.

Si ce mec était Nahash, il correspondait peu ou prou à l'image que Sophia aurait pu s'en faire dans une version ténébreuse et affreusement sexy. Un homme auquel il valait mieux ne pas se frotter, et précisément ce qu'Annette brûlait de faire. Ça lui ressemblait bien de prendre la vie comme elle venait. Cela étant, elle ne semblait plus trop en mesure de penser.

Stupéfaites, aussi immobiles que deux lapins pris dans les phares d'une voiture, les deux jeunes femmes observèrent l'homme descendre les quelques marches du perron puis s'avancer vers elles, lentement, nonchalamment et avec une souplesse féline mais étonnante eu égard à sa stature. Il paraissait grandir à chaque pas. Et devenir plus impressionnant aussi.

En tout cas, impressionnée, Sophia l'était… pas nécessairement dans le bon sens du terme. Elle se sentait écrasée par l'obscure présence. Annette, elle, était définitivement conquise et ouvrait des yeux ronds, sans doute pour mieux dévorer le type du regard, sans vergogne et sans la moindre discrétion. Littéralement harponnée par l'apparition, la jeune femme semblait ne plus trop savoir comment faire pour s'en mettre plein la vue. Sauf à le déshabiller dans la seconde, naturellement. Objectif un brin prématuré selon Sophia, mais à coup sûr fidèle à ce qui devait trotter dans la tête de sa coquine de copine.

Non content d'arborer une beauté racée quoiqu'un peu dure, le visage de l'ange noir était éclairé – c'était bien le mot qui convenait – par deux magnifiques iris couleur d'aigue-marine. La nature, avec l'imagination et l'art qui la caractérisaient, devait avoir décidé de parfaire son obscur chef-d'œuvre en le dotant ainsi d'un peu de lumière.

Malheureusement pour Annette, ce fut à Sophia que le ténébreux géant s'intéressa, plongeant son regard dans le sien. Un regard extrêmement direct qui fit penser à la jeune femme que l'homme était déterminé à découvrir les secrets de son âme. Il dut y parvenir car une étincelle s'y alluma furtivement. Elle se sentit presque mise à nue. Ou reconnue peut-être. En tout cas, ce fut une sensation curieuse, un peu gênante également, qui lui fit froncer les sourcils et lui attira l'ombre d'un sourire de la part du colosse.

Aussi peu intéressée soit-elle par le spécimen, charnellement du moins, Sophia l'était en revanche en tant que photographe. Son regard sur cet homme lui évoquant si irrésistiblement un ange déchu se modifia *illico*. Dans la foulée, son âme et son cœur le prirent en ligne de mire. Ce fut peut-être grâce à cela qu'elle fut en mesure de saisir une petite lueur brillant dans les profondeurs de ces magnifiques yeux et qui lui avait échappé jusqu'ici. Elle aurait juré qu'elle était de facétie, si surprenante au regard de son physique. Sentant la commissure de ses lèvres la démanger puis vouloir se relever sans autorisation, Sophia se retint. Pas l'homme. Et si le sourire était adressé à Sophia, ce fut Annette qui y réagit, émettant un curieux bruit, à mi-chemin entre le glapissement aigu et l'étranglement.

— Bienvenue, mademoiselle Sikil, articula le géant.

Quelques mots bien banals, mais ayant manifestement le pouvoir d'arracher un autre bruit à Annette. Une plainte cette fois-ci. Sophia lui jeta un coup d'œil.

Le son avait également attiré l'attention du colosse qui désormais considérait Annette attentivement. Attentivement, mais absolument pas de la même manière qu'il l'avait regardée elle. Ses sourcils se froncèrent, occultant un peu de la lumière dans ses yeux, mais conférant à son regard une intensité d'une incroyable sensualité.

Annette, quant à elle, semblait commotionnée et sur le point de se pâmer – une grande première – ou de se jeter sur le propriétaire de ce timbre terriblement grave... ce qui était déjà plus son genre. Elle ne fit ni l'un ni l'autre, mais uniquement parce que l'objet de sa convoitise fit volte-face.

— Suivez-moi, les invita-t-il, sa voix ayant curieusement chu dans les graves.

Sophia n'aurait pas cru cela possible.

Les deux jeunes femmes lui emboîtèrent le pas, Annette s'agrippant au bras de son amie juste avant qu'elles ne grimpent la volée de marches comme si elle craignait toujours le malaise.

Même s'il n'était pas son type d'homme, Sophia ne pouvait faire autrement que déjà le regarder puisqu'il les précédait, ensuite d'admettre que la vue n'était pas désagréable. Honnêtement, l'envers valait presque l'endroit.

Si Annette avait entendu les pensées de Sophia, elle aurait crié à l'hérésie la plus blasphématoire. Pas désagréable ? C'était la litote du siècle ! Non ! Du millénaire ! Ce mec était tout bonnement l'incarnation de ses fantasmes les plus fous en matière de mâle et d'amant potentiel. Et probablement aussi en matière de partenaire de jeux inspirés par sa joyeuse libido.

Définitivement subjuguée, Annette continua de se repaître du spectacle qu'il leur offrait, occupation qu'elle décréta être une juste compensation pour être privée de son côté face.

Mal lui prit de le faire. La chaleur l'ayant submergée dès qu'elle l'avait vu était en passe de se muer en véritable fournaise. Où que ses yeux se posent, d'affolantes découvertes l'attendaient : des biceps menaçant la pérennité de son tee-shirt à manches longues, des épaules incroyablement larges entre lesquelles courait une chevelure couleur de jais réunie en queue-de-cheval, des cuisses puissantes et un admirable postérieur moulé par un jean. Elle en avait les mains qui la démangeaient et le corps en feu.

La fraîcheur régnant à l'intérieur du château ne lui fut d'aucune aide. Rien ne le pourrait. Sauf peut-être à cesser de reluquer ce mec pour s'intéresser à la décoration des lieux. Mais de cela, il n'était pas question naturellement. Elle laissa échapper un soupir conquis.

En plus d'ignorer si l'individu était Nahash, incertitude qui la chagrinait passablement, Sophia se sentait mal à l'aise. Sa gêne était apparue après qu'un frisson l'eut parcourue lorsqu'elle avait débouché dans le hall ; le froid relatif n'y était *a priori* pour rien.

Les efforts pour agrémenter l'immense espace étaient indéniables et produisaient l'effet voulu : l'éblouissement. Sa réaction n'avait là encore aucun lien avec l'émerveillement ou la débauche de richesse. C'était quelque chose de tout à fait différent, de totalement irrationnel et ressemblant à s'y méprendre à un pressentiment. Mais, elle en ignorait la polarité.

Sans être crédule ou prompte à accorder foi à l'extraordinaire, Sophia savait néanmoins faire confiance à sa réceptivité ou à ses émotions pour la guider dans la vie. Sauf que là, capteurs et autres signaux d'alarme semblaient défaillants. À moins qu'ils ne soient perturbés par son anxiété ou l'étrangeté de la situation. Ou son impatience. Ou encore était-ce imputable au silence des lieux seulement rompu par l'écho des pas de leur trio.

Sophia avait l'impression de visiter un musée. De chaque côté de la galerie aussi large que le hall, sans nul doute en raison de la forme du donjon, et traversant le bâtiment d'un bout à l'autre, des alcôves accueillaient des statues grecques ou romaines. Sophia aurait mis sa main à couper qu'il ne s'agissait pas de reproductions. Entre chaque niche, de part et d'autre de portes closes donnant très probablement sur les pièces privées, si vous souhaitiez prendre le temps de contempler l'une ou l'autre de ces antiquités, vous attendaient tantôt des fauteuils, tantôt des sofas. Tous blancs, pour s'harmoniser au marbre du sol ainsi qu'aux délicates moulures ornant les murs peints en gris perle. L'ensemble conférant une luminosité assez surprenante à un lieu par ailleurs dépourvu d'ouvertures sur l'extérieur et uniquement éclairé par quelques appliques.

Après leur avoir fait contourner un escalier en colimaçon que Sophia n'aurait pas hésité à qualifier de monumental, l'homme s'immobilisa près d'un mur marquant abruptement la fin de la galerie. Cette rupture dans l'équilibre et les proportions des lieux avait quelque chose d'incongru. De déstabilisant en tout cas.

Voilà qui n'était pas pour atténuer son trouble.

Shax entrouvrit la petite porte perçant la cloison, à peine, et se tourna vers Sophia. Sa haute et large silhouette occulta l'interstice généré par son geste ; la jeune femme eut la certitude que cela était délibéré.

Certaine aussi qu'il s'agissait là d'une espèce de mise en scène destinée à créer du mystère, elle se retint de lever les yeux au ciel. Rien ne pouvait-il être simple et naturel chez Nahash ?

— Sam… Monsieur Nahash ne va pas tarder, se reprit immédiatement le géant, manifestement peu habitué à utiliser cette formulation.

Bêtement rassurée que l'ange des ténèbres ne soit pas son rendez-vous, Sophia le remercia d'un petit hochement de tête poli. Une grande part de sa tension la désertant comme par magie, elle parvint toutefois à réprimer un profond soupir de soulagement du plus mauvais effet.

C'était méjuger de la perspicacité de son vis-à-vis qui la gratifia d'un clin d'œil. Elle sentit ses joues se colorer, mais ne s'excusa pas. Un sourire narquois accroché aux lèvres, le géant ouvrit la porte et s'effaça galamment.

Le regard de Sophia s'écarquilla, encore, avant même qu'elle ne franchisse le seuil.

Il était écrit que Sam Nahash n'avait pas fini de la surprendre.

Shax referma la porte derrière Sophia avant que l'autre jeune femme n'ait eu la possibilité de jeter un œil dans la pièce, se retourna et s'adossa au panneau.

Son regard aux couleurs de glacier fondit instantanément sur la petite brune, tel un fauve sur une proie. Une bien délicieuse proie en vérité. Ça tombait bien, il avait une petite faim. Et cet appétit était partagé, il en était certain, l'avait immédiatement ressenti. Comment aurait-il pu faire autrement alors que cette jeune femme était littéralement nimbée d'une aura de sensualité l'ayant atteint bien avant qu'il ne s'approche d'elle. Quand il l'avait fait, l'intensité de son désir l'avait frappé de plein fouet. Il était des signaux qu'un homme, quel qu'il soit, savait reconnaître, des appétits qu'il saisissait instinctivement dès qu'il y était confronté. Shax, lui, ne se contentait pas de les percevoir, il ressentait. Surtout la passion. Le sexe était son énergie, la dope à laquelle il tournait autant que possible, sans honte, sans aucun scrupule, si tant est qu'il puisse en éprouver.

Shax raffolait des femmes en général, particulièrement de celles dont le raffinement dissimulait de la fougue. Et plus encore celles capables de profiter d'une occasion sans trop réfléchir et de partir sans espérer quoi que ce soit de plus de lui. Cette fille était de cette race-là. Il le lisait dans ses beaux yeux bleus, sur cette bouche pulpeuse, aussi appétissante qu'un fruit défendu.

Shax adorait ce qui était défendu. Nul plaisir n'était plus délicieux que celui de l'interdit.

N'étant, de surcroît, pas homme à dédaigner une opportunité lorsqu'elle se présentait, Shax aurait été complètement crétin de ne pas profiter de ce que cette jeune splendeur était manifestement plus que prête à lui proposer : des moments hautement sulfureux. Enfin... il proposerait. À elle de disposer. De son corps si possible. De ce point de vue, il était d'une générosité fort prisée des dames.

— Ils devraient en avoir pour un bout de temps, articula Shax sans libérer Annette de son regard.

La jeune femme frissonna des pieds à la tête sous la caresse immatérielle de cette voix grave, mais ne répondit pas. Seul son battement de cils indiqua qu'elle avait entendu les mots.

Elle n'osait croire que ces paroles contenaient le sous-entendu qu'elle espérait. Le regard de l'homme dans lequel elle se songeait plus qu'à se fondre ne lui était d'aucune aide ; il ne trahissait rien de ce qu'il pensait ou voulait.

— Vous pouvez attendre ici. Ou m'accompagner, ajouta-t-il après une pause, courte mais délibérée.

— Pour ? s'entendit-elle demander.

Apparemment, le super canon avait entre autres pouvoirs celui de griller tous ses neurones encore vaillants. Jamais elle n'aurait posé cette question stupide, sinon. Peu importait pour quoi faire du moment qu'elle avait la possibilité de continuer à le reluquer en bavant d'envie ! Et cette option était le minimum envisageable.

Un sourire quasi démoniaque ourla les lèvres définitivement magnifiques du géant qui abandonna sa porte pour s'approcher d'elle. Presque aussi près qu'elle le voulait. Son parfum l'enveloppa, fatalement viril, mêlant cuir, vétiver et tabac. Définitivement envoûtant.

— Eh bien... je suis ouvert à toute suggestion.

Le timbre grave empli de promesses érotiques sembla pénétrer par tous les pores de sa peau pour se faufiler loin en elle, la posséder.

— Toutes ? releva-t-elle d'une voix altérée tandis que ses genoux se muaient en gelée et que sa combustion se poursuivait allègrement.

Il hocha la tête. Son regard quitta celui d'Annette pour se promener avec une lenteur étudiée sur ce que son manteau ouvert lui permettait d'entrevoir, puis sur ses jambes, avant de remonter vers son visage. Le petit voyage avait allumé quelque chose dans ses yeux. Une sombre gourmandise. Totalement immorale. Absolument impudique.

— Vous n'êtes pas aussi sage que vous en avez l'air, décréta-t-il, sûr de son fait.

Cette déclaration valant reconnaissance rassura Annette qui recouvra un peu d'aplomb.

— Non, confirma-t-elle. Pas le moins du monde.

S'inclinant sur elle, le géant écarta une courte mèche brune ondulant sur son front, puis effleura sa joue. Le bout de ses doigts suivit l'ovale délicat de son visage, geste empreint d'une douceur assez surprenante de la part d'un homme possédant des mains capables de la briser sans le moindre effort. Seigneur ! Ses mains ! Magnifiques, grandes, puissantes... De larges anneaux en platine cerclant ses pouce, index et annulaire semblaient vouloir confirmer son côté mauvais garçon...

Annette adorait cela, rêvait déjà de ses doigts parcourant son corps. Elle en avait des frissons partout.

— J'aime les vilaines filles, lui confia-t-il. Tu cries ? enchaîna-t-il tout bas, les yeux rivés sur sa bouche.

— Oui, souffla-t-elle spontanément, un peu surprise par la question très directe et personnelle... et déjà certaine qu'il avait le pouvoir de lui soutirer bien plus que des cris.

Un son doux et grave lui parvint aux oreilles, comme le roulement d'un tonnerre encore lointain alors que les yeux du géant s'embrasaient. Annette aurait juré voir de vraies flammes s'élever au cœur de ses pupilles.

Inclinant légèrement la tête sur le côté, il approcha son visage du sien, ne s'arrêtant que lorsque ses lèvres effleurèrent les siennes. Annette ne tenta pas de voler le baiser qu'elle souhaitait. À l'éclair qui traversa les iris du géant, elle comprit qu'il en était étonné mais satisfait.

— Et je griffe, ajouta la jeune femme dans l'intention claire et assumée de le provoquer.

Bingo !

Un sourire qu'elle aurait qualifié de carnassier ourla la bouche du jeune homme tandis que ses yeux se réduisaient à deux fentes, le faisant précisément ressembler à un énorme tigre.

La satisfaction qu'il retirait de la situation se lisait sur son beau visage.

— Viens, articula-t-il d'une voix sourde en la saisissant par le poignet.

Chapitre 5

Cette fois-ci, Sophia avait bel et bien pénétré la quatrième dimension. Il lui sembla même entendre la musique de la célèbre série américaine résonner dans son esprit.

Ce qu'elle découvrait derrière la petite porte anonyme était si déroutant qu'il lui fallut quelques secondes pour s'en remettre.

Elle s'était attendue à un bureau à la mesure du château et de son propriétaire, une pièce intimidante et luxueuse. Un cabinet avec une hauteur sous plafond ridiculement élevée par exemple, des murs garnis de bibliothèques gigantesques et précieuses chargées de livres anciens non moins inestimables, un bureau de ministre, des fauteuils club, un bar proposant de la fine champagne et non pas du whisky, un lieu fleurant le cuir, le papier et la cire d'abeille…

Au lieu de quoi, Sophia venait de pénétrer dans un jardin, très probablement celui dont elle avait remarqué le dôme de verre depuis l'extérieur.

Immédiatement enveloppée par la douce chaleur parfumée y régnant, elle n'en frissonna pas moins. Son saisissement n'avait pas chassé son léger malaise. Il semblait même vouloir se confirmer. Sa peau se hérissa. Elle détestait son impuissance à déterminer la cause de son indisposition : l'avalanche de

surprises, son anxiété ou cette soudaine sensation d'être observée à son insu peut-être ? Elle leva les yeux vers la coupole
dont la voûte immense se situait bien des mètres au-dessus
d'elle, totalement inaccessible même en grimpant sur le plus
haut des arbres, nota-t-elle incidemment. Qu'espérait-elle au
juste ? Que les nuages lui disent quelque chose ? Lui délivrent
un message, un secret ? Lui expliquent ce qu'elle fichait là ?

Tsss.

Un rayon de soleil perça alors la nébulosité des nuages et
frappa le verre qui, à la manière d'un prisme, décomposa la
lumière, nimbant l'air d'un voile arc-en-ciel quasi surnaturel.

*Ben tiens ! Les lieux n'auraient pas été assez extraordinaires
sans cela !*

Était-ce la réponse des cieux ? *Mais bien sûr.*

Quoi qu'il en soit, le maître des lieux n'était pas là. Sophia
se réjouit de ce sursis. Et si personne ne l'attendait, elle ne se
sentait pas seule pour autant.

La serre dont elle ne voyait pas les limites était bien plus
que cela ; elle ressemblait à une immense jungle exotique. Une
oasis de verdure dans un écrin de pierre... Une récursivité
évoquant un reflet de ce qu'était le château au sein de son
parc. Son cœur. Devait-elle considérer ce jardin d'hiver comme
le jardin secret de son hôte ? Un moyen simple et délicat de
montrer qu'il n'était, peut-être, pas celui dont il donnait
l'image mais précisément son opposé ? Pourquoi lui faire une
telle révélation, aussi intime ? Tous deux ne se connaissaient
ni d'Ève ni d'Adam.

Sophia avait du mal à croire que Nahash puisse faire preuve
d'autant de délicatesse et de subtilité. Elle n'était pas certaine
d'en avoir envie non plus. Se raccrocher à son portrait détestable la tranquillisait.

Quelque peu incommodée par la tiédeur des lieux désormais, Sophia fit glisser son sac à dos de son épaule et se débar-

rassa de son manteau. Calant sac et vêtement au creux de son bras gauche, la jeune femme fit quelques pas vers la végétation. Luxuriante, elle déployait une débauche de couleurs, exhibait les talents de Mère Nature sans aucune vergogne. Impudique. Mais pas choquante.

La verdure s'étendait pratiquement à perte de vue au point de donner l'impression d'envahir tout l'espace. S'y perdre devait être très facile. Fort heureusement, un chemin de dalles de marbre se séparant en trois au bout de quelques mètres avait été prévu.

La jeune femme baissa le nez sur ses chaussures. Elle se trouvait précisément à la naissance de la fourche et eut la désagréable sensation d'être soudainement confrontée à l'une de ces situations oniriques consistant à être enfermé dans une pièce comportant plusieurs portes closes. À elle de choisir la bonne. Y en avait-il seulement une ?

Puisqu'il fallait choisir, à moins de vouloir prendre racine à son tour, Sophia opta pour le chemin s'ouvrant sur sa droite. La dextre avait la réputation d'être affectée au bien, songea-t-elle alors qu'elle s'engageait sur le sentier.

Deviendrait-elle superstitieuse ?

Mais non !

À moins que cela ne vienne de sa conviction que suivre cette voie lui éviterait de tomber sur Nahash.

N'étant pas botaniste, Sophia aurait été bien en peine de faire la distinction entre les différentes variétés de plantes qui l'entouraient. À vrai dire, elle ne reconnaissait rien. Absolument rien. Pas une seule espèce, pas la moindre feuille, le plus petit pétale. Concluant qu'il devait s'agir d'une collection d'arbres, arbustes et fleurs exotiques rarissimes, Sophia se laissa éblouir par leurs teintes vives ou moins vives, la délicatesse de certaines fleurs, la forme curieuse de certaines feuilles. Ses yeux et son cerveau furent bientôt saturés de couleurs, de formes, de beauté.

Sa visite solitaire eut au moins le mérite de dissiper son malaise. Était-ce la sérénité et la magnificence des lieux, le fait d'envisager comment elle les aurait photographiés ? Elle l'ignorait, mais le résultat était là.

Sa promenade la mena jusqu'à une fontaine qu'elle faillit bien ne pas voir à cause de la végétation et dont elle perçut avant tout le clapotis apaisant. La pierre blanche du bassin avait capitulé devant la détermination de plusieurs plantes grimpantes et s'était laissé prendre dans leur étreinte sauvage et désordonnée.

Ce jardin était certes artificiel, mais la nature y avait tous les droits. Et elle n'hésitait pas à les reprendre.

*

Sam venait de vivre des heures singulièrement éprouvantes. Et Dieu savait qu'elle en avait compté de nombreuses. Jusqu'ici, il avait souffert à peu près tout ce qu'il était humainement possible de ressentir. Ou presque, car il y avait eu bien peu de doux moments ou d'émotions en mesure de compenser l'enfer qu'était devenue son existence.

Solitude, frustration, douleur physique et morale, espoir systématiquement déçu avaient été son lot quotidien. À chaque instant, de jour comme de nuit, depuis une éternité.

De bien opiniâtres compagnons qui ne le quittaient jamais, ou si rarement, si profondément gravés dans sa chair et son âme et depuis tellement longtemps que Sam doutait pouvoir s'en défaire un jour.

Ils avaient pourtant cédé du terrain ce jour-là... à l'impatience. Sam en avait presque le vertige et le cœur sur le point d'exploser tant il se sentait mieux, presque bien.

Ce n'était pas la seule émotion l'animant.

Persuadé que la photo de sa carte professionnelle ne lui rendait pas justice, Sam n'en avait pas moins conclu en toute objectivité que Sophia était l'une des plus extraordinaires qu'il ait jamais vues.

D'une manière générale, son intérêt pour la gent féminine s'était limité à ce qu'elle pouvait lui apporter d'un point de vue charnel.

Avec Sophia, c'était différent. Il avait été foudroyé sur place.

Bon sang ! Elle était…

Sam n'était même pas certain de posséder les mots pour exprimer à quel point Sophia lui plaisait. Il était déjà pratiquement raide dingue d'elle.

Lorsqu'il avait entendu sa voix au téléphone – un doux timbre d'alto que des modulations sensuelles rendaient éminemment érotique –, Sam avait reçu ses mots comme autant de caresses. Ils avaient atteint aussi bien son esprit que sa chair. L'exquise douleur qui en était née lui avait enflammé les reins.

Sam voulait percevoir un signe dans la beauté de Sophia et ce qu'elle provoquait chez lui, une preuve aurait-il aimé pouvoir dire, s'ajoutant à celles qu'il avait déjà décelées, en observant ses œuvres notamment.

L'impatience de Sam, celle de peut-être voir arriver la fin de son calvaire, enfin, celle d'approcher Sophia aussi, n'avait amoindri ni ses dispositions ni son goût pour la mise en scène. Toutefois, la raison pour laquelle il avait souhaité la rencontrer dans son jardin d'hiver plutôt que dans son bureau ou tout autre pièce de la demeure tenait moins de ce petit travers que de son désir de la regarder évoluer au sein d'un univers qu'il affectionnait tout particulièrement. Il voulait observer sa réaction, mais aussi prendre son temps pour la découvrir. Il ne tenait pas non plus à se trouver sous le coup d'une émotion trop forte lorsqu'il l'approcherait. Il ne se faisait aucune confiance…

Sam s'était donc fondu parmi la végétation de la serre pour attendre Sophia.

Dès qu'elle était apparue – car il s'agissait bien d'une apparition –, il en avait pratiquement eu les larmes aux yeux. Et quand elle était passée près de lui, il n'avait fallu qu'une seconde à l'évidence pour lui sauter aux yeux et au corps. La révélation s'était manifestée par une vibration lorsqu'elle s'était approchée de lui. L'onde d'énergie s'était propagée dans sa chair telle une vague porteuse d'une délicieuse euphorie et d'un apaisement longtemps convoité.

Sophia était la solution à son mal.

Une si belle solution.

Sa si désirable solution.

Plus que dans ses espoirs les plus fous. Sophia n'était pas seulement jolie, ravissante, charmante ou même séduisante. Elle était belle, dans l'acception la plus pure du terme.

Sam n'osait croire à sa chance. Il n'en avait eu que rarement au cours de sa vie et craignait de se réveiller, que ce rêve merveilleux prenne fin.

Victime d'un authentique choc, Sam l'avait suivie sans un bruit, presque pistée, restant à couvert de la végétation. Lorsqu'elle s'était arrêtée près de la fontaine, il avait encore pris le temps de la contempler. Hypnotisé par sa chevelure flamboyante mise en valeur par la verdure qui l'entourait, il avait été submergé par une folle envie la rejoindre, de dénouer sa tresse lâche pour y plonger ses doigts, y enfouir son visage et s'enivrer de sa douceur, de son parfum. De réchauffer son âme à sa chaleur. Ce désir relevant plus de la ferveur que d'une réelle appétence charnelle n'avait pas toutefois pas tardé à se muer en une convoitise terriblement mâle, ou beaucoup moins chaste, quand son regard avait parcouru sa silhouette.

La tempérance n'étant pas son trait de caractère le plus marqué ni une vertu qu'il prisait du reste, Sam s'y était pourtant contraint. Toujours ébranlé par ce qu'il venait de comprendre, exalté, il n'avait pas d'autre choix. Le risque de l'effrayer et la faire fuir était trop grand et surtout à l'opposé de ce qu'il voulait.

Se maîtriser lui avait demandé un effort surhumain réquisitionnant toute son énergie et même de lutter contre sa propre volonté lui intimant l'ordre de l'approcher, la séduire et surtout ne jamais la laisser partir. Jamais !

Cela avait été compter sans cette faim dévorante qui avait enflammé ses veines, qui l'avait presque submergé. La bête sommeillant en lui depuis si longtemps s'était instantanément réveillée. Alléchée, affamée, elle n'avait pas voulu se laisser dompter, avait bataillé contre ses chaînes et contre lui. Seule l'assurance de meurtrir la jeune femme si elle se libérait maintenant, ou trop tôt, l'avait incité à renoncer, mais de mauvais gré. Et momentanément. Désormais ranimée, elle n'aurait de cesse de veiller et œuvrer pour obtenir ce qu'elle convoitait le plus au monde.

Il y avait un hic pourtant. Et de taille. Quelque chose que n'importe qui n'aurait pu que trouver logique ou normal, mais que Sam ne pouvait s'empêcher de qualifier de mauvais augure.

Dans son esprit, eu égard à ce qui les liait, Sophia aurait dû percevoir sa proximité lorsqu'elle était passée non loin de lui. Mais elle ne s'était même pas arrêtée, n'avait rien senti apparemment. Sam avait refusé de s'alarmer, songeant qu'elle ignorait encore qui elle était vraiment. Mais il avait pris conscience qu'il lui faudrait se montrer patient, et à bien des titres.

Car Sam n'avait aucune certitude non plus que Sophia se laisserait approcher, *le* laisserait l'approcher.

Il était cependant déterminé à la séduire et la garder près de lui. Tout serait bon pour y parvenir et il savait posséder des armes de persuasion particulièrement efficace.

L'histoire ne le disait-elle pas ?

La première chose qu'il aurait à affronter serait probablement sa propre réputation, cette image odieuse qu'il s'était façonnée pour correspondre à celle que la grande majorité des gens se faisait d'un individu tel que lui. Elle ne plaiderait pas en sa faveur, il le savait. Ils étaient peu nombreux à voir au-delà. Si peu à vouloir le faire.

Elle saurait voir, se rassura-t-il. Sophia n'était pas n'importe qui. Elle était *sa* Sophia, son alliée, son ange à la voix enchanteresse et au corps de déesse...

*

Aussi agréable sa flânerie soit-elle, Sophia commençait quand même à trouver le temps long. Et à reprocher à son hôte de la faire poireauter, ce qu'elle n'était pas loin de prendre pour un manque de respect flagrant, voire un caprice de star. Un grief supplémentaire pour alimenter la piètre opinion qu'elle avait déjà de lui.

Faute de savoir quoi faire d'autre, elle s'intéressa à ce qui l'entourait, notamment cet arbre auprès duquel elle s'était arrêtée. Là encore, elle ignorait à quelle espèce il appartenait. Parmi ses belles feuilles ovales, luisantes et d'un vert éclatant, elle repéra des fruits ressemblant à de toutes petites pommes vertes. Ils en avaient d'ailleurs un peu l'odeur aussi. Une agréable senteur de reinette un peu citronnée lui parvenait aux narines. Très tentant.

Sophia tendit la main.

— Je serais toi, je n'y toucherais pas, articula une belle voix de baryton-basse juste derrière elle.

La jeune femme hoqueta de saisissement et ramena sa main contre elle, la pressant contre sa poitrine. Elle se retourna, aussi anxieuse qu'impatiente d'enfin découvrir qui se cachait derrière le nom de Sam Nahash.

Si le timbre mâle et profond était pour autant que la surprise dans la façon quelque peu erratique dont battait son cœur, ce qu'elle découvrit ensuite se chargea de le faire s'emballer, phénomène s'accompagnant d'une soudaine sensation de chaleur.

Ses yeux se posèrent sur un torse. Nu, ou presque. Son propriétaire n'ayant pas jugé utile de boutonner sa chemise, Sophia eut tout loisir de laisser son regard errer sur une affolante surface de peau dorée sous laquelle ondulaient des muscles magnifiquement ciselés. La jeune femme ne songea même pas à s'offusquer d'être reçue dans cette tenue. En réalité, elle aurait été même prête à remercier le possesseur de cette peau hâlée de lui permettre de la lorgner. Elle se contraignit pourtant à faire remonter son regard vers le visage de son vis-à-vis plutôt que l'autoriser à aller fureter vers l'équateur. Il dut s'élever haut, l'homme était grand. Le chemin s'avéra captivant. Trop. Elle se surprit à serrer les poings pour empêcher ses mains de se tendre d'elles-mêmes et toucher cette peau qu'elle devinait fabuleusement douce, effleurer la légère toison claire ombrant à peine ces pectoraux admirables.

Comme si elle n'avait pas déjà assez chaud et n'était pas suffisamment éblouie par ces merveilles, ses découvertes suivantes furent tout aussi affolantes.

Après avoir glissé sur un menton agrémenté d'une craquante petite fossette, puis des lèvres pleines merveilleusement dessinées, ses yeux rencontrèrent deux iris prodigieux. Elle cilla, s'imaginant peut-être qu'alors le sortilège dont elle était victime prendrait fin. Mais non. Ce qu'elle voyait existait bel et bien.

Ce regard chatoyait de plusieurs teintes, fauves et chaudes. Une couronne presque cuivrée cernait les pupilles, et ce n'était plus qu'un or pâle qui se confrontait à l'ambre profond du pourtour. Fabuleux. À croire que la nature s'était déchaînée pour faire de ce spécimen-là un modèle unique. Bien entendu, cela ne suffisait pas. Il fallait une touche supplémentaire de merveilleux pour parfaire cette œuvre d'une incroyable beauté. Sophia décela quelques paillettes mordorées dans les iris ambrés ; elles se mirent à miroiter d'un éclat sombre, comme sous la caresse d'un feu improbable.

Dire que Sophia parvint à se remettre du choc aurait été mentir. Elle réussit toutefois à se reprendre un peu et sa première pensée presque cohérente fut de regretter s'être moquée de la réaction d'Annette face au géant un peu plus tôt. Elle espérait cependant ne pas arborer un air aussi béatement stupide que celui de sa copine. *Mouais...* Autant souhaiter qu'un pommier porte des grenades.

Sophia mourait de chaud, avait les joues en feu et cela n'avait rien à voir avec son amour-propre un brin malmené. À tous les coups, quelqu'un venait de régler le thermostat de la serre sur tropical. Une goutte de sueur dévala sa colonne vertébrale pour aller chatouiller le creux de ses reins.

S'arrachant finalement au regard singulier pour dévisager l'homme qui ne pouvait qu'être son rendez-vous, poussée à cela par la bienséance plus que par une envie réelle de le faire, la jeune femme nota qu'il ne devait pas être beaucoup plus âgé qu'elle. Ses cheveux très légèrement ondulés, châtains s'éclairant çà et là de mèches presque blondes, descendaient un peu plus bas que ses épaules. Pour le reste, il n'y avait pas grand-chose à dire. Ses traits fins et virils à la fois étaient une harmonie parfaite sinon idéale de douceur et de force. Son visage n'évoquait pourtant en rien les canons antiques ou académiques. Sublimes imperfections... L'angle de sa mâchoire était juste un brin trop marqué et son menton un rien trop carré, et la commissure de ses lèvres s'incurvait naturellement vers le haut, même lorsqu'il ne souriait pas comme en cet instant.

La croyance voulait que cela trahisse une nature taquine.

Sans doute.

Sophia aurait plutôt dit qu'une telle bouche appelait des baisers, doux et tendres, coquins, sensuels...

Sophia déglutit pour réprimer un soupir conquis, mais ne cessa pas pour autant de le contempler. Quelques mèches retombaient sur son front ; elle se vit les écarter du bout des doigts pour dégager son visage.

Elle n'en fit rien naturellement. Néanmoins, la jeune femme fut troublée par l'impression, presque une certitude, qu'il l'aurait laissé faire, qu'il s'y attendait, qu'il le désirait.

Tu délires, ma fille !

Voilà ! C'était cela. Empoisonnée par l'essence de l'une des plantes étranges qui l'entouraient, elle délirait. À sa décharge, tout concourait à la perturber.

Après l'ange déchu qu'elle avait quitté un peu plus tôt, celui-ci faisait figure de séraphin. Sauf que cette mine angélique n'était indubitablement pas un gage de sûreté. Quelque chose brûlait en lui. Une subtile ignescence, séduisante, paisible et rassurante. Terriblement attirante. Redoutable.

Comment était-elle supposée garder son sang-froid ?

Des pensées rien moins que lascives prenaient vie dans sa tête. Comme ça, spontanément, juste en regardant sa bouche ou en imaginant la douceur de ses cheveux et de sa peau sous ses doigts.

Où lui faudrait-il poser les yeux pour être en sécurité ?

Ailleurs.

Sophia ne s'était certes pas attendue à se retrouver nez à nez avec un homme aussi charismatique. Cela faisait tellement longtemps qu'elle n'avait pas approché d'hommes – et certainement pas un spécimen comme celui-là –, qu'elle se sentait extrêmement vulnérable, état qu'elle ne goûtait guère. Regrettant de ne pas s'être préparée à l'éventualité qu'il soit tout sauf repoussant, se maudissant pour sa bêtise par la même occasion, la jeune femme s'arma tant bien que mal pour ne pas succomber. Pour ne pas succomber plus.

Animée d'une espèce de perversité qu'elle ignorait receler, pour la première fois, Sophia souhaita être vraiment belle. Pour n'être pas la seule à être subjuguée.

— Cet arbre est un mancenillier, l'informa Nahash de sa remarquable voix profonde, coupant court à ses pensées... non ! à ses divagations.

Son regard brilla d'une lueur malicieuse que Sophia ne s'expliqua pas.

— Tout en lui est hautement toxique, poursuivit-il. Moi en revanche, je ne le suis pas, alors si tu veux toucher, fais-toi plaisir, ajouta-t-il, son ton mêlant suffisance et provocation.

Quelle épouvantable arrogance !

Sophia n'osait croire qu'il venait de dire cela. Bon, OK, elle crevait d'envie de le toucher, et aussi de faire plein d'autres choses très intéressantes avec lui, mais ce n'était pas une raison.

Voilà qui douchait son ardeur. Et de belle façon encore ! En plus, elle n'était pas certaine qu'il n'était pas à l'image de cet arbre, justement : toxique.

La nature regorgeait de créatures splendides affreusement venimeuses, de plantes magnifiques extraordinairement vénéneuses, de beautés dangereuses...

Il était clairement de celles-ci.

Si, de son côté, elle avait souffert de sa beauté, cet homme aux apparences d'archange était conscient de la sienne et s'en félicitait honteusement. Pire, il savait en jouer et ne s'en privait pas. La jeune femme n'osait imaginer le nombre de ses victimes, ces proies convoitées et subjuguées ou dédaignées et oubliées.

Sophia n'était pas un parangon de vertu, loin de là. Et si l'attitude qu'elle-même avait adoptée pour se protéger de la concupiscence des hommes n'était pas nécessairement la meilleure, celle de cet homme révélait un ego surdimensionné. Quant à son caractère, elle en ignorait encore tout, mais était à peu près certaine de ne pas l'apprécier. Surtout si morgue et insolence escortaient cette suffisance.

Pour un peu, la jeune femme l'aurait remercié de lui rappeler d'emblée grâce à ces quelques mots qui il était, et surtout qu'elle n'était pas là pour se laisser séduire par un impudent personnage.

Sophia fit un pas en arrière pour se soustraite à l'attraction que cet homme exerçait sur elle. Peine perdue. Mais il n'avait pas besoin de le savoir. Elle se contraignit donc à lui opposer le plus professionnel des détachements.

— Monsieur Nahash, je présume ? articula-t-elle d'un ton à peine aimable, s'obligeant également à soutenir son regard.

La jeune femme espéra qu'il ne verrait pas dans le sien l'impact de sa beauté presque insupportable sur elle. Elle pouvait se montrer distante. Mais saurait-elle cacher un désir aussi inopportun qu'évident contre lequel elle ne pouvait pas grand-chose ?

— Sam, corrigea-t-il dans un murmure en s'inclinant vers elle, ses yeux ambrés l'enveloppant de leur chaleur.

Un mot. Un seul. Le son d'une caresse sur de la soie.

Plus envoûtée qu'elle ne l'avait été au téléphone, plus qu'elle ne l'aurait souhaité également, Sophia frissonna, fut incapable de s'en empêcher. Toutefois, peu disposée à lui consentir cette familiarité, elle croisa ses bras sur sa poitrine pour dissimuler la trahison intempestive de son propre corps.

Elle aurait dû choisir un bon gros pull informe et non celui qu'elle portait, bien trop fin et épousant un peu trop fidèlement ses formes.

Sophia se retint de reculer encore, se sentant de taille à affronter ce mâle superbe. Faisait-elle preuve d'arrogance à son tour ? Non. Seulement d'une prudente diplomatie. Une nécessité également. Restait à voir si cela suffirait à la protéger contre le danger qu'il représentait clairement. En fait, si Sam Nahash était un danger, il était surtout un piège que l'on avait pris la peine d'entourer de tout un tas de panneaux indicateurs clignotant afin de prévenir les plus imprudentes.

Combien étaient-elles à en avoir tenu compte ?

— Puis-je t'appeler Sophia et te tutoyer ? sollicita-t-il rétroactivement, ramenant sa conscience à la réalité, à lui.

— Si je vous dis non, ça changera quelque chose *Monsieur Nahash* ? répondit-elle avec la claire intention de le contrarier.

Un muscle tressauta sur la joue de Sam, signe qu'il l'était. La satisfaction de Sophia n'eut pas le temps de s'épanouir, la riposte ne tarda pas.

— Non, murmura-t-il, se penchant encore sur elle.

Un tout petit peu, mais cela fut suffisant pour que la jeune femme retienne sa respiration.

— Sophia, ajouta-t-il dans un grave chuchotement suave.

Jamais personne n'avait prononcé son prénom ainsi, avec cette espèce de... de ferveur sucrée ! Il semblait prendre du plaisir à l'articuler. Autant qu'elle à l'entendre ?

Sa voix était du velours ; son inflexion, une caresse presque intime. Le timbre profond s'unissait merveilleusement à son charme et son charisme, coalition ensorcelante donnant l'impression à la jeune femme qu'*il* se lovait autour de la proie qu'elle avait la sensation d'être devenue, l'enveloppait de sa présence. Sophia en fut profondément troublée. Au creux de son ventre, quelque chose sembla vouloir se dilater et se contracter en même temps.

Elle devait donc impérativement détourner la conversation de toute connotation personnelle. Pour bien faire, elle aurait dû mettre plusieurs mètres entre eux également, mais cela aurait été une incorrection à même de provoquer un incident diplomatique.

— Je vous remercie d'avoir accepté de me recevoir, enchaîna-t-elle, regrettant toutefois que sa voix ne soit pas plus ferme.

Manifestement, il n'avait aucune intention de tenir compte de la distance qu'elle essayait de mettre entre eux et ne se redressa pas. Pire, le bougre avait profité de ce qu'elle parlait pour approcher son visage du sien. Elle aurait aussi bien pu lui demander de l'embrasser. Au moins, elle aurait été certaine d'être exaucée.

Aussi flattée soit-elle par son intérêt apparent, aussi tentée soit-elle également, Sophia ne pensait pas que cela soit une bonne idée. Déjà, parce qu'elle ne mélangeait jamais travail et vie personnelle, pour peu qu'elle en ait une. Mais plus encore, elle avait peur de baisser sa garde. Et puis, il s'agissait de Sam Nahash. Elle ne devait surtout pas l'oublier !

Oublier quoi ?

— Quelle était la troisième question ? lui demanda-t-il tout bas au lieu de répondre à sa politesse.

De quoi parlait-il ? Sophia avait du mal à le suivre et fronça les sourcils.

Son esprit était devenu un nid douillet, tiède et moelleux ; sa conscience voulait s'y lover pour une petite sieste. Assoupissement dont assurément Nahash profiterait pour parvenir à ses fins sans qu'elle songe à protester. Elle serait même capable d'en redemander.

Non !

Lutter contre l'attirance qu'il exerçait sur elle lui fut désagréable, presque douloureux tant Sophia avait la sensation de batailler contre elle-même. La présence de Sam, sa chaleur, son parfum légèrement citronné, la clarté solaire de son regard la grisaient. Elle se retint d'inspirer profondément et de fermer à demi les yeux, abandon dont elle avait pourtant envie.

Nahash était si près d'elle qu'elle pouvait percevoir son énergie mâle attirer la sienne et inversement, inéluctablement, comme deux forces opposées se reconnaissant et n'aspirant qu'à la complétude. Une attirance presque primaire, ou primordiale. Naturelle.

— Quelle question ? demanda-t-elle, inclinant inconsciemment la tête en arrière en une acceptation encore plus inconsciente d'un baiser, avant de se souvenir de quoi il retournait. Oh, je... C'est sans importance, assura-t-elle.

Ses joues se colorèrent. Elle avait presque honte d'avoir ne serait-ce que pensé la lui poser tant c'était déplacé. Jusqu'à preuve du contraire, Sam s'intéressait à son travail, d'où sa présence chez lui, même s'il semblait la trouver à son goût. À moins qu'il ne s'agisse tout simplement de ses manières habituelles avec les femmes.

— J'insiste.

Oh, ça oui, il avait l'air du genre tenace. Un soupçon de malice côtoyait la détermination dans son regard, mais son ton était la résolution même. Sophia craignit donc qu'il ne change pas de sujet avant d'avoir obtenu sa réponse. Malheureusement, elle n'avait toujours pas envie de répondre.

— Je vous assure que c'était complètement futile, tenta-t-elle.

Sam inclina légèrement la tête. Leurs lèvres étaient si proches que si Sophia bougeait, elles se frôleraient. Il fallait à tout prix empêcher qu'une telle chose ne se produise.

L'imminence du contact lui donnait sensation d'être maintenue délibérément sur le fil du rasoir, jusqu'à ce qu'elle prenne une décision, ou bascule. Sophia refusait de décider quoi que ce soit.

Esquiver le baiser de cet homme prodigieusement attirant serait assurément s'exposer à une frustration intense. Y consentir reviendrait à renier tous ses principes. En peu de temps, elle avait été témoin de la suffisance de Nahash et faisait actuellement les frais de ses talents de manipulateur.

Il n'était pas besoin d'être grand clerc pour deviner que si elle ne se décidait pas, lui le ferait pour elle. Car Sam Nahash semblait être accoutumé à obtenir tout ce qu'il voulait quand il le voulait. Une très mauvaise habitude !

La jeune femme allait se faire un devoir sinon un plaisir de le lui faire remarquer. Elle n'avait pas prévu de recevoir une leçon.

Manifestement, elle avait grandement méjugé de sa capacité à résister à une tentation telle que Nahash.

Chapitre 6

La satisfaction que Sam retirait à la proximité de Sophia baignait son corps d'une chaleur à la fois douce et trop intense. Sa chair lui donnait la sensation de fourmiller de vie et de contentement, d'être parcourue de milliers de petites décharges électriques, d'agaçants picotements sensuels. Ce lien intime entre douleur et plaisir le troublait, l'excitait. L'impatience qui l'habitait alliée à l'assurance qu'il en serait libéré d'ici peu lui était elle aussi délicieusement douloureuse. Suffisamment pour l'inciter refréner un peu ses ardeurs et prendre son temps afin de goûter tout ce que la jeune femme avait à lui offrir. Ces délectables sensations qu'il avait oubliées et qu'elle ressuscitait. Et peut-être même d'autres, inédites. Elle seule était capable de cela.

Aussi exquis cela soit-il, aussi ensorcelant soit son délicat parfum fleuri imprégné de sa féminine fragrance ou son envie de l'embrasser, c'était le grand regard sombre de Sophia qui fascinait Sam. Plus encore que sa beauté. Il brillait à la manière de paisibles ténèbres, profondes et bienfaisantes, un ciel nocturne dépourvu d'étoiles où il rêvait de plonger, voulait se perdre, pour la retrouver elle et reprendre ce qui lui avait été si ignominieusement arraché.

C'était là. Si proche. Sam le voyait, le percevait. Accessible, mais encore endormi.

Il ferait tout pour l'éveiller.

Existait-il un meilleur moyen qu'un baiser pour ce faire ?

Ses yeux glissèrent jusqu'à la bouche de Sophia, inexorablement attirés par ce fruit charnu et velouté. Une gourmandise créée spécifiquement pour lui et qu'il crevait d'envie de goûter.

La force qui le poussait vers elle, magnétique, quasi cosmique, entrait dans l'ordre des choses. C'était lutter qui semblait contre nature. Il n'en avait pas plus la force que la volonté.

Sophia était trop belle, trop désirable. Comment résister une seconde de plus alors qu'il attendait depuis si longtemps et qu'elle était enfin là ? Devant lui. Superbe.

Tellement elle et surtout tellement sienne.

Elle l'ignorait encore. Lui en était terriblement conscient.

Cédant à l'irrépressible tentation, Sam se pencha sur Sophia et l'embrassa. Presque. Son baiser n'en était pas vraiment un. Ses lèvres ne faisaient encore que câliner les siennes. Ce fut suffisant pour la faire frissonner et baisser la garde. Ce faisant, elle faillit bien lui faire perdre la tête, simplement en décroisant les bras car une de ses mains effleura son ventre. Une caresse infime et furtive, involontaire, presque un accident, mais une caresse lui faisant entrevoir toutes les délices qu'elle avait le pouvoir de lui faire ressentir.

Ressentir... un verbe dont il avait oublié le sens, dont il avait oublié jusqu'à l'existence.

Sans trop savoir s'il s'agissait de reconnaissance ou de représailles, Sam accentua la pression de sa bouche sur celle de la jeune femme.

De la gratitude !

Bordel !

Souples et veloutées, tièdes, vibrantes de vie, ses lèvres sous les siennes étaient un pur bonheur, un ravissement manquant de peu de le faire gémir.

Non ! Des représailles !

Elle ne gémissait pas.

Une question qu'il allait se faire un devoir de régler.

Se servant de son corps et de son baiser pour repousser Sophia contre le tronc d'un jeune manguier, Sam prit son visage en coupe. Un chaste contact qui finit de le bouleverser. Douce et tiède, sa peau était comme de la soie, une soie vivante ; il sentait son pouls battre sous le bout de ses doigts, percevait son sang courant dans ses veines. Cette tendre vitalité dont il avait tellement besoin s'insinua en lui, ardente, un cadeau qu'elle ignorait lui offrir.

La douceur quelle qu'elle soit ne lui était pas familière. Ne l'était plus depuis si longtemps qu'il avait oublié à quel point elle était délectable, combien il aimait cela. Combien il était en manque. Ravivé, ce souvenir ressurgit brutalement pour se faire carence, un vide à même de l'engloutir tout entier. Affamé de sensations, de contact et de chaleur, Sam se fit plus lourd contre Sophia.

S'il ne l'avait pas déjà été, Sam se serait damné pour le seul plaisir de l'embrasser, pour le bonheur de sentir leurs corps s'épousant parfaitement, la rondeur de ses seins pressés sur son torse, ses cuisses contre les siennes. Et mille fois de plus pour la tenir nue entre ses bras.

À cette évocation, un nouveau gémissement se bloqua dans sa gorge. Ses yeux se révulsèrent derrière ses paupières mi-closes.

Comme si elle percevait sa détresse, Sophia entrouvrit les lèvres, l'autorisant à obtenir plus.

Ce ne fut pas un souffle de vie qu'elle lui insuffla, encore que, mais une dangereuse invitation qu'elle lui proposa.

Risquée parce que s'il l'acceptait, Sam n'était pas certain de pouvoir s'en tenir à un baiser, ni à deux. Ni à trois. Ce qui grandissait en lui, moins rapidement mais aussi sûrement que son sexe qui ne cessait de durcir et poussait désormais contre la toile de son jean, n'avait rien d'aussi innocent que quelques baisers. Rien d'inoffensif.

L'hésitation de Sam ne dura qu'une seconde à peine ; il insinua sa langue entre les lèvres de la jeune femme trouvant immédiatement le velours humide de la sienne venue à sa rencontre. Exquis rendez-vous lui arrachant un grondement sourd auquel un doux gémissement répondit.

Ce fut cette plainte tant espérée, cet écho si érotique, érotiquement doux, qui le fit vraiment sombrer.

L'univers de Sam bascula, se résumant exclusivement et en une fraction de seconde à Sophia. Il se nimba de brumes rouges, celles de l'impatience, du sexe et de la passion, de la possession et de la possessivité, les isolant du reste du monde. Du reste du cosmos.

Conscient que ses mains avaient abandonné le visage de la jeune femme pour se glisser dans sa chevelure et l'empoigner, Sam ne l'était pas de la vigueur avec laquelle il s'était pratiquement arrimé à elle. Ni de la fougue avec laquelle il dévorait sa bouche ou de la force avec laquelle il la retenait prisonnière. Dénuée de romantisme ou de délicatesse, cette étreinte aussi désespérée qu'égoïste n'était toujours pas un baiser. Elle n'était qu'une ancre. Sophia était son île, sa vie, son étoile, l'une des deux forces l'ayant porté jusqu'ici et aidé à ne pas baisser les bras en dépit de tout.

Elle était là. Elle était à lui.

Le corps de Sam le lui hurlait et réagit à une vitesse fulgurante, brutale. Prêt à servir. À la servir. Comme elle le voudrait. Il n'avait pas de préférence. Seulement une exigence : que ce soit pour le reste de ses jours.

S'abandonnant à sa frénésie sensuelle, Sam ne maîtrisait plus rien. C'était Sophia qui détenait tous les pouvoirs, y compris celui de le rendre encore plus dingue. N'importe quel homme aurait été terrifié à l'idée que sa santé mentale dépende du bon vouloir d'autrui. N'importe quel homme, mais pas Sam lorsqu'il s'agissait de Sophia. À dire vrai, il s'en félicitait presque.

En tout cas, au moins jusqu'à ce qu'elle le touche. Le brûle.

Sam se serait volontiers laissé consumer dans le brasier que son étreinte avait allumé en lui. Il aurait même goûté avec plaisir une nouvelle volée des flèches que le désir décochait partout dans sa chair, dans ses reins, son ventre, son cœur. Mais il abhorrait les flammes auxquelles elle le voua en posant les mains sur lui, à plat sur son torse nu, pour le repousser de toutes ses forces.

Non !

Il s'arracha à leur étreinte, littéralement, avec cette affreuse sensation de s'être changé en un arbre contraint de se déraciner lui-même. Un supplice lui soutirant une grimace amère qui se fit plus douloureuse encore lorsqu'un éclair de souffrance fusa sous son crâne, occultant brièvement sa vision.

Supposant à juste titre que son regard s'était modifié sous le coup de la frustration et de la colère qu'elle engendrait, Sam n'osa pas l'imposer trop directement à la jeune femme de crainte de la terrifier. Peut-être un signe qu'il n'avait pas encore totalement perdu la raison.

Fermant à demi les yeux, il les riva sur la bouche de Sophia, sur ce minuscule et charmant grain de beauté déposé par la nature au coin de sa lèvre supérieure plus précisément. Sam n'avait jamais rien vu d'aussi excitant et de touchant à la fois. L'envie de reprendre sa bouche manqua de le submerger. Il serra les dents à s'en briser les mâchoires pour s'en défendre.

S'il n'avait su à quoi s'en tenir ou s'il s'était pris à espérer, Sam aurait pu penser que le souffle un peu court de Sophia devait tout au baiser qu'elle avait décidé d'interrompre. Mais cette respiration haletante n'était que la manifestation d'une crainte, au diapason de celle qu'il avait surprise dans ses yeux écarquillés après qu'elle l'eut repoussé. Ses pires songes rôdaient désormais dans ses prunelles sombres : le rejet, la peur et peut-être même la haine.

Diable ! Il haïssait cette nuit-là.

Loin de le ramener à la raison ou de l'inciter à se battre pour changer les choses, son angoisse le tira un peu plus vers le fond, comme cette main malveillante des cauchemars qui vous empêchait de remonter à la surface et vous attirait vers des abysses glacés. Des profondeurs où, se nourrissant de sa vulnérabilité, erraient les démons de Sam. Une fois sur leur territoire, leur échapper semblait impossible. Il pouvait essayer. Sam tenta de se défaire de leur emprise, avec pour résultat un accès d'une espèce de psychose atypique faisant se côtoyer deux facettes de son caractère. Ce fut la première, rebelle et impétueuse, qui agit et domina la seconde, dévouée, tendre et aimante, la contraignant à être témoin de leur déchéance à toutes deux aux yeux de Sophia.

Libérant une de ses mains, Sam la referma en un poing vengeur ; il s'éleva pour s'abattre sur le tronc de l'arbre, juste au-dessus de la tête de la jeune femme qui glapit de surprise et de frayeur.

— Non ! tonna-t-il.

Sophia se raidit contre lui et écarquilla encore plus les yeux, lui offrant l'abjecte opportunité d'y lire les dégâts occasionnés par son comportement. Il n'y pouvait rien. N'y put rien. C'était trop tard, le mal était fait.

Du fond de son esprit, monta l'écho d'une plainte, aux harmonies de regrets et de remords. Elle ne franchit pas ses lèvres. Des mots le firent.

— Ne me repousse pas ! Jamais !

Son poing s'abattit à nouveau sur l'arbre en guise de point d'exclamation.

Ne s'agissait-il pas plutôt d'une menace ?

Sophia l'ignorait. En revanche, elle savait qu'elle n'avait pas repoussé Sam. Pas vraiment. Ce n'était pas non plus ce qu'elle avait réellement souhaité. Mais les choses allaient un peu trop vite. Non pas qu'elle n'ait jamais été embrassée fougueusement. Jusqu'ici, elle n'avait jamais rencontré un homme tel que lui. Et aucun baiser ne lui avait fait tourner la tête au point d'être prise de vertige, au point de ne plus savoir si elle devait le repousser ou au contraire de se livrer totalement. Aucun baiser ne lui avait donné l'impression d'être possédée tout entière et comprise. Aucun ne l'avait mise dans cet état, un état qu'elle n'avait pour ainsi dire jamais connu non plus. Avec quiconque.

En temps normal, sa libido n'était ni capricieuse ni boudeuse. Mais là... elle était carrément à la fête. Pas une fois elle ne s'était mêlée de lui dicter ses décisions ou ses actes ni même été capable d'anéantir toute sa volonté. C'était pourtant exactement ce qui avait failli se passer il y avait de cela quelques secondes, brisant ses belles résolutions et gommant l'affreux tableau qu'elle avait brossé de Sam. Sur la toile redevenue vierge, son désir avait déposé des teintes douces, chaudes et séductrices, rehaussant l'esquisse qu'il avait lui-même ébauchée de cet homme splendide.

Honnêtement, avant son coup d'éclat, Sam aurait pu exiger d'elle tout ce qui aurait pu lui passer par la tête. Sophia aurait accepté. Avec le sourire, sans la moindre honte ou le plus petit scrupule. Elle se sentait fiévreuse. Sa peau la brûlait, sa chair aussi. Ses vêtements lui étaient devenus une prison intolérable, l'irritaient comme si elle y était devenue allergique. Le seul contact qu'elle avait désiré avait été celui des mains de Sam sur sa peau nue, celui de sa bouche, son sexe profondément enfoui en elle.

Jusqu'à cela, ces deux coups de poing qui ne l'avaient pas touchée mais auguraient de la violence du jeune homme.

Réaliser à quoi elle avait peut-être échappé si elle avait laissé les choses aller plus loin lui avait fait l'effet d'une douche froide, désagréable mais salvatrice. Encore que Sam n'aurait sans doute pas réagi ainsi si elle n'avait pas hésité. Toutefois, quelqu'un capable de décocher des coups de poing sous le coup de la frustration, fût-ce à un arbre, était susceptible de le faire aussi sur une personne. Et Sophia méprisait ces êtres, hommes ou femmes, qui, au prétexte qu'ils le pouvaient, utilisaient la force pour broyer une fleur dans leurs mains, casser une branche, blesser une écorce. Briser une créature.

Le mépris n'était cependant pas la réponse appropriée. Pas lorsque vous étiez retenue prisonnière contre un arbre par le corps puissant d'un homme dangereux. Pas lorsqu'il vous retenait captive avec l'une de ses mains empoignant encore vos cheveux, cette situation fût-elle le vestige d'un instant de passion. Et puis, il y avait cette persistance chez lui à fixer sa bouche. Sophia trouvait cette attitude quelque peu perverse. Dérangeante en tout cas, parce qu'à nouveau elle eut l'impression qu'il guettait le moindre faux pas chez elle. Par prudence, elle préféra se taire. Ce qui en aucun cas ne signifiait qu'elle renonçait à se défendre. N'envisageant pas une seconde d'endosser le costume d'une victime, elle rêvait de pouvoir se transformer en abeille, inoffensive en apparence mais capable de piquer.

Terriblement consciente de n'être pas encore tirée d'affaire, Sophia savait devoir agir avec autant de tact que possible pour se sortir du guêpier où elle s'était fourrée. Enfin…, celui où Sam l'avait attirée.

Un véritable défi ! Il n'était manifestement pas en état de faire la part des choses. Pas ou plus. Elle s'interrogeait encore.

— Tu es à moi, murmura-t-il d'une voix étonnamment douce eu égard à son éclat précédent, mais des paroles assurant

86

à Sophia qu'en définitive, elle se serait très bien passée d'éclaircissements.

Encore une fois, elle s'était attendue à presque tout venant de lui, mais certainement pas à ça.

Que pouvait-il y avoir de plus effrayant qu'un homme persuadé que vous lui apparteniez ?

Un peu comme s'il avait senti son sang se glacer dans ses veines, Sam parut se calmer. Ce n'était peut-être qu'une impression en réalité, mais lorsqu'il bougea contre elle, provoquant un infime frottement de son corps sur le sien, une troublante reptation, cela lui donna la sensation qu'il voulait se montrer tendre et poursuivre son entreprise de séduction. Sa chaleur sembla s'insinuer en elle, comme s'il voulait se fondre en elle et la faire fondre, elle, par la même occasion.

— Je t'attends depuis une éternité, alors n'imagine pas pouvoir m'échapper maintenant, ajouta-t-il, sans toujours daigner la regarder dans les yeux.

Oh si ! Elle l'imaginait parfaitement, et ce fut précisément, dans un accès de peur née directement de ces derniers mots, ce qu'elle tenta de faire en se tortillant pour essayer de se dégager. Gage qu'elle possédait un instinct de survie comme tout un chacun, mais aussi une preuve qu'il n'était ni adapté à la situation ni performant face à cet homme.

La main que Sam avait jusqu'ici laissée contre le tronc de l'arbre à quelques centimètres de sa tête descendit se poser sur son épaule, presque délicatement. Puis ses doigts se refermèrent, avec juste assez de fermeté pour la faire se crisper.

Sophia n'aimait pas les menaces d'une manière générale, et détestait particulièrement celles qui n'étaient que sous-entendues.

Témoin et victime de Sam, le pauvre arbre n'avait pas moufté sous les coups de poing.

Sophia, elle, le fit.

— Lâchez-moi, gronda-t-elle entre ses dents serrées.

— Jamais.

Un tout petit mot qui en disait long. Beaucoup trop long. Parce que Sam lui avait insufflé une terrifiante assurance.

Le tressaillement de peur anticipée de Sophia lui donna l'impulsion nécessaire pour sa seconde tentative de dérobade. Vaine entreprise et essai lui valant de sentir les doigts de Sam raffermir leur prise sur son épaule, son corps dur et puissant l'écraser plus encore, et, incidemment, de constater que son ire n'amoindrissait en rien ses dispositions vis-à-vis d'elle.

— Assez, ordonna Sam affreusement doucement, mais visiblement à bout de patience.

Une colère sans nom luisait dans ses yeux. Brûlante, elle irradiait littéralement de son regard devenu par ailleurs froid et implacable. Le contraste était saisissant et la choquait plus que sentir son érection s'incruster dans son ventre. Sans doute née de ce choc thermique, une sourde vibration s'insinua en elle, la pénétra si profondément pour aller serpenter tout au long de ses terminaisons nerveuses qu'elle tressaillit derechef.

— Je ne vous appartiens pas, tenta-t-elle.

Le stress altérant son souffle ne lui avait autorisé qu'un filet de voix. Elle n'avait pas besoin de crier. Sam avait parfaitement entendu, enregistré et intégré ses mots.

— Oh si.

Sophia se figea.

Cet homme était profondément perturbé, voire carrément cinglé. Il était persuadé de ce qu'il disait ; Sophia le lisait dans ses yeux où elle décela également qu'il s'attendait à ce qu'elle se réjouisse de l'avoir trouvé, lui.

Sophia ne se réjouissait de rien du tout. Elle était juste à la lisière de la panique.

Épouvantée à l'idée d'être tombée aux mains d'un sociopathe doublé d'un sadique, la jeune femme sentit ses entrailles se nouer. Elle fit de son mieux pour dissimuler sa peur. Si elle laissait entrevoir la moindre faiblesse, elle était fichue.

Avec un peu de chance, perdu dans sa folie, il n'avait perçu que sa stupéfaction et sa rébellion.

Là encore, c'était mésestimer les facultés de Sam, tout dément soit-il.

Le jeune homme semblait éprouver une certaine satisfaction à ce qu'il lui imposait. Et ce fut avec une lenteur loin de trahir une démence mais sinistrement vicieuse qu'il acheva de lui couper toute retraite. Lui laissant croire qu'il la libérait et qu'elle faisait les frais d'une très mauvaise blague, ses doigts relâchèrent un peu leur étreinte ; ils rampèrent, remontant lentement jusqu'à son cou où ils s'arrêtèrent. Sophia sentit son pouce se désolidariser des autres pour aller effleurer l'angle de sa mâchoire.

Seigneur !

Elle aussi pétait les plombs.

Elle n'aurait clairement pas dû trouver ce contact aussi agréable, ni aussi tendre. Ni frissonner sous cette caresse lui donnant envie de blottir sa joue contre sa main douce et chaude.

Allez dire ça à son corps idiot ! Idiot, en manque et sourd à la peur qui la submergeait !

L'autre main de Sam, toujours enfouie dans ses cheveux, n'imita pas sa jumelle et les empoigna plus férocement encore. Sophia n'en éprouva aucune douleur, mais ne put empêcher ses yeux de s'embuer. Pourquoi aimait-elle lorsqu'il faisait cela ?

Sam s'inclina sur elle ; son regard remontant lentement de ses lèvres à ses yeux. Une fièvre presque malsaine brillait désormais dans ses pupilles largement dilatées.

Il n'allait quand même pas essayer de l'embrasser à nouveau ? Si ?

Sophia le crut un instant, mais Sam s'immobilisa bien avant que leurs bouches ne se rencontrent. Sans doute voulait-il s'assurer qu'elle était tout ouïe, attentive et concentrée sur lui.

Elle l'était, à tel point qu'elle se retrouva sous l'emprise du regard de Sam. Envoûtant.

Depuis quand un crotale hypnotisait-il ses proies ?

Car c'était bel et bien à un reptile que le jeune homme lui faisait penser en cet instant. Lent et vicieux dans l'approche, des réserves de patience et de ruse afin que sa victime ne réalise le danger qu'une fois qu'il était trop tard, quand l'attaque survenait avec une prodigieuse vitesse de frappe ou juste après la morsure. Sauf que Sam avait déjà frappé et passait à l'étape suivante. Dans le monde animal, elle correspondait au moment où la proie était dévorée toute crue. Dans celui du jeune homme... Qui pouvait savoir ? Parce que, ce qu'il essayait de faire désormais, avec ses yeux dorés, était d'anesthésier l'hostilité de sa proie. Pensait-il sincèrement y parvenir ?

— Tu me crois fou, n'est-ce pas ? susurra-t-il. Je te fais peur.

Ce fut là que Sophia réalisa pleinement avoir bel et bien été touchée. Il était trop tard. Ce n'était pourtant pas un poison létal qu'il lui avait inoculé. Plutôt une dose de pentothal neutralisant ses forces et sa volonté, car elle se sentit s'amollir et hocha la tête spontanément, sans quitter le regard de Sam toujours rivé au sien, si intense que c'en était douloureux.

— Et tu crois que je vais te faire du mal ?

À nouveau, Sophia acquiesça silencieusement.

— C'est bien possible, répondit-il avec un déplaisant sourire.

Un voile tomba sur ses iris, comme si déjà il se projetait dans ce futur-là pour se délecter de ce qu'il lui infligerait. Puis son regard redevint clair.

Empêchée de croiser ses bras contre sa poitrine par leur corps toujours collés l'un à l'autre, Sophia serra les poings en une vaine tentative pour maîtriser le tremblement de ses mains.

— Je n'en ai aucune envie, poursuivit Sam, plus doucement, comme s'il s'en excusait. Mais c'est déjà le cas n'est-ce pas ?

Au moins en était-il conscient. C'était presque rassurant. Presque.

— Et ça se produira chaque fois que tu me résisteras. C'est une fatalité, ajouta-t-il.

Le destin avait bon dos. Que répliquer à cela ?

Dans une tentative désespérée pour le ramener à un semblant de raison, et par là même sauver sa peau, Sophia s'essaya à un peu de diplomatie.

— Sam, soyez raisonnable, se risqua-t-elle à répondre dans un souffle après avoir pris une profonde inspiration pour se donner du courage et empêcher sa voix de chevroter.

— Je ne peux pas.

Il n'eut pas l'air de le regretter.

— Pourquoi ?

— Tu me rends fou.

Elle avait bien fait de poser la question. Vraiment ! C'était sa faute, maintenant !

— Tout ceci est ridicule, soupira-t-elle. Vous ne pouvez pas…

— Ridicule ? explosa-t-il.

Sophia sursauta.

Sous ses sourcils froncés, le prodigieux regard de Sam brillait d'éclats si métalliques qu'elle craignit un instant de recevoir des esquilles d'or dans les yeux.

— Tu es à moi, répéta-t-il.

— Dans ce cas, comment se fait-il que je ne sois pas au courant ? ne put-elle s'empêcher de répondre.

Sa raillerie n'eut pas l'heur de plaire à Sam. Et s'il sembla se calmer à nouveau, devenir extrêmement sérieux plus exactement, son égarement n'en restait pas moins effrayant. L'instabilité parée du masque du discernement était peut-être encore plus perturbante que celle laissée à nue.

— Tu le sais déjà, répondit-il. Mais tu as oublié.

La jeune femme refusa formellement de demander des détails sur ce point. Déjà parce que cela aurait signifié qu'elle croyait ses affabulations. Ensuite, parce qu'elle ne voulait pas l'entendre lui exposer comment il comptait s'y prendre pour lui rendre cette supposée mémoire, même si elle le lisait déjà dans son regard devenu étrangement tendre et passionné.

Éperdu ?

— Vous vous trompez, riposta-t-elle, prenant soin cette fois de s'exprimer calmement afin de donner plus de poids à ses paroles. Je n'appartiens à personne. Je ne sais rien de vous et le peu que j'en ai appris ne m'incite absolument pas à vouloir en savoir plus, ajouta-t-elle pour que les choses soient bien claires.

— Tu mens, gronda Sam entre ses dents serrées. Je sais que je te plais. Je suis le mâle parfait, le meilleur des amants et le compagnon idéal.

L'insupportable suffisance de cet individu suffoqua tellement Sophia que toute crainte de ce qu'il pourrait lui faire et sa folie avérée furent imprudemment reléguées au second plan. Ça et le fait qu'il avait raison sur au moins un point. Elle lui en voulut à mort d'avoir mentionné son attirance pour lui.

— Vous êtes un grand malade ! aboya-t-elle.

Au temps pour la diplomatie et la réserve.

Au point où elle en était dans l'échec de ses négociations, Sophia pouvait aussi bien se démener une troisième fois pour se dépêtrer des filets Sam. Ce qu'elle ne manqua pas de faire comme un beau diable. Se dégager de ses mains lui apparaissait comme vital, car, si elles la maintenaient aussi sûrement que son corps contre le tronc rugueux de l'arbre, elles occasionnaient surtout un contact lui devenant plus insupportable à chaque seconde qui passait. Elle avait la certitude que lorsqu'elle en serait enfin débarrassée, sa peau conserverait les traces de ses doigts. *Elle* serait marquée d'un sceau impie. Ainsi, tout le monde pourrait voir, croire, qu'elle portait sa griffe, lui appartenait...

Lui pourrait le voir et en serait satisfait.

Peine perdue. Elle avait beau gesticuler et le frapper, son emprise était totale. Il ne bougea pas d'un millimètre et ne sembla pas ressentir ses coups.

— C'est une chose établie. Je suis cinglé. Rien d'autre à m'apprendre ?

Déstabilisée par cette réponse articulée d'un ton redevenu calme et presque moqueur – autre signe de sa folie ou signe d'un trouble autre, au choix –, la jeune femme ouvrit la bouche pour répliquer.

— Si, je vous déteste, grinça-t-elle, se faisant un devoir de souligner cette vérité par un regard furibond.

— Tu sais que c'est faux. Tu ne peux pas me haïr.

Quelle tendre affection il y avait dans ce reproche !

— Bien sûr que si ! s'exclama-t-elle spontanément. Maintenant, lâchez-moi.

— Non.

Les épaules de Sophia s'affaissèrent. Elle se sentait si lasse tout à coup, abattue, perdue. Pessimiste, mais pas encore vaincue.

— Laissez tomber, soupira-t-elle. Je ne serai jamais à vous.

— Jamais ?

Le temps paru s'arrêter, comme si le sort de l'univers tout entier dépendait de sa réponse. Sam lui-même semblait la craindre. Son regard était presque redevenu lumineux ; il y brillait une lueur qu'elle fut bien en peine d'interpréter. De l'espoir peut-être ? C'est sans doute la raison pour laquelle Sophia ne fit que la murmurer. Anéantir une espérance n'était ni facile ni agréable.

— En aucun cas.

La jeune femme attendit que le monde s'écroule, se préparant à une pluie de météorites et de sang, des tremblements de terre, une éclipse et tout le toutim.

Rien ne survint.

Rien de cataclysmique.

Rien de *visiblement* cataclysmique.

*

La réponse de Sophia résonna longtemps aux oreilles de Sam, s'étirant pour emplir son esprit de sa signification, l'imprégner et provoquer bien plus de dégâts que si elle n'avait fait que le traverser. Ses vibrations se répercutaient contre les parois de son crâne pour replonger *illico* dans les méandres de son cerveau, donnant naissance à un vortex sans fin à même de le happer.

Puis quelque chose explosa dans sa tête.

Son âme se disloquait.

Sam était bien placé pour savoir qu'une âme était réceptive à la douleur au même titre de n'importe quel organe. Sa vue se brouilla sous le coup de la souffrance, un supplice ressemblant beaucoup à la pire des migraines multipliée par mille. Luttant contre un puissant haut-le-cœur, il prit une profonde inspiration. Si la douleur n'opéra qu'un modeste retrait, la terrible colère qui l'avait submergé lorsque Sophia l'avait repoussé fut remplacée par l'horreur.

Ses propres mots avaient été une abomination.

Qu'avait-il fait ?

Le comprendre, l'instant suivant, revenir à la raison, la sienne du moins, comme lorsque l'on se réveille en sursaut au beau milieu d'un mauvais rêve, ne lui fut d'aucune aide, pas même une piètre consolation. Le cauchemar était devenu sa réalité.

Il avait tout foiré, œuvré pour ruiner d'emblée toutes ses chances de garder près de lui celle qu'il voulait plus que n'importe qui, avait terrorisé la femme qu'il désirait, menacé l'être le plus précieux qui soit à ses yeux. Et, cerise sur le gâteau, il avait pratiquement révélé à Sophia les véritables raisons de sa présence chez lui. Ce qui signifiait que si, par miracle, elle passait l'éponge sur son odieuse attitude, jamais elle ne voudrait affronter la démence qu'il lui avait si brutalement exposée.

Il était bel et bien maudit.

S'il y avait eu un moment, *un seul*, dans son existence où il aurait dû faire l'effort de dominer sa nature et être plus fort qu'elle, celui-ci venait juste de s'enfuir, avec trois petits mots en guise de coda. Impossible de réécrire la partition ou de corriger les fausses notes. Rattraper ces quelques minutes écoulées était aussi impossible, elles étaient déjà loin.

Le temps n'avait jamais été son allié de toute façon. Acoquiné à son tempérament pour former le plus malfaisant des duos, il s'était même révélé son ennemi intime. Le maître d'un complot parfait.

Cela faisait un moment déjà qu'il était devenu fou, mais Sam découvrait qu'à l'instar de la douleur, il existait à l'identique autant d'échelons à sa folie.

Jusqu'ici, le mal qui le rongeait, ce poison torturant son corps et dénaturant son caractère avait à peu près épargné son âme. Cela faisait si longtemps que cela durait que Sam s'y était presque habitué, développant ruses et stratégies pour y survivre. Seulement, maintenant que le bouclier de l'espoir ne remplissait plus son office, il craignait le pire.

Rien n'était plus effrayant qu'une espérance détruite, piétinée, lacérée. Rien n'était plus douloureux.

Ne lui restait donc qu'une seule chose à faire.

Sam libéra Sophia puis recula d'un pas.

— Je suis désolé, murmura-t-il.

Des mots à peine audibles, mais d'une sincérité absolue.

Après un ultime regard à Sophia, reflétant autant son désespoir que ses regrets et ses remords, il se détourna et s'éloigna.

Chapitre 7

Adossée au tronc de l'arbre qu'elle n'était plus très loin de considérer comme un ami puisqu'il l'avait soutenue et la soutenait encore, Sophia observa Sam disparaître parmi la végétation.

La première chose que fit la jeune femme fut de croiser les bras, vaine parade contre le froid et le stress la faisant trembler. La seconde, de soupirer profondément. La troisième…

Elle aurait dû s'abstenir de s'essayer à cet exercice-là, se réjouir d'être entière et de n'avoir finalement éprouvé qu'une belle frousse. Et surtout, elle aurait dû profiter immédiatement de sa liberté recouvrée pour déguerpir.

Mais, *primo*, ces dernières ne la portaient pas encore suffisamment pour tenter le coup, et *secundo*, elle avait l'impression d'avoir été clouée à son arbre par le regard que Sam lui avait lancé avant de lui tourner le dos. Certaine qu'il la hanterait pour un bon moment, elle ne cessait de se perdre en conjecture à son propos. Et c'était précisément à cette activité hautement dangereuse, et en l'occurrence infiniment absurde et assurément idiote, qu'elle aurait dû éviter de s'adonner.

Après ce qu'il venait de lui imposer, elle devait avoir perdu tout sens commun pour vouloir essayer de deviner l'origine de la terrible douleur qu'elle avait vue dans ses yeux et surtout comprendre pourquoi celle-ci l'avait si profondément affectée.

Son empathie naturelle n'avait pas dû saisir qu'elle aurait dû rester en veille pour ce genre de type.

Alors pourquoi son esprit se décarcassait-il sans son accord pour tenter de comprendre Sam, voire trouver des excuses à son comportement ? Parce qu'il avait dit être désolé ? Parce qu'il lui plaisait ? … plaisait énormément ?

C'était loin d'être suffisant et très loin d'être acceptable.

Sam l'avait manipulée, retenue contre son gré, terrorisée et pratiquement menacée de s'en prendre physiquement à elle. Sans oublier qu'il avait agi comme le pire des butors, tenant pour acquis qu'il avait le droit d'en profiter.

C'était peut-être cela qui la hérissait le plus.

La loterie de la nature l'avait faite femme et belle ; Sophia l'était jusqu'au bout des ongles. Et si elle convenait avoir un physique harmonieux, encore qu'elle ne soit pas la mieux placée pour en juger, la gent masculine, elle, avait toujours été d'un avis sensiblement plus enthousiaste.

Aussi unanime soit-il, ce jugement n'avait rien de bénéfique non plus, car il semblait conférer un droit aux hommes : celui de la considérer comme un attribut dont *ils* pouvaient s'enorgueillir.

La jeune femme avait rapidement compris que son intérêt, à leurs yeux, se limitait trop souvent à ce qu'elle pouvait apporter à leur vanité de mâle ou leur ego social lorsqu'elle était à leur bras ou dans leur lit. S'ils l'avaient pu, certains l'auraient collée dans une vitrine d'exposition pour ne l'en sortir qu'en cas de besoin ou d'urgence. Sans parler de ceux que sa beauté terrorisait. Et bien entendu, il y avait cette catégorie d'hommes qui, prenant son physique comme prétexte, la collait d'office dans la catégorie des idiotes finies ou celle des salopes pour peu qu'elle ne soit pas intéressée.

Pour le reste, mieux valait taire l'opinion de certaines femmes à son sujet...

Sophia aurait pu se moquer de tout cela, vivre en ne se préoccupant que de ce dont elle avait besoin ou envie. Seulement il y avait le doute, cette affreuse bestiole rampant toujours à la lisière de ses pensées lorsqu'un homme la regardait avec envie. Sophia refusait de n'être qu'attirante ou réduite à une image. Cette seule idée la révulsait.

Sur le plan privé, la vie de Sophia était donc un fiasco total, son cœur persistant à demeurer une citadelle dédaignée et son corps restant un temple que les disciples ne fréquentaient que rarement et jamais deux fois de suite. Elle s'était un temps résignée et contentée de s'offrir des aventures sans lendemain. Jusqu'à ce qu'elle en ait assez et en vienne finalement à bannir définitivement le sujet « Homme » de son vocabulaire, et leurs représentants de son lit. Une mesure de protection loin d'être réjouissante et surtout une source d'une frustration qui durait depuis quelques années déjà.

Réduite à rêver un bonheur devenant de plus en plus improbable à mesure que le temps passait, la jeune femme souffrait de ce vide. Bien plus qu'elle ne le laissait voir ou voulait se l'avouer. Car en dépit de tout et trahie par sa fibre romantique, une rescapée se cachant derrière un voile de pudeur, elle rêvait souvent qu'un mec fait pour elle existait quelque part. Un homme qui ne la verrait pas comme un objet décoratif. Un homme qui la voudrait pour ce qu'elle était, aimerait ses imperfections autant que ses qualités parce qu'elles contribuaient à faire d'elle la femme qu'elle était vraiment, au même titre que le reste. Un homme qui se ficherait de sa taille de bonnet – si cela était concevable – et voudrait partager quelque chose avec elle au-lieu de profiter de ce qu'elle avait à offrir.

Et cet homme n'était pas Sam Nahash, même si, pour une mystérieuse raison, il lui avait donné envie d'être belle. La plus belle. Et sienne. Il l'avait dévorée des yeux comme s'il l'attendait depuis toujours, l'avait touchée et embrasée comme personne, embrassée comme personne non plus, fougueusement, divinement et...

Stop !

Sam était beau, sexy en diable, terriblement attirant, et tout et tout, soit. Mais il était aussi arrogant, capricieux, agressif, violent et complètement frappadingue.

Conclusion...

Le silence baignant le jardin d'hiver fut perturbé par des bruits sourds et réguliers, rupture détournant momentanément Sophia de son raisonnement. Essayant de ne pas en tenir compte, la jeune femme cessa toutefois de fixer le vide pour lever les yeux vers la frondaison des arbres et arbustes l'entourant.

Conclusion, elle...

Le retour du silence, aussi abrupt que la survenue du tapage, la dévia tout aussi efficacement de ses pensées tant il lui sembla préluder à autre chose de pire.

Un rugissement s'éleva, grave, lointain, se muant peu à peu en une longue plainte ressemblant à s'y méprendre à celle d'un animal blessé.

Dans l'esprit de Sophia, il ne faisait aucun doute que Sam en était à l'origine. Ce qui signifiait qu'il devait encore se trouver dans la grande serre. Donc, elle devait vider les lieux dare-dare.

Enfin ! Elle retrouvait son bon sens !

Agir sans réfléchir était parfois l'attitude la plus salutaire qui soit.

Sophia avait cependant oublié un paramètre important.

Si, au début de sa promenade dans le jardin, elle avait prêté attention à la route qu'elle empruntait, cela n'avait plus été le cas lorsqu'elle s'était laissé charmer par son environnement.

Si bien qu'après avoir récupéré son manteau et son sac qu'elle avait laissés glisser à terre juste avant que Sam ne l'embrasse, elle s'engagea sur le mauvais sentier.

À moins que le jardin n'ait été un monde enchanté doté d'une volonté propre – comme celle de la faire se perdre par exemple –, il y avait quand même peu de chance pour que ce chemin la mène partout sauf là où elle voulait aller : la sortie.

Elle était bien dans un monde enchanté.

Au pays d'Oz peut-être ?

Au détour d'un coude décrit par le sentier de marbre blanc, et non une route de briques jaunes, qu'elle ne quittait pas des yeux dans sa fuite, elle déboucha dans un cul-de-sac.

Sophia s'immobilisa.

Elle n'était fort heureusement pas tombée sur Sam. La jeune femme savait pourtant qu'il était là, quelque part, ou du moins qu'il était passé par ici. Elle ressentait l'empreinte de sa présence, comme si les eaux troubles de sa folie, tel un prolongement de son corps, l'avaient repérée et ciblée. Elle scruta la végétation pour le cas où il se serait caché dans les environs. En vain.

Sophia jeta un coup d'œil aux lieux qu'elle découvrait. Comme si elle n'avait rien de mieux à faire, ni rien de plus urgent !

Déguerpir par exemple.

Sa curiosité finirait vraiment par lui jouer un bien vilain tour. *Ce jour était peut-être arrivé*, songea-t-elle. Mais elle avait déjà eu droit à sa mauvaise surprise. Alors…

Le renfoncement où Sophia venait de déboucher semblait être l'une des limites du jardin d'hiver. L'antagonisme entre la délicatesse et le romantisme du décor et la personnalité du propriétaire de la demeure interpella la jeune femme. Le mur incurvé de la grande alcôve était percé d'une large baie donnant sur le parc et permettant à la lumière d'y entrer à flots. Un joli salon de jardin en fer forgé peint en vert pâle évoquant très fort le charme désuet d'antan cerné par des orangers et des citronniers faisait de cette plaisante petite véranda un endroit idéal pour lire une belle histoire en savourant une tasse de thé.

L'annonce d'un retour à la civilisation, espéra-t-elle, bêtement rassurée d'avoir pour une fois reconnu les végétaux. La route vers la liberté et sa vie tranquille...

Aussi charmant qu'ait été ce lieu, il ne l'était pas suffisamment pour l'empêcher de se remettre en marche. Malheureusement pour la jeune femme, cet endroit qu'elle avait de prime abord pris pour un petit coin de paradis, n'était pas non plus un lieu enchanté.

Pas dans l'acception positive du terme.

Ce jardin d'hiver était diabolique !

Après la quatrième dimension et le pays d'Oz, qu'elle commençait à regretter sincèrement, Sophia craignait désormais de se trouver plutôt dans un lieu maudit, comme la forêt de Blair par exemple.

Parce que le sentier qu'elle suivit la ramena à la véranda.

Un peu perplexe mais pas découragée pour autant, songeant qu'elle s'était tout bonnement trompée d'embranchement à un moment, la jeune femme repartit, marchant un peu plus lentement et plus que jamais concentrée sur sa route. Sans plus de succès qu'à sa première tentative. Une fois encore, elle se retrouva à son point de départ.

S'ils entamaient un tantinet sa patience, ces deux échecs successifs ne l'empêchèrent pas de persévérer. Cette fois-ci, au lieu de suivre l'un des chemins tracés par le marbre blanc, elle décida d'aller droit devant elle, autant que faire se pouvait eu égard à la végétation, se disant qu'elle finirait tôt ou tard par heurter un mur qu'elle n'aurait plus qu'à suivre pour trouver la porte, cela dût-il lui prendre des heures.

Foi de Sophia, elle serait plus forte que ce jardin !

Elle ne heurta aucun mur. Elle aurait préféré. Alors qu'elle approchait de l'alcôve pour la troisième fois, une surprise l'y attendait. Une mauvaise surprise.

Sam.

La jeune femme n'en fut pas moins choquée. Par sa présence d'abord, laissant à penser qu'il se fichait d'elle ou qu'elle faisait les frais d'une très très vilaine farce de sa part. Mais cela, c'était avant de réaliser que Sam ne paraissait pas se rendre compte de son arrivée et surtout semblait aller très mal.

Assis par terre, dos au mur, recroquevillé de la manière dont on représente traditionnellement un aliéné dans les films, la camisole en moins, genoux ramenés contre son torse et ses doigts empoignant ses cheveux, il se balançait d'avant en arrière sans se soucier que son crâne heurte le mur... ou recherchant cette douleur pour expulser ce qui le torturait.

Sophia sentit la peine l'étreindre. Profondément indisposée par cette posture, elle était attristée par le spectacle qu'il offrait. Elle détestait être témoin de la souffrance d'autrui. Même celle de cet homme.

Jetant un coup d'œil par-dessus son épaule, vers la liberté où qu'elle se trouve, Sophia décida d'abandonner Sam à son sort et d'oublier définitivement cette journée.

C'était ce qu'elle avait de mieux à faire. De mieux pour elle.

La jeune femme s'était complètement détournée et pratiquement remise en route lorsqu'une plainte se fit entendre. Le son s'étira et sembla s'enrouler autour d'elle avant de s'insinuer dans sa chair comme une supplique qui lui serait personnellement destinée. Probablement parce qu'elle était la seule cible possible dans les parages. Seulement, ce qui avait été au plus un pincement au cœur se mua presque en douleur ;

son muscle cardiaque paraissait pris dans un étau. La jeune femme tenta de ne pas en tenir compte, et fit pareil avec le sentiment de culpabilité pointant le bout de son nez.

Mais au nom de quoi se sentirait-elle coupable, à la fin ? Elle n'avait rien à voir dans le problème de Sam, quoi qu'il en dise ou en pense.

Se frottant machinalement le plexus solaire, Sophia lui jeta néanmoins un dernier coup d'œil.

La crise semblait connaître un pic. Des tremblements agitaient ses mains toujours agrippées à ses cheveux et sa tête heurtait plus fort la paroi à laquelle il était adossé. Les chocs répétés entamaient l'enduit blanc recouvrant le mur ; il s'effritait et retombait en une petite pluie minérale sur les épaules de Sam. Si cela évoluait, cet homme finirait par s'arracher des mèches entières et peut-être même se fracturer le crâne. La conscience de Sophia l'empêcha de se détourner de nouveau.

— Merde, grommela-t-elle pour elle-même.

Maudissant mentalement les scrupules l'incitant à ne pas l'abandonner dans un tel état, la jeune femme pivota sur elle-même, fit quelques pas dans sa direction puis s'arrêta. Par prudence, elle prit le temps de l'observer encore un instant avant de réduire l'espace entre eux.

Son attitude pouvait relever d'une ignoble ruse destinée à l'attendrir ou à la duper.

Sophia s'accroupit en face du jeune homme, respectant toutefois une distance de sécurité.

— Sam ? murmura-t-elle.

Il se figea, signe qu'il l'avait entendue. Mais il reprit son balancement.

— Sam, répéta-t-elle toujours doucement.

— Va-t'en, grogna-t-il hargneusement.

Sophia pinça les lèvres.

— Est-ce que je peux faire quelque chose ? demanda-t-elle sans tenir compte de l'injonction à vider les lieux. Voulez-vous que j'aille chercher votre ami ?

L'oscillation qu'imprimait Sam à son buste parut se ralentir.

— C'est toi que tu espères aider, asséna-t-il agressivement. Pas moi. Tu as peur pour ta conscience.

La jeune femme encaissa sans broncher ce qui n'était pas loin de l'exacte la vérité.

Sam souleva ses paupières. Comme s'il avait calculé son coup, ses yeux trouvèrent instantanément les siens. À la vue de ses pupilles totalement dilatées, leur noirceur courtisant l'ambre brûlant de ses iris, Sophia eut un mouvement de recul. Égaré, son regard était aussi injecté de sang. Ce fut la détresse qu'elle y décela alors et qui la fit grimacer, cette affliction dont elle ignorait tout, mais dont elle refusait d'être la cause.

Sophia commençait à se demander si, finalement, elle n'avait pas les moyens de lui faire perdre les pédales.

Non. Mille fois non !

La jeune femme ne pouvait se résoudre à admettre que ce qui arrivait à Sam était de son fait. Pas plus qu'elle n'accordait foi à ce qu'il avait allégué. Des mots gravés dans sa mémoire qu'elle s'évertuait pourtant à dépouiller de leur sens. Elle ne le connaissait pas.

Quoi qu'il en soit, en cet instant, Sam n'avait plus l'air d'un dément. Il ressemblait simplement à un homme qui souffrait. Et Sophia avait de plus en plus de mal à le supporter. Elle ne baissa pas la garde pour autant.

— Je n'ai rien à foutre de ta pitié, ajouta Sam fort à propos. Barre-toi.

Sophia n'était pas femme à recevoir des ordres, et encore moins à obéir à ce genre d'injonction, fût-elle l'expression de ce qu'elle aurait assurément dû faire. Cela résultait sans doute d'une témérité qu'elle n'imaginait pas receler.

— Ce n'est pas de la pitié, répondit-elle d'un ton neutre. Juste de l'incompréhension.

N'étant ni psychologue ni psychiatre, elle ignorait s'il était réellement dingue. Il est très facile d'invoquer la folie dès lors qu'un comportement ou une manière d'être vous surprenait ou ne correspondait pas au moule du plus grand nombre. Néanmoins, si Sam ne l'était pas, s'il n'était que perturbé par Dieu savait quoi, elle estimait quand même un peu fort de café qu'il lui impute son instabilité, rejette tout sur elle au prétexte qu'il était incapable d'accepter un refus.

À moins d'avoir été un gamin particulièrement difficile habitué à ce que l'on se plie à ses quatre volontés et par conséquent être devenu un adulte horriblement capricieux, Sam ne pouvait faire une telle crise simplement parce qu'elle l'avait repoussé. Son déséquilibre trouvait nécessairement ses racines ailleurs. Dans sa croyance d'une femme l'attendant quelque part, par exemple. Ou dans celle de n'importe quelle autre espérance du même acabit.

Peut-être lui avait-on trop lu de contes de fées dans son enfance et son esprit, malléable, avait-il alors pris les histoires pour argent comptant ?

Quand bien même, il aurait dû grandir. Beaucoup, sinon tous les mômes, croyaient au merveilleux, mais tous perdaient aussi leur foi en lui avec l'âge. Bien trop tôt et parfois trop complètement du reste, mais là n'était pas la question.

Ou alors, Sam était atteint d'un complexe de Peter Pan particulièrement virulent, associé à d'autres syndromes l'incitant à vivre dans une réalité qu'il aurait choisie.

Ultime hypothèse, cet homme pouvait aussi s'être échappé d'un asile, songea-t-elle. Ou y être déjà… Quoi de mieux qu'une telle demeure pour dissimuler l'existence d'un fils de grande famille devenu une honte pour les siens en raison de ses troubles. Cette pensée pour le moins flippante fit frémir

Sophia. Elle la rejeta. Bien que vivant reclus, Sam avait une vie sociale, ne serait-ce que par le biais de ses activités. Et si ses écrits étaient pour le moins dissidents, ils n'impliquaient pas nécessairement une démence. Tout au plus une originalité provocatrice.

Attentive, Sophia gardait les yeux rivés à ceux de Sam ; les ténèbres semblaient accepter d'y céder un peu de place à l'ambre, ce qu'elle interpréta comme un indice du léger reflux de la crise. L'espace d'une seconde, elle fut persuadée que sa présence aidait réellement le jeune homme. Mais elle rejeta cette idée complètement saugrenue. Sa proximité n'avait que détourné son attention.

— Qu'est-ce que tu fous encore ici ? s'entendit-elle reprocher.

Sophia haussa les épaules, déterminée à ne plus répondre tant qu'il serait grossier.

— Il n'y a rien à comprendre, souffla-t-il d'un ton laissant à penser qu'il n'avait pas vraiment envie qu'on l'aide.

Ses mains libérèrent ses cheveux. Enfin. Puis, il abaissa ses bras et posa ses avant-bras sur ses genoux repliés. Suivant chacun de ses mouvements, le regard de Sophia s'attarda sur ses mains blessées avant de retrouver le sien. Elle connaissait désormais l'origine des bruits sourds qu'elle avait entendus ; Sam avait dû expulser sa frustration ou sa colère en boxant un mur.

Sam l'observait, un peu trop fixement pour que cela ne trahisse pas la présence de ses fantômes juste sous la surface de sa lucidité.

— De quoi souffrez-vous ? demanda-t-elle.

— Pourquoi veux-tu le savoir ? Tu veux me soigner ?

Encore une fois, il y avait eu de l'agressivité dans son ton. Mais cette fois-ci, elle était accompagnée d'une bonne dose de provocation.

C'en était trop pour Sophia. Elle en avait plus qu'assez.

— Non, répondit-elle sèchement en se relevant.

Faisant volte-face, renonçant à lui demander son chemin puisqu'il en profiterait probablement pour l'envoyer se perdre ailleurs, Sophia se remit en route, plus déterminée que jamais à dénicher la fichue sortie de ce fichu jardin.

Cela aurait été trop beau !

Lorsqu'elle déboucha pour la quatrième fois au niveau de la grande alcôve, Sam n'était plus là. Tant mieux. L'humeur et le calme de la jeune femme ne s'en trouvèrent pas moins prodigieusement altérés.

Cette histoire était à devenir dingue !

Non seulement elle ne pouvait plus voir en peinture le charmant refuge auquel elle jeta un regard noir, mais surtout elle ne tarderait pas à céder à l'angoisse. Une belle grosse crise de panique dans les règles de l'art cette fois-ci.

Sophia n'était pas fragile psychologiquement, s'estimait même plutôt équilibrée, n'était pas plus névrosée que la moyenne, ni particulièrement froussarde. Cependant, la situation pour le moins étrange à laquelle elle était confrontée lui tapait vraiment sur les nerfs. Très probablement parce qu'en plus d'être réellement très étrange et déstabilisante, elle faisait remonter certaines de ses peurs du fin fond de son esprit, et plus spécialement celles liées à un cauchemar récurrent l'ayant tourmentée dans son enfance.

Dans ce rêve, elle cheminait dans une jungle immense, seule et perdue, avec l'affreuse certitude de l'être dans le sens le plus strict des deux adjectifs. Elle n'avait plus de parents, plus de grands-parents ni de cousins, de copines, personne à qui parler, se confier ou jouer. Personne se souvenant d'elle. Ne restaient plus qu'elle et la forêt. Histoire de corser un peu les choses, sa forêt onirique se faisait plus dense à chaque pas, jusqu'à gêner sa progression et au point de se refermer sur elle. En général, c'était à ce moment-là, juste avant que les plantes ne l'engloutissent, qu'elle se réveillait, en nage et le cœur battant, un cri bloqué au fond de la gorge.

La petite fille qu'elle avait été n'en avait pas pour autant nourri une aversion pour les forêts ou la végétation. Devenue jeune fille, Sophia avait même fini par oublier ce cauchemar, ou du moins n'y pensait plus et avait enfoui ces peurs.

Jusqu'à ce jour-là, dans ce maudit jardin où, contre toute logique, elle venait de se perdre une fois de plus.

À croire que ce fichu endroit avait une vie propre !

Dans un coin de sa tête, la part diablotine de sa conscience lui suggéra d'accuser Sam de ce qui lui arrivait. Surtout parce que l'idée de concevoir un lieu capable de perdre ses visiteurs ne pouvait naître que dans un esprit malade tel que celui de Sam. Les perdre et les rendre cinglés grâce à d'habiles jeux de miroirs ou des effets spéciaux. Elle l'imaginait en outre très facilement enclin à ce genre de basse vengeance vis-à-vis de celles l'ayant rejeté. Qu'avait-il fait ensuite de ces malheureuses ? Les avait-il accrochées au mur d'une pièce secrète du château comme des trophées de chasse ?

À moins qu'elle n'ait approché une plante hallucinogène ou toxique capable d'ôter leur sens de l'orientation à ses victimes…

Allez savoir ! Tout lui semblait possible désormais.

Tout, sauf que cela pût avoir un lien avec ce que Sam avait laissé entendre la concernant naturellement. Ça, ce n'était pas raisonnable.

Et Sophia était raisonnable.

Refusant de céder à la panique, refusant également de procurer à son hôte très spécial le plaisir de devenir folle ou de se mettre à pleurer de découragement, la jeune femme s'exhorta au calme. Après un juron bien senti, qu'elle murmura mais qui n'en remplit pas moins son office libératoire en expulsant le plus gros de sa frustration.

Puis, elle abaissa ses paupières et inspira profondément, plusieurs fois, jusqu'à ce que ses palpitations daignent se calmer et ses mains cesser de trembloter, écoutant le silence à peine perturbé par les lointains gazouillis d'une fontaine. Technique ayant l'air de fonctionner, car l'esprit de Sophia ne tarda pas à s'apaiser. Un fin sourire fleurit sur ses lèvres. La jeune femme ne bougea pas pour autant et ne rouvrit pas les yeux, savourant encore un moment cet état de paix relatif mais bienvenu.

Rien de mystique dans cet exercice. Toutefois…

Une image s'imposa à elle. Presque violemment. Presque une agression.

Il ne s'agissait pas d'un flash, plutôt d'une sorte de photo venue du fin fond de son esprit qui lui aurait été collée d'autorité devant les yeux. À ceci près qu'elle y demeura et qu'elle était aussi beaucoup plus nette et lumineuse qu'un cliché, plus que la réalité elle-même peut-être.

L'image, si tant est qu'elle puisse l'appeler ainsi, était celle d'une vaste prairie où sinuait un petit sentier. Rien à voir avec le lieu où elle se trouvait, sauf peut-être dans la profusion de couleurs qui y étaient plus vives et plus variées encore. Mais surtout, fait aussi notable que surprenant, la « photo » était en trois dimensions et bougeait. L'herbe se balançait doucement au gré d'une brise que Sophia pouvait sentir la caresser, tout comme elle percevait les rayons du soleil sur sa joue, entendait des abeilles bourdonner autour d'elle et percevait une multitude de senteurs douces, fruitées et fleuries. Une sorte de rêve éveillé. En mieux.

En temps normal, Sophia aurait déjà sérieusement douté de ses facultés mentales. Mais la normalité semblait ne plus avoir cours. Et puis, quelque chose lui assurait que tout allait bien, qu'elle ne devait ni avoir peur si s'étonner. Peut-être cette sérénité se déployant dans son corps aussi bien que dans son esprit. Cette paix vraie qu'elle avait convoitée. Son arme, la seule sans doute, pour échapper aux manigances de Nahash. Car son but était toujours de quitter le jardin d'hiver, bien entendu. Et maintenant, elle savait quel chemin suivre : celui qu'on lui montrait.

Sophia se moquait un peu du pourquoi du comment et de qui pouvait être ce « on ». Ce pouvait bien être elle-même du reste, son instinct de survie œuvrant pour la sortir de ce mauvais pas. Sans rejeter systématiquement l'existence et l'action du mystérieux ou de l'irrationnel, elle privilégiait le cartésien quand elle le pouvait. Dans le cas qui l'occupait, elle aurait dit qu'il s'agissait d'un compromis entre les deux mais surtout que dans la mesure où il lui était salutaire, elle n'avait pas à chercher plus loin.

Gardant ses yeux clos, Sophia fit donc un pas dans la réalité. Il eut son équivalent dans sa vision. Elle réitéra l'expérience, pour le même effet.

À mesure qu'elle avançait dans la prairie imaginaire, si le décor ne changeait pas, son corps lui envoyait un message laissant à penser que cette immuabilité n'avait pas cours dans la réalité. L'atmosphère tropicale ayant régné jusqu'ici se mua peu à peu en un climat de plus en plus sec pour finir par se faire brûlante, agressive et poussiéreuse. Paradoxalement, elle commençait à avoir très froid. À l'intérieur.

Sophia hésita à poursuivre sa route et ralentit son allure. En revanche, soulever ses paupières lui semblait une mauvaise idée. Qu'allait-elle découvrir encore ? Elle n'était pas certaine de vouloir le savoir.

Mais ce qu'elle ressentait sur sa peau pouvait aussi bien signifier qu'elle avait atteint son but. La peur n'évitant que très rarement le danger de toute manière, elle se contraignit à reprendre pied avec la réalité qui l'entourait.

La jeune femme n'avait pas encore totalement ouvert les yeux que déjà ils se brouillaient de larmes. Une indicible tristesse, illogique car sans cause réelle, s'abattit sur elle.

Sans raison ? Vraiment ?

Le spectacle s'offrant à elle en était une.

— Non, s'entendit-elle articuler dans un souffle.

Tout n'était que désolation autour d'elle. Terre craquelée, arbres nus, plantes aux tiges osseuses, aux feuilles racornies comme autant de petites mains de vieillards, fleurs fanées, pétales aux couleurs passées et recroquevillés sur eux-mêmes...

Manifestement, son empathie naturelle incluait le règne végétal, car une larme lui échappa et roula sur la joue. Sophia ne tenta pas de la faire disparaître, songeant bêtement que si elle tombait sur le sol, elle aurait le pouvoir de...

Non.

Si la jeune femme ne comprenait pas pourquoi elle réagissait aussi viscéralement à ce sinistre décor, elle ne comptait pas non plus demander à entendre le récit de ce... drame. Ni s'engager plus loin sur ce terrain, aussi forte que soit sa curiosité concernant l'ombre gigantesque qu'elle venait de repérer un peu plus loin, un spectre noir qui paraissait dessiné sur le mur blanc. Un immense fantôme aux multiples bras tentaculaires capable de se mettre à bouger pour s'emparer d'elle.

La peur au ventre et le désespoir au cœur, Sophia fit volte-face et manqua se cogner contre la porte du jardin d'hiver.

Chapitre 8

Shax allait jouir.

La diablesse qui le chevauchait aussi. Les muscles de son corps se contractaient de plus en plus fort sur sa queue.

Le couple avait trouvé refuge dans la salle de billard. Le géant l'avait choisie pour plusieurs raisons. Un, elle était l'une des deux pièces les plus proches du jardin d'hiver. Quelle que soit son occupation, la mission première de Shax était de surveiller Sam.

Deux, sa décoration était beaucoup plus adaptée, beaucoup plus masculine que celle du petit salon ou du salon de musique où il aurait juré autant que des piments sur un délicat gâteau à la crème.

Trois, elle disposait d'un grand canapé.

Et quatre, il y avait eu urgence.

Une urgence partagée par la jeune femme qui montait et descendait sur lui à un rythme idéal.

Si c'était lui qui l'avait conduite jusqu'au sofa, c'était bien elle qui lui avait pratiquement sauté dessus pour passer directement aux choses sérieuses.

Et bordel, il adorait ça !

Shax avait été prêt à la sauter bien avant qu'elle ne se débarrasse de sa jupe pour lui dévoiler ses cuisses fuselées et accessoirement qu'elle ne portait qu'un string minimaliste en dentelle noire assorti à ses porte-jarretelles, bien avant qu'elle ne déboutonne son chemisier et n'ouvre son soutien-gorge coordonné au reste de ses dessous pour lui révéler ses seins splendides.

En plus, elle avait eu la très bonne idée de garder ses escarpins.

Shax n'avait pas tardé non plus à découvrir qu'Annette était aussi prête que lui.

Après avoir dégrafé son jean avec une adresse née de l'expérience, l'avoir libéré de son boxer et poussé d'autorité du bout des doigts pour qu'il s'assoie sur le grand canapé en cuir, elle s'était chargée du reste aussi : préservatif, position et pénétration. Installée à cheval au-dessus de ses jambes, elle s'était ni plus ni moins empalée sur lui après avoir simplement écarté sa lingerie.

Brûlante, serrée et trempée, elle s'était arquée contre lui sous le coup du plaisir ; son long gémissement l'avait rendu à moitié fou.

Elle n'avait pas menti. Elle faisait bien partie de ces femmes bruyantes pendant le sexe. Elle n'avait pas non plus cherché à obtenir la plus petite tendresse. Ils ne s'étaient même pas embrassés et pratiquement pas adressé un mot non plus.

Putain ! Elle était parfaite !

Soutenant la jeune femme et se servant de sa prise sur sa taille à la fois pour la marteler et s'enfouir toujours plus loin en elle, Shax avait les yeux rivés sur ses seins qui dansaient sous son nez. Sa peau crémeuse et parfumée, ses tétons couleur de framboise, durcis par le désir, le narguaient, attirant irrésistiblement sa bouche, sa langue.

L'emprisonnant plus vigoureusement entre ses mains, Shax l'attira à lui. Il sentit les ongles de cette petite chatte s'incruster dans ses épaules. Peut-être l'avait-elle fait simplement pour garder un semblant d'équilibre. Ou parce que ce changement de position modifiant l'angle de pénétration de son sexe dans son bouillant petit corps lui offrait plus de plaisir. Ou encore, en avait-elle tout bonnement eu envie.

Peu importait. Il gronda de satisfaction et lui imposa un coup de reins plus vif que les précédents.

Elle cria. L'excita.

Il durcit encore.

Après un petit coup de langue, Shax referma ses lèvres sur un mamelon tentateur et le pinça. Annette soupira un oui fervent alors qu'elle frissonnait des pieds à la tête. Shax sourit contre sa peau soyeuse et ne se le fit pas dire deux fois ; il aspira son téton sans douceur tout en le léchant. Délicieuse gourmandise roulant sur sa langue lui donnant envie de la mordre. Il ne fit que la mordiller un peu fort, arrachant un cri plus aigu à la jeune femme dont le sexe se contracta plus que jamais sur son érection, l'enveloppant des sublimes pulsations de sa jouissance s'initiant.

Le souffle court, son cœur martelant contre sa cage thoracique, il abandonna son sein et serra la jeune femme contre lui.

Son geste n'avait rien de romantique. Il avait juste besoin de s'accrocher à quelque chose – sa partenaire en l'occurrence – pour la pilonner.

L'orgasme d'Annette palpitait sur son érection plus dure que jamais. Retenant sa respiration, Shax la martela de plus belle, jusqu'à ce que le nœud brûlant au creux de son bas-ventre se délie d'un seul coup. Il jouit, violemment, chaque spasme envoyant dans sa chair les ondes du plaisir convoité.

Rien de plus.

À moitié écroulée sur le torse puissant du géant, Annette redoutait un peu le moment qui s'annonçait.

Ce n'était pas la première fois qu'elle se jetait au cou d'un mec, encore que jamais elle n'avait agi aussi spontanément pour obtenir ce qu'elle voulait. Ni aussi impudiquement d'ailleurs. En récompense, cet homme lui avait donné ce qu'elle désirait. Plus et moins à la fois. Plus parce qu'elle avait pris un pied inouï, et moins parce que si son apparence et sa stature pouvaient évoquer un roc, elle pressentait qu'il en avait aussi la sensibilité et le romantisme.

Le mieux était donc de s'asseoir sur son besoin de tendresse post-orgasme et de se comporter avec dignité.

Dès qu'elle aurait retrouvé son souffle.

Annette n'eut pas à s'arracher à la puissante étreinte de Shax ; ses bras s'ouvrirent d'eux-mêmes dès qu'elle essaya de se redresser. Un peu déçue qu'il ne fasse pas mine de vouloir la retenir, elle plaqua un sourire suffisamment léger pour ne pas paraître artificiel sur ses lèvres, lèvres toujours parfaitement maquillées, malheureusement. La jeune femme se libéra aussi de lui et descendit élégamment du luxueux sofa. Replaçant discrètement son string, elle rattacha rapidement son soutien-gorge, reboutonna son chemisier et se mit en quête de sa jupe qu'elle avait négligemment jetée de côté sans se soucier de savoir où elle tomberait.

Le tout sous le regard du géant qu'elle sentait peser sur elle mais refusait encore d'affronter.

Annette retrouva son vêtement dépassant de sous le canapé.

— Besoin d'aide ? lui demanda Shax alors qu'elle bataillait avec la fermeture à glissière un peu récalcitrante de sa jupe.

Une prévenance qui n'en était pas vraiment une, à peine un ersatz de savoir-vivre. Lui prêter quelque chevaleresque intention aurait été grotesque sinon d'une naïveté confondante.

— Non, répondit-elle, remportant la lutte. Merci.

— Tu es du genre à tout gérer toi-même.

Remarque à laquelle la jeune femme ne prêta pas attention.

— Et à avoir l'habitude de ce genre de situations, poursuivit Shax.

Là, Annette se tourna vers lui et le regarda droit dans les yeux. Une lueur taquine brillait dans les siens. Son regard luisant dans la pénombre baignant la pièce le faisait ressembler à un énorme fauve repu.

— Au moins autant que vous, répliqua-t-elle avec un sourire entendu.

Sourire qu'il lui rendit, quoique le sien était horripilant, empli d'une mâle suffisance laissant à penser qu'il était absolument certain de posséder le tableau de chasse le plus long… le plus grand… le plus gros ? Non, décidément, ces mots n'étaient appropriés que pour qualifier son sexe, pas son tableau de chasse. Bigre ! Était-elle commotionnée à ce point qu'elle ne pouvait plus penser qu'à cela ? À sa décharge, il y avait de quoi…

Le tableau de chasse le plus florissant, donc. Voilà qui était mieux.

Quoi qu'il en soit, dans l'esprit d'Annette ses mots signifiaient qu'il les mettait sur un pied d'égalité. D'un autre côté, ils étaient aussi une preuve qu'il ne l'avait pas cernée le moins du monde. Elle ne cherchait pas à gagner une compétition, seulement à profiter de la vie.

— Tu es encore trop jeune pour me battre sur ce terrain, poursuivit-il.

Humpf !

— Je ne suis ni jeune, ni une gamine, riposta-t-elle comme si évoquer sa supposée jeunesse lui était une insulte mortelle. À trent…

— J'en suis conscient, la coupa-t-il, lui lançant un regard canaille qu'il assortit d'un haussement de sourcil. Si tu n'avais pas été femme, je ne t'aurais pas…

— C'est moi qui vous ai sauté dessus, lui rappela-t-elle.

— ... conduite ici.

Ah ?

— Je suppose donc que si je n'avais été qu'une très jeune fille, vous m'auriez sorti le grand jeu pour parvenir à vos fins ?

— Non. Je t'aurais laissée poireauter dans la galerie.

— Vraiment ? Dois-je comprendre que vous m'avez accordé une faveur, alors ?

— Du tout. J'ai juste saisi la même opportunité que toi.

Annette réprima une grimace. Ainsi, elle n'était vraiment qu'une opportunité ? Être réduite à une occasion que l'on saisissait lui déplut. Comme la chiffonna le fait que cela lui déplaise...

La jeune femme n'était pas particulièrement sentimentale pourtant, ni spécialement romantique. Dans sa vie, elle envisageait une relation entre un homme et une femme en premier lieu du point de vue du sexe. En outre, elle n'était pas non plus sotte au point d'aller s'imaginer qu'une seule étreinte pût faire naître quelque chose entre deux amants, sinon l'envie de recommencer. Si cela avait pu être, cela se serait déjà produit. Il n'en restait pas moins que cet homme avait su faire éclore de folles sensations en elle, connues mais tellement intenses qu'elles en étaient devenues presque nouvelles... Annette était très consciente qu'elle devrait désormais s'en passer.

— Pensez-vous qu'ils en aient terminé ? demanda-t-elle d'un ton faussement léger destiné à dissimuler son désenchantement grandissant ; cet homme n'avait absolument pas besoin d'en être témoin, et ce d'autant plus qu'il devait s'en moquer éperdument.

Sa question, quant à elle, avait pour but d'orienter la conversation sur un terrain moins gliss... moins personnel.

Shax se releva et prit son temps pour se rajuster. Il avait dû profiter de celui qu'elle avait mis à se rhabiller pour se débarrasser du préservatif, nota-t-elle. Ce ne fut pas la seule chose qu'elle remarqua. Il bandait toujours, ou encore, et son érection semblait rechigner à rentrer bien sagement dans son boxer.

Annette aurait juré qu'il lui dédiait ce tableau affolant. En guise de cadeau d'adieu ? Elle ne l'en remercia que dans ses pensées et ne se priva pas du spectacle offert. En réalité, elle ne pouvait tout simplement pas s'empêcher de regarder son sexe. Il était vraiment, vraiment magnifique. Adjectif pouvant aussi se traduire par : *Whaouh !*

Une pointe de dépit lui piqua le cœur. Elle n'aurait plus le droit d'y goûter. Ce qu'elle n'avait d'ailleurs pas fait. Quel dommage !

— Avec Sam, on ne peut jamais savoir, répondit enfin Shax, la tirant de sa contemplation impudique et gourmande mais assumée.

Elle leva lentement les yeux jusqu'à ceux du géant, voyage ô combien affolant ; il y brillait une certaine satisfaction pour ne pas dire une satisfaction certaine. Elle décida de ne pas la voir.

— Il est un peu spécial, non ?

Shax n'eut pas le temps de formuler sa réponse. Des coups sourds et des échos de cris s'élevèrent, éloignés mais audibles. Par lui du moins.

— Merde ! s'exclama-t-il. Ne bouge pas d'ici ! ordonna-t-il à Annette alors qu'il se trouvait déjà à mi-chemin de la sortie.

Ouvrant la porte à la volée, il la franchit sous le regard médusé de la jeune femme qui se demandait ce qui se passait et ne songea à se lancer à sa poursuite que trop tard.

Le lourd panneau se referma bruyamment. Presque une détonation. Suivie du bruit d'une clef tournant dans sa serrure.

Comprenant instantanément que l'entretien ne s'était pas déroulé comme Sam l'aurait voulu, sinon jamais Sophia ne serait en train de hurler, pas de cette manière en tout cas, Shax mit à profit la vingtaine de secondes qu'il lui fallut pour le trouver à se préparer au pire.

Sam était adossé à la porte du jardin d'hiver, bras croisés sur son torse, yeux fermés et visage de marbre. Une personne non avertie aurait pu le croire plongé dans ses pensées, sourd aux cris et aux martèlements contre le panneau de bois lui servant d'appui. Cette même personne aurait également pu s'imaginer que le jeune homme patientait bien gentiment pour un rendez-vous. Elle n'aurait peut-être pas non plus accordé d'importance à son immobilité absolue, à la rigidité de sa posture n'augurant rien de bon.

Il ne semblait pas plus animé qu'une statue de sel. Shax s'arrêta à quelques pas de lui, de crainte de provoquer une catastrophe s'il approchait trop.

— Sam ? l'appela-t-il posément.

— C'est elle, répondit-il sans ouvrir les yeux.

Shax soupira mentalement de soulagement. Sam était là, dans tous les sens du terme. Seulement, si Sophia était bien celle qu'il attendait pourquoi son ton paraissait aussi dénué de vie que s'il l'avait emprunté à une âme désincarnée ?

— C'est elle, et elle m'a repoussé.

Shax eut une grimace. Il ne pouvait certes qu'imaginer la réaction de son ami lorsque la jeune femme avait refoulé Sam, mais savait d'ores et déjà que celle-ci avait été violente, d'une manière ou d'une autre. Voilà en tout cas qui expliquait les coups et imprécations filtrant de derrière la porte.

— Tu veux en parler ? proposa-t-il.

— Non, soupira Sam après une infime hésitation et soulevant enfin ses paupières.

Son visage n'était toujours qu'un masque, tout aussi dénué d'expression que son ton. Il n'était pourtant qu'un leurre. Shax le voyait dans le regard étincelant de son ami. À l'instar du tohu-bohu, le chaos tourbillonnant en lui préludait l'ordre des choses. Sam reprenait du poil de la bête, avait retrouvé et le chemin pour redevenir lui-même et sa combativité. C'était une très bonne nouvelle, mais obtenir ce qu'il voulait le plus au monde lui prendrait manifestement plus de temps que prévu.

— Tu devrais peut-être la libérer, suggéra le géant, attentif aux injonctions émanant de derrière la porte, de plus en plus imagées et qui, en d'autres circonstances, l'auraient amusé.

— Pas question.

Sam n'avait pas élevé la voix, mais son ton était la détermination incarnée.

— Tu ne peux pas la retenir contre son gré plus longtemps. Nous allons trouver un moyen pour la faire revenir, mais il faut que tu la laisses part... sortir.

— Tu ne comprends pas, se lamenta Sam, sa bouche prenant un pli amer. Elle est en sécurité ici. Dehors... Merde ! S'il apprend qu'elle m'a rencontré, il en conclura qu'elle sait et enverra ses sbires. Il est hors de question qu'ils l'approchent. Et il est exclu que *lui* la contacte.

— Tu veux dire qu'elle ignore toujours qui elle est ? s'étonna Shax.

— Tu crois vraiment qu'elle m'aurait jeté dans le cas contraire ? s'indigna Sam, lançant un regard particulièrement contrarié à son ami.

— Non évidemment, convint le géant. Mais si elle ne le sait pas, lui n'en saura rien non plus.

— Ne commets pas l'erreur de le sous-estimer, le prévint le jeune homme, se souvenant que cela avait été l'une de ses propres méprises. Et puis le moindre choc peut la réveiller, alors...

— Tu veux dire : comme son mécontentement actuel ? ironisa Shax, usant d'un doux euphémisme pour qualifier la colère de la jeune femme. C'est ce que tu cherchais à faire en l'enfermant ?

— Non, soupira Sam une fois de plus. Je… j'ai juste merdé au pire moment qui soit mais l'idée de la laisser repartir me rend malade.

— La retenir prisonnière risque d'aggraver son hostilité à ton égard.

— Je suis prêt à prendre ce risque.

Sam mentait. Ils étaient deux à le savoir. Le jeune homme était aussi incapable de faire du mal à Sophia que d'œuvrer délibérément pour se la mettre à dos.

— Tu sais bien que non, le raisonna le géant d'un ton étonnamment indulgent. Parce que ce n'est pas comme ça que tu l'auras.

— Ouais, je sais, grommela Sam, contraint d'en convenir.

Un silence s'instaura entre eux, leur permettant de constater que les coups et cris de Sophia semblaient vouloir se tarir.

Shax se tint coi, observant Sam pendant que sa volonté et son désir bataillaient contre sa raison.

Et le gagnant est…

— Pour l'instant, elle a besoin d'être loin d'ici, murmura Sam de mauvaise grâce.

Son intonation reflétait également l'ironie de la situation et la peine qu'elle déposait dans son cœur. Il se redressa et s'éloigna de la porte. Shax le suivit. Sophia avait cessé de frapper et d'appeler à l'aide ; il ne fallait pas qu'elle puisse les entendre.

— Tu vas la ramener chez elle et rester dans les parages pour la surveiller, ordonna Sam.

— Que veux-tu que je fasse s'ils se manifestent ?

— Ce qu'il faut.

Dans l'absolu, « ce qu'il faut » impliquait l'homicide. Shax, pas plus que Sam, n'avait ce pouvoir-là. Enfin si, mais pas sans conséquence pénale immédiate. Les uns et les autres pouvaient se combattre autant qu'ils le souhaitaient ou pensaient devoir le faire, mais l'élimination était exclue des règles du jeu sordide auquel les deux hommes avaient été contraints de participer. Mais la partie comptait quand même des tricheurs n'hésitant pas à utiliser des paquets entiers de jokers...

— Et si elle se réveille ?

Sam lui jeta un regard éloquent, farouche et empli d'un espoir renaissant que son ami traduit par :

— La kidnapper pour de bon, donc.

La répugnance de Shax à malmener une femme, *a fortiori* Sophia pour laquelle il avait un immense respect eu égard à celle qu'elle était, se manifesta par un haussement de sourcil.

— Que fait-on de sa copine ? s'enquit-il.

Sam posa une main sur la poignée de la porte devant laquelle il venait de s'arrêter, sans l'actionner.

— Dis-lui que nous savons ce qu'elle est et que je veux la voir. Mais d'abord, libère Sophia et informe-la que j'exige... que je désire la recevoir.

Chapitre 9

Sophia en avait assez de hurler pour qu'on la délivre et de s'esquinter les mains à frapper contre la porte.

Comme de bien entendu, aucun réseau ne passait dans cet horrible endroit. À croire que vraiment tout était fait pour pousser à bout les imprudents s'y aventurant. Appeler Annette pour qu'elle la sorte de là, elle ou quiconque capable de l'aider, étant donc exclu d'office. Elle n'avait eu d'autre choix que de se rabattre sur la bonne vieille solution du tambourinage forcené.

Toujours folle de rage d'avoir découvert que Sam l'avait enfermée, désormais épuisée et la gorge en feu, elle s'adossa à l'huis. Ce foutu bout de bois étant *a priori* la seule issue de ce fichu jardin, elle n'était pas disposée à s'éloigner. Elle avait eu bien trop de mal à trouver cette porte pour la lâcher de sitôt. La seule autre échappatoire éventuelle était à des mètres au-dessus d'elle. Sauf que même la cime des arbres les plus hauts n'atteignait pas la coupole de la verrière. N'étant dotée d'aucun super pouvoir, Sophia se voyait mal grimper à un arbre au risque de se rompre le cou. Ou alors, il lui aurait fallu retrouver la véranda et briser la baie vitrée. Bien trop risqué.

La jeune femme soupira profondément, espérant ainsi pouvoir se débarrasser de ce qui cohabitait dans son esprit : stress, peur, colère, fatigue et incompréhension. Et même ce désir résiduel qui, en dépit de tout – et surtout de tout bon sens –, persistait à couver en elle. De tout ce qu'elle avait vécu cet après-midi-là, Sam, et les sensations qu'il était parvenu à lui faire ressentir, s'obstinait à l'emporter sur tout le reste. Elle n'avait qu'à fermer les yeux pour que l'image du jeune homme s'impose à elle, son visage d'ange, son extraordinaire regard, pour se remémorer la manière qu'il avait eue de la regarder, de la toucher, l'embrasser. Y repenser lui donnaient quelques palpitations. Sophia était suffisamment honnête envers elle-même pour ne pas imputer ce phénomène à la peur. Toutefois, elle était aussi assez sage pour ne pas en tenir compte. Essayer du moins.

Bon. Tout ceci était bien beau, mais la contraindrait à périr d'ennui d'ici peu. Après avoir frôlé la folie, évité la crise de panique, la jeune femme craignait que cette vacuité n'ait raison d'elle. Oh, elle aurait pu abandonner sa porte et prendre quelques photos des lieux. Elle n'en avait aucune envie et pas le courage. Pour la première fois de sa vie. Une primeur dont elle se serait volontiers passée. D'ailleurs, réalisa-t-elle, par sa seule présence, Sam était parvenu à lui faire oublier tout ce qu'elle était… avait été jusqu'ici. Avait-elle seulement pensé à utiliser son appareil depuis qu'il lui était apparu ? À se servir de son regard pour voir au-delà des apparences ? Une fois, oui, songea-t-elle. Exceptionnellement, elle avait dû fermer les yeux pour mieux voir. Comment expliquer autrement sa curieuse expérience ?

Coupant court à ses réflexions, un bruit résonna juste derrière elle. Le son d'un pêne quittant sa gâche.

Jamais Sophia n'aurait cru pouvoir trouver ce son banal aussi réjouissant. Cela étant, jamais elle n'avait vécu une telle journée ni ne s'était retrouvée dans une situation pareille non plus.

S'écartant de la porte et se retournant avec la ferme intention de se ruer hors du jardin dès qu'elle serait ouverte, la jeune femme fit au contraire un pas en arrière lorsque la silhouette du sombre géant se dressa devant elle.

Si elle avait failli soupirer de soulagement lorsqu'elle avait compris que cet homme n'était pas son rendez-vous, elle le fit cette fois-ci justement parce qu'elle préférait le voir lui plutôt que Sam. Enfin, s'il daignait se pousser pour la laisser passer.

Elle le regarda droit dans les yeux, soutenant son regard clair assorti à sa mine... embarrassée ?

— Vous n'êtes pas venu me sortir de là ? s'alarma-t-elle immédiatement.

— Si. Et je vais vous raccompagner chez vous.

Sophia se sentit revivre. Pas très longtemps.

— Mais Sam voudrait vous dire un mot avant.

Elle aurait dû se douter que cet oiseau-là était de mauvais augure. Et dire qu'elle avait failli le remercier !

— Non, fit-elle simplement, mais d'un ton ne souffrant aucune discussion.

— Sam ne vous veut aucun mal, plaida le géant. J'ignore ce qui s'est passé, mais je vous assure qu'il...

— Oh, mais je peux vous dire ce qu'il s'est passé, moi ! le coupa-t-elle, très peu encline à écouter la plus petite excuse, mais très disposée à vider son sac. Il est cinglé ! Il est violent, il m'a abandonnée dans ce maudit jardin où j'ai failli me perdre et où il m'a enfermée.

— Il veut juste vous parler, insista Shax, éludant volontairement la tirade de la jeune femme.

Il avait toutes les réponses et ne pouvait lui en donner aucune. Il était trop tôt et ce n'était pas à lui de le faire de toute manière.

— Une ou deux minutes suffiront. Vous pourrez laisser la porte entrouverte et si cela peut vous rassurer, je resterai à proximité.

— Que me veut-il ? se soucia-t-elle, regrettant déjà cette question dictée par sa curiosité toujours aussi malvenue et impliquant qu'elle pouvait accepter ce nouvel entretien.

— Je n'en ai aucune idée.

Il avait l'air sincère. Autant que pouvait l'être un homme aux allures de nephilim en tout cas.

Sophia supposa qu'après leur entrevue ratée, Sam comptait lui annoncer officiellement qu'il refusait de l'aider profession-nellement. Elle l'en dispensait volontiers… Et si elle avait encore cru au père Noël, elle aurait pu imaginer qu'il prévoyait également lui présenter des excuses pour son comportement. De vraies excuses.

Parce que le « je suis désolé » que Sam lui avait servi ne valait pas tripette. Le jeune homme n'avait été supposément navré que d'estimer devoir la boucler dans la serre. C'était un désolé très spécial, de ceux ordinairement articulés par les geô-liers ou les fous ! Et en général, ils n'étaient absolument pas navrés.

Seulement…

Qu'était une minute ou deux au fond ? songea Sophia, reje-tant formellement l'idée d'une quelconque magnanimité qui en l'occurrence ressemblait à de la faiblesse et aurait également pu avoir un lien avec une envie de revoir Sam une dernière fois. Allons donc ! Jamais ! À la place, la jeune femme y vit la possibilité de lui dire sa manière de penser et de mettre les pendules à l'heure une bonne fois pour toutes. Et puis, si c'était le prix pour qu'on la laisse partir…

Ensuite, avec ou sans excuses, elle rentrerait chez elle et tout se terminerait ainsi.

— Très bien, soupira-t-elle. Mais pas plus de deux minutes.

— Merci pour lui, murmura le géant comme si sa décision le touchait lui aussi.

— Ne me remerciez pas ! s'exclama-t-elle dans un petit rire ne recelant aucune gaieté. Je fais ça pour moi.

Shax hocha la tête et se détourna. Sophia aurait juré l'entendre marmonner que c'était pareil. Ces oreilles avaient dû lui jouer des tours.

Ses yeux et maintenant ses oreilles ? Il était grand temps de quitter ce château.

La jeune femme suivit donc le géant qui s'engagea dans l'immense galerie ; il s'immobilisa presque tout de suite, au niveau de la première porte s'offrant à eux sur leur droite et la lui ouvrit galamment puis s'effaça pour la laisser entrer dans la pièce.

Sophia s'avança aussi prudemment que si elle avait dû s'approcher du bord d'un précipice et leva les yeux vers le géant avant de sauter le pas.

— Où est Annette ? s'inquiéta-t-elle.

Une étincelle illumina les yeux clairs de l'homme à la mention de la jeune femme. Minuscule mais aussi parlante quant à l'intérêt qu'il portait à son amie que le clin d'œil qu'il lui adressa. Sophia ne put retenir un sourire. Ni s'empêcher d'en vouloir un peu à sa copine d'avoir obtenu ce qu'elle désirait et passé un bon moment pendant qu'elle-même avait dû affronter Nahash et son jardin infernal.

Sophia refoula son ressentiment pour privilégier la vigilance dès qu'elle franchit le seuil de la pièce ressemblant beaucoup à l'idée qu'elle s'était faite du bureau de Sam avant de le rencontrer. Une pièce à la mesure du château et qui sentait bon ce mélange caractéristique de cuir, de bois aux essences précieuses, d'encaustique et de papier. Très haute de plafond et percée de deux grandes portes-fenêtres, elle n'était pas pour autant lumineuse, même avec les rideaux ouverts. Ses murs lambrissés de bois sombres et les meubles anciens aux bois tout aussi foncés semblaient absorber la majeure partie de la lumière provenant de l'extérieur. Sur un grand bureau de style colonial, une lampe Tiffany, éteinte et dont le vitrail de l'abat-jour représentait des flammes stylisées rouges et orangées, aurait peut-être apporté chaleur et clarté à cette pièce persistant à lui paraître froide en dépit de son confort luxueux. Froide et vide. Car de Sam elle ne vit rien. Se cachait-il ? Le bureau recelait de nombreuses cachettes potentielles. Alors, soit il n'était tout simplement pas là, soit il se planquait. Dans la cheminée ? Derrière le canapé ou les fauteuils club ? Peut-être y avait-il une porte dérobée dissimulée parmi les rayonnages de livres ?

Parce que trouver Sam installé derrière son bureau aurait été bien trop normal, songea-t-elle, notant que le plan de travail était méticuleusement rangé. Pas difficile cela dit, la surface n'était munie que du strict nécessaire : téléphone, lampe, bloc et stylos.

C'était pourtant bien là qu'il se cachait.

Sophia ne le réalisa que lorsqu'il fit pivoter le fauteuil placé derrière le bureau.

Incertaine quant à ce qui allait se passer maintenant, elle se figea, permettant ainsi à la beauté de Sam de la percuter de plein fouet. Curieusement, se trouver relativement éloignée du jeune homme la lui montrait plus crûment et la touchait presque plus. Peut-être parce que Sam était ce genre de personne à laquelle on aurait pu donner le Bon Dieu sans confession alors même que tout son être dégageait quelque chose d'infiniment trouble. Trouble mais infiniment séduisant, il fallait bien l'avouer.

Elle tressaillit lorsque cet étrange magnétisme se fraya un chemin jusqu'à son cœur ; la cage le retenant captif était trop exiguë pour qu'il se dilate sans occasionner de douleur.

Ignorant à quelle sauce elle allait être mangée, Sophia se sentait mal à l'aise sous le feu implacable du regard de Sam braqué sur elle. Imperturbable, il ne paraissait pas vraiment disposé à entamer la conversation, si discussion il devait y avoir.

La jeune femme entrouvrit les lèvres, sans trop savoir encore ce qu'elle dirait ou par quoi commencer. Sam la dispensa de se prendre la tête.

— Je suppose que tu espères toujours que je jette un coup d'œil à ton travail, articula-t-il un peu sèchement.

Si sa question, revenant à un sujet purement professionnel, la surprenait, sa propre réaction le fit encore plus.

— C'est pour ça que je suis venue, non ? répondit-elle honnêtement.

Elle fut toutefois impuissante à empêcher ses joues de rosir.

— Oui, c'est pour cela, répéta-t-il après avoir laissé filer quelques secondes, son élocution étirant ses mots bien plus qu'elle ne l'avait fait jusqu'ici, comme si sa réponse le plongeait dans un abîme de réflexion.

Puis son regard se plissa, ne laissant voir de ses yeux que deux fentes luisantes rivées sur elle.

— Laisse-moi tes books avec un numéro où te joindre, soupira Sam au bout de ce qui lui sembla être une éternité.

Vraiment ?

Il… Il acceptait réellement de regarder son travail ? Elle n'en revenait pas. En dépit de sa satisfaction, qu'elle n'autorisa pas à s'exprimer, Sophia répugnait à lui abandonner ce qui était presque toute sa vie à ses yeux. Déjà, parce que le faire la contraindrait soit à remettre les pieds au château soit à le revoir au moins une fois, pour s'entendre dire qu'il refusait de la lancer, par exemple.

— J'aurais préféré…

— Je me moque de ce que tu préfères, la coupa-t-il en se redressant pour se lever. Ce sont mes conditions. Je n'ai ni le temps ni l'envie de m'occuper de ça pour le moment.

Allons bon ! Était-elle en présence d'un autre Sam ? Encore un ?

Combien de personnalités Sam Nahash avait-il au total ? Étaient-elles toutes aussi déplaisantes que celle-ci ?

Mais peut-être ne faisait-elle que les frais d'une froide petite vengeance pour une histoire de fierté malmenée ?

Déstabilisée par cette nouvelle attitude, Sophia ne moufta pas et le regarda se relever puis contourner son fauteuil pour aller se poster devant la fenêtre.

L'on aurait dit un papillon sortant de la chrysalide. Plus encore lorsqu'il chassa une raideur de sa nuque par quelques mouvements de tête et qu'il étira ses bras vers l'arrière. Comme s'il dépliait ses ailes.

N'importe quoi !

N'empêche, le voir déployer sa haute silhouette avait eu quelque chose de fascinant.

— Je ne vous fais pas confiance, finit-elle par répondre, sincèrement.

Il semblait ne plus vouloir la regarder, ou ne plus supporter qu'elle le fasse. Quoi qu'il en soit, elle s'en félicitait ; il lui était plus facile de ne pas être confrontée à son regard. Cela lui offrait en outre la possibilité de l'observer tranquillement.

Un rayon de soleil, resquilleur du ciel par ailleurs toujours menaçant, glissa sur lui, illuminant les mèches les plus claires de sa chevelure plongeant en pointe entre ses omoplates. Sa blondeur relative contrastait sur le tissu noir de sa chemise, comme un triangle de lumière déposé sur une parcelle de ténèbres.

Sophia songea qu'elle aurait pu réaliser une belle photo… Son corps le lui confirma, le petit frisson familier remonta le long de sa colonne vertébrale.

— C'est à prendre ou à laisser.

Sam réunit ses mains dans son dos. Les doigts de sa main droite se verrouillèrent autour de son poignet gauche, comme pour empêcher son poing fermé à double tour de s'abattre sur quelque chose.

— Et puis j'estime avoir moi-même suffisamment de talent pour ne pas m'abaisser à voler le travail d'autrui, lui précisa-t-il.

Très peu certaine d'apprécier la pique, Sophia garda néanmoins ses commentaires pour elle. Sauf celui-ci :

— Vous êtes photographe aussi ?

— Pour quelqu'un que je n'intéresse pas, je trouve que tu poses beaucoup de questions, lui fit-il remarquer.

Il n'y avait pas la moindre trace de facétie dans son ton, pas même le plus petit soupçon d'ironie.

— Très bien, je n'en poserai plus, marmonna Sophia, tout près de prendre la mouche.

Sam hocha la tête, indiquant par là qu'il lui savait gré de lui ficher la paix.

Elle leva les yeux au ciel. Cet homme horripilant, trop beau pour être honnête, trop compliqué pour elle et timbré, lui tapait sur le système. D'ailleurs, une migraine fleurissait sous son crâne. Une fleur vénéneuse.

Sophia en venait presque à regretter le charmeur arrogant que Sam avait été au tout début de leur entretien. Mais bon, il avait décidé de lui battre froid et d'être désagréable.

Bien ! Parfait ! Ça, au moins, elle savait gérer.

Avec un profond soupir délibérément bruyant, la jeune femme ouvrit son sac à dos. Le bruit de la fermeture à glissière déchira le silence absolu, pesant, et lui donna une idée.

Récupérant ses porte-vues, elle les fit claquer exprès sur le plan de travail du bureau. Exprès et très fort, en espérant que le son irriterait Sam.

Complètement puéril.

Elle n'était plus à ça près.

Chapitre 10

Sam était au-delà de la colère. Au-delà des mots de ses maux. De là à dire que ses émotions n'étaient pas humaines, il n'y avait qu'un pas. Qu'il franchit, qualifiant lui-même sa rage de dantesque et sa douleur de prométhéenne. Quoique aucune fumée âcre ne l'enveloppe et que son foie ne soit aucunement dévoré, son âme et son cœur lui faisaient l'effet d'être déchirés, lacérés, écorchés avec une précision méthodique afin que pas une parcelle n'en réchappe et que la souffrance s'inscrive en lui. Il n'était qu'un maître bourreau pour œuvrer avec un tel talent. Tortionnaire et dictateur, despote pouvant se faire fourbe inspirateur, le nom de ce tortionnaire commençait par A. Muse dénaturée par une indicible solitude, profitant de ce que Sam crevait de trouille et avait oublié comment aimer, il l'incitait à faire n'importe quoi et le poussait à la folie.

Et le rôle que Sam se contraignait à jouer devant Sophia lui donnait la nausée. Son souffleur s'était lui aussi planté de texte !

Se montrer dur et froid avec elle, mettre la distance entre eux, quand bien même était-ce plus rassurant pour elle, allait à l'encontre de sa nature, de ce qu'il voulait et pensait devoir faire également.

Il devrait la laisser repartir. C'était la meilleure chose à faire dans l'immédiat et ce qu'elle souhaitait. Cela aussi était raisonnable, sensé, judicieux…

Sauf que Sam n'était pas réputé pour sa sagesse, ne l'avait jamais été de toute son existence et ne tenait pas particulièrement à le devenir non plus. D'autant qu'en cet instant il n'aspirait qu'à prendre Sophia dans ses bras, la sentir tout contre lui, pour la protéger et la réconforter, lui demander pardon, mourait d'envie de s'enivrer de la chaleur de sa peau, de l'embrasser, d'être touché par sa splendeur. Pas nécessairement dans cet ordre. Et sans forcément se limiter à cela.

Un profond sentiment d'injustice et de révolte grondait dans son esprit, agitant tellement son corps qu'il devait serrer les poings pour s'empêcher briser tout ce qui aurait le malheur de lui passer à porter de main.

Mais avait-il réellement d'autre choix ? Bien sûr que oui ! Celui de faire ce que lui dictait son cœur plutôt que sa raison, si tant est qu'il en ait eu une un jour.

Et puis Sam se moquait comme d'une guigne de son amour propre. Sophia pouvait le piétiner si ça lui chantait, pouvait aussi tout lui demander, tout exiger. Y compris de se mettre à genoux devant elle. Quoi qu'elle attende de lui dans cette position…

Ce qui n'avait été qu'une idée grivoise traversant l'esprit de Sam n'avait pas tardé à se faire envie obsédante, faim dévorante et soif inextinguible à la fois, à même de réveiller l'animal, cet être primitif profondément charnel et peut-être la seule part de lui encore indomptée. Sauvage et féroce, s'il était séduit par la jeune femme, il était aussi affamé d'elle, ne désirait rien d'autre qu'approcher à nouveau celle recelant ce dont il avait besoin mais persistant à le lui refuser. La bête ne comprenait pas vraiment pourquoi…

Si Sam s'était détourné de Sophia, il ne s'était donc agi que d'une mesure de protection pour ne pas l'exposer à la convoitise primaire et indocile de sa bête. Il n'en aurait fait qu'une bouchée. Parce que tout ce qui bouillonnait en elle, par sa faute à lui, avait transformé la beauté de la jeune femme, métamorphosant sa fraîcheur naturelle en une fleur exotique plus sombre, suave, infiniment dangereuse et agissant sur lui comme un séduisant appât auquel il avait craint de ne pouvoir résister bien longtemps.

Le geste d'humeur de Sophia arracha Sam à sa morne contemplation du parc. Savoir qu'elle allait partir lui faisait un mal de chien. En être témoin lui était insupportable.

— Sophia ! Attends.

Un appel sincère auquel la jeune femme ne fut pas sourde. Pas totalement. Seulement, si elle consentit à différer son départ et s'immobilisa au milieu du bureau, elle ne se tourna pas pour autant vers lui.

Sam n'avait pas besoin d'être devin pour comprendre qu'elle prenait sur elle pour ne pas l'envoyer sur les roses et se demandait ce qu'il lui voulait encore. Lui-même ignorait ce qu'il allait faire ou dire. Quant à ce qu'il voulait, elle n'était pas prête à l'entendre.

Contournant son bureau, le jeune homme la rejoignit et se posta devant elle.

Sophia ne leva pas les yeux vers lui, les gardant même baissés. L'impatience et l'irritation avaient rosi ses joues, déposant un léger fard sur sa peau évoquant plus que jamais la douceur duveteuse des pêches.

Respectant son souhait, Sam ne la força pas à le regarder et prit délicatement une de ses mains entre ses doigts. Que n'aurait-il pas donné pour sentir les siens se refermer sur sa paume ? Ils restèrent inertes…

Portant la main de la jeune femme à ses lèvres, Sam y déposa le plus chaste baiser qu'il ait offert de toute sa vie. Une telle attention était à des lieues de ce à quoi il aspirait, mais la seule qu'il s'autorisa. Qu'elle le laisse faire l'éblouit, le rassura un peu. Suffisamment pour lui donner le courage de se jeter à l'eau.

— Acceptes-tu les excuses d'un pauvre fou ? demanda-t-il, tout bas, presque timidement, un peu comme un petit garçon habitué à décevoir son entourage.

Sophia avait entendu la question et son absence de réponse ne fut pas délibérée.

S'élevant vers Sam, son regard s'attarda sur la main du jeune homme retenant la sienne. Ses longs doigts élégants étaient méchamment écorchés, saignant aux jointures. Résistant à l'envie spontanée de poser ses lèvres sur chacune des blessures, comme si elle avait eu le pouvoir de les faire disparaître ainsi que la douleur qu'elles représentaient, elle fit remonter ses yeux jusqu'aux siens.

Alors qu'ils s'écarquillaient, le cœur de Sophia eut un drôle de sursaut, un de ceux occasionnés par une surprise dont on ignorait encore si elle était bonne ou mauvaise.

Les iris de Sam n'étaient plus une riche profusion d'or mais une brume ambrée où toutes les teintes s'étaient fondues les unes aux autres, conférant à son regard une douceur et profondeur si inouïes que la jeune femme ne rêvait plus que de s'y fondre elle-même. Ce brouillard-là était infiniment plus dangereux que tout le reste. Il enveloppait tout ce qu'elle reprochait à Sam, qu'il en soit responsable ou non, pour le soustraire à sa conscience, n'y laissant plus que son envie d'approcher encore plus près cette chaude lumière, de l'approcher lui. Redoutable parce qu'alors, elle aurait peut-être envie de le comprendre.

Si Sam était un danger, son regard était une arme encore plus terrible, envoûtante. Désarmante. Peu de temps s'écoulerait avant qu'elle ne passe de captivée à capturée.

Sophia jeta un nouveau coup d'œil aux écorchures marquant la main de Sam, se libérant délibérément du pouvoir de son regard avant qu'il ne soit trop tard. Croyait-elle.

— Vous avez mal ?

Une question chuchotée.

— Non.

Un mensonge murmuré, proféré dans un souffle lui caressant la main.

— Si, vous souffrez, le contredit-elle, songeant alors plus au comportement qu'il avait eu dans le jardin qu'aux blessures qu'il s'était infligées. Pourquoi ?

— Je ne veux pas de ta pitié. Juste ton pardon.

Sophia ignorait si elle pouvait ou même devait le lui accorder. Mais elle savait qu'elle en avait envie, en dépit de son attitude, de ses mots, de ses troubles… Le Sam qui se tenait devant elle, contrit, calme et doux, avait l'air non seulement extrêmement sincère, mais semblait avoir aussi le pouvoir d'effacer les autres, de les dominer ou de les faire oublier.

Cela faisait quand même beaucoup de Sam ! Lequel était le vrai ? Eux tous ? Ou celui-ci, qui la regardait en cet instant si amoureusement qu'elle avait la sensation de le connaître depuis toujours, d'être sienne depuis l'aube des temps et d'avoir besoin de sa tendresse ?

Sam porta une fois encore sa main à ses lèvres, lui soutirant un frisson qu'elle aurait aimé pouvoir contenir parce que, dans son esprit, il prouvait qu'elle n'avait aucune volonté, ni aucun bon sens et probablement aucune moralité non plus.

Quelle chute de se découvrir si faible face à la tentation !

La jeune femme aurait voulu rattraper ses belles résolutions, lui opposer une froide colère et lui dire ce qu'elle pensait de ses manières. Mais tout ça s'était envolé, effacé par sa nouvelle conduite et ses gestes délicats.

Sophia cilla, s'efforçant de s'arracher à la lumière de Sam l'attirant aussi irrésistiblement que si elle avait été une éphémère. Un demi-succès, qui aurait été complet si Sam avait libéré sa main de la sienne, chaude et douce. Et si elle ne s'était pas déjà à moitié perdue dans ses yeux merveilleux.

— Je ne suis pas spécialement rancunière mais vous avez fait très fort, parvint-elle à articuler, répondant enfin à sa question et prenant soin de museler son ressentiment afin qu'il n'entende qu'une remarque presque neutre…

Et surtout pas cette bienveillance qu'elle avait envie de lui offrir en échange de son regard si troublant.

— Je suis vraiment désolé ; ce n'était pas ce que je voulais. Je vis seul depuis des années, reclus et je crains que ça n'ait pas amélioré mon caractère.

Était-ce vraiment une excuse ?

— Pourquoi vivez-vous ainsi ?

— Les relations humaines n'ont jamais été mon fort.

— Vous n'aimez pas les gens ?

— Ce sont eux qui ne n'aiment pas.

— Vous ne faites rien pour.

— Tu crois ?

— Vos livres sont…

— Une lumière crue jetée sur la dégénérescence de la société et la bêtise en général.

— Précisément. Les gens n'aiment pas que l'on pointe leurs imperfections.

Sophia laissa filer quelques secondes durant lesquelles elle s'interrogea. L'estimait-il comme faisant partie des médiocres ? Au lieu de quoi elle demanda :

— Êtes-vous vraiment fou ?

Sa question la fit presque revenir à la raison, pour le coup.

140

Comment une personne insensée pourrait-elle avoir conscience de sa propre folie ? Qu'avait-elle donc dans la tête pour poser une question aussi idiote ?

Facile. Plus rien. En tout cas, rien d'autre qu'une irrésistible envie, pas vraiment soudaine, d'embrasser Sam.

Son regard quitta un instant le sien pour une destination tout aussi affolante, charnue, et d'autant plus appétissante qu'un léger sourire y flânait.

Malheur ! C'était elle qui avait perdu la raison !

Ses yeux eurent vite fait de remonter jusqu'à ceux de Sam. Illustration exemplaire de l'expression « tomber de Charybde en Scylla ».

— Qu'en penses-tu ?

— Je ne sais pas. À vrai dire, j'ai un peu de mal à réfléchir quand vous me regardez comme ça, avoua-t-elle spontanément.

Sam eut l'air particulièrement satisfait de cette réponse. Elle le vit à ses pupilles se dilatant légèrement.

— Je te regarde comment ? demanda-t-il tout bas, sa voix chutant d'un ton alors que ses lèvres glissaient paresseusement vers l'intérieur de son poignet.

Une multitude de petits frissons naissaient sous sa bouche, hérissait sa peau, couraient le long de son bras pour ensuite se propager sur tout son corps. Le cœur de la jeune femme accéléra sa course.

— Comme...

Sophia marqua une pause. Penser lui était de plus en plus ardu et l'effort de concentration lui fit froncer les sourcils.

— Comme si vous m'aimiez, murmura-t-elle un peu confuse d'utiliser ce terme.

Sam se figea, puis ses lèvres abandonnèrent sa peau et il se redressa. Ses yeux qui ne l'avaient pas quittée une seconde jusqu'ici plongèrent plus loin encore dans les siens.

— Et c'est mal ?

— Non. Juste… fou.

— La frontière entre la folie et la raison est la plus imperceptible qui soit. Ces deux univers se frôlent en permanence, se cherchent, ne cessent de se tenter l'un l'autre.

— Vous êtes philosophe aussi ? demanda Sophia depuis les aires brumeuses qu'était devenu son esprit.

— Non. Je cherche seulement à te conduire jusqu'à cette limite, jusqu'à moi, pour que tu me laisses t'embrasser.

Sophia l'avait déjà atteinte cette limite, et depuis un moment déjà. Depuis qu'elle avait posé les yeux sur lui, réalisat-elle. Elle avait beau lui reprocher un tas de choses, elle semblait manifestement incapable de lui résister quand il était si près d'elle. Son regard, la chaleur qu'elle sentait irradier de son corps si proche, sa douceur et son parfum se liguaient contre elle. Alors, elle aurait pu s'éloigner, tout simplement. Si elle n'avait pas réellement souhaité ce baiser. Sam avait beau s'être montré sous son plus mauvais jour, elle n'avait pu que le croire lorsqu'il lui avait assuré être un amant merveilleux. C'était inscrit en lui, dans sa prestance, dans l'incroyable sensualité émanant de son être, de sa voix, ses yeux. Elle avait été très bien placée pour savoir à quel point cet homme la désirait et affreusement lucide sur la réciprocité de ce désir.

— Ce n'est pas raisonnable, chuchota-t-elle néanmoins.

Un ultime accès de lucidité, peut-être, mais articulé d'un ton trahissant un manque de conviction flagrant.

Sam se pencha sur elle puis inclina légèrement la tête de côté. Derrière ses paupières mi-closes, son regard flamboyait.

— Sans doute pas, convint-il dans un souffle qui caressa sa bouche tel un doux préliminaire. Mais tu en as envie autant que moi.

Sophia fut empêchée de répliquer par les lèvres de Sam se plaquant sur les siennes. Cela valait probablement mieux. Elle n'avait pas été loin de proférer un mensonge. À moins qu'il ne s'agisse d'une vérité au contraire.

Quoi qu'il en soit, Sam avait dû en avoir assez d'attendre. Ou estimer qu'elle retardait délibérément l'inévitable, ce en quoi il aurait sans doute eu raison.

Céder à un instant de folie n'effrayait pas Sophia. C'était ne pas pouvoir revenir à la réalité qu'elle craignait. Quoique si elle demeurait dans le monde de Sam, elle n'aurait alors plus le discernement nécessaire pour souhaiter un retour à sa normalité. Et puis ses mots avaient le mérite de prendre sens dans son esprit, lui rappelant la maxime de François de La Rochefoucauld : *Qui vit sans folie n'est pas si sage qu'il croit.*

Le baiser de Sam était presque un reflet de cette pensée, pas réellement sage, mais pas vraiment licencieux non plus. Sophia se l'était imaginé exigeant, dur ou affamé. Il fut tout en retenue, presque tendre, mais une délicatesse derrière laquelle la faim restait perceptible. Elle aurait pu le qualifier de vraiment chaste si la langue du jeune homme n'avait franchi ses lèvres pour caresser les siennes, mais sans chercher à obtenir plus. La jeune femme ne le lui offrit pas non plus, se contentant de savourer la douceur humide de ces caresses.

Cette fougue contenue, dominée par une pondération contraire au tempérament de Sam, pour ce qu'elle en savait, donnait à Sophia l'impression de flirter avec le danger que cet homme constituait et de jouer avec le feu qui l'habitait. Le laisser l'embrasser faisait probablement partie des choses les plus irraisonnées que Sophia ait jamais faites dans sa vie.

Néanmoins, elle n'était pas femme à se hasarder dans une forêt sans petits cailloux blancs.

Posant sa main libre sur le torse de Sam, elle la fit remonter lentement jusqu'à son épaule où elle comptait la laisser en guise de fil d'Ariane. Sentir les muscles du jeune homme se contracter sous ses doigts lui procura la satisfaction, grisante, de détenir un réel pouvoir sur lui alors qu'elle se croyait sous la coupe du sien. Mue par une espèce de témérité teintée d'un soupçon de malice, Sophia fit remonter sa main jusqu'au cou de Sam et la glissa sous sa chevelure pour caresser sa peau, à cet endroit qu'elle affectionnait, là, juste à la lisière de ses cheveux. Sam frissonna puis se vengea merveilleusement, aspirant doucement sa lèvre inférieure.

Une fleur de plaisir s'épanouit dans la poitrine de Sophia. C'est sans doute elle qui attira la nuée de papillons s'égayant au creux de son ventre un instant après.

Mais Sam désunit leurs bouches avant qu'ils n'aillent réveiller son désir ne dormant que d'un œil, libéra sa main et se redressa, la contraignant à ôter la sienne de sa nuque.

Enfer et frustration !

Sophia réprima une plainte de dépit mais n'insista pas ; ses bras retombèrent mollement le long de son corps.

— Je crois qu'il est temps que tu rentres chez toi, articula le jeune homme d'une voix légèrement voilée, tendant sa main pour effleurer sa joue du dos de ses doigts.

Une caresse empreinte de regrets.

Désemparée par ses mots et rendue perplexe par ce geste, Sophia préféra garder le silence. Cherchant une explication au comportement de Sam dans ses yeux, elle n'en trouva aucune. Elle n'y lut que de la mélancolie.

— Je ne me fais pas confiance, lui confia-t-il avant de se détourner pour quitter la pièce.

Chapitre 11

Immobile au milieu du bureau lui paraissant plus froid que jamais depuis que Sam l'avait abandonnée, Sophia ne parvenait pas plus à faire le tri dans ses idées que dans ses émotions. Hormis peut-être sa conscience d'être perdue qui prenait le pas sur le reste. Précisément ce qu'elle avait craint. Toutes ses précautions n'avaient donc servi à rien ?

Sam l'avait conduite dans une sombre forêt, l'y avait laissée seule en emportant tous ses petits cailloux blancs avec lui. Était-ce bien tout ce qu'il avait dérobé ? Sophia avait l'impression que non. En dépit de son égarement, elle tenta de faire un rapide état des lieux dans la région trouble qu'était devenu son esprit. Un sentier à peine éclairé le parcourait. La jeune femme refusa de s'y aventurer. Non par peur, mais parce qu'elle savait déjà où il menait, dans cette contrée aux alentours de son cœur faisant un peu figure de *no man's land* qu'elle était jusqu'ici parvenue à préserver des malintentionnés. Elle savait aussi ce qu'elle découvrirait : que Sam lui avait bel et bien subtilisé quelque chose. Le larcin avait beau être minime, il pourrait rapidement porter à conséquence si elle ne remettait pas la main sur la clef des lieux.

Cette révélation plongea Sophia dans des réflexions d'où elle fut tirée par le sombre ami de Sam, sa haute silhouette s'encadrant sur le seuil de la pièce. Était-ce son ombre modifiant subtilement la lumière du bureau ou le bruit de ses pas venant du couloir qui la ramenèrent à la réalité ? Que le ténébreux géant lui apparaisse comme rassurant avait quelque chose de paradoxal. Mais c'était un fait et la jeune femme ne chercha pas à comprendre l'origine de ce sentiment qu'il fit en outre tout pour renforcer.

Tel un majordome hors pair et complice, il l'aida sans un mot à passer son manteau puis l'invita à le suivre dans l'immense galerie. L'accompagnant jusqu'à la limousine toujours garée au pied des escaliers, il lui ouvrit galamment la portière et la convia à l'attendre, prétextant une dernière petite chose à régler avant de la raccompagner chez elle.

Cette « petite chose » ne pouvait bien entendu qu'être Annette, songea Sophia en l'observant gravir rapidement les marches puis disparaître derrière la lourde porte d'entrée. Supposant très logiquement qu'il devait avoir en tête de garder son amie près lui pour quelque temps, dans son lit, où dans quelque autre endroit où ils pourraient avoir envie de se donner du plaisir, la jeune femme se sentit soudainement très abattue. Personne ne lui ferait l'amour cette nuit.

Sauf si…

Sophia se redressa brusquement sur son siège, comme si on l'avait poussée dans le dos pour l'obliger à agir. Vinrent ensuite des chuchotements dans son esprit l'incitant à envoyer sa prudence aux orties et à profiter au moins une fois dans sa vie d'une occasion qui se présentait.

Tentant. Mais Sam…

Le problème avec cet homme était justement qu'il était Sam et qu'elle ignorait encore qui il était vraiment. Aussi forte que soit son envie de céder à la tentation, de goûter à nouveau à la chaleur de ses bras et de ses baisers, Sophia s'estimait bien trop vulnérable pour agir sur un coup de tête. L'après-midi qu'elle venait de vivre n'avait rien fait pour arranger cela.

Elle se laissa aller contre son siège.

Comme pour saluer sa sage décision, un éclair zébra le ciel menaçant.

Sophia se trompait partiellement. Car si Shax avait bien l'intention de rejoindre Annette, il n'aurait sans doute pas l'occasion de profiter de son joli petit corps avant un moment.

Sam n'était pas homme à se satisfaire d'une défaite et voulait voir l'amie de Sophia. Ce qui pouvait signifier un nombre incroyable de choses puisqu'il était capable d'à peu près tout. Y compris mettre la brunette dans son lit si cela lui permettait d'obtenir ce qu'il convoitait. Shax n'y croyait pas trop. En revanche, l'idée qu'il puisse retenir l'une des jeunes femmes au château pour s'assurer du retour de l'autre, tablant sur l'amitié les liant, était déjà plus son style.

Cette affection ne faisait aucun doute. Déjà parce que si Annette et Sophia n'avaient pas été les meilleures amies du monde, la première n'aurait pas fait la démarche de contacter Sam pour aider la seconde. Seul à les avoir vues ensemble, Shax en avait été témoin. Ces deux femmes-là étaient comme deux sœurs, leur attachement était presque perceptible à l'œil nu.

Sam ne devrait donc pas avoir de difficulté à user d'Annette comme d'une laisse rétractable. L'idée, assez plaisante soit dit en passant, d'équiper la petite brune d'un tel accessoire effleura l'esprit de Shax, lui soutirant un sourire en coin qu'il prit soin d'effacer avant de déverrouiller la porte de la salle de billard.

Percevant le son symbolisant la fin de sa réclusion, Annette fourra son calepin dans son sac et se composa un air patient teinté d'ennui. Arborer une mine trop angélique aurait paru très suspect, surtout venant d'elle.

En optimiste invétérée, elle avait refusé de s'inquiéter du départ précipité du géant, supposant que la distraction qu'elle lui avait offerte l'avait détourné d'un service demandé par son mystérieux patron. Comment expliquer autrement qu'il la laisse ainsi en plan aussi cavalièrement ? Mais surtout, pourquoi l'enfermer ?

Assise sur le rebord du billard, ses jambes croisées légèrement de côté dans une posture aussi féminine que décente, elle observa le beau ténébreux la rejoindre, appréciant sa manière de se déplacer évoquant plus que jamais celle d'un grand fauve. À défaut d'être sa femelle, Annette se serait contentée d'être sa proie une nouvelle fois. N'était-ce pas pour cette raison qu'il l'avait bouclée dans cette pièce ? Pour qu'elle ne s'échappe pas pendant son absence ? Ne *lui* échappe pas ?

Il s'immobilisa à quelque pas d'elle et semblait attendre qu'elle abandonne son perchoir.

— Rien de grave ? s'enquit-elle en levant les yeux vers lui.

Il ne répondit pas. Autrement dit, elle devait se mêler de ce qui ne la regardait pas.

Ajustant machinalement les poignets de son chemisier pour se donner un peu de contenance et se retenant de hausser les épaules, elle attendit qu'il l'informe de la suite des événements, notant incidemment que ses iris paraissaient s'être assombris. Le désir n'y était pour rien. La jeune femme fronça les sourcils.

— Qu'y a-t-il ? Sophia... Sophia va bien, n'est-ce pas ? se soucia-t-elle, son regard reflétant son inquiétude autant que son ton.

— Elle va très bien, la rassura le géant.

Le visage d'Annette s'éclaira d'un sourire si lumineux que Shax crut être caressé par un rayon de soleil. Loin de se satisfaire de cet éblouissement, le géant se rembrunit, comme pour préserver une espèce d'équilibre entre nuit et lumière entre eux.

— Comment est-il ?

Jamais Annette n'aurait imaginé qu'une question aussi anodine puisse déclencher une guerre.

— Pourquoi ? Tu espères te le taper aussi ?

Le visage de la jeune femme se décomposa aussi brusquement que son corps se crispa. Puis, elle le foudroya du regard. Pour qui la prenait-il ? Elle se classait elle-même volontiers dans la catégorie des femmes très libérées, mais ça ne faisait pas d'elle une nymphomane. Et encore moins une salope. Elle ne prit même pas la peine de répondre.

— Tu n'es pas du tout son genre, se crut-il en devoir de préciser.

— Ce n'est pas ce que j'ai demandé, s'énerva Annette. Ma question était : qui est Sam Nahash ?

— S'il voulait que ça se sache, ce serait fait depuis longtemps… mademoiselle la journaliste.

L'insinuation, pour ne pas dire l'accusation contenue dans ses trois derniers mots, suffoqua Annette dont le regard s'assombrit encore. Oui, elle était journaliste. Pourtant, sa question avait plus à voir avec sa curiosité naturelle, assez normale étant donné le personnage, qu'avec le papier qu'elle pourrait faire sur lui. Comme quoi ce spécimen-là possédait également la faculté de lui faire perdre ses réflexes professionnels. Parce que si elle avait effectivement envisagé de glaner des renseignements ou pensé à solliciter une interview de Sam Nahash, cette intention était rapidement passée au second plan de ses préoccupations.

Mais au fait…

Annette fronça les sourcils.

— Où avez-vous été pêcher que j'étais journaliste ? demanda-t-elle, scrutant intensément le géant et résistant à l'envie de croiser les bras contre sa poitrine.

Shax, lui, le fit et ça n'avait absolument rien d'une posture de protection. Il la regarda avec une commisération qui la hérissa.

— Hormis les flics et le Fisc, peu de gens auraient eu les moyens de trouver comment le contacter directement. Donc, je me suis renseigné.

Les beaux yeux bleus d'Annette s'arrondirent. Son cœur se mit à battre la chamade, comme si elle avait été coupable du pire crime qui soit.

— Et ?

— Tu es journaliste.

Le géant s'exprimait lentement, presque avec nonchalance, ce qui rendait ses réponses parfaitement exaspérantes. Ça et son regard ne trahissant rien.

Shax s'approcha d'Annette puis s'inclina vers elle. Ses mains se plaquèrent sur le rebord du meuble, de part et d'autre de ses hanches. Il ne la touchait pas, ce qui n'empêcha pas la jeune femme de se figer et retenir sa respiration. Pour bien faire, elle aurait dû se pencher en arrière et mettre autant de distance que possible entre eux, s'arracher à son regard clair. Sa virile proximité la mettait dans tous ses états et ses yeux luisaient de promesses diablement tentantes. Manifestement, son corps avait moins d'orgueil qu'elle et voulut se rapprocher du mâle. Le traître.

— Nous n'aimons pas les fouineurs, lui confia-t-il.

— Je ne suis pas une fouineuse, se défendit-elle.

— Bien sûr que si. Tous les journaleux le sont, en permanence. Ils ont ça dans le sang.

— Mais je ne bosse que pour un petit magazine *people*, ce...

— Les pires de tous, la coupa-t-il, son ton exprimant cette fois très clairement ce qu'il pensait d'elle et de ses collègues. Toujours à la recherche de ragots. De véritables fouille-m...

— Taisez-vous ! explosa Annette.

Curieusement, il obéit.

En plus de se sentir insultée, elle n'osait croire ce qui germait dans sa tête à la lumière de cet échange.

Il avait menti. Elle n'avait pas été une opportunité ! Nullement et à aucun moment. Seulement un élément indésirable qu'il avait éloigné de son précieux patron, ami ou quoi que soit Nahash pour lui, de la manière la plus imparable qui soit.

Retenant une grimace qui de toute manière n'aurait été qu'un pâle reflet de sa terrible désillusion, Annette se redressa et approcha son visage de celui du géant. Ses yeux se plongèrent dans les siens, aussi loin qu'ils le purent.

— Vous savez quoi ? souffla-t-elle, sa colère altérant sa respiration. Pensez ce que vous voulez. Et merci pour cet intermède parfaitement oubliable.

Shax pencha la tête de côté, comme s'il allait l'embrasser ou l'invitait à le faire.

— Oubliable ? murmura-t-il d'une voix rauque et suave qui atteignit la jeune femme en plein ventre. Vraiment ?

Elle déglutit.

— Menteuse, insista-t-il d'un ton encore plus onctueux

— Je n'ai jamais été aussi sincère qu'en cet instant, le contredit-elle, ajoutant un second mensonge au premier.

Elle regrettait bien plus d'avoir été dupée.

Visiblement, ce qu'elle pensait ne lui faisait ni chaud ni froid. C'est à peine s'il cilla.

Tous deux s'affrontèrent du regard, l'un tentant de faire plier l'autre et inversement. Par la force des choses, un silence s'instaura entre eux. Et si pas plus Shax qu'Annette n'étaient enclin à le briser, la jeune femme rompit tout de même l'équilibre impliqué par leur immobilité respective. Il le fallait. La tension née de leur proximité était inouïe, équivalant à la force de l'attraction terrestre.

Tandis qu'elle faisait mine d'accéder à sa proposition d'un baiser, rapprochant son visage du sien autant qu'il lui était possible sans unir leurs lèvres, elle tendit sa main et la posa sur l'entrejambe de Shax. Ses doigts se refermèrent sur le renflement déformant son jean et le palpèrent.

Il ne tressaillit pas, et se laissa faire.

— C'est vraiment dommage, articula-t-elle de sa voix la plus caressante, notant que sa main avait un peu plus de surface à caresser. Nous aurions pu connaître des moments sympas ensemble si vous aviez une once de respect pour celles que vous baisez.

— Du respect ou de la tendresse ? demanda Shax, insufflant à son dernier mot une espèce de répugnance très révélatrice qui choqua Annette.

— En ai-je quémandé ?

— Non, mais ça ne signifie pas que tu ne l'espérais pas. Alors ?

Annette laissa retomber sa main. Sa provocante petite vengeance ne la satisfaisait pas autant qu'elle l'aurait souhaité.

Elle n'obtiendrait rien de cet homme. À part des érections, ce qui en soi était déjà bien. Mais pas tout à fait suffisant.

— Je crains que vous ne deviez continuer à vous poser la question. Mais je gage que cela ne vous tracassera pas bien longtemps.

Le tracasser non, certainement pas. En revanche, Shax commençait à se demander s'il ne s'était pas complètement planté concernant cette fille.

Le géant se redressa de toute sa hauteur, ce qui n'était pas peu dire, et la toisa encore un instant avant de reculer de quelques pas.

Annette interpréta cette libération comme la fin de l'interrogatoire.

Descendant avec grâce de son perchoir, elle récupéra ses manteau et sac à main qu'elle avait déposés sur le billard, puis se dirigea la tête haute et d'un pas décidé vers la porte, le splendide tapis de Na'in décorant le sol de la pièce étouffant le bruit de ses pas.

Shax songea que le son feutré s'accordait à merveille avec le doux balancement de ses hanches. Et qu'il aurait bien remis le couvert. Sur le précieux tapis par exemple.

— Sam t'attend dans son bureau, lui lança-t-il.

Annette se figea et fit volte-face. La plus grande stupéfaction se lisait sur son adorable visage.

— Quoi ?

— Il veut te voir.

— Oh !

C'était là tout ce que sa surprise lui permit d'articuler.

— Au bout de la galerie, la dernière porte sur ta gauche. *Re-humpf !*

Économie de mot, d'attentions et économie de courtoisie aussi… La politesse la plus élémentaire aurait dû lui commander de l'y accompagner. Quel rustre ! Cet homme n'avait décidément aucune manière ! Et son sourire en coin donnait envie à Annette de rebrousser chemin pour le gifler. Au lieu de quoi, elle lui jeta son plus méprisant regard, se détourna et poursuivit sa route.

— Au fait, je m'appelle Shax, l'informa-t-il sans cesser de reluquer son joli postérieur ondulant délicieusement à chaque pas.

— Eh bien, arrêtez de mater mon cul, Monsieur Shax ! lui jeta-t-elle juste avant de claquer la porte.

Le géant fixa le panneau derrière lequel la jeune femme venait de disparaître.

— Parfaite, murmura-t-il pour lui-même.

Quel dommage qu'il se soit trompé sur son compte.

Rarement il avait vu autant de passion bouillonner chez une femme. En tout cas, chez aucune de ses innombrables conquêtes. Son ardeur était terriblement contagieuse et lui donnait constamment envie de l'embrasser, férocement, d'explorer sa bouche, son corps, de connaître son goût, de contrôler sa fougue et sa chair, pour en déguster jusqu'à l'essence. Ce devait être une expérience des plus jouissives.

Sans se donner la peine de retenir le grondement gourmand que provoqua cette perspective alléchante et ayant une incidence notable sur son érection, Shax songea que cette entreprise-là ne serait pas aisée. Pas après l'avoir qualifiée de fouineuse. Pas après l'avoir baisée puis traitée comme il le faisait avec toutes celles qu'il avait sautées. Tant mieux. Un peu de piment était toujours le bienvenu dans les histoires de cul.

Parce que, quoi qu'elle en dise, en dépit de sa colère aussi, elle avait encore envie de lui et Shax ferait le nécessaire pour qu'elle lui cède à nouveau. Il devrait toutefois mettre les choses au clair une bonne fois pour toutes lorsque enfin elle céderait, car elle le ferait : du sexe, il lui en donnerait autant qu'elle voudrait, mais elle n'aurait droit à rien de plus.

Néanmoins, dans l'immédiat, Shax avait une mission autrement plus importante que ses histoires personnelles et comptait s'en acquitter au mieux.

Chapitre 12

Déjà assise à l'avant de la limousine, Sophia accueillit Shax avec un léger sourire plus poli qu'enthousiaste.

— Annette ne rentre pas avec nous ? demanda-t-elle après qu'il se fut installé derrière le volant.

— Non.

La jeune femme accueillit cette réponse pour le moins laconique par un battement de cils. Elle aurait aimé voir Annette, lui parler. L'idée de partir sans elle ne lui plaisait guère. Celle de la laisser seule au château non plus. Son amie était une grande fille et *a priori* ne risquait rien. Mais quand même.

— Ne vous inquiétez pas pour votre copine, articula le géant comme s'il avait senti ses préoccupations, mots qu'il assortit d'un clin d'œil ayant le don de la tranquilliser vraiment sur le sort d'Annette. Et attachez-vous.

Sophia obéit presque sans y penser, se détourna et boucla sa ceinture.

Le jeune homme prit quelques secondes pour observer Sophia et lui trouva une petite mine, plus que lorsqu'il l'avait rejointe dans le bureau, où elle lui avait surtout paru perdue. Elle était toujours aussi incroyablement jolie, et la lassitude conférait une formidable intensité à son regard. Shax comprenait désormais ce que Sam avait pu voir, sans doute dès le début, et que lui-même n'avait pas décelé immédiatement. Ce que Sophia était, bien que cela soit encore assoupi tout au fond de son âme, commençait néanmoins à miroiter dans ses sombres iris. C'était aussi magnifique qu'impressionnant. Shax aurait même pu dire émouvant. C'était dire. Peu de chose était capable de le toucher. Sophia, de par sa nature et l'importance qu'elle revêtait quant au sort de Sam également, avait ce pouvoir-là. Et elle venait de se trouver un allié indéfectible en sa modeste personne.

Après s'être lui-même attaché, Shax mit le contact et manœuvra pour emprunter le sentier de gravier conduisant jusqu'à la grande grille de la propriété. Mettant à profit la lenteur du processus d'ouverture du portail, il observa la jeune femme encore un instant, espérant qu'elle profiterait du trajet pour lui parler. Ce qu'il n'avait pu apprendre de la bouche de Sam, il pourrait peut-être l'entendre de sa bouche à elle. Sans oublier que Sam ne manquerait pas de venir aux nouvelles dès qu'il le pourrait pour savoir si elle avait parlé de lui. Ça, ça ne faisait pas un pli.

Encore un peu perdue dans ses pensées toujours chaotiques, Sophia n'en avait pas moins senti le regard du géant sur elle. Elle aurait même pu dire qu'il avait été interrogateur. N'ayant rien contre le fait de discuter, ce qui aurait le mérite de passer le temps, et peut-être aussi celui d'en apprendre plus sur Sam, encore qu'étant son ami il ne serait pas nécessairement objectif, Sophia se tourna vers Shax. S'il lui jeta coup d'œil de côté, il ne dit rien. Elle comprit que c'était donc à elle d'entamer la discussion si elle le désirait.

— Annette doit être ravie de rester un peu au château, commença-t-elle.

Les traits du géant semblèrent s'adoucir imperceptiblement.

Si cet homme avait l'air franc, encore que d'une franchise pouvant se faire parfois trop brutale, en revanche, il n'était pas ce genre de mec que l'on pouvait d'emblée qualifier de sensible. Ou alors, uniquement si l'on estimait les montagnes ou les tanks capables de posséder quoi que ce soit de tendre. N'empêche, elle aurait juré qu'évoquer Annette avait le pouvoir de le toucher, d'une manière ou d'une autre.

— Je suppose que oui, répondit-il, sa voix grave emplissant l'habitacle du véhicule.

— Vous supposez ? releva-t-elle, décontenancée.

— À l'heure qu'il est, elle est avec Sam, l'informa-t-il.

— Ah ?

Shax perçut très nettement la crispation de la jeune femme et continua.

— Oui. Ils vont être assez occupés.

Sophia n'eut aucun mal à saisir le sens véritable du groupe verbal « être occupés ». Il suffisait qu'Annette soit incluse dans le « ils » pour qu'il prenne une connotation sexuelle.

Si elle se sentait relativement indulgente vis-à-vis des frasques de sa copine, il n'en allait pas exactement de même en ce qui concernait Sam.

Réaliser qu'il avait eu vite fait de l'oublier pour passer à autre chose fit ciller Sophia qui se renfrogna.

Quelque chose qui ne pouvait qu'être de la colère la piqua.

La jeune femme s'estimait presque trahie, signe qu'elle n'avait décidément plus toute sa tête et preuve, ô combien plus effrayante, qu'elle avait laissé Sam l'atteindre.

Pourtant, à mesure que le véhicule mettait de la distance entre elle et le jeune homme, il semblait à Sophia que c'était aussi le cas dans une dimension plus personnelle ; s'éloigner du château la libérait de l'emprise de son propriétaire. C'était aussi bien ainsi. Et si Annette lui plaisait, eh bien… tant mieux pour eux deux.

Quoi qu'il se soit passé entre elle et Sam, la jeune femme n'appréciait pas outre mesure ce qu'il avait laissé entendre à dessein. Shax en prit bonne note et poursuivit, d'un ton rassurant.

— Ne vous faites pas de souci pour votre copine, répétat-il alors qu'il négociait un virage un peu raide de la route de campagne qu'il suivait. Il la fera raccompagner dès qu'ils auront fini.

Sophia coula un regard vers lui. Elle aurait vraiment aimé qu'il arrête de faire des insinuations. C'est bon, elle avait compris.

— S'il y a une personne pour laquelle je ne m'inquiète pas trop, c'est bien Annette. Surtout lorsqu'elle est avec un homme.

Connaissant son amie, Sam n'aurait pas à essuyer une seconde rebuffade. Le risque qu'elle résiste au charme de cet homme était aussi infime que celui d'être témoin d'une pluie de grenouilles. Pas de refus, pas de crise. Donc, *a priori*, Annette ne risquait pas grand-chose. En plus, elle savait se défendre et était pleine de ressources. N'empêche, Sophia aurait aimé pouvoir discuter avec elle de son propre entretien avec Sam avant qu'il ne se jette sur sa proie de rechange, au moins pour la prévenir qu'il n'était pas très équilibré et l'enjoindre à faire attention à elle.

— Sam n'est pas comme tous les hommes.

Comme si elle avait besoin qu'on le lui dise.

— J'avais remarqué, marmonna-t-elle. Mais Annette n'est pas comme toutes les femmes non plus.

— Peut-être devrais-je m'inquiéter pour Sam dans ce cas ? fit-il pince-sans-rire.

L'idée d'Annette faisant tourner Sam en bourrique comme elle savait le faire était si réjouissante que Sophia sourit franchement.

— Peut-être bien, convint-elle.

Décidément, ce colosse aux allures d'ange déchu lui plaisait.

Jamais Sophia n'avait rencontré d'homme tel que lui. Il était tellement imposant qu'elle avait l'impression que rien ne pouvait l'ébranler, que l'on pouvait se fier à sa solidité pour pallier le défaut de la sienne propre pour peu qu'il vous accorde sa confiance et son amitié. Son air sombre ne l'effrayait pas plus, sa beauté quasi surnaturelle non plus. Mieux, elle était si évidente qu'enfin Sophia se sentait elle-même dans la norme. Enfin.

La jeune femme n'aurait su dire à quel point cette sensation lui fut agréable, presque grisante. Elle n'en dit mot, naturellement, et le silence régna dans l'habitacle durant les quelques kilomètres qu'il leur fallut pour rejoindre l'autoroute en direction de Paris.

Sophia s'était finalement perdue dans la contemplation du paysage qui défilait pour s'empêcher de réfléchir, rêver au délicieux bain plein de mousse parfumée et à son lit qu'elle avait abandonné très tôt le matin même et qui tous deux l'attendaient chez elle. Lorsque la campagne céda sa place à de mornes champs à perte de vue, elle reporta son attention sur la route, puis sur son chauffeur.

Concentré sur sa conduite, ce dont elle lui sut infiniment gré puisqu'il s'offrit le plaisir d'une pointe de vitesse, le géant ne lui jeta qu'un furtif regard.

Sophia n'avait jamais compris cette passion quasi fusionnelle que certaines personnes entretenaient avec leur voiture. Cela dit, jamais elle n'avait fréquenté quiconque possédant un tel engin... enfin, un tel véhicule. Elle-même appréciait son antique Coccinelle dans la mesure où elle la menait d'un point A à un point B et roulait toujours en dépit de son âge vénérable. Au grand désespoir de son père qui n'avait pas été capable de lui transmettre son béguin pour les belles mécaniques, Sophia n'envisageait les voitures que comme d'utiles moyens de transport. Ou à la rigueur comme un indice assez fiable quant à certains complexes masculins.

— Tout va bien ? se soucia Shax, percevant qu'elle le fixait toujours.

— Je me suis perdue dans le jardin, annonça-t-elle sans comprendre pourquoi ces mots plus que d'autres franchirent ses lèvres.

L'allure de la limousine ralentit sensiblement mais en douceur, ralliant les limites autorisées.

— C'est un lieu affreux, poursuivit-elle.

— Pas affreux. Terrible.

Quelque chose dans le ton du géant interpella la jeune femme qui le dévisagea avec encore plus d'attention.

— Il symbolise beaucoup trop ce que Sam peut être, laissa-t-il entendre.

— C'est-à-dire ? fit-elle très intéressée par cette curieuse comparaison.

— Beaucoup de choses à offrir mais retenues prisonnières.

— Par sa folie, vous voulez dire ?

— Sam n'est pas fou. Il est…

— Malade ? Original ? proposa Sophia.

— Ouais, sans aucun doute original, confirma Shax dans ce qui pouvait être un rire. Mais il est surtout terriblement seul.

— Il n'a pas de famille ? D'amis ? demanda-t-elle.

— Je ne parlais pas de ce genre de solitude. Sam est quelqu'un à qui il manque quelque chose.

— Je comprends, murmura pensivement la jeune femme.

Si seulement c'était vrai, fut tenté de répondre Shax.

— Un peu comme cette effroyable partie du jardin totalement morte ?

Le géant fit son possible pour ne pas réagir et écraser la pédale de frein.

Comment était-elle arrivée jusqu'au…

— J'en aurais pleuré, avoua Sophia avant que son chauffeur ait pu articuler le moindre mot. Comment se fait-il que cette zone soit laissée dans cet état ? Est-ce une expérience, une

160

œuvre ? demanda-t-elle encore songeant à certains artistes qui avaient commis des créations bien pires ou sans queue ni tête et appeler ça de l'art.

— C'est plus une sorte de fatalité, répondit enfin le géant. Sam et Ilan ont eu beau faire, rien ne daigne survivre dans cette partie du jardin.

— Qui est Ilan ?

— L'horticulteur particulier de Sam. Il serait capable de faire pousser un saule en plein désert de Gobi, mais il a rendu les armes devant ce casse-tête.

— Pourquoi insister alors ? Et surtout pourquoi laisser cette végétation morte en l'état ? C'est triste et choquant.

— Il faudra demander à Sam.

Sophia eut une moue. Poser la question, pas de souci. Obtenir une réponse, ça, c'était une autre paire de manches.

— Dans ce cas, je lui demanderai aussi comment j'ai pu me perdre quatre ou cinq fois dans ce maudit jardin avant de retrouver la porte. J'ai cru devenir dingue.

— Comment vous en êtes-vous sortie ? s'enquit Shax qui eut si peu l'air de s'étonner de sa mésaventure que Sophia mit du temps à répondre.

— En fermant les yeux, avoua-t-elle avec un petit rire nerveux. C'est fou, n'est-ce pas ?

— Curieux en effet, convint-il. Surtout pour une photographe.

Mouais...

Qu'elle se soit égarée dans quelques centaines de mètres carrés de verdure n'avait vraiment pas l'air de le perturber. Ce qui la troublait, elle.

— Sauf s'il utilise plus que ses yeux pour travailler, finit-elle par répondre, sa perplexité agissant comme un frein sur son élocution.

— Je doute que la photo soit seulement un travail pour vous. J'ai vu celles que votre amie a jointes au mail. Elles sont vraiment fortes.

— Merci, chuchota Sophia dont les joues se coloraient de plaisir et de fierté. Monsieur Nahash est photographe aussi, paraît-il. A-t-il un thème ou un style favori ?

— L'érotisme.

Un mot que la voix très grave du géant se chargea d'emplir de tout son sens. Il atteignit Sophia comme une promesse.

— Sam a un talent fou. Il l'exprime des deux côtés de l'objectif.

Qui a monté le chauffage ?

Un rose beaucoup plus soutenu que le précédent farda aussitôt les joues de Sophia qui manqua en outre de s'étrangler. Non en raison d'une quelconque pruderie, mais parce que... parce que...

Oh, eh bien, parce que tout un tas d'images délicieuses envahirent soudainement son esprit ! Au moins jusqu'à ce que ceux de ses quelques neurones qui n'avaient pas instantanément grillé lui rappellent que, dans un cas comme dans l'autre, il y avait fort peu de chance que Sam se livre à cette activité tout seul. Voyeur ou acteur, Sophia ne doutait pas qu'il choisissait des modèles et partenaires hors du commun. Curieuse de savoir quel regard le jeune homme avait sur la sensualité et le corps humain, elle n'était pourtant pas certaine d'avoir envie de voir ses clichés.

— Et vous ? Vous lui servez de modèle parfois ? demanda-t-elle, se réjouissant que sa voix ne soit pas aussi altérée que son imaginaire.

Question aussitôt posée, aussitôt regrettée. Le coup d'œil que Shax lui jeta donna à Sophia l'impression d'avoir dépassé la limite de l'intime.

— Qu'est-ce qui vous fait penser que je pourrais être modèle ou que je puisse en avoir envie ?

— Mon intuition de photographe. Et puis vous êtes… inté-ressant.

Il haussa un sourcil.

— Intéressant ?

Sophia leva les yeux au ciel mais ne put contenir son sourire.

— Splendide, rectifia-t-elle.

— Vraiment ?

— Pas de fausse modestie, Monsieur…

— Shax.

— Shax… Ça sonne comme un nom de rock-star, murmura-t-elle pour elle-même. Mais vous ne m'avez pas répondu.

— Il m'est arrivé de lui servir de modèle, consentit-il enfin à avouer. Uniquement pour ses photos, jamais pour ses toiles.

— Parce qu'il peint aussi ? s'exclama Sophia, sidérée.

Shax hocha la tête.

— Attendez. Écrivain, éditeur, photographe, peintre…

— Sculpteur, graphiste et antiquaire. Sans parler de sa passion pour l'art, la musique, l'astronomie et j'en passe.

— Ça fait beaucoup de casquettes pour une seule tête ça ! s'ébahit Sophia. Comment trouve-t-il le temps de faire tout ça ?

— Sam est un passionné, articula Shax, très sérieusement cette fois. Et lorsqu'il aime quelque chose, ce n'est jamais à moitié. C'est valable aussi pour ce qu'il n'aime pas.

— Comme ?

— Le mensonge et l'injustice. Et puis les limites, la censure et l'hypocrisie.

Sophia se demanda si cette passion régissant le comporte-ment de Sam était à l'origine du feu qu'elle avait décelé chez lui. Probablement. Et s'il manquait vraiment de quelque chose, il n'était dès lors pas étonnant qu'il compense de cette manière. S'occuper, créer pour oublier, collectionner pour combler un vide étaient finalement des palliatifs plutôt sains.

Voilà qui éclairait le mystère Sam d'un jour nouveau. Sous cette lumière, il paraissait beaucoup moins superficiel, ce qui n'excusait pas son comportement mais avait au moins le mérite de l'expliquer, un peu. Quoi qu'il en soit, fréquenter un tel homme ne devait pas être de tout repos. Selon Sophia, la passion poussée à son paroxysme agissait à la manière du vampire. Telle cette créature mythique, elle s'approchait de quiconque possédait un feu intérieur et s'en nourrissait, dédaignant les êtres vides et frivoles. Ce que tendait à confirmer son état d'épuisement alors qu'elle ne l'avait côtoyé qu'une heure ou deux, au plus, songea la jeune femme.

Après s'être immiscé dans l'esprit de Sophia grâce aux révélations de Shax, ou à cause d'elles, Sam s'y imposa définitivement, lui sembla-t-il. Sans doute parce qu'elle les ramena à un niveau humain et non plus artistique. Il y tenait le premier rôle, et aussi les seconds, celui du passionné, du solitaire, de l'amoureux ou encore de l'amant. De l'homme.

Ce fut avec l'image du regard extraordinaire de Sam, reflet assez fidèle de sa personnalité pleine de nuances et de contrastes, que Sophia glissa peu à peu dans une douce somnolence, de celles possédant le même pouvoir qu'une baguette magique.

Lorsqu'elle en émergea, la voiture s'immobilisait devant chez elle.

Après avoir remercié son chauffeur qui de son côté lui fit promettre de prendre soin d'elle et affirma espérer la revoir bientôt, Sophia réintégra son petit appartement douillet. Envahi de son cher bazar organisé. Son trois-pièces lui parut pourtant affreusement vide.

Vide de vie et triste.

Aucune plante verte ne l'animait, réalisa-t-elle.

*

Shax amorça une marche arrière, illustrant à la perfection la morale de la fable de La Fontaine édictant que la raison du plus fort est toujours la meilleure lorsqu'il s'engagea sur la place qu'il avait repérée, sous le nez d'un conn… d'un malotru tenté de la lui souffler. Gros aurait peut-être été plus adéquat que fort eu égard aux dimensions de leurs véhicules respectifs. Le géant se foutait royalement que la limousine fasse deux fois la taille de l'autre bagnole, qu'elle prenne deux ou trois places de parking au lieu d'une.

Une fois garé, Shax abaissa sa vitre et se composa son air le plus menaçant pour le cas où l'individu se hasarderait à venir lui dire sa façon de penser. Ce qui ne manqua pas de se produire. Arrêtant sa voiture en double file et ouvrant déjà sa portière pour descendre de son véhicule, le jeune freluquet la referma vite fait à la vue du sombre colosse prêt à en découdre assis au volant de l'énorme Mercedes. Il fila sans demander son reste.

Satisfait, Shax se libéra de sa ceinture de sécurité, remonta sa vitre et récupéra son portable dans la poche de son jean avant de s'installer aussi confortablement que possible dans son siège.

— *Tout va bien ?* s'enquit Sam immédiatement après avoir pris l'appel.

— Ouaip. Elle est chez elle. Elle va se pieuter tôt ce soir, je crois.

— *Comment le sais-tu ?*

— Elle se déshabille.

Un silence lourd, avoisinant au bas mot le millier de tonnes, lui répondit. Et puis…

— *Tu es chez elle ?*

L'envie de commettre un meurtre, mais seulement après quelques longues tortures inédites, avait été très présente dans le ton de Sam dont la voix s'était réduite à grave murmure.

Shax sourit jusqu'aux oreilles.

— Non. Elle est à sa fenêtre. Elle porte juste ses dessous et défait sa natte. Ça vaut vraiment le détour.

Une espèce de bruit, curieux, parvint aux oreilles du géant ; il évoquait un peu un blasphème qu'aurait pu articuler un homme des cavernes très en colère.

— *Tu as de la chance d'être loin*, laissa entendre Sam un instant plus tard.

— Tssss, tu n'es vraiment pas partageur. En plus, je ne fais rien de mal, je ne fais que mater.

— *C'est déjà trop*, gronda Sam. *En ce qui la concerne, je ne partage pas.*

— T'inquiète. Je te faisais marcher. Elle ne se désape pas devant sa fenêtre.

— *Enfoiré.*

— Mais si elle le faisait, je serais aux premières loges.

— *Ta gueule.*

— Moi aussi, je t'aime, mon grand. Je te rappelle s'il se passe quelque chose.

Shax savait qu'il n'aurait pas dû titiller son pote mais n'avait pu résister à la tentation, chose qu'il évitait autant que possible. Ouais, seulement la tendance s'inversait et le géant se sentait d'humeur particulièrement taquine. Sa propension à la malice étant, pour ceux qui le connaissaient, un bon indicateur de son état d'esprit.

Réfléchissant ensuite à sa conversation avec Sophia, et plus particulièrement à ses propos concernant le jardin d'hiver, Shax s'interrogea sur la pertinence d'en parler à Sam, surtout à distance, son ami pouvant tout à fait débarquer à l'improviste en dépit du danger que cela comportait ou lui demander de ramener Sophia illico au château. Son hésitation ne dura pas. C'était l'évidence même. Sam devait savoir.

Chapitre 13

Étendu sur son lit depuis qu'il avait regagné sa chambre après son entrevue avec Annette, un bras en travers du visage comme souvent, son esprit et son cœur exclusivement tournés vers Sophia, Sam soupira lorsqu'une notification de message se fit entendre.

Le géant l'ignorait, mais il avait lui attribué une sonnerie de notification des SMS bien spécifique : *La Jolie Petite Libellule*, titre interprété par Sim dans un fameux film d'Audiard. Cette plaisanterie, innocente mais caractéristique de son sens de l'humour, avait le don de réjouir son côté un peu gamin et de combler en partie ses envies de vengeance. Sauf que si son andouille de pote persistait avec ses blagues à la con, il s'offrirait le plaisir de le trucider de ses propres mains dès son retour.

Sam tendit le bras pour récupérer son mobile qu'il avait abandonné sur le matelas afin de se consacrer à ses rêveries, un peu douces-amères même s'il se sentait moins mal. La veille, et encore la veille et tous les jours avant, depuis une éternité, ses songeries n'avaient été qu'aigres et sombres. Et si l'adorable visage de Sophia remplaçait enfin les traits flous qui les avaient hantées jusqu'ici, Sam ne pouvait s'empêcher de s'impatienter. Encore que le mot soit faible. Il voulait qu'elle sache. Au-delà de cela, il crevait surtout d'envie de lui faire l'amour, lui donner du plaisir. Plus qu'elle n'en avait jamais reçu de sa vie, de toutes les manières possibles et jusqu'à ce qu'elle lui demande grâce. Merveilleuse occupation à laquelle il serait occupé en ce moment même s'il n'avait pas agi comme le dernier des imbéciles.

L'envie d'entendre sa jolie voix d'alto le titillait. C'est avec elle qu'il aurait voulu discuter, avec elle qu'il voulait échanger des messages. Tendres si possible. Tendre et crus dans un monde idéal.

Après un soupir trahissant tant son dépit que l'effort qu'il dut fournir pour faire dévier son esprit de la jeune femme, Sam s'intéressa au SMS de Shax.

« *Elle m'a parlé du jardin.* » lut-il.

Son rythme cardiaque s'emballant, Sam se redressa sur un coude et attendit la suite. Il y avait nécessairement une suite.

Une espèce de pressentiment mêlant excitation et peur lui noua le ventre.

« *Apparemment, elle s'y serait perdue plusieurs fois avant de retrouver la porte.* »

En soi, cette information n'était pas spécialement révélatrice de quoi que ce soit. Sauf peut-être en ce qui concernait ce qu'il avait imposé à Sophia et à l'étendue du choc qu'il avait provoqué chez elle. Une pointe de désespoir pinça le cœur de Sam. Il s'en voulait. Et l'absence de choix le révoltait. S'il l'avait pu, il aurait tout fait pour lui éviter cette épreuve.

« *A-t-elle dit comment elle a retrouvé sa route ?* »
« *En fermant les yeux !!!* »

Ceux de Sam se plissèrent.

Lui aurait pu se déplacer dans le jardin les yeux fermés puisqu'il connaissait les lieux comme sa poche. Ce qui n'était pas le cas de la jeune femme. Mais le fond du problème n'était pas là. Comment l'idée d'agir ainsi lui était-elle venue ? Et pourquoi ?

Pour avoir vu son travail, Sam savait que Sophia était dotée de sensibilité et d'une grande réceptivité à son environnement. Seulement, une telle démarche dénotait d'une solide foi en ses autres sens. Ou alors, Sophia avait un don particulier…

Son impuissance à déterminer avec certitude si cela était un signe, les prémices du réveil de Sophia, irritait Sam au plus haut point. Et si s'interdire d'espérer trop et trop tôt était probablement la chose à faire, Sam s'en découvrit incapable.

Il composa une courte réponse ; Shax disposait peut-être d'autres éléments pouvant lui fournir un début de réponse.

« *Rien d'autre ?* »

« *Si.* »

« *J'ignore à quel moment c'est arrivé et comment elle s'y est prise, mais elle a atteint la zone morte.* »

Sam n'aurait pas pu subir de choc plus grand, sauf à ce que Sophia lui téléphone pour lui dire qu'elle savait qui il était et qu'elle l'aimait.

Abandonnant le mode SMS, il appela Shax.

— Elle l'a vu ? demanda-t-il aussitôt, son ton rendu sec par l'espoir autant que par l'inquiétude.

— *Elle n'en a pas parlé.*

— J'arrive. Il faut que je lui avoue tout.

— *Non ! C'est trop dangereux, Sam !*

— Je m'en contrefous.

Shax regrettait d'avoir évoqué ce sujet sans être près de Sam pour l'empêcher de faire les conneries qu'il redoutait ; il soupira.

— *Que crois-tu qu'il arrivera s'il apprend que tu es sorti ? Et que se passera-t-il pour elle s'il te met la main dessus ? Tu y as pensé ?*

Naturellement qu'il y avait réfléchi. Il n'avait fait que cela depuis des années et ne comptait plus les jours où il avait voulu baisser les bras, quitter sa prison dorée et admettre sa défaite.

— Elle peut vivre sans moi. Je... Je ne suis pas important pour elle.

Le ramener à la raison ne serait pas une sinécure ; Shax devrait donc sortir la grosse artillerie.

— *Je serais toi, je ne parierais pas là-dessus*, laissa-t-il entendre.

— Pourquoi ? Elle t'a dit quelque chose ?

Plus que jamais déterminé à s'échapper, l'espoir de Sam donnait des coups de bélier contre son cœur ; chaque heurt correspondait à une puissante pulsation se répercutant sur ses tympans.

— *Pas vraiment. Mais j'ai sous-entendu que tu étais occupé avec sa copine, sans en dire plus. Tout ce que je peux te dire c'est qu'elle a interprété ça à sa manière et que ça n'a pas eu l'air de lui plaire.*

— Peut-être parce qu'elle s'est dit que faute de l'avoir elle, je me rabattais sur sa copine, répliqua Sam plus enclin à voir la moitié vide du verre que la pleine.

— *Possible qu'elle y ait pensé*, convint Shax. *Ensuite, je lui ai dit deux trois trucs sur toi qui l'ont impressionnée et d'autres qui l'ont laissée songeuse.*

— Comme quoi ?

— *Que tu faisais des photos érotiques.*

— Génial ! Comme ça, elle va me prendre pour un pervers en plus du reste.

— *Parce que tu n'en es pas un ?*

— Très drôle, grommela le jeune homme qui aurait juré entendre le sourire de Shax, un sourire précédant un soupir.

— Sam, écoute… elle semblait plus troublée que choquée. Rien n'est perdu, alors laisse-lui un peu de temps.

— Tu crois qu'il m'en reste ? demanda Sam, si bas que l'on aurait pu penser qu'il craignait d'attirer l'attention du Destin sur lui.

— Bien sûr que oui. Nous l'avons retrouvée. Mais ne gâche pas tout avec ton impatience et surtout ne sors pas du château. Je veille sur elle.

— Comme sur ta propre vie, j'espère.

Ce n'était pas un ordre, mais un souhait. Une prière.

— Plus encore.

Un court silence s'instaura entre les deux hommes. Shax patienta. Sam réfléchissait, il le savait autant qu'il le percevait.

— Tu sais quoi ? reprit-il. Je crois que notre petite journaliste mérite un cadeau.

— Une interview ?

— Mieux. Un reportage entier sur le très mystérieux et très infâme Sam Nahash.

— Tu vas avoir besoin d'un photographe de presse alors.

— Précisément.

— Malin.

— Oui.

*

Sophia venait de sortir de ce bain chaud et parfumé tant convoité lorsqu'Annette lui téléphona. Enveloppée dans son peignoir moelleux, détendue, la jeune femme décrocha dès qu'apparut son prénom sur l'écran de son smartphone.

— Tout va bien ? demanda-t-elle, en se laissant tomber dans son vieux fauteuil favori.

Elle plia une jambe sous elle.

— *Bien sûr que tout va bien !* s'exclama Annette d'un ton guilleret. *Si tu savais ce qu'il m'arrive !*

Bavarde comme elle l'était, son amie allait lui rapporter l'histoire par le menu ; la discussion promettait donc de durer. Sophia replia son autre jambe contre elle, calant son talon sur l'assise du siège.

— Raconte.

— *Je t'appelle depuis une suite somptueuse, digne du plus classieux des Palaces. Meubles d'époque, salle de bains tout en marbre, luxueuse et de la taille de mon appartement, petit boudoir et...*

— Tu peux traduire ? Où es-tu ?

— *Au château ! Figure-toi que Sam m'a invitée à rester quelques jours.*

Sam... Pas Monsieur Nahash, nota Sophia. Elle ne répondit pas.

— *Et devine quoi ?*

— Quoi ? souffla la jeune femme presque contre son gré alors qu'un curieux sentiment d'anxiété se saisissait d'elle.

— *Il m'a proposé de faire un reportage sur lui.*

Sophia se retint de soupirer de soulagement. Qu'avait-elle donc craint au juste ?

— Vraiment ?

— *Oui, Madame. Et pas une petite interview mais LE reportage.*

Eh bé ! Un reportage sur le très secret Sam Nahash ! Rien que ça ? L'idée, absurde, d'aller vérifier si une ère glaciaire ne s'était pas installée aux enfers, effleura Sophia. Ou alors, Annette lui avait vraiment tapé dans l'œil.

— *Cet homme est parfait,* enchaîna son amie avec un enthousiasme qui lui fit lever les yeux au ciel, *fascinant, raffiné, cultivé, galant. Il est vraiment adorable, tellement chou !*

Sophia ouvrit des yeux ronds.

— Chou ? s'exclama-t-elle. Tu as bien dit : chou ? insista-t-elle résistant à la tentation de demander à sa copine combien de verres elle avait bus… ou pourquoi Sam n'avait pas été chou avec elle.

Pour sa part, elle aurait pu qualifier Sam de tout un tas d'adjectifs, mais « chou » n'en faisait certainement pas partie.

— *Oui et si beau. Mon Dieu, ce regard ! Tu as vu ses yeux ?*

Annette n'avait aucune idée de ce que ce rappel et son exaltation provoquaient en elle. Cela étant, Sophia n'était pas certaine de le savoir non plus.

— J'ai vu, grommela Sophia.

— *Oh, mais c'est vrai ! Comment s'est passé ton entretien ?*

Sophia grimaça.

— Pas très bien. Et tu ferais bien de te méfier de cet homme. Il est bizarre.

— *Mais qu'est-ce que tu racontes ? C'est un gentleman. Un peu original, certes…*

— Un gentleman ne m'aurait pas abandonnée et enfermée dans son jardin d'hiver.

— *Il a fait ça ? Pourquoi ?*

Annette semblait sincèrement étonnée. De là à imaginer que Sam leur avait joué à chacune un rôle de composition, il n'y avait qu'un pas.

— Aucune idée.

— *Et comment as-tu fait pour sortir ? Où es-tu d'ailleurs ?*

— Chez moi. Shax m'a raccompagnée.

Un court silence suivit.

— *En parlant d'homme dangereux, ne t'approche pas trop de celui-ci,* lui conseilla son amie.

— Pourquoi, il est chasse gardée ?

Question de pure forme puisque Sophia avait déjà sa réponse, naturellement, mais surtout n'avait aucune intention de flirter avec le géant.

L'occasion de taquiner Annette avait juste été trop belle.

— *Pas du tout ! Si tu le veux, prends-le. Je le soupçonne de n'avoir aucun cœur, aucune miette de sensibilité et d'être totalement dépourvu de passion.*

— Parce qu'il n'est pas tombé amoureux de toi dans la seconde ? insinua Sophia avec un soupçon de malice. Deviendrais-tu romantique avec l'âge ?

— *Absolument pas*, fit Annette de son ton le plus outré.

Sophia s'autorisa un sourire entendu. Annette et le romantisme ne s'étaient jamais adressé la parole.

— Donc, tu n'as absolument pas craqué pour lui ?

— *Non.*

Un non trop sec pour être honnête.

— Tu savais qu'il posait pour des photos érotiques ? enchaîna Sophia, innocemment, bien entendu.

Un drôle de bruit retentit à son oreille. Une sorte de petit hoquet.

— *Tu les as vues ?* s'enquit Annette, sa voix étrangement altérée tout à coup.

— Non, mais j'aurais donné cher pour y jeter un œil. En réalité, il m'en a juste parlé.

— *Eh bien ! Tu en as de la chance, dis donc ! Je n'ai eu droit qu'à du mépris.*

— Je n'arrive pas à y croire, pouffa Sophia. Jamais je n'aurais imaginé qu'un homme te résisterait un jour.

— *Il ne m'a pas résisté*, s'empressa de rectifier Annette, sa réputation en jeu. *C'est après qu'il m'a traitée avec dédain.*

Sophia se garda de faire remarquer à son amie qu'elle l'avait un peu cherché. Certains hommes appréciaient les femmes entreprenantes, mais les respectaient rarement. Surtout après, justement.

— Donc, tu abandonnes ou tu as décidé de le lui faire payer en te servant de Sam ?

— *Ça ne servirait à rien d'essayer de le rendre jaloux, ma chérie. Et puis j'ai des choses autrement plus intéressantes en tête : mon reportage.*

Pas Sam plutôt ?

— *Et je vais avoir besoin d'une photographe talentueuse.*

— Encore faudrait-il que Monsieur valide ce choix.

— *Je sais me montrer persuasive.*

Ah, ça...

Sophia refusa catégoriquement de demander à son amie comment elle comptait s'y prendre. Elle le savait déjà et cela lui arracha une nouvelle petite grimace.

— *Quand reviens-tu au château ?* voulut savoir Annette qui tenait ce retour pour acquis.

— Jamais, pour ce que j'en sais.

— *Mais et tes photos ? L'expo et...*

— J'ai laissé mes books à Nahash, ce qui, hélas, ne signifie strictement rien. Il va faire comme les autres, me faire poireauter pour me dire non, j'en ai bien peur.

— *Pas s'il est honnête.*

— Ce que je doute qu'il soit, répliqua Sophia. Et puis, il m'a dit qu'il n'avait pas envie de s'en occuper dans l'immédiat.

Elle marqua une courte pause avant de reprendre.

— Je comprends mieux pourquoi maintenant, laissa-t-elle entendre.

L'écho de dépit contenu dans son ton n'échappa nullement à son amie.

— *Sophia... Je suis désolée que ça se soit mal passé. Et je n'ai rien demandé, tu sais. Tu... Tu m'en veux ?* s'enquit-elle timidement, manifestement très inquiète que ce soit le cas.

— De quoi ? De son invitation ? Du reportage ? Pourquoi t'en voudrais-je ?

— *Je ne sais pas. De l'intérêt qu'il m'a manifesté, par exemple. Sam aurait pu te plaire et...*

— C'est mon feu vert que tu attends ?

— *Non, j'essayais seulement de savoir s'il te plaisait. Oui…*

— Il est très beau, mais ça ne suffit pas. Je ne lui fais pas vraiment confiance. Il est compliqué, arrogant et…

— *Il est Sam Nahash !* la coupa Annette d'un drôle de ton un peu moqueur.

— Exactement, s'empressa de répondre Sophia sans en tenir compte.

Ça, c'était une excuse toute trouvée et imparable. Annette ne pouvait en aucun cas deviner que Sam s'était ingénié à saboter le vilain portrait qu'elle s'était fait de lui pour esquisser un tableau beaucoup plus subtil et envoûtant. Sophia ne tenait pas particulièrement à ce qu'elle l'apprenne non plus.

— *Tu ne verras donc aucun inconvénient à ce que je tente ma chance ?*

— Fais-toi plaisir.

Ces mots-là lui laissèrent un drôle de goût dans la bouche.

— *Sophia ?* finit par appeler Annette au bout d'un silence que la jeune femme aurait dû mettre à profit pour être honnête.

— Oui ?

— *À qui espères-tu faire gober ça ? Pas à moi, tout de même ?*

Sophia déplia ses jambes qu'elle étendit et croisa au niveau de ses chevilles avant de faire reposer ses pieds sur la table basse.

— *Ma bichette*, reprit Annette. *Je te connais par cœur. Alors, maintenant, dis-moi ce qui s'est passé entre vous.*

Sophia se laissa complètement aller dans son fauteuil et ferma les yeux.

— Il m'a embrassée, avoua-t-elle dans un soupir, revivant ces instants intenses et doux à la fois.

— *Je le savais !* s'écria Annette, si fort que la jeune femme sursauta. *Je savais que tu me cachais quelque chose.*

— Je suis si transparente ? s'inquiéta Sophia.

Sa transparence éventuelle aux yeux de Sam la tourmentait pourtant autrement plus. S'il ne la connaissait pas aussi bien qu'Annette, il était homme et n'aurait pas manqué de remarquer la façon qu'elle avait eue de s'abandonner dans ses bras. Par deux fois. Et même si ces deux baisers avaient été écourtés.

— *Non, mais c'est amusant cette caresse dans ta voix quand tu articules son prénom,* lui confia Annette dans un chuchotement complice.

— Ça n'a rien de drôle, répondit Sophia tout aussi bas.

— *Ça te fait peur ?*

— Un peu, convint-elle.

— *Pourquoi ?*

Sophia inspira profondément et tenta de trouver les mots pour exprimer au mieux ce qu'elle ressentait.

— Parce que j'ai le pressentiment qu'il va se passer quelque chose et que le sort en est déjà jeté.

Chapitre 14

Annette n'avait pas raccroché depuis plus d'une minute que le téléphone de Sophia se manifestait à nouveau.

Toujours affalée dans son fauteuil, l'appareil encore en main, la jeune femme le porta au niveau de ses yeux.

Le message qu'elle venait de recevoir les lui fit écarquiller. Les quelques mots qu'il contenait avaient ce pouvoir-là, mais possédaient aussi celui de la mettre un peu en colère.

« *J'ai envie de toi. Sam.* »

Sophia fixa le texto un long moment. Une part d'elle voulait que cette phrase lui soit vraiment destinée, l'autre se chargeant de lui rappeler les sous-entendus de Shax et sa récente conversation avec Annette, le tout l'incitant donc à ne pas plus tenir compte de la douce chaleur que les mots avaient fait éclore en elle. Cela faisait tellement longtemps qu'elle dépérissait seule dans son lit...

Non, elle ne devait surtout pas songer à cela et devait empêcher sa libido de prendre le pas sur ses neurones.

Peu importait ce qu'elle pensait de Sam ou ce qu'elle aurait voulu, ce qui comptait était que lui avait le pouvoir de l'atteindre et par conséquent de la blesser.

Indécise sur ce qu'elle devait répondre, et même si elle devait le faire, la jeune femme opta finalement pour la provocation. Elle composa son message.

« *Annette ne vous suffit pas ?* »

À peine cinq secondes s'écoulèrent avant que son mobile ne se mette à sonner.

Sophia regrettait sa témérité. Sottement, elle s'était imaginé que Sam n'insisterait pas.

Son pouce resta en lévitation au-dessus de l'écran pendant que ses deux consciences se chamaillaient allègrement dans sa tête afin de chacune la faire agir selon leurs volontés. La sonnerie se tut. Sophia n'eut pas plus le temps de se traiter de lâche que de soupirer de soulagement. Elle reprit immédiatement.

Estimant Sam capable de l'appeler jusqu'à ce que, à bout, elle finisse par répondre ou, en plan B pour le cas où elle couperait son téléphone, d'inonder sa messagerie, la jeune femme prit un instant pour se préparer à l'affronter et décrocha.

— *Qu'est-ce que signifie cette réponse exactement ?* demanda Sam.

À son ton sec, il était très clair qu'il ne l'avait que très moyennement goûtée. N'empêche, même ainsi, son timbre avait le don de la toucher ; un petit frisson courut le long de sa colonne vertébrale.

— Que je n'aime pas particulièrement que l'on me prenne pour une idiote, répondit-elle presque honnêtement.

— *Tu penses que je me fiche de toi ?*

Sam n'aurait pas eu l'air plus stupéfait et consterné si on lui avait annoncé que la Lune avait quitté son orbite.

Sophia tiqua en réalisant que sa réponse pouvait facilement passer pour de la jalousie. Une critique qu'elle se devait donc de faire oublier. Seulement, elle y alla juste un petit peu trop fort.

— Je crois surtout que vous jouez un rôle en permanence et qu'il change en fonction du moment, de la personne que vous avez en face de vous et de votre but.

Si elle espérait un démenti, elle en fut pour ses frais. Idem pour une confirmation.

— *Et toi ? Quel jeu joues-tu ?*

— Moi ? s'exclama-t-elle proprement estomaquée.

Elle n'aurait pas dû être aussi surprise par cette riposte. Une fois encore Sam se défilait et rejetait la faute sur elle.

— *Oui. Qui me dit que ta copine et toi n'avez pas manigancé tout ça pour m'approcher et percer le mystère « Nahash ».*

— Mais c'est faux ! s'indigna-t-elle, comprenant que la situation n'allait pas tarder à lui échapper.

D'ici deux secondes, au plus. Elle aurait dû parier.

— *Prouve-le alors,* l'invita-t-il, le plus calmement du monde.

Sophia ouvrit la bouche pour répondre, avec éloquence si possible ; elle la referma bien vite. Ses épaules s'affaissèrent. Comment pourrait-elle trouver la plus petite preuve qu'elle ne mentait pas ?

C'était Annette et elle, travaillant toutes deux pour un journal qui plus est, qui avaient fait le premier pas. Cela suffisait presque à corroborer cette hypothèse pourtant inepte.

— *Pauvre petite Cassandre,* murmura Sam après avoir laissé s'écouler de longues secondes.

Sophia n'apprécia pas outre mesure le soupçon de dérision qu'elle décela dans sa voix. Et la comparaison la fit tiquer. C'était toutefois bien dans la peau de la prophétesse qu'elle se sentait : terriblement impuissante. Et réprimandée par l'équivalent humain d'un dieu païen. Nul doute que Sam, lui, devait se prendre pour Apollon et se croire en droit de la remettre à sa place parce qu'elle s'était refusée à lui.

181

— *Nous continuons à nous soupçonner mutuellement de duplicité ou tu admets que ton message était injuste ?*

— Il n'était pas totalement immérité, s'obstina-t-elle, irritée de constater qu'une fois encore elle était la seule blâmable dans l'esprit de Sam.

Un silence lui répondit, se dressant comme un mur entre eux. C'est en tout cas ainsi que Sophia le ressentit. Submergée par une angoisse aussi subite qu'absurde à l'idée d'avoir irrémédiablement perdu cet homme qu'elle n'était même pas encore certaine de vouloir, Sophia ouvrit la bouche, pour une ultime tentative de le rattraper. Sam ne lui en laissa pas l'occasion.

— *Si, il l'était, Sophia. Parce que j'étais sincère.*

Normalement, Sophia aurait voué quiconque lui raccrochant au nez aux gémonies. Mais en cet instant, elle se sentait plus merdeuse qu'autre chose.

Le temps qu'elle atteigne son lit, ce sentiment s'était mué en une autre émotion.

Refouler une envie de pleurer et étouffer de la tristesse mâtinée de culpabilité juste avant de dormir n'était pas très indiqué pour un repos sain.

*

À mesure qu'elle sombrait vers les profondeurs méandreuses de son subconscient, Sam, lui, se dirigeait vers le coin le plus reculé de son jardin d'hiver. Ce lieu qu'il aimait et détestait tout à la fois cachait l'un de ses plus précieux trésors. Unique et terrible, l'un expliquant l'autre et inversement, il était aussi un reflet saisissant de la condition de Sam : en sursis.

*

À moins de considérer la végétation, dans l'acception la plus large du mot et toutes espèces confondues, comme des trésors de la nature, Sophia évoluait parmi d'incroyables richesses.

La jungle dans laquelle son rêve l'avait envoyée se promener était dense et luxuriante ; la touffeur et l'humidité tropicales qui y régnaient collaient la fine batiste de sa robe blanche sur sa peau.

Si ce songe pouvait pour l'instant rappeler son cauchemar d'enfance par certains aspects, il était enrichi de plus de détails tant figuratifs qu'émotionnels. Alors qu'elle cheminait tranquillement, aucune oppression ni aucune impression d'être perdue ne la perturbaient. Bien au contraire. C'était même un sentiment de plénitude qui l'habitait.

Sophia se déplaçait facilement, suivant un sentier qui, elle le savait, la conduirait là où elle voulait être, dans cette clairière où était sa vie, où vivait son cœur.

Elle sourit de bien-être.

Son sourire s'agrandit alors que la végétation l'enveloppant se modifiait subtilement, annonçant la fin de sa route. La canopée s'éclairait, laissant l'éclat du soleil descendre et atteindre les habitants plus modestes que les géants ombrageux la dominant ; l'astre faisait briller les feuilles offrant un superbe camaïeu de verts, ressortir les couleurs éclatantes des fleurs sur cette toile de fond, caressait les fougères et les mousses.

Rien ne présageant ce qui se produisit ensuite.

Des nuages envahirent le ciel en un clin d'œil, occultant brusquement presque toute la lumière. La soudaineté du phénomène avait quelque chose de surnaturel. Un avertissement, un terrible augure précédant immédiatement l'inéluctable...

La pluie se mit à tomber à verse, des trombes d'eau capables de tout submerger en un clin d'œil. Rien de réellement surprenant dans une jungle tropicale. À ceci près que la mousson ou même un déluge n'avaient pas le pouvoir de faire fondre la végétation, de la faire se dissoudre et disparaître à vue d'œil. Sophia sentait dans son cœur, dans ses tripes et sur sa peau que cette pluie-là était composée de larmes amères. Les siennes ? Non, elle ne pleurait pas. Mais chaque goutte l'atteignant lui semblait faite d'acide, la brûlait. Elle ne comprenait pas ce qu'il se passait, était terrifiée de voir tout s'affaisser autour d'elle, se déliter, se corrompre sur-le-champ pour se transformer en une espèce de boue verdâtre et gluante. Incapable de se détacher de ce spectacle aussi désolant qu'effrayant, terrible et douloureux, elle était également empêchée de bouger, condamnée à être témoin de cette inévitable destruction. Une punition. Voilà ce que Sophia avait l'impression de subir. Au fond d'elle, une étincelle de culpabilité s'éveilla. Pourquoi ? De quoi d'autre qu'exister aurait-elle pu être coupable ? Cette sentence était injuste.

Au prix d'un immense effort de volonté, la jeune femme parvint à se soustraire à cette calamité et à fermer les yeux. Un vent violent la gifla, comme pour la punir de son manque de courage ; un souffle brûlant, sec, désertique l'incitant à les rouvrir et constater qu'il avait tout balayé sur son passage.

Tout, sauf elle.

Sophia se trouvait désormais au beau milieu d'un désert de sel dont la blancheur insupportable était encore accrue par la réverbération des rayons du soleil. Implacable, l'astre régnait en dictateur sur un ciel d'un bleu presque cobalt.

La peau de la jeune femme la brûlait, la piquait, se desséchait ; ses yeux aussi en dépit de ses larmes. Cette fois-ci, elle pleurait bel et bien. La peur viscérale lui nouant le ventre n'avait rien à envier à la tristesse comprimant sa poitrine. Elle devinait ce qui l'attendait sans connaître la façon dont cela se produirait. Plissant les paupières et se protégeant comme elle put de la morsure de la lumière avec une main en visière, elle scruta le terrible désert blanc.

Il était bien plus que vide et mort. Il *était* la mort. Ou son berceau.

Désespérée et paniquée, Sophia initia un pas pour faire demi-tour, revenir dans le temps et retrouver sa jungle, échapper à cette horreur immaculée. Elle ne le put. Baissant la tête, elle constata que ses pieds étaient déjà pris dans une gangue de sel remontant lentement mais sûrement sur ses chevilles, ses mollets. Plus elle luttait pour se défaire de cette prison minérale, plus le processus s'accélérait. Bêtement, elle songea que le scintillement des paillettes était assez joli sur sa peau.

Sophia n'eut pas l'opportunité d'apprendre si elle finirait transformée en statue de sel dans ce désert. Un flash d'une intensité insoutenable, comparable à celui libéré par l'explosion d'une bombe nucléaire, satura l'atmosphère de sa blanche lumière. L'éclair était une chose à peu près supportable comparé au souffle qui s'ensuivit. Lorsqu'il l'atteignit de plein fouet, la jeune femme eut l'impression de se désintégrer, d'exploser en des milliards de particules mêlant sa chair, son esprit, ses souvenirs, ses espoirs, ses passions, elle dans son entier, en un nuage qui fut violemment aspiré et projeté l'instant d'après dans les ténèbres profondes et glaciales.

Elle hurla.

En nage, sur le point de suffoquer et son cœur battant à tout rompre, Sophia se redressa en position assise une seconde ou deux avant d'être pleinement réveillée. Elle happa une goulée d'air pour échapper à cette affreuse sensation d'être sur le point de se noyer, par manque d'air mais aussi parce que la panique manquait de la submerger. Elle tremblait comme une feuille, une sueur froide recouvrait sa peau.

Sophia n'eut pas le temps de se remettre de ses émotions, prise d'une nausée fulgurante, elle dut abandonner précipitamment son lit dévasté pour courir jusqu'à la salle de bains.

Vomir ne la soulagea pas. Pour que cela soit possible, il aurait fallu qu'elle s'arrache le cœur. C'était lui le responsable et non son estomac. Empli de terreur, il battait beaucoup trop fort et beaucoup trop vite. Quant à son esprit, il était totalement vide. Ou desséché. C'était peut-être préférable.

Une main agrippée au rebord du lavabo, Sophia se servit de l'autre pour ouvrir le robinet d'eau froide et se rinça la bouche avant de placer son visage sous le jet d'eau. Elle seule avait le pouvoir de la débarrasser de tout ce sel qui irritait sa peau, ses yeux.

Cela ne suffit pas. La sensation d'en être recouverte persistait. Pire, elle avait l'impression qu'il s'insinuait jusque dans son esprit.

Abandonnant la vasque, Sophia ôta son tee-shirt trempé de sueur qu'elle laissa tomber au sol. Enjambant le rebord de la baignoire, elle se plaça sous le jet de la douche bien avant que l'eau ne soit chaude. Rien n'était plus important que se libérer de tout ce sel.

*

Shax avait attendu que la nuit soit tombée pour sortir de la limousine. Patient, il l'était autant de nature que par la force des choses. Rester en planque ne lui avait jamais causé le moindre souci, sa capacité à demeurer vigilant alors même qu'il parvenait à se déconnecter de la lenteur du temps aidait beaucoup. Aucun entraînement ni aucune appartenance à des forces spéciales n'étaient à l'origine de cette aptitude. Encore que… faire partie de l'entourage proche de Sam pouvait par certains aspects ressembler à l'intégration d'un corps d'armée.

Adossé au mur d'un petit immeuble situé juste en face de celui de Sophia depuis un peu moins d'une heure, entre deux flaques de lumières dispensées par des lampadaires et les yeux rivés sur les fenêtres de l'appartement, il fumait une cigarette. Si aucune lampe n'avait été allumée chez la jeune femme, il n'en avait pas moins perçu des ombres mouvantes. Rapides mais pas suffisamment pour trahir autre chose que ses déplacements.

Shax jeta un coup d'œil à sa montre. Cinq heures du matin. Soit la belle était une lève-tôt, soit elle avait des insomnies. Il pouvait aussi s'agir d'une petite envie pressante.

Rien d'inquiétant *a priori*.

Projetant son mégot dans le caniveau d'une pichenette, Shax se redressa quand un halo doré jaillit dans la pièce qu'il avait identifiée comme étant le salon. La silhouette de Sophia ne tarda pas à y apparaître. Enveloppée dans un peignoir, sa chevelure défaite, elle tenait une tasse serrée entre ses mains, comme une personne frigorifiée tentant de se réchauffer. Portant le mug à ses lèvres, elle but une gorgée puis leva les yeux au ciel, offrant un tableau assez troublant au géant. Auréolée de lumière ambrée, elle évoquait le personnage central d'une œuvre en clair-obscur.

La beauté de Sophia était celle d'une jeune femme de son époque, songea-t-il, mais elle recelait également quelque chose d'ancestral, ou d'universel peut-être, dans la pureté de ses traits. Sa posture conférait un peu de romantisme à la vision qu'elle donnait, mais son observation du ciel accordait à l'ensemble une dimension presque philosophique car Sophia ne semblait pas observer la lune ou les étoiles, mais regarder l'éternité droit dans les yeux et lui demander des comptes. Le géant était prêt à parier qu'une étincelle de défi brillait dans son regard.

Tout à ses réflexions, Shax ne réalisa que trop tard que la jeune femme avait abandonné sa contemplation du ciel. Leurs regards se croisèrent.

La silhouette de Sophia disparut du rectangle sombre pour réapparaître à peine une minute plus tard à la porte de son immeuble. Manifestement peu soucieuse de sortir en peignoir dans la rue par une aube glaciale, elle se dirigea vers lui au pas de charge.

Shax n'avait pas bougé et n'avait pas l'intention de le faire. Il aurait préféré que la jeune femme ne se rende pas compte de sa surveillance, mais ne comptait pas fuir non plus. Quant à des explications, il craignait bien qu'elle ne doive s'asseoir dessus.

Il baissa la tête pour rencontrer son regard.

— Qu'est-ce que vous fichez ici ? lui demanda-t-elle dans une sorte de chuchotement exaspéré s'accordant à merveille au mécontentement luisant au centre de ses iris, plus sombres que jamais sous ses sourcils froncés. Vous m'espionnez ?

— Non.

N'entendant aucun éclaircissement suivre, Sophia, dont la patience n'était qu'un vieux souvenir, insista.

— Vous me surveillez alors ?

— Non.

— Alors quoi ?

— Alors rien. Je suis là, c'est tout.

— C'est tout ? Vous êtes là ?

L'irritation avait fait grimper la voix de Sophia dans les aigus.

— Oui.

Désarmée par cette conversation ne menant nulle part, la jeune femme soupira. Ses épaules s'affaissèrent. Elle était toujours aussi épuisée et la terreur qu'elle avait ressentie dans son cauchemar tournoyait encore dans son cœur. Ni la douche ni le thé n'étaient parvenus à la faire fuir.

— C'est Sam qui vous a demandé de...

— Vous devriez rentrer, vous allez attraper froid, l'interrompit le géant.

Si ses mots relevaient de la prévenance, ce n'était pas le cas de son ton presque autoritaire. Il n'en fallait pas beaucoup plus ce matin-là pour la faire basculer en mode gamine capricieuse.

— Je fais ce que je veux, rétorqua-t-elle.

— Bien entendu. Ce n'était qu'un conseil.

— Dites-moi ce que vous faites sous mes fenêtres ! revint-elle à la charge.

— J'avais peut-être envie de jouer les Roméo.

Un masque de stupéfaction apparut sur les traits de Sophia. Puis son visage s'éclaira ; elle éclata de rire.

Shax eut un demi-sourire. Sa réplique était réellement grotesque, il en convenait volontiers. Il n'avait absolument rien d'un Roméo. Néanmoins, il était satisfait d'avoir su la faire rire.

— Rentrez Sophia. Et ne vous occupez pas de moi.

— Trop tard. En ne répondant pas, vous avez réveillé ma curiosité.

— Et vous ? Qui vous a réveillée ?

Elle se rembrunit.

— Un cauchemar, marmonna-t-elle.

— Et vous n'arriviez pas à vous rendormir ?

— J'avais peur de le faire, avoua-t-elle spontanément.

— Qu'est-ce qui peut bien terrifier une grande fille comme vous ? se soucia-t-il, supposant – et l'espérant un peu aussi – que cela avait trait à la nature de la jeune femme.

— Des rêves de petites filles, répondit-elle tout bas en resserrant les pans son peignoir contre elle avant de croiser ses bras sur sa poitrine.

Shax haussa un sourcil ; elle soupira.

— Vous n'êtes pas obligée de répondre, Sophia. Mais rentrez chez vous. Vous grelottez.

— Voulez-vous…

Sophia hésita. Le fait était qu'elle était très tentée de raconter son cauchemar. Peut-être cela lui permettrait-il de l'exorciser. Et surtout, en cet instant, elle avait besoin d'une présence près d'elle. Celle de Shax ferait l'affaire. Il était disponible. Enfin, il était là, quelle qu'en soit la raison. De plus, à cette heure-ci, ses parents ou même Annette devaient encore dormir, elle n'allait quand même pas les réveiller pour si peu. Et puis le géant avait les épaules suffisamment larges pour qu'elle puisse s'appuyer un instant sur l'une d'elles, fût-ce au figuré.

— Voulez-vous une tasse de café ? reprit-elle. Si vous devez me surveiller, autant le faire le plus confortablement possible et au chaud, non ?

Bien tenté jeune fille, s'amusa mentalement Shax.

— C'est vous qui avez conclu que je vous surveillais. Moi, je n'ai rien dit.

— C'est bien ce que je vous reproche, grommela-t-elle en le regardant droit dans les yeux pour le cas où la réponse s'y cacherait.

Elle ne l'y trouva pas, ne vit que le reflet d'une aube morne commuant le bleu azur de ses iris en un gris limpide.

— Sophia, rentrez, répéta Shax, réellement soucieux pour sa santé. Vos lèvres commencent à bleuir. Si vous attrapez une pneumonie, Sam m'en voudra à mort.

— Ma santé l'inquiète à ce point ? fit-elle mine de s'étonner.

— Sinon, il n'aurait pas exigé que…

— Que ? l'invita-t-elle à poursuivre, alors qu'un éclair de satisfaction éclairait son regard.

190

— Merde, grommela Shax se demandant comment elle était parvenue à lui faire cracher le morceau, ou peu s'en fallait.

— Venez, ordonna la jeune femme en faisant volte-face. Il fait un froid de gueux !

Elle retraversa la rue sans vérifier s'il la suivait.

Chapitre 15

L'appartement de Sophia ne reflétait pas vraiment ce que Shax percevait d'elle. La pièce n'était pas à proprement parler bordélique mais d'aucuns l'auraient qualifiée de telle. Sur la table, non loin de la fenêtre, des tirages papier de ses travaux photographiques en cours devaient se partager la place avec plusieurs piles de bouquins et un ordinateur portable. Mots et images régnaient en maîtres, remarqua-t-il. Un regard panoramique au reste du salon le lui confirma. Les murs disparaissaient presque derrière les bibliothèques pleines à craquer de livres et là où la tapisserie crème aurait pu faire une apparition, quantité de cadres y étaient accrochés, protégeant des clichés ne pouvant être que de Sophia. Shax en reconnaissait le style et la force.

Curieusement, il n'y vit aucune trace de cette touche féminine à laquelle il s'était attendu ; aucun bibelot, aucune de ces babioles avec lesquelles bien des jeunes femmes aimaient à décorer leurs intérieurs n'avait droit de séjour chez elle. Cela étant, Sophia étant elle-même excessivement femme, une touche féminine supplémentaire aurait été superflue dès lors qu'elle se trouvait là.

L'invitant à s'installer sur un petit sofa en cuir brun usé, la jeune femme disparut vers la cuisine, confirmant au géant qu'elle était bel et bien l'âme des lieux. Dès qu'elle eut quitté la pièce, celle-ci avait semblé se ternir. Savoir qui était Sophia n'était pas tout à fait pareil qu'en être témoin. Presque, parce qu'elle n'en était pas encore consciente. Shax n'osait dès lors imaginer quels changements elle serait capable d'opérer au château s'il parvenait à la convaincre d'y retourner. Et surtout si Sam réussissait à l'y faire rester. Cette perspective était pourtant des plus exaltantes.

Shax s'assit et repoussa doucement la table basse du bout de ses bottes afin de ménager un peu de place pour ses longues jambes. Sophia ne tarda pas à revenir, porteuse d'une tasse de café noir qu'elle lui tendit avant de s'installer près de lui, de côté et sur un quart de fesse. Le géant supposa qu'elle n'osait encore trop l'approcher. Cette idée le fit sourire intérieurement.

Lorsque ses yeux se fixèrent sur ceux de la jeune femme, Shax comprit que son cauchemar l'avait réellement terrifiée ; l'amusement le quitta. Son regard paraissait hanté, égaré.

— Qu'est-ce qui vous a fait tellement peur, Sophia ? lui demanda-t-il sincèrement inquiet et prenant soin d'insuffler un peu de douceur à sa voix.

Elle se crispa ; ses yeux s'écarquillèrent une fraction de seconde. Elle baissa la tête. Sa chevelure glissa de ses épaules se faisant sa complice pour dissimuler son visage.

Shax prit une gorgée de café puis posa sa tasse sur la table basse.

— Ça avait un rapport avec Sam ? voulut-il savoir.

— Non, répondit-elle enfin dans un filet de voix. Cela ressemblait un peu à un cauchemar que je faisais étant enfant.

Sophia inspira profondément avant d'expirer lentement pour se donner le courage de parler. Ce faisant, elle tenta de chasser les images encore très prégnantes de son rêve.

Shax l'écouta sans mot dire, dissimulant soigneusement le choc que lui procura son histoire. Tout était clair pour lui, mais il ne pouvait rien lui avouer, seulement essayer de l'aider à se sentir un peu mieux. La peur de la jeune femme n'était vraiment pas surprenante.

— Ce rêve est peut-être lié à votre mésaventure dans le jardin d'hiver, avança-t-il, logiquement et donc prudemment, car la situation réelle n'avait pas grand-chose de rationnel, elle.

— J'en doute, murmura-t-elle en lui jetant un coup d'œil. Sinon, je n'aurais pas fait des rêves similaires lorsque j'étais petite.

Shax prit à nouveau soin de dissimuler l'impact de cette révélation dont la seule manifestation fut un battement de paupières.

— C'est vrai, concéda-t-il. Je ne suis pas un spécialiste, mais cette forêt n'est peut-être qu'un décor. Le fond du problème n'est pas nécessairement lié à cet environnement, mais à une peur cachée en vous.

— Possible, fit-elle pensivement. Ou alors, il s'agit de la résurgence d'une vie antérieure.

— Vous y croyez ? l'interrogea le géant.

Qu'elle invoque une pareille théorie l'étonnait.

Sophia haussa les épaules et fit une petite moue.

— Non. Pas vraiment.

La jeune femme se redressa lentement et carra les épaules comme pour se débarrasser du lourd manteau de la peur avant de le fixer si intensément que Shax crut qu'elle essayait de l'hypnotiser, ce qui était risible. Il comprit à quoi elle jouait juste après.

— Pourquoi Sam vous a-t-il demandé de me surveiller ? le questionna-t-elle.

— Vous n'abandonnez jamais ? s'esclaffa le géant.

— Rarement.

Qui se ressemble s'assemble, songea Shax.

Comme Sophia l'avait espéré, parler de son cauchemar avait contribué à éloigner un peu ses fantômes, ou à laisser sa curiosité reprendre le dessus. Et puis ça n'avait été qu'un rêve après tout et la présence de Shax, si impressionnante, avait le don de la rassurer. Avec un tel garde du corps, elle se sentait en sécurité. Ce qui impliquait qu'elle pensait craindre quelque chose ; elle aurait été incapable de dire quoi exactement. Sauf que son cauchemar devienne réalité, naturellement.

— Je vais vous faire une confidence, Sophia, reprit Shax. Mais ensuite, il faut me promettre de dormir encore quelques heures. Vous avez une mine affreuse.

— Promis ! répondit instantanément la jeune femme, heureuse de ne plus parler d'elle et de ses peurs. Je suis tout ouïe.

Elle s'installa plus confortablement dans le canapé, un coude en appui sur le dossier et cala sa tête contre sa main. Elle adorait les révélations.

— Sam a eu le coup de foudre pour vous.

Sophia cilla et attendit qu'il poursuive. Rien ne vint.

— C'est ça votre confidence ? demanda-t-elle alors, déçue.

Elle ne le croyait pas.

Pas émotionnellement du moins, parce que d'un point de vue charnel, ce que Sam éprouvait était sans doute l'équivalent sexuel d'un coup de foudre.

Shax hocha la tête.

— J'ai la sensation de m'être fait escroquer, marmonna-t-elle avec une petite grimace. Dites-moi autre chose !

— Non. Allez vous recoucher.

Shax avait une urgence : appeler Sam. Et pour ce faire, il était hors de question que Sophia soit à portée d'oreille. En outre, elle avait vraiment besoin de se reposer.

Sophia poussa un soupir capable de fendre l'âme de n'importe qui. Shax y fut totalement insensible. Il le fut en revanche beaucoup moins à la vision tout à fait ravissante qu'elle lui offrit sans le vouloir en se relevant. L'encolure de son peignoir bâilla, dévoilant la naissance d'un sein. Il avait beau ne pas convoiter la jeune femme, elle était splendide et lui était mâle avant tout. Il détourna le regard.

Shax attendit que Sophia se soit enfermée dans sa chambre pour sortir son mobile de sa poche. Toutefois, il patienta encore un peu avant d'appeler Sam. La jeune femme ne devait pas entendre la plus petite bribe de conversation, le mieux était donc de patienter jusqu'à ce qu'elle se soit rendormie.

Cela dit, même si elle avait surgi dans la pièce ou tenté d'écouter aux portes, elle n'aurait pu surprendre aucune discussion. Sam ne répondit pas. Il avait coupé son portable.

— Merde ! s'exclama Shax.

Il fit une seconde tentative, appelant cette fois-ci sur le fixe, sans plus de succès, même en le laissant sonner durant deux bonnes minutes.

Terriblement inquiet, il commença à déambuler dans le petit salon de Sophia, envisageant toutes les hypothèses pouvant expliquer pourquoi Sam avait éteint son mobile et ne répondait pas sur l'autre. C'était excessivement préoccupant. Parce que la seule explication envisageable était que Sam faisait une de ses crises.

Étant donné qu'il était exclu d'abandonner Sophia à son sort, surtout maintenant, ne restait qu'une option à Shax : téléphoner à Ilan. Il était le seul à même de gérer Sam en son absence.

Leur échange fut bref et Ilan promit de l'informer dès qu'il aurait remis la main sur Sam.

Son message parvint à Shax environ une demi-heure plus tard, temps que le géant avait passé à essayer prendre son mal en patience, à espérer que Sam n'était pas au trente-sixième dessous et surtout n'avait pas fait de connerie irréparable.

Seulement, le connaître et vivre avec lui n'incitait pas à l'optimisme ; le géant eut beaucoup de difficulté à se persuader que son ami allait bien. C'était presque mieux ainsi finalement, parce qu'il tomba de moins haut lorsque Ilan le rappela pour l'informer que Sam s'était enfermé dans le jardin, allant jusqu'à boucler aussi ses quartiers, et par conséquent l'empêchant de l'atteindre. Jamais jusqu'ici Sam n'en était venu à cette extrémité, même en cas de crise grave. Quand il avait besoin de s'isoler, il savait que personne ne le dérangerait. Ce qui donc laissait à penser qu'en dépit de la phase d'exaltation qu'il avait connue grâce à sa rencontre avec Sophia, bien qu'elle ne se soit pas déroulée comme il le désirait, la chute n'en avait été que plus rude. Le tout étant de savoir ce qui avait provoqué cette chute justement. Sam n'aurait pas dû sombrer, pas aussi profondément. Certes, la jeune femme n'était pas restée auprès de lui, mais ce n'était que partie remise et il le savait.

Alors quoi ?

Tout partait-il à vau-l'eau ?

Shax espérait bien que non, cela aurait été par trop injuste. Pas seulement pour Sam.

Plus raisonnablement, le géant songea qu'il n'y avait guère qu'une autre théorie, moins épouvantable, pour expliquer ce très fâcheux revirement de l'humeur de Sam : Sophia. Shax prit un instant pour réfléchir, calmement, autant que cela lui fut possible en tout cas. À tous les coups, son ami n'avait pas suivi ses conseils visant à laisser un peu de temps à la jeune femme. Ses moyens d'action étant limités eu égard à la situation actuelle, il n'avait pas eu trente-six mille solutions pour l'atteindre. Et ce moyen était là, sous ses yeux, posé sur la table basse.

Les scrupules n'étant pas son fort d'une manière générale, et encore moins lorsque Sam était en cause, Shax n'hésita pas plus d'une seconde avant de mettre la main sur le portable de Sophia.

Si aucune émotion n'altéra les traits du géant lorsqu'il lut le message de Sam, il tiqua quand il découvrit la réponse de la jeune femme.

Il ne prit pas la peine de vérifier que Sam avait téléphoné à Sophia après un SMS pareil, c'était l'évidence même. Et il imaginait parfaitement sa réaction.

— Bon sang, quelle chierie ! soupira Shax avant de se passer une main sur le visage.

Il jeta un coup d'œil à la fenêtre. Le jour s'annonçait, sa lumière terne s'accordant assez bien à son humeur du moment. Maintenant qu'il avait renvoyé Sophia dans sa chambre, il n'avait plus qu'à attendre qu'elle se réveille.

*

Reposée et fraîche, Sophia se sentait beaucoup mieux et prête à affronter ce que sa journée lui réserverait, même si elle devait inclure le paramètre Sam. C'était dire si elle avait repris du poil de la bête. Cela étant, compte tenu leur dernier entretien, qu'il se manifeste n'était pas garanti. Elle était certaine que – contrairement à elle – il était du genre rancunier.

Refusant de s'interroger plus avant sur ce qui prenait la forme d'un regret, elle se félicita qu'aucun cauchemar n'ait perturbé la seconde moitié de sa nuit. Si elle avait rêvé, elle n'en gardait pas le moindre souvenir et celui qui l'avait réveillée s'était tapi là où elle l'avait relégué : au fond de son esprit, avec les autres. Qu'aurait-elle pu faire d'autre pour l'empêcher de lui pourrir la vie ? Elle n'allait pas consulter un psy pour un simple mauvais rêve.

Cinq heures à peu près s'étaient écoulées depuis qu'elle avait abandonné Shax dans son salon. Il s'y trouvait toujours, à la même place, endormi. Elle s'approcha prudemment du canapé et s'immobilisa près de l'accoudoir pour l'observer un instant. Ses bras étaient croisés contre son large torse, et ses jambes, croisées elles aussi, au niveau des chevilles, reposaient sur le bord de la table basse. Cette posture extrêmement virile l'amusa. Le sommeil avait subtilisé un peu de dureté à ses traits ; son visage n'en était pas doux pour autant. Peut-être parce qu'il n'était pas éclairé par son beau regard clair. Plus que jamais, il lui évoqua un déchu.

Déchu ou pas, elle le considérait un peu comme son ange gardien.

N'ayant pas le cœur à le réveiller, Sophia récupéra son sac et sortit de chez elle à pas de loup.

La jeune femme n'avait pas l'intention d'aller bien loin. Au bout de la rue en réalité. Dès son réveil, elle avait eu envie de croissants.

Sa course ne lui prit que peu de temps, et ce fut les bras chargés de deux grands sachets renfermant finalement un assortiment de viennoiseries qu'elle ressortit de la boulangerie. Supposant que l'appétit de Shax était proportionnel à sa carrure, elle avait fait le plein.

Sophia était pratiquement arrivée devant son immeuble lorsqu'elle fit une rencontre, agréable, mais manifestement fortuite uniquement pour elle.

— Sophia ! s'entendit-elle appeler.

La jeune femme se retourna. Deux yeux bleus pétillants d'espièglerie accueillirent les siens qui s'agrandirent légèrement sous le coup de la surprise.

— Axel, sourit-elle, reconnaissant le jeune homme rencontré la veille. Bonjour.

— Ah ! Vous vous souvenez de moi !

— Bien sûr, s'exclama Sophia.

Franchement ! Comment aurait-elle pu l'oublier ?

— Je dois vous avouer quelque chose, lui confia-t-il en s'inclinant légèrement sur elle.

— Quoi donc ?

— Je ne suis pas là par hasard. En fait, j'avais envie de vous revoir et j'ai tenté ma chance.

Sophia se sentit rosir, ce qui en soi pouvait être une réponse.

— Serait-ce présomptueux de ma part de conclure de ce joli fard que la réciproque est vraie ? lui demanda-t-il avec un clin d'œil, manifestement content de lui.

Le revoir était un plaisir réel, mais elle n'aurait pu lui dire sans le froisser qu'elle n'avait pas particulièrement pensé à lui.

— Seriez-vous en train de flirter ? esquiva-t-elle.

— Mais oui ! Carrément ! avoua-t-il avec un grand sourire.

— Voilà qui a le mérite d'être franc, s'esclaffa Sophia.

— Je le suis toujours. L'honnêteté simplifie grandement les choses.

— C'est vrai, convint-elle d'autant plus volontiers que c'était aussi sa ligne de conduite.

— Cool ! Donc je peux vous inviter à boire un café ?

— Si vous voulez, répondit Sophia après une courte hésitation en se souvenant de la présence de Shax chez elle.

Elle ne tenait pas particulièrement à ce qu'il s'inquiète de ne pas la trouver chez elle lorsqu'il se réveillerait. Mais après tout, jusqu'à preuve du contraire, elle était libre de faire ce qui lui chantait.

— Et continuer à vous draguer sans vergogne ?

Sophia ne répondit pas à cette question.

— Je vais trop vite, comprit Axel.

— Non, mais…

— Il y a quelqu'un ?

— Oui, avoua-t-elle sans réfléchir avant de se rétracter immédiatement après. Non... C'est compliqué.

— L'amour est compliqué. Pas le sexe.

La réponse du jeune homme eut le don de la rendre perplexe ; elle était vraie. Et du coup, Sophia s'interrogea sur sa propre réponse. Elle ignorait tout de l'amour. Alors pourquoi estimait-elle sa situation sentimentale compliquée puisqu'elle n'avait *pas* de situation sentimentale. Quant au sexe... ce n'était pas en se plaçant au bord du chemin pour regarder la vie passer sans entrer dans le jeu que son existence se remplirait comme par magie de... de vie justement.

— J'ai encore dit une ânerie ? s'inquiéta Axel de ne pas la voir répondre comme il le souhaitait au message, pas très fin il en convenait, qu'il tentait de lui faire passer.

— Non. Vous avez raison une fois de plus. C'est juste que je viens de réaliser... peu importe. Bon. Nous allons le boire ce café ?

Sa question, ou son sourire peut-être, dissipa le léger malaise que son silence avait contribué à générer chez le jeune homme. La déchargeant de l'un de ses sacs, il cala d'office sa main désormais libre au creux du bras qu'il lui offrait.

*

Shax se réveilla en sursaut, une sensation d'urgence l'envahissant aussitôt. Tant son corps que son esprit possédaient la faculté de ne pas avoir besoin de beaucoup plus que quelques secondes pour être opérationnels. Décroisant bras et jambes, il se passa machinalement la main sur les cheveux avant de se redresser puis se lever. Il consulta sa montre. 10 heures.

L'appartement silencieux aurait pu laisser penser que Sophia dormait encore. Son sixième sens lui assurait qu'elle n'était plus là. *Pourquoi cette fichue réceptivité ne l'avait pas réveillé pendant qu'il était temps ?* se demanda-t-il tandis qu'il se dirigeait vers la chambre de la jeune femme. Il ouvrit la porte. La confirmation de l'absence de Sophia le fit gronder de mécontentement ; il estimait avoir failli à la mission simple confiée par Sam, qui, espéra-t-il, ne choisirait pas ce moment pour se manifester. Shax ne craignait aucunement des remontrances pour sa défaillance, mais si son ami venait à apprendre que Sophia se trouvait sans protection, il péterait un câble, risquerait autant de faire une connerie que de plonger plus profond encore.

Reléguant momentanément son inquiétude pour Sam au second plan, le géant para au plus pressé.

Avec la souplesse et la vitesse d'un fauve en pleine partie de chasse, Shax traversa l'appartement, en sortit et dévala l'escalier. Une fois sur le trottoir il prit quelques secondes pour scruter la rue. Pas de Sophia. Cela ne signifiait pas nécessairement qu'elle se trouvait à l'autre bout de Paris ; elle pouvait être à peu près n'importe où et, surtout, à la merci de n'importe qui. Encore que ceux susceptibles de s'attaquer à elle n'étaient précisément pas des quidams lambda. Pour ne rien arranger, Shax ignorait depuis combien de temps elle était sortie.

L'immeuble où elle habitait se situant au bout de la rue Bleue, Shax décida d'entamer ses recherches en remontant la voie. Ses antennes personnelles ne lui envoyaient heureusement aucun signal de danger ce qui ne l'empêcha pas de marcher d'un bon pas, tous ses sens aux aguets.

Sa vive allure le contraignit d'ailleurs à freiner des deux talons après que son œil eut capté un éclat fauve alors qu'il passait devant un bistrot, son corps accusant un infime temps de retard par rapport à son acuité visuelle informant son esprit qu'il avait retrouvé sa cible. Cela dit, ce flamboiement aurait pu appartenir à n'importe quelle femme dotée d'une chevelure rousse. Alors c'était peut-être autre chose qui avait attiré l'attention du géant. Par exemple et au hasard le fait que la jeune femme ne soit pas installée seule à une table pour siroter tranquillement un café, mais plutôt occupée à se faire draguer par un blanc-bec.

La réceptivité de Sophia à la séduction du garçon était sans équivoque. Son sourire, sa manière de l'écouter, de se pencher vers lui en étaient autant de preuves. La jeune femme en était peut-être inconsciente, mais son corps parlait pour elle.

Assis au milieu de la salle, comme dans une bulle, le couple ne l'avait pas repéré et devisait gaiement. Immobile devant la baie vitrée du café, son regard assombri rivé sur le duo et la mâchoire serrée, Shax, lui, avait tout d'un mari jaloux découvrant la superbe paire de cornes dont sa femme comptait le coiffer. Ce n'était qu'une apparence naturellement, sauf à ce qu'il fasse un transfert et réagisse comme Sam l'aurait fait en voyant ce tableau. Néanmoins, le géant n'appréciait pas ce qu'il observait et ressentait la situation comme une déloyauté vis-à-vis de son ami. D'un autre côté, Sophia ne pouvait pas savoir qu'elle lui était exclusivement destinée. Quoi qu'il en soit, elle n'était pas pour ce garçon.

Shax s'interrogea sur la conduite à adopter pour séparer les deux jeunes gens. Il n'avait pas envie de s'en prendre à Sophia ni même celle de la choquer ou de s'immiscer dans sa vie personnelle, mais il n'avait pas vraiment le choix et ses alternatives n'étaient pas légion.

Il pouvait entrer en trombe dans le bistrot et user de son autorité pour ordonner à la jeune femme de rentrer chez elle, ce qu'elle ne lui pardonnerait pas. Elle ne serait pas plus indulgente s'il lui mentait en prétextant que sa chère copine allait mal et la réclamait par exemple. Shax pouvait aussi rejoindre le couple et se faire passer pour un ami de Sophia, lourd et envahissant. Ou encore, il pouvait ne rien faire et attendre.

Le sort le dispensa de choisir.

Shax aurait pourtant nettement préféré qu'il se mêle de son c..., qu'il se mette un peu sur pause pour changer car il ne fit que rendre la situation plus compliquée. Le plus triste dans tout ça étant toutefois que ce fut Sam en personne qui incarna le foutu hasard.

Face au nouveau dilemme auquel son ami le confrontait en l'appelant précisément alors qu'il était témoin d'une scène en mesure de le perturber, le géant se trouva momentanément démuni et tenté de ne pas répondre. La fuite n'avait jamais été son style mais s'avéra pour une fois assez séduisante. S'il ne céda pas à ses sirènes, ce fut en redoutant de découvrir l'état d'esprit de son pote que Shax décrocha.

— Ouais ?

— *Je veux la voir.*

Évidemment !

Cette salope de fatalité s'acharnait. Si la voix de Sam reflétait son humeur du moment, la situation était aussi épouvantable que Shax l'avait craint. Dire que son pote était au trente-sixième dessous aurait été un doux euphémisme. Son timbre dénonçait une lassitude indicible, celle accompagnant d'ordinaire la déprime la plus profonde, et sa respiration rapide, trahie par son souffle amplifié grâce au micro du portable, révélant une oppression écrasante.

— Elle va bien.

Shax tenait à apaiser Sam mais cherchait aussi à se donner un peu de temps.

— Qu'est-ce que tu as foutu hier ? J'ai essayé de t'appeler. Ilan m'a dit que tu t'étais enfermé dans le jardin ?

— *Je vais b... Ça va mieux. J'avais besoin d'être avec lui et de réfléchir. Il est mon seul lien avec elle et...*

— Je suis au courant, lui rappela le géant qui ne croyait pas une seconde que son ami aille mieux, ni bien ni d'ailleurs que quoi que ce soit de positif ne l'anime en cet instant.

— *Où est-elle ? Tu sais ce qu'elle fait ?*

— Elle boit un café dans un bistrot, répondit platement Shax.

Son propre ton avait dû être un rien trop neutre pour que Sam ne l'interprète pas comme une tentative de dissimulation.

— *Seule ?* demanda-t-il après un court silence qui en disait aussi long que sa question sur ce qu'il imaginait et éprouvait.

À quoi bon cacher la réalité ? Sam finissait toujours par savoir ce que l'on tentait de lui taire.

— Non. Elle est avec un pote.

— *Je suppose que ce… pote est affreux ?*

— Pas exactement, répondit Shax à contrecœur et avec une grimace. Mais il a l'air relativement inoffensif.

— Qu'entends-tu par «relativement inoffensif» ? Qu'il ne lui veut aucun mal ou qu'il n'a pas de vues sur elle ?

— Je ne suis pas dans sa tête.

— Ça n'est pas dans cette zone que ça se passe, tu es bien placé pour le savoir.

— Ouais, mais je suis mal placé pour voir quelque chose d'où je me trouve.

— *Montre.*

— Sam…

— *J'ai tout encaissé jusqu'ici*, le coupa Sam dont la lassitude se muait en une irritation impatiente. *Je veux la voir et suis capable d'endurer ça aussi.*

Rien n'était moins sûr. Shax se garda bien de formuler cette remarque et fit ce qu'on lui demandait, activant l'application visioconférence.

Le géant aurait pu détourner l'attention de Sam en évoquant le cauchemar de Sophia mais, encore une fois, il répugnait à le faire au téléphone, c'était risquer de voir Sam rappliquer, ce qui était hors de question. Que son pote voie Sophia en compagnie d'un autre serait un moindre mal finalement.

Fort heureusement, les choses entre Sophia et le garçon n'avaient pas évolué. Avec un peu de chance, en tablant sur une mauvaise qualité de réception ou d'image et sur le fait que Sam n'aurait d'yeux que pour la jeune femme, il ne remarquerait pas la complicité entre les deux jeunes gens.

Ouais. Ben tiens. Seul un aveugle aurait pu la louper ; Sam était loin de l'être et encore moins un idiot.

Estimant que son ami s'était assez torturé comme ça, Shax repassa en mode conversation.

— Sam ?

Un silence lui répondit.

— Sam ? répéta-t-il.

— *Trouve un moyen de la ramener au château*, exigea-t-il d'un ton devenu effroyablement dur. *Je me fiche de savoir lequel, mais je la veux chez moi avant la nuit.*

Shax fut choqué par cette intonation cassante, pour ne pas dire aussi froide et coupante que l'acier, qu'il ne lui avait jamais entendue, mais encore plus par le fait que Sam lui raccroche au nez. Pour une fois, le géant envisagea de ne pas obéir. Ramener Sophia ne serait pas véritablement un problème. En revanche, le changement d'attitude de Sam en serait un s'il ne se calmait pas d'ici là. Pourtant, Shax comprit que s'il n'obtempérait pas, son ami ne le lui pardonnerait jamais. Et avec lui, l'adverbe signifiait bel et bien jamais...

C'était un risque qu'il songea tout de même à prendre.

Chapitre 16

Shax n'eut finalement pas à se torturer les méninges pour trouver la meilleure manière d'attirer l'attention de Sophia. Sa haute et sombre silhouette immobile sur le trottoir s'en chargea toute seule. À moins qu'il ne s'agisse de sa façon de la fixer avec insistance.

Quant à ce que Sam avait exigé, on se débrouilla également de décider pour le géant.

Les deux regards désormais rivés sur la haute silhouette de Shax exprimaient deux émotions différentes bien qu'elles soient toutes deux nées de ce trouble qu'accompagnait en général son apparition quelque part. Si Sophia avait une longueur d'avance et l'avantage de ne plus être autant frappée par la beauté du géant, il n'en allait pas de même pour Axel qui eut vraiment beaucoup de mal à détourner les yeux de lui pour les reporter sur la jeune femme.

— Quelque chose me dit que c'est pour toi, murmura-t-il. C'est lui la complication ?

Comprendre que le splendide ténébreux en avait après Sophia ne lui avait pris qu'une ou deux secondes. Il suffisait de voir le regard ombrageux et possessif qu'il braquait sur elle. Néanmoins, et sans mauvaise foi née d'un dépit quelconque, il n'imaginait pas la jeune femme fréquenter un mec pareil maintenant qu'il la connaissait un peu. En une heure à peine, il était déjà conquis. En plus d'être positivement superbe, Sophia était surtout terriblement attachante. Douce et posée, sa personnalité n'en était pas faible pour autant. Curieusement, sa retenue n'entamait en rien sa spontanéité, lui conférait même une profondeur inouïe. Tout ceci ajouté à cette indéniable sérénité se dégageant d'elle en faisait l'une des jeunes femmes les plus fascinantes qu'il lui ait été donné de rencontrer. Le type était trop grand, bien trop puissant et trop sombre. Beaucoup trop mâle aussi pour Sophia dont la féminité n'avait vraiment pas besoin d'être mise en valeur. Au-delà de ces considérations physiques, d'esthétiques et d'harmonie, Axel le voyait comme un mec brut de décoffrage. Sophia avait besoin de douceur et de nuances dans sa vie. Une relation entre ces deux-là ne pourrait qu'être tumultueuse ou compliquée. D'où sa question.

— Non, ce n'est pas lui, répondit Sophia pensivement et sans quitter Shax des yeux. Mais il y a un rapport.

Elle se demandait ce que le géant faisait ainsi planté au beau milieu de la rue à les fixer d'un air contrarié. Son petit doigt lui disait que cette mine avait plus à voir avec le fait qu'elle ne soit pas seule plutôt qu'avec sa « disparition ». Seulement, n'en déplaise à Monsieur Nahash qui manifestement se souciait plus de ses fréquentations que de sa santé ou son bien-être, la jeune femme tenait à sa liberté. Se sentir surveillée lui déplaisait passablement. Elle avait beau apprécier le géant, simple exécutant en l'occurrence, rien ne lui octroyait le droit de se mêler de sa vie personnelle.

— Tu devrais aller le voir, lui conseilla Axel, songeant que les clients du café et tous les passants finiraient par s'inquiéter de sa sombre présence.

— Oui, soupira Sophia. Je vais lui dire deux mots.

Ce qu'Axel traduit par : lui dire le fond de sa pensée.

Le sourire étirant ses lèvres alors qu'il observait Sophia se diriger vers la sortie de l'établissement devait plus à sa sympathie pour elle qu'à l'opportunité qu'elle lui offrait de contempler sa silhouette bien que le spectacle soit véritablement époustouflant.

S'il espérait la revoir, il avait pourtant compris assez rapidement qu'il ne se passerait rien entre eux. Qui que soit la personne qu'elle avait évoquée, celle-ci avait déjà une emprise suffisante sur Sophia pour qu'elle rejette, consciemment ou non, toute tentative de séduction de la part d'un autre mec. Ce sacré veinard avait intérêt à prendre soin d'elle. Et aussi à l'autoriser à fréquenter des amis.

Axel croisa ses mains derrière sa nuque et se laissa aller contre le dossier de sa chaise. Faire une croix sur une aventure avec Sophia n'effaça pas son sourire ni ne l'altéra. Les belles rencontres étaient rares et avaient plus de valeur qu'un plan cul.

Passer de la compagnie joyeuse et agréable d'Axel à celle puissante et sombre de Shax provoqua chez Sophia une sorte de chaud et froid émotionnel plus marqué que celui procuré par le fait d'affronter la fraîcheur du dehors après la tiédeur de la salle du bistrot. Elle croisa néanmoins ses bras contre sa poitrine. Ces deux chocs thermiques ne la dévièrent pas de son objectif pour autant.

— Qu'est-ce que vous fichez planté comme un cèpe sur le trottoir ? s'enquit-elle d'un ton que sa sympathie pour le géant n'influença pas.

Il laissait très clairement filtrer son irritation.

Naturellement, cela n'impressionna pas le moins du monde Shax qui resta d'un calme parfaitement exaspérant.

— Ce que j'ai à faire, répondit-il à la manière du Terminator, ce qui horripila Sophia.

Elle pinça les lèvres et se retint de lever les yeux au ciel.

— Ça implique aussi surveiller mes fréquentations ?

Oui.

— Je ne vous surveille pas. Je veille et vous protège en cas de besoin.

— Me protéger ? s'étonna-t-elle. De quoi ? s'enquit-elle, troquant son irritation contre de l'inquiétude.

Sa question à peine posée, Sophia vit Shax tourner la tête sur sa droite en direction de la rue se situant dans le prolongement de la rue Bleue – exactement comme l'aurait fait le cyborg d'ailleurs. Sa façon d'être ce matin-là, pour le moins déroutante, donna à la jeune femme l'impression d'avoir été projetée dans le film à son insu. Restait à savoir dans quel volet de la série elle se trouvait et si elle devrait affronter un T 1000 rôdant dans les parages.

Imitant le géant, elle observa les abords de l'autre rue mais n'y vit rien en mesure de l'inquiéter, ni elle ni qui que ce soit. Une femme avec un landau patientait pour traverser, un couple se promenait en se tenant par la main, un livreur grimpait à l'arrière de son camion, quelques lycéens... Non, vraiment, il n'y avait rien ni personne de menaçant.

— Sophia, allez chercher vos affaires et revenez. Vite, ordonna Shax.

Son ton hérissa la jeune femme autant que le fait qu'il persiste à fixer un point quelque part de l'autre côté du carrefour sans lui dire lequel et sans qu'elle puisse le déterminer seule. Que pouvait-il avoir vu ou perçu ? Et surtout, si danger il y avait, de quelle nature était-il ? Pourquoi estimait-il qu'il ne concernerait qu'elle et pas tout le quartier ?

— Pourquoi ? Que se pass...

— Obéissez !

Sophia tiqua mais consentit à se plier à l'exigence du géant parce qu'une réelle urgence y avait filtré. Quoi qu'il manigance, elle ne le pensait pas enclin à lui faire une mauvaise farce de ce genre. Et puis, elle-même était tout à coup saisie d'un sentiment d'alarme irrationnel. Peut-être était-ce seulement une réaction à l'attitude de Shax ? Comme une contamination.

Après s'être excusée auprès d'Axel de le quitter aussi rapidement et impoliment, lui offrant les viennoiseries qu'elle ne pourrait sans doute pas déguster, et sans l'informer de quoi il retournait puisqu'elle n'en savait rien, Sophia lui fit ses adieux et une promesse : celle de le revoir dès que possible. Un tel serment lui fut facile à exprimer ; elle appréciait réellement ce garçon charmant, simple et de très agréable compagnie. Tout le contraire de…

Shax referma l'une de ses grandes mains sur son bras dès qu'elle l'eut rejoint, sans douceur, sans lui faire mal, et l'entraîna dans son sillage, lui faisant descendre la rue au pas de course. Sophia avait beau n'être pas minuscule, pour une seule enjambée du géant, elle devait en faire trois ou quatre.

— Où allons-nous ? demanda-t-elle en tentant de le faire ralentir un peu ; peine perdue.

— Chez vous, répondit le géant en lui jetant un coup d'œil. Vous allez prendre quelques affaires et ensuite je vous ramène au château.

— Hors de question ! opposa Sophia dont la tentative pour arrêter Shax, et ainsi souligner son refus, se solda par un échec.

Ça, c'était véritablement dangereux !

Il accéléra même leur allure, manquant de la faire trébucher.

— Vous n'avez pas le choix.

Shax se trompait. Elle avait le choix, notamment celui d'affronter ce danger qu'il craignait tant et qui le faisait décamper.

— Très bien, fit-elle mine d'accepter. Au moins, dites-moi ce qui vous fait fuir, tenta-t-elle de négocier.

— Je ne fuis pas, répondit-il aigrement comme si insinuer qu'il en soit capable était une insulte mortelle. Sam vous expliquera.

La jeune femme grommela son mécontentement, excessivement peu certaine que Sam y consente... si elle remettait les pieds chez lui.

— Je veux savoir maintenant, exigea-t-elle, se fichant de passer pour une sale gamine. J'ai le droit de savoir pourquoi vous me pensez en danger.

— Ce danger est bien réel, opposa-t-il si sombrement que Sophia le crut.

— OK, il existe. Pourquoi ne pas me laisser l'affronter ?

Une lueur que Sophia aurait aisément qualifiée d'horrifiée traversa les iris de Shax.

— Pas question ! riposta-t-il. Maintenant, taisez-vous et dépêchez-vous.

Bigre ! Était-ce à ce point-là ?

Bien qu'en bonne forme physique, Sophia était essoufflée par l'exercice imposé. Là, et là seulement résidait la raison de son silence. Parce que se taire était exclu. Shax le comprit dès qu'ils furent enfermés dans son appartement. La jeune femme pour sa part se vit confirmer que faire parler le géant lorsqu'il refusait de répondre était une activité particulièrement éprouvante pour les nerfs.

— Allez préparer vos sacs, ordonna Shax en s'adossant à la porte d'entrée. Et faites vite.

— Dès je saurai ce qui se passe, s'entêta la jeune femme, poings sur les hanches et soutenant le regard du géant.

Shax se décolla du panneau, fit un pas et s'inclina sur elle. Son visage s'approcha si près du sien que leurs nez se touchaient presque. Son regard bleu se ficha dans celui écarquillé de la jeune femme.

— Obéissez, Sophia, ou je vous promets que vous le regretterez, articula-t-il affreusement doucement.

Sophia en fut choquée et réalisa pour la première fois à quel point cet homme pouvait être dangereux, autant que sa beauté et sa puissance apparente le suggéraient. Ses mots pouvaient signifier de nombreuses choses. Elle subodorait pourtant qu'il ne parlait pas de l'assommer pour la kidnapper. Du coup sa dangerosité lui apparut comme plus rassurante que jamais. Elle aurait néanmoins voulu savoir qui ou quoi en avait supposément après elle. Elle ne se connaissait aucun ennemi… À moins qu'un virus mutant ne traîne dans les rues ou qu'une armée de zombies n'ait débarqué en ville…

Sophia fit ses bagages sans vraiment réfléchir à ce qu'elle sélectionnait et en un temps record. Le dernier, son sac à dos, en revanche, fut préparé avec plus de soin. À son appareil photo dont il était absolument hors de question de se séparer, elle joignit son ordinateur portable et les disques durs externes contenant les sauvegardes de ses travaux. Enfin, jetant un coup d'œil à ses bibliothèques, elle fut tentée d'emporter certains de ses romans favoris. Sophia lança un furtif regard en direction de Shax qui piaffait bien que tentant de n'en rien montrer, son impatience se manifestant par ses paupières réduites à deux fentes dissimulant presque ses prunelles braquées sur elle. Elle y renonça finalement. Après tout, ce serait bien le diable si la gigantesque demeure de Sam ne comptait pas une ou plusieurs bibliothèques où elle pourrait tromper son ennui et se régaler de lectures.

Shax délesta Sophia de l'un de ses sacs lorsqu'elle le rejoignit. Il s'apprêtait à déverrouiller la porte quand on y frappa. Le géant lui jeta un regard semblant demander si elle attendait une quelconque visite. La jeune femme dénia silencieusement.

Si cela était encore possible, le beau visage de Shax se durcit. S'inclinant vers elle, il lui murmura quelques mots à l'oreille.

— Quoi que je dise ou fasse, vous vous taisez. OK ?

Sophia hocha la tête et se vit fermement repoussée contre le mur de l'entrée de manière à ce qu'une fois ouverte, la porte la dissimule à la personne se trouvant de l'autre côté. Au moins, le danger n'était pas terrible au point d'inciter le géant à les faire passer par la fenêtre.

Shax ouvrit le verrou, puis actionna la clef dans la serrure. Marquant une courte pause, il tourna la poignée.

— Où est-elle ?

Une question, trois petits mots qui firent frémir Sophia, car ils lui confirmaient que quelqu'un en avait bel et bien après elle. Le ton n'avait pas été hargneux. À vrai dire, il avait même été singulièrement neutre, celui que l'on utilise parfois lorsque l'on est certain d'obtenir ce que l'on veut. Il y flottait aussi une espèce de lassitude fataliste qui l'intrigua.

Plus que jamais aplatie contre le mur de son entrée, très peu désireuse que le mystérieux possesseur de cette voix masculine ne la découvre puisque Shax l'estimait menaçant, la jeune femme risqua un regard vers le jour entre le mur la porte à demi ouverte. Elle ne vit pas grand-chose hormis le tissu anthracite d'un manteau en cachemire, une élégante main pâle dont l'auriculaire s'ornait d'une chevalière en or et quelques mèches d'une chevelure blonde.

Avant de répondre, Shax éleva son bras gauche pour prendre appui sur le chambranle de la porte et referma sa main droite sur l'épaisseur du panneau, dans une attitude particulièrement mâle et provocatrice signalant à son interlocuteur qu'il pouvait toujours essayer de forcer le passage, auquel cas il n'hésiterait pas à provoquer une douloureuse rencontre entre le bois et le visage de l'inconnu.

— Quelle courtoisie ! fit-il mine de s'offusquer. Après tout ce temps sans nous voir, je n'ai même pas droit à un bonjour ?

L'inconnu ne l'était donc pas tant que cela, réalisa Sophia. Ce qui expliquait, peut-être, que Shax l'ait repéré immédiatement. Il était clair aussi qu'il ne l'appréciait guère ; la tentation de lui coller la porte sur le nez avait l'air d'être puissante.

— Ce jour n'a rien de bon, répliqua l'homme. Et ce n'est jamais un plaisir de poser les yeux sur toi.

C'était donc manifestement réciproque.

— Tu me brises le cœur, railla froidement Shax. Est-ce vraiment une manière de traiter un membre de sa famille ?

— Tu ne fais plus partie de la famille. Maintenant, arrête tes bêtises et livre-moi la fille. Il la veut et tu sais qu'il obtient toujours ce qu'il demande.

Sophia reporta son regard sur Shax. Ses doigts serraient la porte si fort qu'elle fut presque étonnée de ne pas le voir en pulvériser un bout.

— Cette époque est révolue, opposa le géant, si gravement que ses mots ressemblèrent à une prophétie. Tu ferais bien de le lui annoncer parce qu'il doit être l'un des rares à ne pas être encore au courant.

— Je ne suis pas ton messager, asséna durement l'inconnu, et avec une certaine dose de dégoût dans la voix qui troubla Sophia.

Amusé par la réponse, Shax haussa un sourcil.

— Quoi qu'il en soit, si tu la veux, tu vas devoir m'affronter. Tu es bien certain de vouloir prendre ce risque ?

La ferveur et l'assurance qu'il avait insufflées à ses mots eurent le don de rassurer la jeune femme. Qui que soit le mystérieux interlocuteur, Shax savait être le plus fort. Sophia ne l'estimait pas du genre à bluffer dans ce type de situation, pas plus qu'à fanfaronner, d'une manière générale.

Manifestement, l'homme le savait aussi, n'était pas inconscient et adhérait à l'adage établissant que prudence était mère de sûreté. Son silence indiquait très clairement qu'il réfléchissait à cette perspective parce qu'il n'était pas sûr de remporter ce duel, avec ou sans dommages. Cela dit, Sophia de son côté n'était pas elle-même certaine qu'existe au monde une personne ayant envie de se mesurer avec un spécimen tel que le géant. Du moins, pas en combat singulier.

— C'est bien ce que je pensais, murmura Shax avec ironie. Maintenant, casse-toi avant que je ne me fâche.

Sophia retint son souffle. Elle ne tenait pas particulièrement à être témoin de la colère de Shax ni du carnage qui s'en suivrait s'il y laissait libre cours. Elle espéra que l'homme aurait l'intelligence de continuer à se montrer raisonnable.

Il l'eut, prit acte de la menace, de ses conséquences s'il passait outre, signifiant qu'il capitulait par un hochement de tête. C'est ainsi en tout cas que Sophia interpréta les quelques mèches blondes qu'elle apercevait se déplaçant sur l'encolure du manteau. Elle ne s'autorisa à expirer profondément que lorsque le géant referma enfin la porte, réalisant de fait qu'elle avait retenu son souffle.

Voyant qu'elle ouvrait la bouche et concluant qu'elle s'apprêtait à lui poser des questions auxquelles il n'avait pas envie de répondre, Shax la planta dans l'entrée pour se diriger vers la fenêtre du salon, poste depuis lequel il devait vouloir s'assurer que l'inconnu vidait bien les lieux.

La situation à laquelle elle était confrontée, en plus d'être assez flippante, irritait prodigieusement Sophia, au même titre que les dérobades systématiques du géant qui refusait de lui dire de quoi il retournait.

La jeune femme prit néanmoins sur elle et fit semblant de s'asseoir sur les questions qui la démangeaient, songeant qu'elle aurait tout loisir de harceler son garde du corps durant le trajet.

Apparemment satisfait de ce qu'il vit dans la rue, Shax revint vers elle.

— Allons-y.

*

L'inconnu au coûteux manteau gris abhorrait les échecs. À peu près autant que celui pour lequel il œuvrait.

En refusant de lui livrer la fille, Shax avait entamé les hostilités, ni plus ni moins. Encore que la guerre avait commencé depuis bien longtemps déjà. Quoi qu'il en soit, elle se solderait par une défaite pour leur camp et prendrait fin avec la disparition de Sam. Mais pour que cela advienne, enfin, il fallait se débarrasser de la jeune femme. Après tout, elle n'était encore rien, à peine une épine dans le pied qu'il serait aisé d'extraire, avec ou sans son cerbère.

L'homme plongea sa main dans la poche de son manteau et en sortit son téléphone.

Chapitre 17

Sophia profita de l'urgence de la situation pour imposer sa volonté de voyager à l'avant de la limousine. Pas question de se retrouver bouclée dans la partie aveugle du véhicule au prétexte que le danger l'avait approchée ! Elle refusait qu'on la condamne à une cécité qui n'avait rien de rassurant. Ne pas voir le danger ne signifiait pas le faire disparaître. Et s'il devait l'atteindre, elle préférait nettement le voir arriver.

À en croire la mine de Shax, l'enfermer à l'arrière avait bel et bien été son intention.

Satisfaite de voir qu'il n'insistait pas et trouvant une seconde pour s'amuser mentalement du regard noir que le géant lui lança, Sophia s'installa sur son siège et referma sa portière avant d'attacher sa ceinture de sécurité.

Tandis que Shax manœuvrait pour sortir l'imposante voiture de sa place – tant bien que mal parce que les deux petits malins qui s'étaient garés devant et derrière la limousine s'étaient collés aux pare-chocs –, la jeune femme s'abîma dans la contemplation de la vitrine d'une bijouterie. Au moins jusqu'à ce qu'un passant attire son attention. Pourquoi lui plus qu'un autre ? Peut-être en raison de sa démarche, de son allure flegmatique ou de son élégance. Il portait un manteau taillé sur mesure dans un précieux tissu… couleur de trottoir.

Sophia sentit son estomac faire un bond. Ses yeux remontèrent jusqu'au visage du badaud qui s'immobilisa non loin de la voiture. Comprendre qu'il ne ferait rien de plus que rester planté là n'eut aucun effet apaisant. Car, Sophia eut l'impression que son cœur s'arrêtait lorsque ses yeux découvrirent les traits de l'homme.

Le type était beau. Non ! Pas beau. Parfait. D'une beauté parfaitement glaciale. Le sang de Sophia se figea dans ses veines. Ajoutez à cela un regard si pâle qu'il était impossible de le soutenir et vous aviez un spécimen masculin proprement effrayant. Le plus choquant était pourtant que l'inconnu semblait totalement dépourvu de vie et d'âme. Ses iris auraient au moins dû briller d'une étincelle de vitalité, aussi petite soit-elle, ou alors prouver que quelque chose animait ce corps, fût-ce de la haine ou de la violence. Non ? Non.

Sans être vitreux, le regard de cet homme était presque transparent, d'un froid en harmonie avec le reste de sa personne. Et rivé au sien. Une curieuse sensation de déjà-vu la submergea. C'était grotesque. Si elle avait déjà rencontré un type pareil, elle s'en serait souvenue ! Pourtant, il y avait quelque chose d'étrangement familier chez lui, de familier et de mauvais.

Le plus angoissant pour la jeune femme fut de réaliser que l'inconnu voulait qu'elle le voie. Cette certitude s'imposa à son esprit, contre toute logique certes mais indéniablement. Cet individu revendiquait qu'elle le regarde en face, précisément comme elle avait pensé désirer affronter n'importe quelle menace la concernant. Et il l'y contraignait.

Comme souffrant d'une vieille cicatrice se réveillant à cause du mauvais temps, Sophia frissonna et se frotta au niveau du plexus solaire pour tenter de se libérer de son oppression.

— Shax, appela-t-elle d'une voix altérée, incapable de détourner les yeux de l'homme.

Le géant n'eut pas besoin de plus que son intonation pour réaliser que quelque chose n'allait pas. Interrompant un instant ses manœuvres pour se tourner vers la jeune femme, il comprit ce qui l'avait affolée lorsque son regard suivit le même chemin que le sien.

Il jura. Ses imprécations étaient aussi bien dirigées contre ce bâtard qu'il haïssait au plus haut point que contre lui-même. Sans oublier de quoi lui et les siens étaient capables du point de vue de la fourberie, loin de sous-estimer leur intelligence, il n'en considérait pas moins sa propre négligence comme inadmissible. Il aurait pu éviter cette confrontation, cette mise en garde dont Sophia ne pouvait pas encore comprendre la portée.

Conscient qu'il serait vain de tenter de lui mettre la main dessus dans l'immédiat, ce salaud s'en prenait à elle autrement, d'une manière particulièrement vicieuse. Simplement se montrer à sa cible, sans agir, ferait immanquablement naître une angoisse chez elle, une peur latente et insidieuse capable de saboter les forces et les ressources de la jeune femme. Cela pouvait aussi bien les exacerber. Là résidait précisément le nœud de la bataille qui venait de s'engager.

Balançant tout scrupule aux orties, Shax sortit de force de sa place de parking sans plus se soucier d'esquinter les carrosseries des deux voitures, permettant ainsi à Sophia de s'arracher à sa lugubre contemplation.

Sans non plus se préoccuper de la limite de vitesse en agglomération, il descendit la rue sur les chapeaux de roues, s'attirant des regards outrés de la part des quelques passants. Celui de la jeune femme sur lui fut à la fois reconnaissant et interrogateur.

— Cet homme est terrifiant, murmura-t-elle encore sous le choc dès que Shax se fut engagé dans la rue du Faubourg-Poissonnière, sa vitesse rejoignant la limite autorisée, par la force des choses puisque la circulation était assez dense.

— Cet homme est un conn... n'est pas quelqu'un de bien.

— Je voulais dire qu'il n'a même pas l'air... humain.

— Je sais. La nature joue parfois de drôles de tours.

— Oui, son humour peut être très particulier, et de mauvais goût en l'occurrence, fit-elle remarquer alors qu'un frisson de dégoût parcourait son échine. C'est votre cousin ? demanda ensuite Sophia, se souvenant que les deux hommes avaient évoqué un lien familial dissous.

— En quelque sorte.

— En quelque sorte ? répéta-t-elle, surprise par cette réponse. Il ne devrait pas y avoir de nuance possible. Soit il est votre cousin, soit il ne l'est pas.

— C'est plus compliqué que cela, répondit Shax. Nous sommes issus d'une grande famille presque tentaculaire, et dans les grandes familles, les liens... génétiques ne sont pas toujours évidents. Il y a aussi souvent des soupçons, des tensions, des rivalités, des conflits.

— Oh ! oui, je comprends, souffla-t-elle, supposant que s'il y avait liens ataviques, il n'y avait pas nécessairement accointance entre les membres de cette lignée. Mais ça ne m'explique pas pourquoi il m'en veut personnellement. Je n'ai rien à voir avec votre famille, moi.

Shax se défila une nouvelle fois, refusant simplement de répondre ou faisant semblant de ne pas l'avoir entendue et s'absorba dans sa conduite. Si la jeune femme n'avait pas craint de provoquer un accident, elle se serait ruée sur lui pour le secouer jusqu'à ce qu'il daigne l'éclairer. Et puis, elle avait remarqué que sa vigilance s'était sensiblement accrue ; il ne cessait de jeter des coups d'œil dans son rétroviseur.

Profitant d'un arrêt obligatoire à un feu rouge, qu'elle le soupçonna d'avoir fortement envie de griller, Shax extirpa son portable de la poche de son jean.

— Appelez Sam, sollicita-t-il en le lui tendant. Demandez-lui d'envoyer Magdalene à notre rencontre avec la Jaguar. Nous sommes suivis.

— Vous êtes sûr ? s'inquiéta-t-elle en s'emparant du mobile après avoir jeté un coup d'œil dans son rétroviseur.

— Absolument.

— C'est lui ? Où ça ?

— L'Audi A8 blanche, précisa le géant. En plus, il a mauvais goût, grommela-t-il ensuite entre ses dents.

Sophia eut beau essayer de localiser la voiture dans la circulation, si elle en vit nombre de blanches, elle ne parvint pas à isoler celle dont Shax parlait. Et c'était tant mieux, cela signifiait qu'elle n'était pas juste derrière eux. Elle se laissa aller contre son siège.

— Vous n'aimez pas le blanc ? murmura-t-elle en cherchant le répertoire sur le smartphone de Shax sans songer que cette question adressée à un homme sombre et toujours de noir vêtu pouvait être idiote.

— Je n'aime pas les Audi, rectifia-t-il. Au moins, elle ne fera pas le poids face à une Mercedes S600 Pullman.

Rêvait-elle ou avait-elle décelé une espèce de tendresse dans sa voix ?

— Si vous le dites, marmonna Sophia tandis qu'elle approchait le téléphone de son oreille.

Elle dut patienter, Sam ne décrocha qu'au bout de la sixième sonnerie.

— Ouais ? Où en es-tu ?

Entendre la voix de l'écrivain procura une drôle de sensation à Sophia, un curieux compromis entre émoi, embarras et désarroi.

Sans doute parce le jeune homme paraissait extrêmement las, de mauvaise humeur et aussi parce qu'elle se sentait toujours aussi morveuse après leur entretien de la veille. Sans parler du fait que le fichu timbre de Sam avait gardé intact son pouvoir de la toucher là où il n'aurait pas dû.

— Bonjour, Sam, articula-t-elle, notant que sa propre voix s'était adoucie sans qu'elle le veuille.

Un silence suivit sa politesse. La surprise de l'entendre au lieu de son ami l'avait probablement perturbé. Autant qu'elle ? Elle enchaîna.

— Shax souhaiterait que vous envoyiez Magdalene à notre rencontre avec la Jaguar.

— Il ne peut pas téléphoner lui-même ? s'enquit-il pour le moins désagréablement.

La jeune femme ne le prit pas pour elle et l'imputa à son humeur du jour.

— Il conduit, répliqua-t-elle, résistant à la tentation de rajouter qu'en plus le géant se prenait pour Le Stig[1] alors qu'il slalomait entre les files de voitures gênant leur progression, ce qui, compte tenu du gabarit de la Mercedes, n'était pas des plus commodes.

— Ça ne l'a jamais dérangé.

— J'aime autant pour notre sécurité qu'il ne téléphone pas en conduisant, riposta Sophia qui se demandait finalement si la mauvaise humeur de Sam n'était pas uniquement de son fait à elle. Il dit que nous sommes suivis.

— Mets le haut-parleur.

Sophia obéit, notant que l'angoisse avait pris le pas sur le reste dans la voix de Sam.

— Qui ? demanda-t-il à l'adresse de Shax qui jeta un nouveau coup d'œil à son rétroviseur.

— Un des quatre Fantastiques, sinon les quatre.

---

1. Le Stig est le nom donné au pilote anonyme de l'émission *Top Gear* de la BBC. Une de ses fonctions est de réaliser des temps chronométrés avec les voitures présentées.

— Magdalene vous attendra près de l'entrée du château de Maintenon, articula Sam avant de raccrocher.

Sophia était trop médusée par cet échange pour s'offusquer encore de ses manières. Mais quitte à intégrer un film, ne pouvait-ce être une comédie romantique ? La jeune femme oublia ses *desiderata* l'instant suivant, Shax freinant si brusquement qu'elle se sentit partir en avant, puis être si fermement retenue par sa ceinture qu'elle en eut presque le souffle coupé.

— Désolé, s'excusa le géant. Connards de Parisiens, maugréa-t-il.

Sophia garda ses commentaires pour elle ; il n'aurait sans doute pas apprécié de s'entendre dire qu'il conduisait précisément comme ces foutus Parisiens. Elle ne tenait pas à le distraire ou à lui faire le moindre reproche en la circonstance.

*

Son stylo en lévitation au-dessus de son carnet, Annette attendait la réponse de Sam. Ne l'entendant pas, elle releva les yeux vers lui. Peut-être avait-il oublié sa question, posée juste avant l'appel de Shax ?

Non. Il s'agissait d'autre chose.

Si elle ne voyait pas de réelle différence avec l'homme charmant mais las qui l'avait invitée à s'installer dans le petit salon pour la première phase de son reportage, la jeune femme nota quand même que quelque chose ne tournait pas rond. Le regard fixe et fiévreux, il serrait les dents comme sous le coup d'une douleur intense. Elle éteignit le dictaphone dont elle se servait également.

— Sam ? Tout va bien ?

Pas de réponse. Pas même un regard ; celui-ci semblait définitivement s'être perdu sur un point fictif du guéridon les séparant. Il ne paraissait plus avec elle que physiquement.

Elle fronça les sourcils et réitéra son appel.

— Sam ?

Cette fois-ci, les yeux du jeune homme remontèrent lentement pour se fixer sur les siens. Annette pouvait presque y lire directement dans l'âme de Sam. Honnêtement, même avec des mirettes aussi extraordinaires que les siennes, elle se serait bien gardée de devoir affronter ce regard-là. Un cyclone s'y préparait, terrible, dévastateur. À la différence du phénomène météorologique, aucun calme n'avait cours en son œil. Bien au contraire, c'était même un chaos absolu que l'ouragan circonscrivait, une tourmente couleur d'airain.

Quel que soit le problème de Sam, il devait être d'importance et très certainement en rapport avec le curieux échange qu'il avait eu avec Shax, conclut Annette. Elle ignorait si elle pouvait prendre le risque de demander de quoi il retournait étant donné son état apparent. Sa curiosité l'y poussa.

— Sam ? Que se passe-t-il ? Un souci ?

Pour toute réponse, le jeune homme se leva, si brusquement qu'il fit basculer sa chaise, sa chute sur le tapis n'entraînant qu'un bruit sourd, presque feutré. Faisant volte-face, il envoya valser le siège avant de se diriger vers la porte qui elle aussi eu droit à une manifestation d'impatience coléreuse et se retrouva projetée si fort contre le mur qui la supportait que le choc la ramena à sa place première.

Stupéfaite et perplexe, mais pas encore effrayée, Annette suivit Sam dans le couloir. Supposant qu'une intervention de sa part serait au mieux ignorée, au pire jouerait le rôle de l'étincelle à même de déclencher d'autres mouvements d'humeur, la jeune femme se contenta de l'observer remonter la galerie au pas de charge.

Si Sam ne lui faisait pas peur, elle s'inquiétait pour lui. Dans son état, quelle qu'en soit la cause, il semblait enclin à faire des bêtises. La première d'entre elles ne se fit pas attendre et fut de s'en prendre à l'une des statues antiques décorant le grand hall, une splendide représentation d'Arès, nu, armé et casqué.

Trouvant elle ne sut trop où la force de la faire basculer de son socle, Sam la poussa. La sculpture vacilla avant de rendre les armes et de se briser sur le dallage de marbre dans un fracas presque musical. Tête, bras, jambes se séparèrent du tronc qui lui-même se fendit en deux, de l'épaule à la hanche droite. Une terrible blessure. Fatale.

Sam contempla quelques secondes le pantin désarticulé qu'il avait créé.

Elle ne voyait pas son visage ; Annette pressentait pourtant qu'une étincelle de satisfaction mauvaise brillait dans ses yeux. Dans l'esprit de la jeune femme, s'en prendre à cette déité spécifique était loin d'être innocent. Sam venait de déclarer une guerre et promettre la destruction. Mais à qui ? Pourquoi ? Peut-être comptait-il en empêcher une, au contraire ? Ou était-ce une façon pour lui de prêter serment ?

Mais après tout, il pouvait seulement avoir évacué sa rage sur celle-ci sans réfléchir, parce qu'elle était à portée de main à ce moment-là. Quoi qu'il en soit, s'attaquer à une représentation du dieu était suicidaire, à condition de croire à l'existence des divinités, naturellement.

Annette n'aurait pas les réponses aux questions se bousculant dans sa tête. Elle n'allait pas non plus chercher à les obtenir à tout prix. Pas immédiatement. Au lieu de partir à la poursuite de Sam, elle se rapprocha du désastre, s'accroupit près de ce qu'il restait du dieu et tendit une main. Du bout des doigts, elle effleura une épaule, s'étonnant presque qu'elle soit aussi dure et froide sous sa peau.

Une déflagration ressemblant à s'y méprendre à un coup de tonnerre résonna, la faisant sursauter et abandonner son observation des dégâts. Il fallut quelques secondes à Annette pour comprendre qu'il ne s'agissait pas de la réponse du Dieu à Sam, mais d'une lourde porte se refermant violemment quelque part dans le château.

Ce n'était pas de la colère qui habitait Sam.

Plus depuis cette nuit qu'il avait passée à s'imaginer une vie avec Sophia, à fantasmer la jeune femme dans tous ces rôles qu'il rêvait lui voir tenir, ces longues heures solitaires durant lesquelles il avait à la fois imploré, revendiqué et exigé que ses plus profonds désirs prennent vie.

Plus depuis qu'il avait pris conscience que c'était mort avant d'avoir pu ressusciter.

Sam était terrassé. C'était sa faute. Il avait voulu voir.

Déjà rongée par la solitude, son âme épuisée avait laissé la souffrance s'y infiltrer, l'avait laissée en combler le moindre interstice de son poison acide.

Et puis, il y avait eu cette ultime petite conversation et ses terribles implications.

Terré au plus profond de son âme, ne restait guère que l'animal en lui à demeurer indemne. Peut-être parce que son incommensurable manque lui offrait un rempart contre tout ce qui ne relevait que de l'esprit. Alors, s'il était conscient de la situation, s'il se révoltait contre l'injustice subie par son hôte, si possessivité et jalousie brûlaient aussi bien en lui que dans le cœur de Sam, une seule chose l'obsédait : protéger Sophia. Son besoin de voir son regard plonger jusqu'à lui et le reconnaître le consumait. Mais ce fut la certitude que cette femme irrémédiablement sienne courait un danger plus réel à chaque instant qui l'incita à s'extraire de son repaire. Sam n'était plus en état de résister. Le déracinement, silencieux et invisible, s'était avéré pourtant violent et douloureux, autant qu'une naissance, à ceci près que sa délivrance lui donna l'impression d'avoir été totalement mis à nu, écorché vif. Le lent processus avait commencé alors qu'il se trouvait encore dans le petit salon avec Annette, et avait connu un pic particulièrement violent dans la galerie : ses représailles sur l'une des statues.

La crise ne cessa de gagner en intensité le temps qu'il atteigne l'entrée de la crypte, ne l'autorisant qu'à en entrouvrir la porte. L'immense faiblesse s'emparant de lui le fit y appuyer son front et ses mains à plat, refermant l'huis avec un bruit qui lui parvint cotonneux, lointain.

Chapitre 18

Ce n'était plus une voiture qui filait Sophia et Shax, mais deux.

Le géant s'en était aperçu alors qu'ils avaient abandonné la circulation dense et chaotique de Paris pour celle plus fluide de l'A11 en direction de Chartres ; ils n'iraient pas jusque-là puisqu'ils quitteraient l'autoroute dès la première sortie afin de rejoindre Maintenon où Magdalene les attendrait.

Ce fut le comportement pour le moins curieux de l'Audi qui alerta Shax. Se contentant dans un premier temps de la laisser les suivre à distance, il constata que son chauffeur semblait ne rien vouloir essayer, pas plus un choc par l'arrière, que les dépasser pour leur bloquer la route. Histoire de vérifier qu'il ne se trompait pas, le géant ralentit. L'Audi l'imita *illico*. Le même phénomène se produisit lorsque, au contraire, il accéléra. Donc, de deux choses l'une, soit son occupant se bornait à les tenir à l'œil sans intention de tenter quoi que ce soit pour mettre la main sur Sophia, soit il attendait du renfort. Déjà au courant, par la force des choses, du lieu où résidait Sam, il n'avait aucun intérêt à les filer jusqu'au château sans agir.

Shax avait beau détester au plus haut point cet abruti, il ne commettait pas l'erreur de sous-estimer l'opiniâtreté de l'ennemi et resta extrêmement vigilant.

La deuxième option était la bonne, et ne tarda pas à se vérifier avec l'entrée en scène d'une seconde voiture.

Même modèle, même marque, même couleur. Mais comportement différent, car son conducteur essaya de dépasser la limousine à plusieurs reprises. Même si la sécurité de Sophia n'avait pas été en jeu, Shax ne l'aurait pas permis et aurait tout fait pour l'en empêcher, quitte à provoquer un accident. Il exécrait ces manières de faire, mafieuses, sournoises et lâches. Cela étant, il songea qu'il aurait sans doute à réviser son jugement quant à l'intelligence de leurs poursuivants. À leur place, il se serait arrangé pour que la seconde voiture s'engage sur l'autoroute de manière à les précéder afin de prendre la cible en tenailles sans avoir à les dépasser. Mais bon, il n'allait pas s'en plaindre, n'est-ce pas ?

Lucide sur la situation, Sophia se garda bien de faire le moindre commentaire ni d'émettre de petits bruits risquant de gêner son chauffeur. De même, elle tenta de ne pas se laisser gagner par la panique et surtout refusa de se montrer défaitiste. Rien n'était encore joué et elle faisait confiance au géant.

Et puis Shax conduisait extrêmement bien.

Sophia n'aimant pas la vitesse, elle avait agrippé sa portière, son autre main restant crispée sur sa cuisse, mais pour rien au monde n'aurait désiré que le géant agisse autrement.

Mieux valait filer à tout berzingue que se laisser prendre au piège. C'est ce que fit Shax ; poussant la voiture à pleine puissance, il distança rapidement les deux autres véhicules. À tel point d'ailleurs qu'ils ne les revirent plus, même lorsqu'il ralentit afin de négocier leur sortie de l'autoroute.

Sophia se détendit, un peu, songea que les grosses cylindrées avaient du bon finalement ; elle se garda néanmoins de crier victoire trop tôt.

Si les performances conjuguées de la limousine et de son pilote leur permirent de gagner un temps précieux sur leurs suiveurs, Shax ne lambina pas pour autant sur le trajet jusqu'à Maintenon où Magdalene, la superbe blonde ayant joué les chauffeurs la veille, les attendait déjà au volant de la Jaguar. Un coupé, nota Sophia. Récent et probablement hors de prix. Honnêtement, l'engin était splendide, racé, d'un rouge si sombre qu'il paraissait noir. Sophia n'aurait su dire de quel modèle il s'agissait, ni vanter ses qualités, pas plus qu'elle ne pouvait déterminer si les regards envieux de nombre de passants étaient destinés à la superbe jeune femme qui avait baissé sa vitre ou à la belle voiture de sport. Les deux très probablement. N'empêche, question discrétion, ce ne le faisait pas vraiment.

Shax manœuvra de manière à positionner la limousine tête-bêche par rapport à la Jaguar ; ainsi, une fois ouvertes, les portières de chacun des véhicules aménageraient un passage sécurisé et une transaction, si l'on pouvait dire, des plus discrètes.

— Allez-y Sophia, la pressa Shax. Nous nous reverrons au château.

La jeune femme se libéra de sa ceinture, récupéra son sac à dos déposé à ses pieds et ouvrit la porte avant de se retourner vers le géant.

— Qu'allez-vous faire ? s'enquit-elle.

— Une promenade, histoire de les balader un peu, répondit-il avec, Sophia en aurait juré, une lueur de malice dans le regard.

Manifestement, cette perspective lui plaisait honteusement.

— Faites attention à vous, lui conseilla-t-elle tout de même.

Ses mots eurent l'air de le surprendre, et aussi de l'atteindre d'une certaine façon.

L'imaginait-il vraiment si peu reconnaissante ou soucieuse de lui ?

S'il n'avait pas été là… Si Sam ne lui avait pas demandé de veiller sur elle, qui pouvait savoir où elle serait en cet instant. Et surtout dans quel état elle se trouverait.

Après un demi-sourire valant promesse, Shax la congédia d'un coup de tête lui rappelant qu'il y avait urgence, rappel que Magdalene souligna en faisant vrombir le moteur de son bolide.

— Accrochez-vous, lui conseilla la jeune femme après avoir patienté comme elle pouvait le temps que Sophia prenne place dans le siège baquet et se harnache.

Sophia se demanda si elle ne lui avait pas prodigué ce conseil avec un brin de taquinerie. En tout cas, elle pouvait compter dessus. Le simple fait de se trouver dans une voiture de sport l'y aurait incitée. Et réaliser que le trajet n'aurait là encore pas grand-chose d'une innocente promenade la fit s'agripper à ce qu'elle pouvait, à savoir elle-même ; elle enroula ses bras autour de sa taille et inspira un bon coup.

Magdalene conduisait admirablement, d'une manière beaucoup plus fluide que Shax. En dépit de cela, le stress et surtout les trop nombreux virages décrits par la route se liguèrent à la vitesse relative contre l'estomac de Sophia. Au moins ces désagréments furent les seuls qu'elle eut à déplorer. La jeune femme en conclut que Shax était parvenu à trimbaler leurs poursuivants comme il le voulait.

Elles arrivèrent donc sans encombre à la propriété de Sam une trentaine de minutes plus tard.

Nauséeuse, Sophia se défit de sa ceinture dès que la Jaguar s'immobilisa au pied des marches du château et sortit prestement. Ignorant si son estomac se tiendrait tranquille encore longtemps ou non. Mieux valait ne pas prendre le moindre risque.

— Ça ne va pas ? s'inquiéta Magdalene, l'observant pardessus le toit de la Jaguar. Vous êtes toute pâle.

S'il n'y avait pas de moquerie dans son regard, la jeune femme y décela néanmoins comme un soupçon de pitié de la part d'une personne ne comprenant pas que l'on puisse être malade en voiture ou reprocher quoi que ce soit à un tour en voiture de luxe.

— Si, si, souffla Sophia. Ça va aller.

Elle ne mentait pas, les quelques grandes goulées d'air frais faisaient déjà leur office ; son malaise se dissipait.

Calant son sac à dos sur son épaule, Sophia se tourna vers l'imposante porte de la demeure.

Aucun comité d'accueil, constata-t-elle avec un soupçon de dépit. Mais au moins, elle était arrivée à bon port et était en sécurité au château.

D'où lui venait donc cette certitude ? se demanda-t-elle en scrutant la façade. La veille, elle s'y était sentie en danger et n'avait rien tant souhaité que s'en échapper.

— Vous pouvez entrer, lui lança Magdalene, estimant sans doute qu'elle n'osait pas le faire. Sam doit être dans le petit salon. C'est la première porte sur votre droite.

Sophia la remercia d'un signe de tête et gravit les marches, se demandant à quoi elle découvrirait Sam occupé dans ce « petit salon ». L'attendre sagement ? Répondre aux questions d'Annette ? Flirter avec elle ou lui proposant de participer à une séance de photos érotiques ?

Sophia n'eut aucun mal à trouver ledit petit salon. Ravissante pièce d'inspiration Louis XVI quoique plus sobre, à dominante mauve, murs et tissus se faisant de délicieux clins d'œil, l'on aurait pu dire qu'une telle décoration avait été conçue pour servir d'écrin aux antiquités et meubles la garnissant. Ou mettre une femme en valeur peut-être.

Cela tombait bien car c'était une femme qui s'y trouvait : Annette, en l'occurrence. Mais de Sam, point.

Son amie bondit presque du délicat sofa qu'elle occupait dès qu'elle apparut sur le seuil de la pièce dont la porte était restée ouverte. Son air soucieux, son regard non moins inquiet alertèrent Sophia dont le cœur connut quelques perturbations rythmiques.

Quoi encore ?

— Enfin, te voilà ! s'exclama Annette, tenant manifestement pour acquis que Sam avait changé d'avis et lui avait demandé d'assister sa copine dans son reportage.

La découvrir aussi soulagée de la voir laissait à penser qu'elle avait peut-être fait les frais du caractère particulier de l'écrivain.

— Tu vas bien ? s'inquiéta *illico* Sophia, scrutant le visage de son amie avec attention pour le cas où celle-ci déciderait de lui cacher des choses. Sam t'a malmenée ?

— Quoi ? fit-elle, surprise. Mais non, je vais bien, la rassura-t-elle avec impatience. Et toi ? Vous avez eu un accident ? J'ai entendu Sam dire qu'il vous envoyait une voiture.

Sophia hésita à raconter sa mésaventure à Annette. Son instinct lui conseillait de n'en rien faire. Pourquoi ? Pour ne pas inquiéter son amie inutilement ? Parce qu'elle ignorait qui en avait après elle ? Ou parce qu'elle avait le pressentiment que le danger ne concernait qu'elle… Comme elle le faisait souvent, la jeune femme écouta son intuition.

— Heu… Juste un petit souci mécanique en cours de route. Rien de bien grave. Shax est resté là-bas pour tenter de réparer le problème.

Elle n'avait pas terminé sa phrase qu'elle vit le regard d'Annette se voiler. Pas besoin d'être grand clerc pour comprendre que sa copine imaginait déjà le géant en tenue de mécano, la partie supérieure de sa cotte de travail rabattue sur ses hanches révélant un torse nu parsemé de taches de cambouis… Peut-être même y ajouta-t-elle une suggestive petite goutte de sueur glissant lentement entre des pectoraux développés, puis roulant sur des abdominaux bien dessinés. Ne manquait plus que la canette de soda glacé…

Pour une personne n'ayant pas craqué sur ce spécimen, Annette semblait quand même drôlement fascinée par les images qu'une innocente phrase avait fait naître dans sa tête.

— Annette ?

— Mmm ?

— Où est Sam ?

— Sam ? répéta-t-elle, peinant à revenir à la réalité. Oh oui, je… J'ai essayé de te téléphoner sur ton portable mais ça ne répondait pas. Il était étrange.

— Étrange ? s'enquit Sophia en récupérant son mobile dans la poche de sa veste pour constater qu'il était effectivement éteint ; la batterie devait être à plat.

— Eh bien, oui. Nous nous étions installés pour mon reportage, commença Annette. Mais après que Shax l'a appelé, il a changé du tout au tout. Il était en colère.

Annette n'eut aucun scrupule à user de cette litote. Sophia n'avait aucun besoin d'entendre que Sam avait surtout eu l'air hors de lui.

De son côté, la jeune femme ayant été témoin de plusieurs sautes d'humeur de la part de Sam, cela ne la surprit pas particulièrement ni ne l'inquiéta outre mesure. Pas encore du moins.

— Il n'a pas dit ce qui n'allait pas ? demanda-t-elle même si elle savait de quoi il retournait.

Enfin… qui pouvait vraiment savoir en réalité ? Sam se fâchait avec une facilité déconcertante et avait très clairement un problème pour gérer les contrariétés.

— Non, il n'a pas décroché un mot et c'est justement ça qui m'inquiète, répondit-elle avec une petite grimace. Je crois qu'il est allé s'enfermer quelque part. Il avait l'air malheureux.

— Tu disais qu'il était en colère.

— Oui, mais il avait déjà l'air malheureux avant de se fâcher.

— Ah.

Titillée par ces dernières paroles, la culpabilité de Sophia se manifesta par un petit serrement au cœur. Celles qu'Annette prononça ensuite éveillèrent une autre émotion en elle, plus trouble et donc plus dangereuse. Elles firent aussi écho à la confidence que Shax lui avait faite la veille, laissant entendre que Sam manquait de quelque chose.

— Il a l'air tellement seul parfois, ajouta Annette pensivement. J'ai peur qu'il ne fasse des bêtises. Tu devrais essayer de le trouver.

— Pourquoi moi ? Et pour quoi faire ? S'il s'est barricadé quelque part, ça signifie clairement qu'il ne veut voir personne.

Et surtout pas moi, précisa-t-elle en pensée.

Fatiguée, et en dépit des réponses qu'elle comptait extorquer à Sam, Sophia ne se sentait pas vraiment le courage de l'affronter dans l'immédiat, surtout s'il était furieux et malheureux, un cocktail des plus détonants. Dans de telles conditions, elle risquait de se braquer et de le rendre plus rageur encore, et ce, même si elle le remerciait d'avoir veillé sur elle à distance et s'excusait pour son propre comportement au téléphone la veille au soir.

— Ça peut aussi bien signifier le contraire, argua Annette. Les hommes sont des êtres étranges.

Aux yeux d'Annette, ça ne faisait aucun doute. Étranges et fascinants. Pour Sophia, d'un point de vue relationnel, ils faisaient plutôt figure de prédateurs.

— Admettons. Mais encore une fois, pourquoi moi ? insista la jeune femme.

— Ce n'est pas moi qu'il a embrassée, lui rappela Annette.

— Ce n'est pas avec moi qu'il a été chou, riposta aussitôt Sophia alors que ses joues se coloraient délicatement, contre son gré.

— La galanterie est une chose, ma biche. Un baiser est autrement plus révélateur.

Deux baisers, faillit répliquer Sophia ; elle se mordit la langue pour s'en empêcher. Pas la peine d'apporter de l'eau au moulin de sa copine.

— Alors deux… je n'en parle même pas, ajouta Annette fort à propos, s'attirant un regard noir loin de l'émouvoir.

Pire, ses lèvres s'ourlèrent en un sourire donnant à Sophia envie de lui faire une grimace.

— Un baiser, ou deux, n'est révélateur que d'un désir physique, d'une attirance, argua-t-elle.

— Tu te trompes, chérie. Une érection est révélatrice d'un désir sexuel. Un baiser, un vrai j'entends, est quelque chose de plus intime, de beaucoup plus subtil qu'une réaction physique à un stimulus. J'en sais quelque chose, Shax ne…

Annette n'alla pas plus loin. Mais son silence était criant de regrets. Et son ton alors qu'elle lui faisait la leçon était passé de taquin à un peu mélancolique. Sophia en vint à se demander si son amie avait jamais reçu un vrai baiser, un baiser que l'on donne sans attendre autre chose que cette étreinte, un baiser donnant envie de s'offrir. Exactement comme… Bref. Elle n'allait pas lui poser la question. C'était hors de propos et ne répondait pas à celle de savoir si oui ou non, il fallait se mettre en quête de Sam.

— Tu sais ce que nous allons faire ? éluda donc Sophia. Comme nous sommes aussi curieuses l'une que l'autre et que nous avons toutes les deux professionnellement intérêt à nous soucier de lui, allons-y ensemble.

Son raisonnement pouvait paraître dénué de toute compassion et affreusement pragmatique. Sa proposition, elle, était surtout destinée à les éloigner de sentiers périlleux. En tout cas, en ce qui concernait Sophia, sa curiosité, réelle, était

241

mâtinée d'une appréhension ne devant plus rien à l'humeur supposée de Sam. Mais sa pudeur était sauve.

— OK, accepta Annette redevenue elle-même. Il s'est dirigé vers le fond de la galerie, précisa-t-elle alors qu'elles s'y engageaient.

— Au fond, c'est le jardin d'hiver.

— Je n'ai pas dit que c'était là qu'il était, mais la direction qu'il a prise.

— Tu aurais pu le suivre discrètement.

— Non. Il ne valait mieux pas, je crois.

— Pourquoi ?

— À cause de ça, lui avoua Annette tout bas, gravement, en désignant de la tête les restes de la statue sur le sol un peu plus loin.

— En colère, tu dis ? murmura pensivement Sophia en observant tristement les dégâts lorsqu'elles se furent rapprochées.

Cela étant, un homme « en colère » ne faisait pas ce genre de chose, songeait-elle. Sam avait dû être ivre de rage en réalité.

Elle reporta son regard sur son amie.

— Je me demande si c'est une bonne idée de continuer, chuchota Sophia. Il me semble que le message est clair cette fois-ci.

Annette fronça les sourcils.

— Quel message ?

— Eh bien, moi je lis : « N'allez pas plus loin sinon je vous briserai comme cette statue. »

— Je ne crois pas, répliqua sérieusement Annette. Je l'ai vu faire, ça ressemblait plus à une provocation ou à une vengeance.

Sophia eut une moue sceptique et ne formula pas l'autre hypothèse s'élevant dans son esprit : Sam avait peut-être définitivement perdu la raison.

242

Arrivées au niveau du grand escalier central, les deux jeunes femmes entamèrent leurs recherches, commençant par la salle de billard, aussi vide de vie que le bureau de Sam qu'elles vérifièrent ensuite.

— Et maintenant ? demanda Annette en refermant la porte du cabinet privé de Sam.

— Je ne mets pas les pieds dans le jardin d'hiver, la prévint Sophia, surprenant le coup d'œil qu'elle jeta dans cette direction. Pas sans une équipe spécialisée en survie en milieu hostile.

L'exagération fit rire Annette qui n'insista pas, même s'il y avait des chances que Sam s'y trouve justement.

— On essaye les étages ? proposa-t-elle.

Sophia hocha la tête. Rebroussant chemin, les deux jeunes femmes rejoignirent l'escalier à vis. Une rambarde en pierre ajourée en délimitait le contour et dissimulait à celui qui ne faisait que l'approcher sans s'y engager qu'il desservait aussi bien les étages que le ou les niveaux inférieurs. Cela, vous ne pouviez le découvrir qu'en vous plaçant sur le palier.

La logique voulait que les appartements de Sam se trouvent au dernier étage. Mais faire se côtoyer « logique » et « Sam » dans une même phrase n'avait pas de sens. C'est sans doute ce qui incita Sophia à emprunter la volée de marches conduisant vers les sous-sols du château.

— Qu'est-ce que tu fais ? s'étonna Annette en l'attrapant par le bras pour la retenir.

— Je vais jeter un œil en bas.

— Ça doit être plein de poussière et… (elle réprima un frisson de dégoût) d'araignées, objecta-t-elle. Beurk !

— Tu as déjà vu beaucoup d'escaliers en marbre qui menaient aux oubliettes ou vers une cave ? lui fit remarquer Sophia avec un soupçon d'ironie dans la voix.

Annette était adorable, toujours serviable, du moins en ce qui la concernait. Seulement, si une entreprise impliquait le risque de salir ses tailleurs ou d'endommager ses bas et escarpins, il fallait vraiment qu'elle en vaille la peine pour qu'elle l'envisage. Alors, si en plus elle s'exposait à d'infâmes rencontres, elle y réfléchissait à dix fois. En l'occurrence, elle semblait estimer que sa curiosité pouvait se passer de nourriture encore un moment. Jusqu'à ce que Sophia revienne pour lui donner la becquée, donc.

Sophia descendit quelques marches supplémentaires.

— Et des souris, ajouta Annette, espérant peut-être qu'elle s'arrêterait là. Ou des rats.

— Oui, ou des grosses blattes, renchérit Sophia avec malice.

— Ah ! tais-toi ! Quelle horreur !

— Si tu m'entends hurler, c'est que je suis tombée sur un serpent.

D'un coup d'œil par-dessus son épaule, Sophia vérifia tout de même qu'Annette ne risquait pas le malaise. Rassurée sur ce point, bien qu'elle trouve son amie un peu pâlotte, elle poursuivit sa descente.

*

À moins qu'il ne soit dissimulé parmi les feuillages des moulures en stuc décorant murs et plafond de l'espèce d'antichambre qu'elle découvrit en débouchant sur le palier inférieur, Sophia ne vit aucun serpent alentour. Pas plus que les autres bestioles évoquées d'ailleurs.

Stupéfaite de sa découverte, alors qu'elle aurait peut-être dû se douter que la demeure recelait de telles surprises, Sophia le fut encore plus d'y trouver une porte qui ne pouvait mener qu'à un niveau supplémentaire. Au vu des deux colonnes qui la flanquaient, de sa facture et du travail de sculpture effectué sur le bois rappelant les stucs des murs, il y avait vraiment peu de chances qu'elle s'ouvre sur un vulgaire cellier ou un placard à balais. Ou alors, il s'agissait d'un artifice délibéré pour conserver tout son cachet à l'entresol et ébahir les égarés.

Sophia ne tenta ni de l'ouvrir ni d'y frapper mais s'en approcha pour s'intéresser de plus près au labyrinthe ornant le sol. Les deux appliques disposées juste au-dessus de la dernière marche ne dispensaient qu'une douce lumière un peu rasante du fait de leur éloignement ; sa propre silhouette jetait une ombre sur la représentation, curieuse, donnant l'impression qu'un double d'elle avait déjà entamé le chemin initiatique du dédale alors qu'elle n'était encore physiquement qu'au niveau du périmètre de ce dernier. Sophia se demanda si la marqueterie de marbre avec son allégorie centrale relevait d'un dessein purement esthétique ou si l'on devait y voir un message. Ou pire, un avertissement adressé à l'imprudent s'aventurant jusqu'ici. Sophia s'avança vers le cœur du labyrinthe, ramena sa chevelure sur son épaule droite, puis s'accroupit pour observer la plaque de cuivre de plus près. Le Minotaure y était seul, et vivant. Thésée n'était donc pas encore intervenu. L'hybride ne semblait pas non plus agressif ou prêt à dévorer quiconque oserait l'approcher. En fait, il était représenté à demi étendu, en appui sur un coude, dans une attitude quelque peu lascive laissant supposer que l'on n'avait pas souhaité évoquer la bête à sacrifier en vertu de quelque principe élevé, mais plutôt le symbole d'un être charnel, luxurieux et fertile qu'il serait vain de vouloir combattre.

C'était très curieux. Inhabituel en tout cas.

Si Sophia redressa vivement la tête, la menace implicite d'une rencontre avec Astérios n'y était pour rien. Elle avait eu l'impression qu'un souffle venait de glisser sur elle. Un souffle ou l'énergie d'une présence qui la frôla et la fit frissonner.

— Que fais-tu ici ?

Sophia tressaillit mais parvint à retenir un petit cri de surprise et se tourna en direction de la voix.

Sam se tenait sur la dernière marche de l'escalier, campé sur ses jambes légèrement écartées et bras croisés contre sa poitrine dans une attitude ressemblant un peu à celle du videur en faction devant une boîte de nuit. Une posture d'attente vigilante, en somme. Sophia se releva et lui fit face. Les deux petits spots jetaient leurs feux dorés sur lui, ne trouvant que ses cheveux comme camarades de jeu qu'ils auréolaient de lumière. Ses pull et jean, noirs, s'excluaient eux-mêmes de la partie. Quant à son visage, il était certes un peu fermé, ou sérieux, mais semblait surtout refuser que la clarté ne l'atteigne. Même avec les ombres creusant un peu ses traits, y faisant ressortir une réelle lassitude, Sam était toujours aussi beau, tellement que Sophia en eut un coup au cœur.

Encore un autre Sam, songea-t-elle. *Un Sam ultime ? Le vrai peut-être ?*

Il descendit la dernière marche et fit deux pas dans sa direction. Subjuguée par l'homme et incertaine quant à la suite des événements, elle retint son souffle.

— Tu ne veux pas me le dire ? insista-t-il d'une voix caressante. Tu me cherchais ?

La jeune femme se découvrit totalement incapable d'élever le moindre bouclier ou même d'instaurer une distance relative entre eux ; elle comprit aussi à ce moment qu'elle s'était trompée. Lourdement. Elle aurait bien à lutter d'ici peu. Le tout était de savoir à quel animal exactement elle devrait se frotter. Cette bête-là semblait de la même espèce que celle rencontrée dans le jardin d'hiver. Plus troublante et plus attirante que le péché lui-même. Infiniment dangereuse donc.

Quant au combat qui s'annonçait, si elle l'acceptait, s'il n'était pas déjà trop tard, eh bien... il promettait d'être fiévreux. Un corps à corps... Car si Sam avait été fâché ou furieux, il ne l'était plus, ou le cachait admirablement. Bien que son regard, qui pour Sophia constituait un baromètre assez fiable de l'humeur du jeune homme, s'obscurcisse comme sous le coup d'une flambée de colère, ce n'était pas cette émotion qu'elle y lisait. Oh non, pas du tout ! C'était plus primaire encore que cela ; un feu tellement brut et contagieux qu'une volute de chaleur s'éleva en elle.

Quoi qu'elle pense de lui, quoi qu'elle ait peut-être à lui reprocher, son corps s'en moquait éperdument en cet instant ; il n'aspirait qu'à se rapprocher du sien comme si leurs deux êtres faisaient partie d'une seule et même entité se retrouvant après avoir été longtemps scindée.

— Sophia, susurra Sam avec une espèce de tendresse passionnée dans la voix qui fit ciller la jeune femme.

L'espace de ce battement de cils, une fraction de seconde à peine, son esprit s'éclaira. La lumière avait été bien trop furtive et bien trop intense pour qu'elle y voie autre chose que cette révélation : elle désirait cet homme de tout son être.

— Sam, murmura-t-elle, la modulation de sa voix se teintant d'une complicité quasi intime.

Sam le perçut mais y décela aussi autre chose. Comme l'intonation d'une mémoire retrouvée encore voilée par la persistance d'une incertitude. Il accueillit avec un plaisir indicible cette lueur d'espoir qui alla se nicher aux confins de son âme. Ce qu'il en restait. En cas de spleen, il se tournerait vers elle pour se rassurer, se réchauffer.

Dans l'immédiat, l'homme qu'il était aspirait à quelque chose de beaucoup moins spirituel.

— Approche, murmura-t-il, son animalité se faufilant dans la modulation enjôleuse mais exigeante de sa voix.

Sam la vit y réagir et dut se maîtriser pour ne pas se jeter sur elle. Il avait envie que Sophia fasse un pas vers lui, fut-ce à la suite d'une requête un peu ferme.

Elle y accéda, s'avançant vers lui mais s'immobilisant avant de provoquer un contact.

Un spectateur de cette scène aurait pu croire le couple en plein affrontement, tous deux se regardant droit dans les yeux, se tenant bien droits et ne se touchant pas. Il n'aurait cependant pu être témoin de ce que leurs deux regards se racontaient ni de la tension brûlante naissant entre eux.

Sam n'aurait pas été surpris de discerner des étincelles la matérialisant crépiter entre leurs deux corps.

Mais pour les voir, il lui aurait fallu cesser de la dévorer des yeux. Il n'en avait pas envie. Quoique si elle persistait à le regarder de cette manière, il allait devoir s'y contraindre. Ses iris d'un noir absolu luisaient d'une faim aiguisant la sienne même si un voile d'appréhension s'obstinait encore à lui ravir celle qu'il voulait y trouver.

Quoi que Sam désire, il ne prendrait rien qu'elle ne lui offre. Pas même ce baiser qu'il crevait d'envie de partager avec elle.

Sans quitter Sophia des yeux, sans non plus abolir la distance entre eux, Sam effleura la main de la jeune femme de son index. Une caresse de rien mais une authentique invitation. À laquelle elle répondit, entrelaçant ses doigts aux siens.

— Sais-tu ce que j'aimerais ? murmura-t-il, inclinant un peu la tête comme s'il s'apprêtait à l'embrasser.

Sophia entrouvrit les lèvres, attirant le regard de Sam sur elles.

Sa gourmandise.

— Non. Dis-moi.

Sam accueillit le tutoiement comme une douceur bien plus que comme une victoire.

— Je voudrais que tu m'accompagnes en bas.

— Qu'y a-t-il en bas ?

Aucune inquiétude n'était perceptible dans sa voix. Juste de la curiosité.

— Tout ce dont nous avons besoin, lui assura-t-il.

— C'est donc là que tu conduis tes conquêtes ? demanda-t-elle.

Question légitime ne plaisant guère à Sam.

— Non, c'est là que je t'emmène, toi, rectifia-t-il si sérieusement et avec tant de ferveur que Sophia se sentit fondre. Viens.

Chapitre 19

Emprunter la volée de marches à peine éclairée dont elle ne voyait pas la fin et où Sam l'entraîna après avoir ouvert la fameuse porte aurait pu être une épreuve pour Sophia si elle avait dû s'y aventurer seule. L'escalier n'étant pas non plus aérien, les murs le délimitant renforçaient le côté oppressant de la descente dans cette quasi-obscurité. La main de Sam, chaude et rassurante, enveloppant la sienne la préserva de ses désagréments. Peut-être sa curiosité y était-elle aussi pour quelque chose.

Dans ces lieux où le silence partageait son royaume avec les ténèbres, le premier élément qu'elle décela en fut le parfum, léger et trop fugace pour qu'elle parvienne à en déterminer toutes les composantes. Elle y devina pourtant l'odeur caractéristique mais vague des solvants utilisés en photographie argentique, une trace d'essence de térébenthine ainsi qu'un arôme plus naturel qu'elle aurait qualifié de végétal et minéral à la fois.

Si elle souhaitait pleinement découvrir cet « en bas » n'ayant donc jamais accueilli aucune des maîtresses de Sam, Sophia devrait repasser. L'interrupteur qu'actionna son compagnon n'alluma sur leur gauche qu'une bulle de lumière éclairant un carré délimité par trois superbes canapés. Si ce sous-sol abritait son atelier, ou un espace dédié à ses créations, pourquoi ne voulait-il pas qu'elle le voie ? Y avait-il autre chose ? Était-ce par pudeur ou pour créer une atmosphère plus intime qu'il refusait de soumettre ce lieu de travail à la clarté ?

Question intimité, ça le faisait. Question nid douillet, beaucoup moins.

Les ténèbres baignant le reste de la pièce, quasi sidérales, si épaisses que les petits spots ne les perçaient que de façon très localisée, donnaient la sensation qu'à l'instar du cosmos, la salle s'étendait à l'infini. De là peut-être naquit l'impression de liberté qui saisit Sophia. C'était même un sentiment de ne plus appartenir au monde, d'en être totalement affranchie et dégagée de toute obligation, de tout carcan social ou moral. Aussi grisante que vertigineuse, cette émotion représentait également un piège terriblement tentant pouvant vous valoir une chute dont vous ne vous relèveriez pas. Sophia se demanda si telle n'était pas l'intention de Sam justement, la confronter à une situation où il savait qu'elle n'aurait plus d'autre ancre avec la réalité que lui.

Elle lui jeta un coup d'œil lorsque, après un bref parcours dans le désert d'obscurité, il la fit s'immobiliser dans l'oasis de lumière, au centre du carré suggéré par les trois grands sofas. La tentation que Sam représentait était bien plus émoustillante et moins dangereuse que le reste. Elle pouvait se tromper. Elle se trompait sûrement.

Pas sur ce dont elle avait envie. Elle n'avait eu qu'à reposer les yeux sur le jeune homme pour être certaine de le vouloir.

Sam libéra sa main, la débarrassa de son sac à dos et l'aida à se défaire de sa veste qu'il déposa sur l'un des canapés dont les assises étaient particulièrement larges, nota-t-elle. Sans doute du sur-mesure... Avec une finalité des plus claires.

Le cœur de Sophia se mit à battre plus fort. Probablement parce que Sam reprit sa place devant elle, et ses yeux la leur dans les siens.

Les chaudes et belles nuances d'ambre de ses iris s'étaient envolées pour laisser la place à… à…

Si Sophia n'avait pas craint d'user d'une image par trop excessive, elle aurait dit qu'elle y voyait une magnifique galaxie mordorée brillant çà et là d'étincelles lumineuses. Elle y lut aussi qu'il comptait se rendre coupable d'un vol.

Sophia n'avait guère plus à offrir que son âme, son cœur et son corps. Elle tenait aux deux premiers. Et si le troisième pouvait être le sentier pour y accéder, elle ne se sentait plus la force de le lui refuser. Pas en cet instant où elle avait le sentiment d'être l'étoile manquant à son firmament.

La part indomptée de Sam n'avait pas totalement pris le contrôle, mais elle était là, attentive, exclusive, tout entière tournée vers Sophia. Et affamée. Trop. Il devrait rester vigilant, veiller à ce que ses appétits, et surtout ses envies pour les satisfaire, ne l'emportent pas. L'exquise attente qui se profilait, que d'aucuns n'auraient pas hésité à qualifier de torture, promettait donc d'intenses sensations.

Il était pourtant deux urgences auxquelles Sam refusait de résister plus longtemps : la toucher et la sentir contre lui.

Contournant lentement la jeune femme, il s'immobilisa dans son dos et prit une inspiration. Sous la discrète senteur de son shampooing, pointait sa fragrance, féminine et chaude, unique. Hypnotisé par la ligne pure de son cou que ses cheveux ramenés sur son épaule l'autorisaient à voir, attiré par cette zone de peau délicate pulsant au rythme des battements de son cœur, Sam s'inclina sur Sophia.

Dès que sa bouche se posa sur elle, à peine, Sophia se pétrifia et retint respiration.

— Sam, soupira-t-elle, une note de désespoir vibrant dans sa voix lorsque la caresse remonta vers le lobe de son oreille qu'elle frôla.

Prenant naissance là où il la touchait, un courant d'énergie brûlante courait sur sa peau ; elle s'enroulait autour de son cou pour ensuite redescendre entre ses seins et finalement se lover au creux de son ventre.

Une infime part de la jeune femme se sentit prisonnière et songea à lui échapper. Une autre aspirait à se soumettre à sa douceur aussi surprenante que délicieuse. Elles n'eurent pas à s'affronter. Sous les caresses sages, légères et régulières des lèvres de Sam, les pensées de Sophia s'évaporaient au fur et à mesure qu'elles naissaient pour laisser la place à toutes les sensations qu'il lui faisait ressentir. Elle en voulait encore. Et plus.

Répondant à ses désirs muets, Sam plaqua ses mains sur ses hanches et l'attira à lui, permettant à la jeune femme de sentir la ligne dure de son érection se presser contre elle.

La retenant fermement contre lui, l'assurant ainsi de la réalité de son désir alors qu'il ne lui prodiguait encore que de chastes douceurs, il effleura cette zone si sensible juste sous son oreille, du bout de la langue. Le frisson courant sur la peau de la jeune femme l'incita à se concentrer sur ce point précis qu'il ne cessa de titiller, mordiller, lui soutirant de douces plaintes dont il se délecta.

En cet instant, l'on aurait pu imaginer Sam occupé à se nourrir de la vie de Sophia.

Le jeune homme n'aurait pour sa part peut-être pas nié cette impression ; il s'abreuvait bel et bien. Quoique s'il ne volait rien à Sophia, elle lui faisait don d'un peu d'elle. Sous ses lèvres, sa peau pulsait, distillant son parfum à un rythme régulier, cette senteur qui était aussi elle, divine, grisante. Par le biais de sa fragrance, elle s'insinuait en lui, se faufilait dans son cerveau, s'écoulant tel un ruisseau paresseux dans son esprit dont elle imprégnait les terres les plus fanées, celles où son espoir avait fini par se flétrir mais surtout cet îlot stérile où dépérissait une partie de lui. Sam ne connaissait rien de plus délicieux que les eaux limpides de l'essence de cette femme.

S'émerveillant qu'elle le laisse faire, il redoutait néanmoins que les effets de ce puissant aphrodisiaque n'excitent un peu trop la bête déjà très présente.

Au moment même où, à travers les brumes enveloppant ses pensées, Sophia s'étonnait d'autant de tempérance ne répondant certes pas au désir couvant en elle, Sam revint se placer devant elle, sans vraiment la libérer de ses mains qui glissèrent sur elle et surtout sans rompre le contact de ses lèvres sur sa peau, y déposant un chapelet de petits baisers. Elles trouvèrent leur route jusqu'à sa bouche où elles flânèrent en un lent va-et-vient bien trop sage alors que le corps de Sophia criait déjà famine. Enroulant ses bras autour du cou de Sam, elle tenta de lui soutirer plus, plus de chaleur, plus de lui. Elle emprisonna sa lèvre inférieure entre les siennes dans le but avéré de se voir offrir un vrai baiser. Elle n'obtint tout d'abord qu'un sourd grondement approbateur accompagnant une véritable étreinte, les mains de Sam rampant jusqu'à ses reins où elles se plaquèrent un instant avant de changer d'avis et descendre jusqu'à ses fesses pour ensuite remonter en se faufilant sous son pull. Une caresse chaude et possessive lui faisant presque oublier le baiser qu'elle réclamait. Presque. Se collant contre le corps du jeune homme, elle resserra ses bras autour de son cou et glissa sa langue entre ses lèvres. Cette fois-ci ce fut un ronronnement rauque qu'elle entendit ; elle en perçut aussi les vibrations dans la poitrine de Sam.

Si c'était elle qui avait initié ce baiser, Sam ne tarda à en prendre le contrôle, sa langue s'enroulant autour de la sienne, s'interrompant de temps à autre pour ne plus que la caresser ou explorer sa bouche. Un ballet enivrant, doux et chaud, humide et érotique, possédant le pouvoir de faire griller la majeure partie des neurones de Sophia. En avait-elle vraiment besoin ? Son baiser était divin, très différent de ceux qu'il lui avait déjà donnés, alliant la douceur insensée de ses caresses à une faim impétueuse et possessive. La jeune femme aurait même pu dire qu'il était quelque part plus vrai, en tout cas dépouillé de la ruse du séducteur pour ne laisser s'exprimer que l'homme cherchant son propre plaisir dans celui qu'il offrait. Plus touchant et plus excitant donc.

Seulement, le désir longtemps réprimé de Sophia grondait déjà tel un fleuve en crue, dévastateur derrière la digue qu'elle avait érigée pour le contenir. Le barrage montrait des signes de faiblesse. S'il se fissurait, elle ne répondrait plus de rien.

Il faillit céder lorsque, sans cesser de l'embrasser, Sam fit courir ses mains sur sa peau ; elles rampèrent jusqu'à sa taille. Si l'une s'y arrêta, l'autre remonta jusqu'à son sein. Son index se désolidarisa de ses autres doigts pour caresser délicatement son mamelon par-dessus la dentelle de son soutien-gorge. Une douceur amoindrie par la relative rugosité des broderies de sa lingerie, mais un excitant frottement contre son téton déjà durci. Le plaisir décocha sa première flèche. Sophia gémit contre la bouche de Sam et se tendit encore contre lui, recherchant à nouveau l'attention. Il la réitéra, laissant s'envoler progressivement sa délicatesse pour faire rouler son téton entre ses doigts puis le pincer un peu fort.

Les gémissements de Sophia firent littéralement bouillir le sang de Sam dans ses veines et palpiter son érection douloureusement comprimée par son jean.

Il en avait assez de toutes ces prisons l'empêchant de voir et toucher Sophia, de celles lui interdisant à elle de le regarder et poser les mains sur lui. Le désir sauvage de la bête toujours plus présente à chaque seconde qui défilait l'incitait à l'impatience et Sam avait de plus en plus de mal à lutter sur les deux fronts. Il trouva néanmoins la force de mettre graduellement fin à leur baiser, presque tendrement. Cette précaution destinée à la préserver d'une rupture trop brusque n'eut pas l'effet escompté. Sophia protesta lorsqu'il se sépara d'elle. Il en aurait hurlé de satisfaction.

Sam se débarrassa rapidement de son pull, le faisant passer par-dessus sa tête et l'envoyant valser quelque part au loin avant d'aider Sophia à ôter le sien qui suivit la même route. Il s'arrêta là, comme victime d'une commotion. Hypnotisé par les seins de la jeune femme emprisonnés dans un exquis écrin de dentelle, il faillit en perdre la raison. Et manifestement, il n'était plus capable de grand-chose mis à part contempler la féminité à l'état pur. Pas seulement ses seins, mais elle, les courbes affolantes de son corps à moitié dénudé, sa peau sublime, blanche et crémeuse qu'un maître du pointillisme avait subtilement rehaussée çà et là d'émouvantes taches de rousseur, les mèches flamboyantes de sa chevelure témoignant de la flamme qui l'animait, les douces ténèbres de son regard rappelant que la vie habitait aussi la nuit.

Comme beaucoup d'hommes, Sam aimait les courbes féminines, toutes, celles d'une épaule ou d'une hanche, d'une poitrine, celles d'une chute de reins, d'une jolie paire de fesses. Mais s'il existait une chose l'émouvant particulièrement, c'était bien cette zone terriblement érotique qu'était à ses yeux le ventre féminin. À condition de n'être pas si plat qu'il donnait l'impression d'être creux, triste, vide de passion. Sam se foutait royalement du dictat des canons supposément reflets des goûts masculins. De toute façon, canons et modes étaient éphémères par essence et bien souvent décrétés. Son attrait n'avait pas non plus à voir avec cette faculté, certes magnifique, d'abriter la vie en devenir. Non, sa fascination était d'ordre purement charnel. Douce vallée, plat pays ou tendre colline, il lui apparaissait comme un lien entre le sensuel et le sexuel, constituait un lieu où l'un et l'autre s'enchevêtraient, non pas une pause, ou pire, une rupture entre eux. Et à tout dire le ventre de Sophia à demi dévoilé par son pantalon taille basse l'inspirait terriblement.

Se laissant tomber à genoux devant elle, Sam dégrafa les deux boutons du jean puis en repoussa les pans comme il aurait pu le faire avec les pétales d'une fleur insolite. Encore une fois incapable de résister à la tentation, il posa ses lèvres sur ce trésor nacré, juste sous la ravissante alcôve de son nombril, avant de les faire courir sur ce satin chaud. Rien, pas même le petit hoquet fébrile de Sophia n'aurait pu le détourner de cette fervente agape. Sans doute le comprit-elle, car si Sophia glissa ses doigts dans ses cheveux, ce ne fut pas pour l'éloigner d'elle mais pour l'inviter à continuer.

Un ronronnement grave emplit l'espace de leur petite bulle intime. Un gémissement étouffé lui répondit.

Prisonnier et ravi de l'être, captif du sortilège de sa peau dont il ne pourrait plus se passer désormais, Sam fit remonter ses mains le long des jambes de la jeune femme, appréciant déjà le galbe de ses cuisses et de ses fesses. Contraint de s'éloigner d'elle le temps de l'aider à se défaire de ses bottines et du vêtement, il fit contre mauvaise fortune bon cœur en s'octroyant le plaisir de laisser courir ses yeux sur le corps de Sophia.

Aucun mot n'aurait pu qualifier à lui seul ce que Sam éprouvait. Il songea vaguement à en inventer un. Quel barbarisme pourrait à la fois exprimer son émotion devant sa splendeur, la passion qu'elle lui inspirait et cette espèce de désespoir qui le tourmentait ? Devait-il utiliser le terme « amour », ce terme si galvaudé et pourtant si empli de sens ? Non, en l'occurrence, il s'agirait d'un sophisme. Si ce sentiment était bel et bien présent dans le cœur de Sam, son urgence ne résultait pas de lui. Pas uniquement de lui. Son désir au devenir sauvage, plus tyrannique à mesure que les secondes s'écoulaient, était l'œuvre de sa part bestiale qui, si elle revendiquait la jeune femme comme sienne et l'aimait à sa manière, harcelait Sam pour qu'il abandonne la rhétorique et se conduise en barbare avec elle.

Sophia n'était plus très loin de désirer la même chose. Sam avait allumé des incendies un peu partout en elle avec son regard intense, ses mains, sa bouche, ses caresses et s'il ne lui faisait pas l'amour bientôt, elle craignait de se consumer totalement d'ici peu. Ou de se mettre à hurler de frustration.

Elle adorait la façon qu'il avait de la toucher et de la regarder, avec ce mélange de douceur possessive et de tendre férocité, de la faire se sentir belle sans que cela l'indispose. C'était loin d'être suffisant. Le feu liquide courant dans ses veines, se concentrant au creux de son ventre et entre ses cuisses se faisait presque douloureux. Sophia pressentait que les longs mois d'abstinence imposés à son corps y étaient pour moins que le pouvoir de Sam sur elle.

Il était grand temps de prendre des choses en main. À tout point de vue.

Empoignant doucement les cheveux de Sam, Sophia l'invita à écarter sa bouche de sa peau et à la regarder. L'ombre de la révolte s'inscrivit dans ses yeux, mais pas assez profondément pour y rester lorsqu'elle lui sourit.

Sam se releva. Cédant à sa première urgence, Sophia fit ce qu'elle rêvait de faire depuis qu'elle avait posé les yeux sur son torse nu : le toucher. Et si elle plaça ses mains sur sa taille, celles-ci ne tardèrent pas à se réunir sur son ventre pour déboucler sa ceinture. Sam prit une brusque inspiration. Un son masculin, érotique, aussi prometteur que le tintement de la boucle métallique résonnant dans le silence. Ses abdominaux, admirables, se contractèrent lorsqu'elle s'attaqua aux boutons de son jean, le dos de ses doigts effleurant son érection à travers le coton distendu de son boxer sur le point de déclarer forfait, par mégarde. Ou pas.

Sophia risqua un regard vers son visage. Sam l'observait. Sans redresser la tête, il leva les yeux vers elle. Derrière ses paupières à demi fermées, ses iris luisaient d'un éclat fiévreux. Un fin sourire étira ses lèvres, traîtreusement séducteur.

— Joueuse ? demanda-t-il tout bas ; pas assez pour cacher la chute de sa voix dans les graves et son flirt avec un soupçon de raucité.

— Impatiente, rectifia-t-elle dans un souffle.

Sam fit un pas provoquant un contact entre son torse et ses seins. Ses mains recouvrirent les siennes toujours accrochées à la ceinture de son jean. Après un second pas obligeant Sophia à reculer pour ne pas perdre l'équilibre, le troisième mit fin à ce petit jeu. La jeune femme sentit le cuir doux et frais du canapé contre ses mollets.

— Alors nous sommes deux, répondit enfin Sam.

Libérant ses mains des siennes, il entreprit de dégrafer son soutien-gorge.

— Ce n'est cependant pas une raison pour te prendre à la hussarde, ajouta-t-il sérieusement en observant attentivement le doigt qu'il fit courir sur le galbe de son sein droit.

Sophia n'était pas vraiment encline aux représailles. Alors, si elle ne put contenir le frisson mêlant plaisir et frustration que cette caresse provoqua, sa propre réaction n'avait rien d'une petite vengeance et tout d'une envie réelle, acoquinée avec un brin de provocation peut-être.

Elle glissa une de ses mains à l'intérieur du jean de Sam et l'appliqua sur son érection, notant incidemment que ladite main ne couvrait pas totalement la longueur de ladite rigidité. Loin de là. Elle en frissonna de plaisir anticipé.

On a beau dire…

— Mais si tu me cherches…, insinua Sam, enroulant un bras autour de sa taille pour la plaquer contre lui, emprisonnant sa main contre son sexe terriblement dur.

Sophia bougea les doigts. Oh, juste un peu, mais cela suffit amplement pour qu'un nouveau grondement sourd se fasse entendre. Et sentir. Elle en perçut les vibrations jusqu'au creux de son ventre, et les effets jusque dans son cœur si proche du sien.

— Oui, tu me cherches, déclara-t-il, sa voix ayant définitivement chu dans des profondeurs abyssales.

Avec une adresse aussi époustouflante que sa rapidité, Sam la fit basculer sur le canapé, s'aidant de l'un de ses genoux pour la déséquilibrer tout en amortissant sa chute avec son bras libre, le tout avec douceur et fluidité.

Soit Sam était doté de facultés inouïes, soit il s'était entraîné ou avait une belle pratique de l'exercice. Non, mauvaise idée que de songer à celles… qu'il n'avait pas amenées ici.

Aussi surprise soit-elle, Sophia eut vite fait d'oublier tout ça. Sam n'eut pas grand-chose d'autre à faire pour ramener sa pleine et entière attention sur lui que terminer de se dévêtir pour s'agenouiller ensuite entre ses jambes qu'il lui fit encore écarter d'un petit coup de genou, doux mais déterminé. Elle avait joué. Et obtenu ce qu'elle voulait : cet homme splendide, au corps parfait et au visage d'ange. C'était loin de résumer Sam. Il n'était pas qu'un mâle prêt, magnifiquement prêt même, à posséder une femme. Bien que sa force virile et son désir impétueux émanent si fort de lui qu'elle les voyait presque, il y avait autre chose, comme une énergie d'origine inconnue, ou un pouvoir, sombre et puissant, se dégageant de lui. Son esprit ? Peut-être. Quoi que ce soit, cela la caressa lorsqu'il se pencha sur elle pour déposer un baiser sur sa bouche. Si chaste, si désespérément loin de ce dont elle avait besoin.

— Je sais, chuchota-t-il contre sa bouche avant que sa plainte n'ait eu le temps de franchir ses lèvres.

Il se redressa, autorisant le gémissement étouffé à s'échapper.

Si jusqu'ici Sam avait paru respecter ses vêtements, il n'eut aucune pitié pour la délicate dentelle de son shorty sur laquelle il exerça une tension telle qu'elle rendit ses pauvres armes en un temps record. Satisfait de sa victoire, il le jeta sur le côté et s'étendit sur la jeune femme.

Sa chaleur l'enveloppa, submergeant presque Sophia et l'incitant à se cambrer contre lui pour en obtenir plus, plus de peau contre la sienne, plus de sa force, de lui. Elle avait tellement besoin de… de lui.

Sophia n'avait jamais éprouvé l'état de possession absolue, n'en avait jamais connu ni le sens ni les sensations.

Sam le lui apprit ce jour-là.

Soulevant ses hanches, il empoigna son sexe qu'il présenta à l'entrée du sien mais ne la pénétra pas, sauf peut-être par le biais de ses yeux plongeant dans les siens.

— Sam, se plaignit-elle, s'arquant contre lui et agrippant ses épaules comme si elle pouvait le forcer et le prendre en elle sans son accord.

La prochaine fois – si prochaine fois il y avait –, elle se placerait au-dessus de lui.

Le regard de Sam rivé au sien flamboyait. Littéralement. L'or en fusion cernait la noirceur de ses pupilles, la brûlait, elle.

Prenant garde à ne pas lui imposer tout le poids de son corps, en appui sur ses coudes, il empoigna ses cheveux, doucement mais fermement, s'empara de sa bouche, avidement, et se fraya un chemin en elle, enfin.

Son sexe incroyablement dur, idéalement large, étira ses muscles intimes, sans douleur, mais sans complaisance non plus ; ils se contractèrent, un spasme lui soutirant un gémissement de plaisir, et à lui un grondement.

Prisonnière, Sophia l'était de son corps puissant, chaud et pesant, de ses mains, de sa bouche, de son baiser, langoureux et invasif, de son sexe allant et venant presque nonchalamment en elle. Et puis, il y avait toutes ses caresses. Celle de son souffle sur sa joue, de sa peau douce enveloppant les muscles d'acier qu'elle sentait sous ses doigts, sur elle, celle de la fine toison de son torse sur ses seins, son odeur virile, son goût.

Sam libéra sa bouche. Un déséquilibre dans l'emprise.

Elle reprit son souffle.

Ses yeux à nouveau capturés. Les siens lançaient des éclairs. Sa présence en elle s'intensifiant.

Elle haleta.

Sam libéra ses cheveux ; ses doigts sur ses poignets comme des menottes.

Il la contraignit à placer ses mains au-dessus de sa tête, loin, très loin, un étirement intransigeant plaquant plus que jamais son corps contre le sien, comprimant ses seins contre son torse.

Martelée.

Le souffle coupé par le plaisir, impossible même de gémir.

Son corps se contractant sur lui. Chaque centimètre, chaque parcelle du velours inflexible de son sexe en elle, loin.

Caresse, embrasement.

Plaisir.

Sam sur elle, en elle. Lourd. Partout.

Possession.

Ses deux poignets retenus dans une seule de ses mains, l'autre pour replier son genou droit et écarter sa jambe aussi loin que possible.

Écartelée, prisonnière. Excitée.

Coups de boutoir.
Possession. Plaisir
Vitesse.
Plaisir.
Un son animal.
Qui possédait l'autre ?
Plaisir.
Un coup de reins, plus vif que les autres.
Un cri. Un autre, plus grave.
Et puis...
Une tension qui se rompt brusquement.
Libération.
Plaisir.
La chair qui vibre. L'esprit qui vole en éclat.

Chapitre 20

Le regard que Sam lui avait jeté lorsqu'il était passé près d'elle tandis qu'elle faisait le pied de grue pendant que Sophia affrontait les monstruosités régnant au sous-sol avait renseigné Annette à propos de plusieurs choses. De un, il n'était plus en colère. Du tout, du tout. De deux, si elle entendait un cri, assurément, aucun serpent n'en serait pas la cause. Enfin… sauf si c'était ainsi que Sam appelait son sexe. Et de trois, elle avait quartier libre jusqu'à nouvel ordre.

Faute, donc, de pouvoir continuer de recueillir les réponses de leur hôte et ainsi réellement commencer son reportage, la jeune femme décida de modifier son plan de vol et de visiter un peu le château, chose qu'elle n'avait pu faire la veille, histoire de grappiller les quelques renseignements ou détails que l'écrivain pourrait omettre de lui livrer, délibérément ou non. Un intérieur et sa décoration en disaient souvent long sur son occupant selon elle. À condition de pouvoir qualifier d'intérieur la somptueuse demeure de Sam naturellement. Parce qu'il n'avait rien d'intime ou de chaleureux. Tout y était au contraire grandiose, luxueux, esthétique, parfaitement rangé mais surtout étrangement impersonnel, faisait naître cette curieuse impression que tout n'était destiné qu'à leurrer, cacher, inviter la perception du touriste à emprunter le mauvais chemin pour au final ne pas rencontrer le vrai propriétaire. Le peu de temps qu'elle avait passé avec Sam ne lui avait pas laissé ce sentiment pourtant. Comme elle l'avait dit à Sophia, il s'était montré absolument charmant, courtois, raffiné et d'une culture assez phénoménale… L'idée que son attitude n'avait été qu'une façade elle aussi, que seule sa copine avait entraperçu le véritable Sam effleura son esprit, puis s'envola.

Annette haussa les épaules. Il était trop tôt pour tirer de telles conclusions.

Elle regagna donc le petit salon pour y récupérer carnet et dictaphone, et entama son exploration, déterminée à mener sa petite enquête.

Après le salon ne représentant en fait qu'une petite partie du rez-de-chaussée de la tour est puisqu'il s'ouvrait sur une immense salle à manger circulaire, magnifique mais tout sauf instructive, un salon de musique aussi peu édifiant et la salle de billard qu'elle avait déjà vue, la jeune femme se vit refuser l'entrée d'une pièce fermée à clef. À en juger par la position de sa porte par rapport à celle du bureau situé dans son prolongement au bout de la galerie, cette salle devait être gigantesque. À moins que cette zone interdite ne soit divisée en plusieurs locaux, elle comprenait à elle seule la surface au sol de la tour sud plus l'équivalent du petit salon et de la pièce dédiée à la musique.

Ça faisait quand même une sacrée pièce ça ! Que contenait-elle ? Une salle de cinéma ? Des trésors ?

Sam Nahash était donc vraiment un homme à secret ? Tout dans sa réputation sentait certes le mystère à plein nez, mais cela pouvait n'être qu'une manœuvre commerciale, une stratégie. Quoi qu'il en soit, s'il avait réellement des choses à dissimuler, il aurait été stupide de sa part de le faire au rez-de-chaussée de sa maison. Et si Annette avait appris une chose sur Sam, c'était qu'il était loin d'être idiot.

Il ne fallait pas beaucoup plus à Annette qu'une pièce fermée à double tour pour réveiller sa curiosité ne dormant jamais vraiment. Elle risqua un coup d'œil par la serrure de la porte. Si cela ne donnait rien, elle sortirait de la demeure et irait fureter du côté des fenêtres.

— Je peux savoir ce que tu fiches, exactement ?

Pincée en flagrant délit, la jeune femme se redressa vivement. Mais ce fut lentement qu'elle se tourna vers Shax dont elle avait reconnu le timbre, gagnant ainsi quelques secondes pour décider de l'attitude à adopter avec lui.

Se moquer de ce qu'il pensait d'elle et prendre ce qu'il avait à offrir ou...

— Ça ne se voit pas ? répondit-elle, optant à la dernière minute pour la provocation.

Il lui restait un peu d'amour propre, même si le géant l'avait délestée d'une bonne partie de sa dignité.

Shax la rejoignit, s'immobilisant si près d'elle qu'Annette dut pencher la tête en arrière pour soutenir son regard. Si clair, si beau, si...

Un petit frisson la parcourut.

Pas question !

Elle croisa les bras contre elle, attitude clairement défensive, mais elle s'en moquait. Un bouclier n'était jamais superflu contre les armes terribles de cet homme.

La proximité du géant eut pourtant une incidence sur le rythme de sa respiration, notamment lorsque son parfum envoûtant lui chatouilla les narines. Une chaleur inopportune s'épanouit au creux de son ventre. Elle la chassa assez facilement. Il lui suffit pour cela de se remémorer leur dernière entrevue.

— Je fouinais en quête d'informations croustillantes pour mon journal, l'éclaira-t-elle étant donné que non il ne voyait pas, si toutefois son haussement de sourcils était bien une invitation à s'expliquer. C'est ce que fait un fouille-merde, d'ordinaire, non ?

Shax n'apprécia pas outre mesure ce rappel de ses propres mots prouvant qu'il l'avait réellement vexée et blessée. Non pas qu'il ait sérieusement quelque chose à faire de ce que ressentait cette sauterelle. Sauf dans la mesure où il était particulièrement difficile de se taper une femme contrariée.

— Tu aurais pu me surprendre, laissa-t-il entendre.

— Au nom de quoi aurais-je envie de vous surprendre ? s'esclaffa-t-elle comme si cette éventualité était grotesque. Déjà, cela impliquerait une volonté de m'intéresser à vous, et ensuite que vous vous souciiez réellement de qui je peux être. Or, voyez-vous, mon intérêt à votre égard, somme toute relatif puisqu'il se limitait à ce que contient votre caleçon, s'est évanoui hier en fin d'après-midi.

— Je sais déjà qui tu es, je te l'ai dit hier : une menteuse. Mais une menteuse doublée d'une mauvaise perdante qui pleurniche dès qu'elle perd la main.

— Je ne pleurniche pas ! s'offusqua Annette, bien plus outrée encore par la comparaison de leur aventure express avec un jeu quelconque.

Cela pouvait pourtant ressembler à un divertissement, mais alors seulement l'un de ceux ne faisant ni perdant ni gagnant. Selon sa conception de la chose en tout cas. Et puis non, elle ne jouait pas ! Elle vivait sa vie au gré de ce que celle-ci lui permettait, certes, mais avec un minimum d'estime pour ses partenaires. Cela faisait une sacrée différence avec les manières de ce goujat !

— Bien sûr que si ! riposta le géant. Hier, tu réclamais du respect.

— Vous ne connaissez rien aux femmes.

Argument bateau mais justifié en l'occurrence.

— Suffisamment pour les faire grimper aux rideaux, répliqua-t-il avec une mâle arrogance qui n'était pas loin d'écœurer Annette. Et le respect n'a rien à voir là-dedans.

Depuis quand ? s'étonna-t-elle mentalement, alors que son visage se paraît d'un masque dissimulant sa déception mais pas totalement son indignation.

— Attendez. Que je comprenne bien. Vous êtes en train de me dire que, pour vous, les femmes sont des jouets sans âme, des corps interchangeables à volonté, la vôtre en l'occurrence ? Que ce qu'elles pensent ou ressentent n'a aucune importance ? C'est bien cela ? Je ne me trompe pas ?

— Tu considères tes amants autrement ? s'étonna-t-il, sincèrement apparemment. Tu prends le temps de les connaître, de te lier d'amitié avec eux ?

— Bien sûr !

— Tu as dû souvent te brûler les ailes, dans ce cas.

— Jamais.

— Parce que tu les vires de ton lit avant qu'ils ne s'en chargent, déclara-t-il, certain de son fait. Sauf hier, et c'est ça qui te met en colère.

Annette observa Shax en silence un moment.

— Vous vous trompez, finit-elle par répondre. Vous ne m'avez pas repoussée, c'est moi qui n'ai plus voulu de vous parce que vous m'avez insultée. Et je ne suis pas en colère, ajouta-t-elle très calmement, donnant ainsi plus de poids à ses mots. Je suis déçue.

Elle l'était vraiment, réalisa le géant. L'accent avait été sincère et son regard s'était brusquement voilé, toute passion envolée.

Quoi qu'il en soit, elle détourna les yeux pour les reporter quelque part, ailleurs, loin.

Fin de la partie.

Shax fit un pas en arrière.

— Où est Sam ? demanda-t-il alors, un peu rudement.

Sa priorité, celle que rien ni personne ne devait supplanter.

— Avec Sophia, marmonna pensivement Annette. Ils apprennent à se connaître, je suppose. Bibliquement, j'imagine.

Enfin, une bonne nouvelle, songea Shax sans quitter des yeux la silhouette d'Annette s'éloignant dans la galerie. Sam devait être aux anges. Quant à Sophia, surtout connaissant le tempérament et les sentiments de son ami, elle le serait aussi s'il montrait le meilleur de lui-même.

Bien.

Il allait pouvoir souffler un peu, prendre une douche, faire un repas digne de ce nom et se détendre. S'étendre plus exactement. L'action avait réveillé tous ses appétits.

Pas sur la petite journaliste, songea-t-il avec une légère pointe de déception. Mais Shax n'était pas homme à se laisser abattre pour si peu.

Le géant récupéra son mobile au fond de sa poche, ouvrit le répertoire et en fit défiler le contenu, composé à 80 % de prénoms féminins correspondant tous à des femmes susceptibles de l'aider à pallier certaines envies, qu'elles soient pressantes ou pas, classiques ou qu'elles le soient beaucoup moins.

Il l'avait bien mérité.

L'ombre d'un sourire passa sur son visage lorsqu'un souvenir très récent s'invita à la surface de ses pensées : celui fort réjouissant de la tête qu'avaient fait leurs deux poursuivants quand ils avaient compris qu'ils ne couraient plus qu'après lui.

Shax les avait retrouvés après la seconde sortie de l'autoroute, là où ils n'avaient pu que la quitter en découvrant que leur cible s'était envolée. Ses petits coups de klaxon, qu'il aurait volontiers qualifiés de taquins, avaient attiré leur attention. Le géant n'avait toutefois pas prévu que mettre la main sur Sophia n'était pas leur seul but et qu'ils étaient porteurs d'un message. Il l'avait compris lorsqu'il les avait vus se garer puis sortir de leurs voitures. L'ayant rejoint, ils s'étaient immobilisés à quelques pas de lui pour ne finalement lui délivrer que leur éternelle rengaine.

— Vous ne remporterez pas la partie, lui avait assuré celui dont la froideur avait terrifié Sophia.

— C'est écrit, avait renchéri le second, guère plus folichon.

Shax n'avait jamais supporté leur discours guindé et leurs manières compassées. Bon sang, tirer un coup de temps en temps ne leur aurait pas fait de mal ! Mais le géant exécrait plus que tout le reste cette certitude qu'ils avaient d'être dans leur bon droit et l'impunité, pour ne pas dire l'immunité, qu'ils estimaient posséder quoi qu'ils fassent.

— Vous ne seriez pas là si vous en étiez aussi certains, avait-il répondu avec flegme, en prenant appui sur le capot de la limousine. M'est avis qu'en réalité vous sentez le vent tourner. Je me trompe ?

Bras croisés dans une attitude d'attente presque intéressée, il avait observé les deux emplumés en se demandant ce qu'ils lui voulaient vraiment. La proximité des deux castors juniors l'incommodait plus qu'il ne le montrait et Shax n'avait eu qu'une envie : s'assurer que tout allait bien au château.

— Alors quoi ? C'est tout ce que vous aviez à dire ? N'ai-je pas droit à un petit mot d'amour de la part de votre cher papa ?

— Méfie-toi Shax, avait articulé l'homme aux yeux pâles, si froidement que le géant n'aurait pas été étonné que des glaçons jaillissent de ses lèvres.

Le regard du second luisait de haine.

— Que je me méfie de quoi, mon lapin ? Tu crois que j'ai peur de disparaître ? Ça me ferait chier, mais ça ne me fait pas peur.

— Et la fille ?

Là, Shax en avait eu ras le bol. Se redressant, il avait regagné la portière de la limousine laissée ouverte.

— Oubliez-la. Elle est là où elle doit être et n'est pas près d'en repartir.

Les deux clowns s'étaient jeté un coup d'œil.

Particulièrement tenté de leur rouler dessus, Shax n'en avait rien fait ; il s'était cependant offert le plaisir de leur tailler un short.

Lorsque l'ultime prénom de son répertoire s'afficha sur l'écran de son smartphone, Shax les expulsa *illico* aux confins de sa mémoire, permettant à un sourire parfaitement lubrique d'étirer ses lèvres.

Zoé.

Pile-poil celle dont il avait besoin.

*

Annette aurait vendu son âme pour une dose de chocolat. Sous n'importe quelle forme, glace, gâteau, carrés, bonbons…

C'était la première fois que cela lui arrivait ; elle était suffisamment renseignée toutefois pour savoir de quoi il retournait quand une femme avait envie de se gaver de chocolat ou de sucrerie. Elle en frémit d'appréhension.

Non. Mais non, se raisonna-t-elle.

Elle était à des lieues d'être amoureuse du géant. Elle ne le connaissait même pas ! Ou plutôt, ce qu'elle avait appris de lui ne l'incitait pas à nourrir de tendres sentiments.

Cela dit, en toute objectivité, il n'était pas impossible qu'elle ait fondé trop d'espoirs sur ce qu'aurait pu être une liaison avec lui, et ce, simplement parce que Shax était le plus beau mâle qu'elle ait jamais rencontré et que l'attirance avait été immédiate et réciproque.

Donc, son envie de chocolat résultait d'un peu de déception. Rien d'autre. Rien de grave.

Une contrariété qu'elle allait adoucir seule comme une grande puisque personne ne pourrait la renseigner, tout le monde étant occupé, et le reste de « tout le monde » étant un mufle.

Annette abandonna le salon mauve où elle avait une fois encore trouvé refuge et se mit en quête des cuisines ou du garde-manger du château, peu importait, elle s'arrangerait avec ce qu'elle trouverait.

Dénicher l'office ne fut pas une mince affaire. Lorsqu'elle était descendue le matin même, elle n'avait pas eu à se poser la question puisqu'elle avait rencontré Sam dans l'escalier et qu'il l'avait conduite dans le petit salon où un buffet les attendait déjà.

Annette mit donc un moment avant de localiser la porte menant aux cuisines. Se fondant avec le mur la supportant, comme cela arrivait parfois dans les châteaux dotés de passages secrets, elle était en outre placée dans un renfoncement non loin de la salle à manger, ce qui, quelque part, était parfaitement logique. Bref.

Après avoir descendu les quelques marches d'un escalier, la jeune femme déboucha dans une cuisine gigantesque, très fonctionnelle et intégralement en Inox. Rien d'intime ou de chaleureux encore une fois. Presque un laboratoire même. Brrr, cela avait quelque chose de flippant quand même, surtout lorsque son regard glissa sur un support à couteaux accueillant un nombre incroyable d'armes aux terribles lames.

Elle reporta vite fait ses yeux sur la dizaine de personnes présentes réunies autour d'une grande table d'un blanc immaculé. Le personnel du château très probablement. Son arrivée avait interrompu les discussions et tous s'étaient tournés vers elle.

Après s'être présentée et avoir précisé qu'elle était une invitée de Sam, elle demanda où elle pourrait trouver de quoi grignoter. Une jeune femme se proposa gentiment pour lui préparer une petite collation. Annette refusa catégoriquement, arguant qu'elle ne voulait en aucun cas les déranger ou leur occasionner un surcroît de travail.

Aidée par sa pétillante personnalité, elle ne tarda pas à se retrouver attablée avec les employés et agréablement occupée à papoter de tout et presque rien avec eux, presque car elle ne put s'empêcher d'orienter, subtilement, la discussion sur le maître des lieux et la vie au château.

Journaliste un jour, journaliste toujours...

Shax avait peut-être raison sur ce point, finalement.

Au final, Annette n'apprit pas grand-chose. Soit le personnel avait ordre de n'en pas trop dire, soit... il n'y avait rien de particulier à dévoiler. La jeune femme comprit toutefois que si Sam travaillait beaucoup, secondé par Shax et quelques collaborateurs ne restant pas à demeure, c'était le géant qui revenait le plus souvent dans les discussions puisque la plupart des employés s'amusaient à parier sur ses liaisons. Nombreuses. Bien plus que ce qu'Annette aurait pu imaginer.

Cette révélation lui fit jeter un regard noir à sa part de Trianon. Elle était bien trop petite.

Décidant que finalement le sujet ne l'intéressait pas plus qu'il ne la concernait, elle dégusta sa succulente gourmandise au chocolat et les laissa discuter jusqu'à ce que la conversation s'éteigne d'elle-même et que tout le monde retourne vaquer à ses occupations.

Elle était donc seule à l'office et occupée à essuyer sa vaisselle quand deux voix masculines se rapprochant la prévinrent de la fin de sa solitude. Distraitement, elle regarda en direction de la porte et fut incapable de reprendre sa position initiale. Elle faillit même en lâcher l'assiette qu'elle tenait tant ses mains tremblaient. Heureusement, le torchon les dissimulait et lui évita cette humiliation.

Enfin, l'humiliation n'était pas son émotion la plus vive. Un cocktail composé d'irritation, de rancœur mais aussi d'émerveillement s'élabora dans son esprit. Trois sentiments intimement liés aux personnes composant le trio, et non le duo comme elle l'avait cru de prime abord, qui pénétra à l'office.

Annette devait son ressentiment à Shax dont le bras s'ornait d'une ravissante créature brune, d'où l'exaspération. Quant à l'ébahissement...

D'où sortaient donc tous ces hommes plus splendides les uns que les autres ? Il devait y avoir un nid dans les environs, songea-t-elle. Elle devait le trouver. Plus tard, pour le moment elle avait du concret sous la main.

Le bel inconnu n'avait pas grand-chose à envier à Shax question beauté. Aussi grand que lui, il était un rien plus fin, à moins que cette impression ne soit conférée par son style vestimentaire ; il portait un très chic costume gris en alpaga. Pour le reste, elle aurait presque pu dire qu'il était l'antithèse du géant. Blond aux cheveux courts, des traits presque doux et un visage ouvert, de magnifiques yeux pers où un soupçon d'espièglerie brillait derrière un vif intérêt, très masculin, qu'il ne prit pas la peine de dissimuler et qui manqua de peu de la faire rougir.

— Vous ne me présentez pas ? demanda-t-elle à Shax de sa voix la plus charmante, son regard sautant d'un mâle à l'autre sans passer par la case top model accroché au bras du géant.

Elle aurait dû se douter qu'il s'en rendrait compte et commencerait précisément par là.

— Zoé, je te présente Mademoiselle Sorel, s'exécuta-t-il. Journaliste.

Mademoiselle ? Journaliste ?? Tiens donc.

— Permettez-moi de rectifier, répondit la jeune femme, rivant son regard bleu à celui, gris clair, de la fille à qui elle tendit sa main après avoir contourné la grande table pour rejoindre le trio. Je me prénomme Annette et je ne suis pas journaliste, mais fouineuse professionnelle. Enchantée, Zoé. Vous êtes mannequin ?

— Ravie, mentit la demoiselle en lui tendant également la sienne ; sa voix sensuelle n'était pas parvenue à masquer une certaine sécheresse dans son ton. Et, non, je ne suis pas mannequin, mais une amie de Shax, ajouta-t-elle en se collant à son mâle dans le but évident de marquer son territoire.

Amie ? Ben tiens ! Et la marmotte...

— J'ignorais que c'était une profession, plaisanta Annette. Quoi que vous soyez, vous êtes ravissante en tout cas, insinua Annette, jouant à la perfection le rôle d'indifférente.

Elle reporta ensuite son regard sur le super canon blond qui semblait sur le point d'exploser de rire.

— Je me charge de me présenter si tu permets, s'étrangla-t-il à moitié en jetant un coup d'œil à Shax et s'approchant d'Annette.

S'emparant de sa main, il la porta à ses lèvres.

— Amon, murmura-t-il en la regardant par-dessus ses doigts. Je suis l'un des collaborateurs de Sam, celui qui doit organiser l'exposition de Mademoiselle Sikil.

Annette fut incapable de déterminer si son cœur s'emballa à cause de cette merveilleuse nouvelle, en raison du contact de sa bouche sur ses doigts ou encore parce que le parfum, la voix et le regard du superbe mec l'enveloppèrent d'un nuage de séduction auquel elle n'avait pas envie de résister.

— Sophia et Sam sont occupés pour l'instant, l'informa-t-elle, tout bas ; presque une confidence.

— Eh bien, je suppose que vous connaissez le travail de votre amie puisque c'est vous qui êtes à l'origine de la demande.

— Vous en savez des choses, chuchota-t-elle, déjà à moitié perdue dans le regard bleu-vert.

Il sourit, faisant s'allumer une nuée d'étoiles émeraude dans ses iris.

Elle déglutit.

— En ce cas, vous pourriez peut-être m'aider un peu en attendant qu'ils en aient fini, poursuivit-il sa voix se faisant plus douce et basse à chaque mot.

— Si vous voulez.

Shax n'avait d'ordinaire rien contre les nouvelles expériences, bien au contraire. Surtout entre un homme et une femme et à condition qu'il soit l'homme. Seulement, celle qu'il vivait ne l'amusait pas. Voyeur à l'occasion, le statut de spectateur passif lui déplaisait. Et si aucune jalousie ne le titillait, il connaissait Amon. Ses intentions étaient exactement les mêmes que les siennes : jouir autant de fois que possible et sans complication. Donc avec des partenaires multiples et interchangeables, pour reprendre le mot utilisé par la journaliste. Seules leurs manières d'y parvenir différaient. Là où Shax était brut et direct, Amon jouait la séduction. Mais sous le miel veillait le même animal que lui, et la jeune femme n'aurait pas droit à plus de respect qu'avec lui. Juste du sexe.

Combien de temps lui faudrait-il pour s'en rendre compte ? Pour être encore déçue ?

Pourquoi s'en soucier au fond ? s'interrogea Shax sans quitter le couple des yeux. Annette était une grande fille. Amon allait d'ailleurs s'en assurer d'ici peu. La seule consolation de Shax était que lui le savait déjà.

— Tu veux de la chantilly ? demanda une Zoé disparaissant presque à l'intérieur du grand réfrigérateur et le sortant de ses réflexions.

— Pas sur du rosbif froid, merci bien, grommela Shax en lui jetant un coup d'œil.

— Ça n'est pas pour ça que je te posais la question, précisa la jeune femme dont le minois apparut de derrière la porte du frigo.

Elle lui adressa un petit clin d'œil complice.

Les yeux de Shax se reposèrent sur Annette dont le regard quitta enfin Amon pour se diriger vers lui.

Les mêmes images prenaient vie dans leur tête.

Zoé et Amon en étaient exclus.

L'un et l'autre en étaient conscients.

Shax aurait voulu qu'Annette esquive, baisse les yeux, cille… rende les armes.

Les eaux limpides de ses iris étaient d'un calme parfait, son ravissant visage également.

— Ouais, prends la chantilly, répondit-il en se détournant pour rompre ce lien.

Chapitre 21

Sam renaissait à la vie, avec tout ce qu'une résurrection peut comporter de violence, d'espoir et de beauté. Cette régénération commençait par un vide, celui qu'il percevait en lui, là où s'était trouvée la souffrance, comme si, plus qu'une sensation, elle avait une réelle présence physique chez ceux qu'elle tourmentait et laissait un trou béant quelque part en les quittant. Une vacuité que Sam espérait pouvoir combler grâce à ses propres sentiments et ceux que, peut-être, Sophia lui offrirait. Un jour. Demain ? C'était probablement faire montre d'une trop grande confiance, en lui ou en l'avenir, ou d'un espoir par trop insensé, mais il rêvait leur amour comme une arme absolue capable de les protéger eux, de tout, susceptible de rétablir la justice et de le laver de l'iniquité.

En ce qui le concernait, les sentiments étaient là, déjà puissants mais encore un peu bruts, un peu fous. Leur manquait encore la douceur de la réciprocité. Lorsque ce sublime nectar aurait définitivement remplacé le vin aigre dans son âme, il le boirait avidement, jusqu'à la dernière goutte. L'amour de Sophia serait son ambroisie.

Si le cœur de Sam battait comme un fou contre ses côtes, si une larme lui échappa alors qu'il tenait la jeune femme serrée contre lui, son visage niché contre son cou, il le devait

279

également à Sophia dont le corps frémissait encore de plaisir sous le sien.

La bête n'était pas apaisée et la voulait encore, encore, encore... mais elle lui laissa un répit, autorisant Sam à exprimer sa tendresse.

Sam ne libéra les poignets de la jeune femme qu'après les lui avoir fait croiser sur sa nuque. La retenant contre lui, il la soulagea un peu de son poids en roulant sur le flanc. Le crissement du canapé dans le silence à peine troublé par leurs respirations prit une dimension érotique aux oreilles de Sam. Il aimait ce son charnel aux accords de cuir et de peau nue, aux échos d'animalité et de raffinement. Auquel Sophia ajouta sa propre note, celle de son soupir de bien-être. Elle bougea un peu contre lui, infime mouvement envoyant une petite décharge de plaisir qui fila le long de son sexe encore en elle pour aller s'épanouir dans ses reins.

Sam dut batailler pour résister à son envie d'imprimer une impulsion à son bassin. Son orgasme n'avait eu aucune incidence sur son érection. Cela ne l'étonnait guère. La nature n'avait pas été chienne avec lui ; son tempérament et ses appétits étaient en outre à l'image de beaucoup de choses chez lui : hors norme.

Sam oublia sa faim un instant lorsque Sophia souleva à demi ses paupières. Quelques paillettes d'or scintillèrent sur le velours noir de ses iris. Mais elle cilla, faisant s'évanouir ce qui n'avait dû être qu'une superbe illusion. Dommage. Il aurait aimé être capable d'un tel miracle.

Sophia, elle, était capable d'en accomplir et lui en offrit un : elle lui sourit.

— Tu cherches à m'ensorceler ? demanda Sam avant de déposer une pluie de petits baisers au coin de ses lèvres puis sur sa joue.

La jeune femme tourna un peu la tête afin que les prochains trouvent leur chemin jusqu'à sa bouche. Sam y déposa un baiser plus appuyé puis se redressa pour l'examiner.

— Tu ne réponds pas ? Tout va bien ?

— Oui, soupira-t-elle. Je suis bien dans tes bras.

Ce fut lui qui l'envoûta alors, avec un sourire si lumineux que Sophia en fut éblouie. Émerveillée. Sam était d'une beauté à couper le souffle, rayonnant. Solaire même aurait-elle pu dire, lui évoquant plus que jamais un splendide avatar d'Apollon descendu sur terre avec la séduction pour seul but.

La satisfaction lui allait décidément très bien. C'est pourquoi Sophia rechignait à tenir le rôle de l'orage, plus encore après le plaisir qu'il lui avait donné, mais une question la démangeait, découlant précisément de ce qu'elle venait de vivre. Ce qu'elle avait pu ressentir avec ses rares amants, ou ne pas ressentir en réalité, n'avait aucune mesure avec ce que Sam lui avait offert : le plus bel orgasme de sa vie et surtout cette sensation si intense et déroutante d'être à sa place près de lui, à la fois sous l'emprise de ses appétits à lui alors qu'il ne faisait que répondre à ses désirs à elle.

Au-delà de cela et d'un point de vue moins charnel, elle se demandait jusqu'à quel point le hasard était intervenu, non pas dans leur rencontre, mais dans les conséquences de celle-ci.

Elle s'était même demandé si Sam n'était pas celui qui devait lui tomber dessus, ou, plus romantiquement, l'homme que la vie lui avait destiné.

D'une manière générale, faute de vouloir y réfléchir véritablement, elle n'accordait pas de crédit particulier aux histoires d'âmes sœurs ou de coups de foudre et n'avait jamais été témoin d'un tel phénomène ailleurs que dans un roman ou dans un film.

Mais Sam... Sam l'incitait à se pencher sérieusement sur la question. Parce que si c'était bien la clef de son cœur qu'il lui avait dérobée, et pas seulement celle de son désir ou de son corps, s'il n'avait pas investi les lieux non plus, il avait pourtant laissé la porte de sa cage ouverte, lui offrant la possibilité de s'envoler jusqu'à lui s'il le désirait.

Sophia n'avait plus envie de le laisser dépérir dans sa cellule, plus envie de rester au bord de la route. Elle ignorait comment, pourquoi et d'où venait cette quasi-certitude, mais Sam semblait lui avoir insufflé le courage d'abandonner sa prison, lui garantissant qu'elle ne se jetterait pas dans le vide, qu'il l'attendait de l'autre côté des barreaux. Les bras grands ouverts.

Aux yeux de la jeune femme, son cœur faisait encore un peu trop figure d'oisillon effrayé par son premier envol, mais qui, poussé par son instinct, s'apprêtait à se lancer. Elle désirait sincèrement avoir confiance en Sam, en dépit de tout ce qu'il lui avait dit la veille, en dépit de son comportement avec elle. Ou à cause d'eux.

Mais la confiance de Sophia était une enfant un peu réservée elle aussi. Peut-être qu'une dose de franchise de sa part lui permettrait de se débarrasser de sa pusillanimité comme on ôte une robe peu seyante.

— Qui es-tu Sam ? osa-t-elle donc lui demander.

— Ton amant.

Le possessif enchanta la jeune femme. Pas uniquement parce qu'elle en avait la preuve physique toujours en elle. Mais pour une fois qu'elle entendait un homme dire qu'il était son amant… cela sonnait bien plus joliment à ses oreilles que : tu es ma maîtresse. Sa réponse simple, honnête et spontanée lui plut tout autant. Cependant, cette vérité ne lui suffisait pas.

Pour amoindrir ses prochains mots, Sophia fit courir ses mains sur les épaules de Sam puis se souleva un peu pour poser sa bouche sur la sienne. Elle gagna un vrai baiser tendre et bouleversant n'en restant pas moins un délai aux réelles explications qu'elle attendait.

— Je n'ai pas envie de gâcher ce moment, Sam, mais j'ai besoin de réponses, articula-t-elle tout bas mais sérieusement, dès qu'elle le put. Dis-moi ce qui se passe. Je veux comprendre et savoir qui étaient ces hommes qui nous suivaient.

Le fantôme du Sam en colère fit une brève réapparition dans ses yeux, ne glaçant qu'un instant l'or de ses iris mais l'incitant manifestement à se séparer d'elle. Pas à s'éloigner car s'il se retira, il la garda entre ses bras, contre lui.

— Si j'avais pu t'éviter cela, je l'aurais fait, murmura-t-il en la regardant droit dans les yeux. Tu me crois ?

Elle le croyait, la sincérité était inscrite sur son visage et dans ses mots.

Sophia hocha la tête.

Sam la scruta, lui donnant l'impression de chercher dans ses yeux la réponse à cette question : qu'allait-il lui avouer et qu'allait-il lui cacher ?

La jeune femme ne le pressa pas. Ça aurait été une erreur tactique risquant de le braquer.

— Ça ne va pas te plaire, atermoya-t-il encore avant de soupirer, preuve qu'il redoutait réellement sa réaction.

Elle l'encouragea d'un fin sourire qu'il ne lui rendit pas.

— Je me suis mis un certain nombre de personnes à dos, commença-t-il enfin, son regard se voilant un peu alors que sa mémoire devait les lister. Parmi elles, on trouve à peu de près de tout, des envieux de base, des gens que mon travail a choqués et qui cherchent à me censurer, des esprits puritains et des âmes étriquées, des gens que la vérité dérange et qui préfèrent garder leurs œillères. Ceux-là sont relativement inoffensifs et ne m'inquiètent pas vraiment. Mais il y en aussi qui appartiennent à une autre catégorie, particulièrement méprisable et malfaisante. Et eux sont véritablement dangereux.

— Ce sont eux qui en avaient après moi ?

— Oui.

Sophia frémit ; elle n'en sut pas moins gré à Sam de sa franchise.

— Qui sont-ils ?

— Les membres d'une mafia dont j'ai fait partie il y a long-temps.

— Une mafia ? s'étonna la jeune femme, ouvrant des yeux ronds.

Les premières notes de la mélodie principale du film *Le Parrain* s'élevèrent dans l'esprit de Sophia.

La comédie romantique se faisait vraiment désirer…

Voilà donc pourquoi Shax avait parlé de famille ; le mot n'était pas à prendre au sens littéral. Ce qui expliquait également l'absence totale de ressemblance entre le géant et l'homme qui avait tenté de s'en prendre à elle.

Ensuite, sa tête s'emplit d'images de crimes ignobles, trafics en tous genres et autres magouilles révoltantes…

Il n'en restait pas moins qu'elle avait du mal à imaginer Sam au sein d'une organisation de ce type.

— De quel genre de mafia s'agit-il ? demanda-t-elle.

— Extrêmement puissante, essentiellement impliquée dans des malversations politiques et financières.

Sophia eut une grimace. Ce genre d'organisation ne sup-posait pas nécessairement une bande de tueurs sans merci. Néanmoins, la jeune femme n'avait plus beaucoup d'illusions sur le monde dans lequel elle vivait. Et être touchée de si près par ce qui grouillait dans les égouts de la société était quand même autrement plus terrifiant qu'une désillusion. En outre, elle craignait un peu ce que Sam allait lui dévoiler ensuite, s'imaginant déjà devoir fuir le pays, changer de vie, de nom…

— Qu'as-tu fait pour qu'ils t'en veuillent autant ? demanda-t-elle malgré tout ; il fallait qu'elle sache.

— J'ai désobéi.

Sophia se figea.

— Pardon ? Tu as désobéi ? Ça ne justifie pas…

— Tout est justifié à leurs yeux à partir du moment où ils le décident, la coupa-t-il. Et ils ne connaissent ni le pardon ni la miséricorde.

Là, elle commençait véritablement à flipper.

— Tu n'as pas essayé de trouver un compromis ou d'arranger les choses ?

Sam eut un curieux sourire, à la fois amer et ironique.

— Ça n'aurait servi à rien. J'ai été jugé et condamné à l'instant même où ma désobéissance a été découverte.

— Condamné ? Ils ont voulu t'éliminer ?

— Naturellement ! Ils y sont presque parvenus, lui avoua-t-il enfin.

Sam referma sa main sur la sienne pour l'attirer à lui ; il embrassa sa paume puis l'invita à la poser sur son torse, au niveau de son cœur qu'elle sentit battre, preuve indiscutable de l'échec de ses ennemis.

— J'ai bien failli y passer mais j'ai lutté. Et j'ai pu compter sur une poignée d'amis.

— Shax ? demanda-t-elle alors que cette supposition était la logique même.

— Entre autres.

— Entre autres, mais lui plus que les autres, je me trompe ?

— Non, convint-il.

Sentant qu'il n'en dirait pas plus sur ce point, Sophia n'insista pas.

— Et donc la situation est inextricable.

— Pour ainsi dire. Je suis pratiquement assigné à résidence et si je passe outre, je risque ma peau.

— Mais c'est ignoble ! s'indigna Sophia. Tu ne peux rien faire ? Prévenir la justice, la police ou…

— Dans un autre monde, c'est que j'aurais fait, mais nous parlons de mafia, pas de petits voyous des rues. Ils ont le bras très long, des relations très haut placées, ce qui les autorise à agir en toute impunité ou peu s'en faut. Mais j'ai quand même un peu de répondant. Pour faire simple, disons que j'ai en ma possession certains documents qu'ils ne tiennent absolument pas à voir circuler.

— Ils n'ont jamais essayé de les récupérer ?

— Non, parce que s'ils tentent quoi que ce soit, je balancerai tout. Et ils le savent.

— Tu devrais le faire, maugréa Sophia.

— Je le ferai. Quand ce sera le bon moment. En attendant, le statu quo est maintenu, la plupart du temps du moins.

— Mais pas aujourd'hui, fit-elle gravement. Pourquoi ? Et quel intérêt ont-ils à s'en prendre à moi. Je ne saisis pas.

— Toi et ta copine avez dû attirer leur attention.

— Là, tu n'es pas honnête Sam, insista Sophia qui avait très bien compris qu'il tentait de remballer sa franchise.

— Ils ont des espions qui surveillent qui entre ou sort de la propriété, reprit-il avant de se taire à nouveau.

Une rude épreuve pour les nerfs de la jeune femme qui prit sur elle de garder le silence.

Et puis, enfin, un début de réponse.

— Ils s'en sont pris à toi uniquement parce que tu m'as approché et surtout parce qu'ils en ont eu l'occasion puisque tu es rentrée chez toi.

— Quoi ? s'exclama Sophia, atterrée.

— Une façon pour eux de m'atteindre en s'attaquant à quiconque me côtoie.

Là, elle comprenait un peu mieux. C'était particulièrement vicieux.

— Pour t'isoler ?

— M'isoler, me faire chier, m'empêcher de vivre... Mais ce qui me fout hors de moi c'est qu'ils s'en soient pris à toi. Je suis désolé.

— Tu n'as rien à te reprocher, Sam. Sauf peut-être de ne pas m'avoir pas prévenue. Ces gens sont immondes et…

— Qui te dit que je suis le gentil de l'histoire ? l'interrompit-il à nouveau.

Cette question aurait pu la déstabiliser. Tel était peut-être son but. Pour Sophia, elle témoignait surtout d'une volonté de la part de Sam de tester sa confiance. Naturellement, il pouvait lui mentir et avoir totalement inventé cette histoire de mafia, surprenante mais plausible. Pas si curieuse en réalité lorsque l'on songeait à l'aura de mystère et de secret entourant le personnage que Sam s'était créé. Mais plus la jeune femme en apprenait sur lui, moins ce rôle de composition lui correspondait. À moins d'être un extraordinaire acteur, et encore, il n'aurait pu simuler autant d'émotions vraies, celles qu'elle avait lues dans ses yeux, vues, perçues. Tout sonnait juste dans son discours.

— C'est toi qui me le dis, répondit-elle.

— Moi ? fit-il surpris. Je n'ai rien laissé entendre qui aille dans ce sens.

— Pas tes mots, précisa-t-elle. Toi. Ta façon d'être, d'être en colère… Quelqu'un de mauvais se soucierait seulement de lui sans s'occuper des éventuels dommages collatéraux.

L'expression déplut profondément à Sam. Sophia était le cœur de l'histoire, son âme, pas une figurante.

— Mais peut-être que c'est le cas, argua-t-il. Peut-être que je joue les gentils pour pouvoir te garder dans mon lit.

— Dans ce cas, c'est raté. Je te rappelle que nous n'y sommes pas, plaisanta-t-elle.

— Ça peut s'arranger facilement, articula-t-il, repassant en mode amant ; son regard le trahit autant que sa voix soudain plus grave.

Sophia sourit.

— Me garder dans ton lit n'est qu'une seule de tes motivations, rectifia-t-elle.

— Ah ?

— J'ignore ce que ces mafieux trafiquent, quelle fonction tu occupais dans cette organisation ou à propos de quoi tu as désobéi, mais je crois que c'était délibéré.

— Qu'est-ce qui te fait dire ça ?

— Ton penchant pour la provocation systématique.

— Ça fait de moi un inconscient, pas un gentil.

— Ou une personne éprise de justice, tu ne crois pas ?

— Ou de vengeance, laissa-t-il entendre.

— Qui est une forme de justice, très personnelle j'en conviens, mais c'est elle qui, je crois, te donne la force de leur tenir. tête.

Elle et toi...

Sophia dut capter ses pensées, ou en percevoir l'essence, car sa question suivante s'aventura sur des sentiers qu'il n'était pas encore prêt à aborder avec elle.

— Sam, à propos de ce que tu m'as dit hier dans le jardin...

La jeune femme s'interrompit d'elle-même. Le visage de Sam ne s'était-il pas brusquement assombri ?

— Je t'ai dit beaucoup de choses, hier, soupira-t-il, se souvenant qu'il en avait même un peu trop dit, un peu trop tôt.

Mais Sophia voulait savoir. Il serait donc le plus sincère possible.

L'espèce de fatalité emplie de regret imprégnant les mots de Sam incitait la jeune femme à renoncer. Pourtant, au regard de ce que Sam venait de lui avouer, une conclusion s'ébauchait dans son esprit. Elle était encore floue et ses connexions ne semblaient pas logiques. Elle poursuivit.

— Et est-ce que ce qui s'est passé aujourd'hui a un rapport avec ce que tu viens de me dire ? Tout à l'heure, tu m'annonçais que tes ennemis s'en étaient pris à moi seulement pour te gâcher l'existence, mais hier tu disais que j'étais à toi, que tu m'attendais.

— C'était une façon de te dire que je suis tombé amoureux à la seconde où j'ai posé les yeux sur toi, répondit gravement Sam. Qu'il y a une éternité que j'attends cela. Hier, je n'étais pas dans mon état normal et terrifié à l'idée que tu me repousses. Quand tu l'as fait, parce qu'étant donné mes manières tu ne pouvais que réagir ainsi, j'ai pété un câble. Je t'ai fait du mal et je le regrette.

— J'ai eu plus peur que mal, j'ai réellement cru que tu étais fou.

Sam se désola que Sophia n'ait retenu que ces mots-là. Faisait-elle exprès de ne pas entendre son message ? Il réprima une grimace.

— La solitude rend dingue.

— C'est ce qu'ils cherchent, n'est-ce pas ?

— Faute de mieux, oui. Et comme personne ne vient ici en dehors de certains de mes collaborateurs, ils ont dû supposer que toi et Annette étiez là pour moi.

— Personne ? releva-t-elle, incrédule. Tu ne me feras pas croire que tu vis reclus *et* comme un moine.

— Je n'ai pas dit ça.

Les implications de sa réponse flottèrent entre eux. Voir Sophia pincer les lèvres faillit arracher un sourire à Sam.

— Shax a beaucoup de copines, ajouta-t-il, incapable de s'empêcher de provoquer la jeune femme pour voir si cela réveillait une fibre jalouse.

Qu'elle le soit, même un petit peu, l'enchantait au plus haut point.

— Toutes ravissantes et très serviables, je suppose ?

— Exactement, encore que j'aurais dit délurées, plutôt.

Sophia n'était pas dupe, ne l'était plus depuis qu'elle avait surpris une étincelle malicieuse dans le regard de Sam.

— Et elles supportent ton caractère ? l'asticota-t-elle.

Sam haussa un sourcil.

— Tu trouves quelque chose à redire à mon caractère ?

— Mmm, disons que parfois il n'a pas grand-chose à envier à celui de la Bête.

— *La Belle et la Bête*, mon film préféré ! s'exclama-t-il, la lueur espiègle illuminant ses yeux.

— Celui de Cocteau ? Ou celui avec…

— Non, non, celui de Disney !

Chapitre 22

Le rire de Sophia se propagea dans la pièce.

Les échos très sensuels de sa voix, sublimés par la joie, eux, emplirent le cœur de Sam d'un torrent de tendresse charriant également son amour, sa passion, tout ce qu'il aurait aimé pouvoir déverser dans celui de la jeune femme.

Elle le comprit lorsque leurs yeux se retrouvèrent. Comment aurait-elle pu ne pas en être consciente alors que les yeux du jeune homme se faisaient fenêtre ouverte sur son âme, grande ouverte sur ce jardin magnifique baigné par la lumière de son regard. Sophia se demanda s'il y conservait une rose quelque part…

Si la gaieté opéra un net repli chez Sophia, elle ne disparut pas et céda du terrain à une espèce de tendre gravité… ou une émotion s'en approchant.

— Tu es amoureux, souffla-t-elle.

L'exprimer à haute voix avait quelque chose d'évident, d'inéluctable qui lui procura un choc. Moins cependant que de voir Sam hocher la tête, sérieusement, avec conviction, sans cesser de la fixer.

Faute d'avoir jamais aimé ni été aimée, Sophia se sentit un peu prise au dépourvu. Sam lui offrait ses sentiments simplement, sincèrement et sans pudeur, presque trop vite.

— C'est la première fois qu…

— … qu'un homme convoite ton cœur plutôt que ta beauté ? compléta-t-il à sa place.

— Oui.

— C'était ça ta troisième question, n'est-ce pas ? Tu voulais savoir si ma décision de te rencontrer était motivée par tes photos ou par toi.

Le rosissement, charmant, des pommettes de Sophia répondit pour elle.

— Tes clichés m'ont touché à un point que tu n'imagines sans doute pas, lui avoua-t-il avec une telle sincérité que le regard de Sophia s'embua. Ma décision était prise avant de savoir que tu étais superbe.

Le cœur de la jeune femme se gonfla de satisfaction. Sam la connaissait à peine mais la comprenait, lui disait les mots qu'elle avait toujours voulu entendre. En plus d'être terriblement séduisant, il se montrait sous un jour si sensible…

— Et j'aimerais pouvoir casser la gueule à tous ceux qui t'ont blessée, mal traitée.

… chevaleresque, justicier…

Sam fit courir le bout de ses doigts le long de son bras, caresse déclenchant une série de délicieux petits frissons.

— Beaucoup d'hommes se comportent comme des imbéciles ou des animaux devant la beauté, poursuivit-il.

… perspicace, lucide…

Sa main se referma sur son épaule, son pouce effleura sa clavicule.

— Ça me donne envie d'étrangler tous ceux qui ont posé leurs mains sur toi. Y compris ton petit copain.

… jaloux et…

Sophia cilla puis fronça les sourcils.

Petit copain ? Quel petit copain ?

292

Oh bon sang ! Axel. Il ne pouvait parler que d'Axel, naturellement. Comment...

Mais Shax, bien entendu ! Le chameau avait tout cafté ! Et dire qu'elle lui faisait confiance.

— Tu crois vraiment que je serais ici, nue dans tes bras, si j'avais un petit ami ? répliqua-t-elle, proprement abasourdie qu'il l'en pense capable.

Nue... dans ses bras...

Certains mots avaient le don de plaire à Sam plus que d'autres, et certaines associations celui d'exciter homme et bête.

Sa main, plus que possessive, abandonna son épaule pour remonter jusqu'à son cou ; elle s'y plaqua alors qu'il imprimait une petite impulsion à son bassin, mouvement suscitant un intéressant frottement contre son ventre. Une friction dure, soyeuse et chaude, pleine de nouvelles promesses que la jeune femme put aussi lire dans son regard assombri.

— Je ne crois rien. J'essaye juste de te faire comprendre que je ne suis pas partageur. Qui était ce garçon ? insista Sam.

Sophia ne put s'empêcher d'apprécier cet accès de possessivité et se mordit la langue pour se défendre de répliquer qu'Axel n'était pas un garçon mais un homme.

— Un photographe.

Sam caressa l'angle de sa mâchoire, son pouce allant et venant en un mouvement lent, régulier, un peu lénifiant.

— Tu le trouves comment ?

Son regard la mettait clairement au défi de dire qu'elle le trouvait à son goût.

— Très sympathique et gentil.

— Séduisant ?

Elle aurait plutôt dit sexy.

— Pas mal.

— Et il a du talent ce... photographe ?

La question piège... inévitable.

— Aucune idée, s'esclaffa Sophia le plus honnêtement du monde. Je n'ai fait sa connaissance qu'hier matin.

— Tu lui souriais. Shax me l'a dit.

Un reproche formulé avec un accent de gamin boudeur absolument craquant. Ou un regret peut-être.

Cela dit, c'était bien la seule chose enfantine chez lui en cet instant. Son regard était celui de l'amant, sa main contre sa joue, celle d'un homme épris et possessif, une alliance terriblement séduisante... tellement nouvelle pour Sophia.

— Tu exiges l'exclusivité de mes sourires ? s'enquit-elle, ne plaisantant qu'à demi.

Se sentir désirée au point de peut-être susciter cette exigence de la part de Sam était tout aussi inédit pour Sophia que le reste et pas franchement désagréable en vérité, à condition que cela ne devienne pas étouffant pour se muer en tyrannie. Sophia craignait un peu que le jeune homme ne soit porté à ce genre de comportement. À moins que ses mots ne soient que l'expression d'une peur...

— Je ne veux pas te retenir prisonnière, ni de moi ni de mes sentiments. Mais...

Laissant délibérément sa phrase en suspens, Sam prit appui sur son coude pour se redresser, puis s'étendit de tout son long sur elle. Ça n'était pas vraiment en adéquation avec ses mots, mais Sophia n'avait pas l'intention de s'en plaindre. Elle commençait à prendre goût aux comportements déroutants ou illogiques de Sam. Sans doute parce qu'elle commençait aussi à comprendre que sa façon d'être ou son caractère se reflétaient dans chacun de ses gestes. Doux et charnel, sexuel et tendre, réfléchi et passionné, Sam était définitivement complexe, tout en contraste. Incapable de rester dans la zone neutre, il donnait aussi l'impression d'être constamment sur le point de basculer d'un côté ou de l'autre mais sans vous permettre de prévoir lequel.

Bel et bien captive, Sophia l'était d'abord du poids du corps de son amant. De sa bouche ensuite qui se pressait sur la sienne. Puis de ses mains qui emmêlèrent ses cheveux. De son baiser enfin, exigeant, invasif, impitoyable et ne lui laissant aucune chance d'y échapper, pas plus que de se soustraire à ce qu'il réveillait en elle. Le voulait-elle réellement ?

Après cette voluptueuse démonstration faisant d'elle une femme à bout de souffle et de lui un menteur au sujet de sa captivité, Sam libéra sa chevelure et se redressa sur ses coudes.

— Mais, reprit-il comme si cette délicieuse diversion n'avait jamais eu lieu, ou presque parce que son regard luisait de désir, dis-toi bien que je vais tout faire pour que ce soit toi qui viennes à moi, toi qui te constitues prisonnière.

Cette promesse, car c'en était bien une, solennelle, eut une autre incidence notable sur la jeune femme. Celle de la rendre impatiente. Impatiente de l'entendre lui avouer sa stratégie mais surtout qu'il la mette en œuvre. Si ça n'était pas déjà le cas, parce que le corps de Sam contre le sien provoquait déjà bien des réactions en des zones stratégiques. Ses pectoraux courtisaient ses seins, sa peau flirtant avec ses tétons érigés réclamant de l'attention, celle de ses mains, de sa bouche et de sa langue. Et que dire de cet éloignement relatif mais en passe de devenir intolérable de leurs sexes. L'érection de Sam était totalement prisonnière entre eux, s'incrustait dans son ventre, terriblement rigide, délicieusement brûlante, à la fois si loin et si près de là où elle la désirait déjà.

Instinctivement, comme si cela avait pu changer quelque chose, Sophia se cambra contre Sam. Il serra les dents ; son regard lui décocha une flèche d'or qui, par un mystérieux processus, alla se ficher dans son ventre et dans son cœur.

— Comment comptes-tu t'y prendre ? demanda Sophia dont la voix était aussi altérée que son esprit.

— Je suis plein de ressources, Sophia, laissa-t-il entendre. Je vais aimer ton corps, l'adorer, l'explorer, le caresser, le goûter. Tu pourras faire ce que tu veux du mien. Et puis j'ai envie de...

Nouvelle interruption, délibérée, exaspérante. Envoûtante. Sam rampa lentement sur elle, vers le sud, là où il faisait si chaud, espéra-t-elle.

— ... te faire rire et sourire, d'apprendre à te connaître, de te protéger.

Sam marqua une pause dans sa reptation, lui jeta un coup d'œil puis son regard se posa sur ses seins. À portée de bouche. Ses lèvres s'entrouvrirent. Il les humecta du bout de la langue. Sophia retint son souffle. Celui de Sam la caressa lorsqu'il s'abaissa pour déposer un fantôme de baiser sur sa peau, entre ses seins.

— ... te charmer, t'éblouir, te surprendre, murmura-t-il alors que sa bouche dérivait vers l'un de ses mamelons.

Le bout de sa langue y flâna, décrivant lentement des cercles à même de la rendre folle. Sam semblait trouver un infini plaisir à la faire languir.

— Me torturer, répondit Sophia dans un souffle.

Comme pour la punir d'avoir parlé, ou lui donner raison, Sam délaissa son sein pour l'autre qu'il soumit au même tourment avant qu'enfin sa bouche, chaude et humide, se referme sur son téton, qu'il lécha, mordilla, aspira, suça, tandis que sa main soumettait le délaissé à des caresses presque chastes.

Égaré quelque part entre le brasier intense lui consumant les reins et l'enchevêtrement de toutes ses envies avec ce qui emplissait son cœur, Sam gardait une conscience aiguë du corps voluptueux de Sophia sous le sien, de sa peau parfumée, de ses soupirs. Cette chair qu'il comptait satisfaire par tous les moyens possibles et autant de fois que possible le rendait fou. Mais dans l'immédiat, il crevait d'envie de connaître son goût qu'il voulait sentir sur sa langue et dans sa gorge et de l'entendre gémir de plaisir.

L'impatience le fit gronder et abandonner la douceur crémeuse de ses seins pour le satin incomparable de son ventre. Escortant sa bouche sur ce trajet époustouflant, ses mains glissèrent le long de ses côtes, épousèrent sa taille, puis suivirent les courbes émouvantes de ses hanches. Si elles descendirent jusqu'à ses cuisses elles ne s'y attardèrent pas. Sam y enroula ses bras et les lui fit écarter alors que le bout de sa langue se promenait encore autour de son nombril ; elle aussi descendit, traçant un sentier ardent jusqu'à sa fine toison lui évoquant une jolie petite flamme. Attiré comme un papillon de nuit, à la différence que lui voulait s'y brûler, Sam frotta sa joue contre les boucles soyeuses puis se redressa pour voir si Sophia le regardait. Oui. Son beau regard noir était rivé sur lui, magnifié par le désir qu'il y lisait.

Elle était si incroyablement belle que le jeune homme fut submergé par un profond sentiment d'humilité et de gratitude. Elle l'avait accueilli au creux de son corps et laissé en prendre possession. Qu'elle lui autorise maintenant cette promiscuité bien plus intime que la réunion de leurs deux sexes le rendait totalement dingue, exacerba les émotions bouillonnant en lui et le plongea dans une espèce de frénésie impatiente. Toutes les facettes de celui qu'il était s'unissaient, pour une fois, pour l'adorer elle, la combler. Et chacune s'accordait à penser que ce sexe exposé, offert et trempé de désir était le plus beau, le plus excitant et le plus appétissant qui soit. La perfection de la jeune femme était absolue.

De crainte de mourir avant d'avoir connu le bonheur de la goûter, après un petit coup de langue qui la fit bondir, réaction qu'il avait anticipée puisque ses doigts s'étaient incrustés dans ses cuisses pour la maintenir en place, Sam l'embrassa comme il avait pris sa bouche un peu plus tôt, avec exigence et une impatience à peine tempérée. Impitoyable, sa langue la caressa, l'explora, la pénétra, ne lui laissant le moindre répit ni même la plus petite chance de lui échapper.

L'esprit de Sophia semblait se dissoudre dans sa chair, là où la volupté l'avait propulsée, là où ne régnaient que la jouissance en devenir et son excitation sans cesse renouvelée. Son corps en feu ondulait sur la bouche de Sam la maintenant tout contre lui, ses mains implacablement verrouillées sur ses jambes. Elle percevait les grondements de satisfaction de son amant se mêlant à ses propres gémissements. Sophia était également consciente d'un manque grandissant en elle au même rythme que son ascension vers l'explosion imminente du plaisir. Elle aussi avait besoin de le toucher, envie d'une autre connexion entre eux. La détermination sans faille de Sam à la soumettre à ses divines caresses, à moins qu'elles ne soient diaboliques au contraire, son incapacité à lui résister encore longtemps lui refusaient la communion à laquelle elle aspirait. Sophia tendit les mains vers lui. L'une se posa sur sa joue, les doigts de l'autre se glissèrent dans ses cheveux. Son geste dut lui plaire, si toutefois le sourd grondement lui parvenant aux oreilles traduisait bien le contentement qu'elle y entendit.

Sam connaissait le goût de Sophia, savait déjà ne plus pouvoir s'en passer mais rêvait aussi de boire son plaisir. Au bord de l'explosion, il était pratiquement certain de jouir lorsqu'il le sentirait inonder sa bouche. Bon sang, elle était tellement délicieuse, soyeuse sous ses lèvres et sa langue, si brûlante...

L'idée d'éloigner sa bouche de sa chair palpitante lui faisait presque peur. Son besoin satisfait mais sans cesse renouvelé confinait à l'addiction et l'incitait à une ferveur toute compulsive. Un mot tournoyait dans sa tête, un leitmotiv à la fois désespéré et avide : encore. En harmonie avec les gémissements de la jeune femme.

Même avec toute la volonté du monde, Sophia ne pouvait plus lutter contre l'inéluctable. Elle s'abandonna au plaisir, à sa lente ascension, magnifique, raidissant son corps comme si sa chair voulait échapper à la gravité, puis à cet envol alors que ses puissantes ondes déferlaient en elle, l'envoyant dans un autre univers, vers un sublime néant où plus rien d'autre n'existait que la volupté.

*

Sam attendit que la respiration de Sophia se soit apaisée, qu'elle lui revienne pour quitter le berceau de ses cuisses qu'il caressait, sa joue nichée contre son ventre. S'il s'était écouté, il aurait de nouveau posé sa bouche sur elle et…

— Sam ? chuchota Sophia dont les doigts glissèrent dans ses cheveux, en séparant les mèches pour s'y enfouir à nouveau.

Il redressa la tête et leva les yeux vers elle.

Elle lui offrit un sourire alangui qui le remplit d'une fierté toute masculine. La libérant de ses bras, il reprit sa place près d'elle, étendu sur le flanc. Insinuant une jambe entre les siennes, elle s'installa également sur le côté, posa sa main sur son pectoral et le regarda dans les yeux, presque sérieusement. Intensément du moins.

Sam pouvait lire dans son regard qu'elle réfléchissait. À ce qu'elle envisageait de faire maintenant. De lui faire… C'était même tellement évident qu'il l'anticipa, imaginant déjà ses jolis doigts s'enroulant autour de lui, sa bouche se promenant sur son sexe. La tension dans son bas-ventre et ses reins était telle qu'il serra les dents pour ne pas jouir.

Sophia fit descendre sa main jusqu'à son ventre, sans le quitter des yeux ; elle la referma sur son érection, bien trop délicatement pour commuer la douleur de l'impatience en plaisir. D'un geste vif, Sam abattit sa propre main sur celle de la jeune femme et la contraignit à le serrer fort. Un peu trop fort. Il en gronda de satisfaction.

— Sam ? souffla-t-elle, un peu surprise.

— Je n'ai plus le temps pour la douceur, s'impatienta-t-il d'une voix rocailleuse ; son regard réduit à deux fentes lumineuses luisait d'une sorte de fièvre. Je n'en veux pas.

Il accentua encore la pression sur sa main qui comprima son érection et gémit. Sa plainte n'était pas à proprement parler de douleur ; elle ne faisait que flirter avec elle.

— Tu me rends fou, haleta-t-il.

Puis Sam baissa les yeux, comme subitement honteux.

Mais de quoi ? Qu'il ait envie de courtiser certaines frontières ne choquait pas particulièrement Sophia et quoi qu'il aime ressentir, elle n'avait pas à le juger. À moins que cette pudeur soudaine ne soit que la manifestation d'une gêne pour avoir montré ce qu'il considérait comme une faiblesse.

La jeune femme approcha ses lèvres des siennes, mais ne l'embrassa pas. Elle souhaitait seulement qu'il la regarde à nouveau et lui dise ce qu'il voulait. Ce qu'il voulait vraiment. Il y avait de fortes chances que ce soit identique à ce qu'elle désirait aussi… Sam semblait posséder le pouvoir d'éveiller sa faim. Qu'il vienne tout juste de lui donner un orgasme phénoménal ne changeait rien à l'affaire, le feu couvait toujours.

— Sam, dis-moi ce que tu attends de moi ? demanda-t-elle tout bas.

— Fais ce que tu veux, répondit-il presque de mauvaise grâce, s'obstinant à ne pas la regarder.

— Sam, insista la jeune femme. Regarde-moi.

Le jeune homme y consentit. La requête qu'il n'avait pas encore exprimée se lisait dans ses yeux, et la supplique qu'il lui adressa ensuite dissimulait mal son urgence.

— Prends-moi, Sophia. S'il te plaît. Prends-moi, utilise-moi. Je veux ta chaleur sur moi.

— Oui, susurra-t-elle en effleurant sa bouche.

Sam libéra sa main aussi vivement qu'il s'en était rendu maître, la glissa sous les cheveux de sa maîtresse, puis la pressa sur son cou pour l'attirer à lui et plaquer un baiser sur ses lèvres.

— Tu m'excites, gronda-t-il en s'installant sur le dos, entraînant Sophia avec lui dans son mouvement.

Il l'excitait lui aussi. Elle adorait qu'il ait besoin d'elle ; elle aimait encore plus cette faim insatiable qui paraissait l'habiter et la contaminer elle.

Sophia cala ses genoux de part et d'autre de ses hanches et se redressa. Sam rejeta ses bras en arrière pour agripper l'accoudoir du canapé, s'y arrimer en prévision de la tempête annoncée et aussi se livrer tout entier à la volonté de la jeune femme. Son regard glissa sur elle, abandonna ses yeux pour ses lèvres, sa bouche pour ses seins ; il se posa ensuite sur ses cuisses écartées juste au-dessus de son sexe douloureux qui tressauta d'impatience. Sam, l'homme, luttait pour ne pas perdre la raison, ne pas jouir spontanément, mais ne pouvait s'interdire de la regarder, de s'imaginer déjà enfoui au creux de son corps.

Abandonnant cette douceur dont il ne voulait pas et à laquelle elle ne tenait pas particulièrement non plus, la jeune femme referma ses doigts sur son érection et la prit en elle, se laissant glisser sur lui.

Tête rejetée en arrière, rendu aveugle par le plaisir inouï que lui procura cette lente caresse chaude et humide, Sam laissa un échapper un long gémissement rauque, presque un grognement animal et ne put rien faire contre le coup de reins incontrôlable le faisant plonger encore plus loin en elle. Lorsqu'il recouvra la vue, Sophia se penchait sur lui pour agripper ses épaules. Puis elle se souleva un peu et entama une danse sensuelle, montant et descendant sur lui, ondulant, chacun de ses va-et-vient envoyant des décharges de volupté pure parcourant ses nerfs, pénétrant sa chair, réduisant ses pensées à une brume inconsistante. Plus elle le chevauchait, plus il avait envie de bouger, besoin de prendre le contrôle. Il s'en défendit et parvint à se maîtriser au prix d'un effort exacerbant le plaisir qu'elle lui donnait aussi bien que son excitation. Entre ses paupières mi-closes, son regard s'attarda sur ses seins, son ventre, mais c'était surtout là où il pouvait se voir entrer et sortir de son corps qui l'aimantait inexorablement. Elle le prenait, le possédait, l'utilisait et il adorait ça.

Le nœud brûlant et lourd pesant sur son bas ventre menaçait de céder à tout instant. Sam serra les dents. Il n'avait plus envie de lutter, n'en avait plus la force. Le premier spasme de l'orgasme de Sophia, puissant, eut raison de lui, libérant si brusquement la tension, si intensément, qu'il eut la sensation d'être transpercé par le souffle d'une explosion dont l'onde de choc le terrassa.

Éblouie et profondément émue par le spectacle que Sam lui offrait dans le plaisir, tête rejetée en arrière, les mâchoires serrées, mains crispées sur l'accoudoir du sofa dans une tentative désespérée pour ne pas dériver totalement, Sophia en oublia presque sa propre jouissance. Le corps de son amant agité de convulsions incoercibles, son sexe palpitant au rythme des vagues de son orgasme en elle se chargèrent de la lui procurer.

Vaincue, elle s'effondra sur lui.

Chapitre 23

Une sonnerie de téléphone n'était pas à proprement parler la manière rêvée de reprendre pied avec la réalité. D'autant moins si la mélodie était ridicule.

Sam n'eut qu'à tendre un bras pour mettre la main sur son jean, extraire cette saloperie de mobile de la poche où il se planquait et décrocher. Le tout sans déranger Sophia étendue sur lui. Son souffle encore un peu court lui chatouillait le cou. Même si elle ne faisait pas mine de bouger, il l'enlaça de son bras libre et la retint contre lui.

— Ouais ?

— *Je te dérange ?*

Il y avait comme de l'espoir tapi dans les profondeurs de la voix de Shax. C'était amplement suffisant pour ôter à Sam tout remords de lui avoir collé *Le Petit Bonhomme en mousse* comme sonnerie d'appel.

— Ouais.

— *Tu es avec Sophia ?*

— Ouais.

— *Vous étiez…*

— Qu'est-ce que tu veux ? l'interrompit Sam impatiemment, coupant court à toute velléité d'indiscrétion.

— *Te prévenir qu'Amon est arrivé. Il t'attend dans ton bureau. La souris est avec lui.*

— Très bien, soupira le jeune homme que la perspective de se séparer de Sophia n'enchantait pas plus que cela.

En outre, il avait carrément oublié que son collaborateur devait venir. La raison de cette amnésie se trouvait étendue sur lui, alanguie, si délicieusement abandonnée que...

— *Je vous rejoindrai plus tard*, ajouta Shax. *Et... Sam ?*

— Mmm ?

— *Tu me raconteras ? Avec des détails ?*

Plutôt que de lui conseiller fermement d'aller se faire foutre, Sam raccrocha au nez de son pote. Après avoir composé un rapide SMS invitant Amon à commencer de bosser sur l'expo le temps qu'il arrive, Sam laissa glisser son téléphone par terre et referma son bras sur Sophia. Une étreinte tendre pour elle, pour lui un geste à la fois possessif et protecteur. Maintenant qu'il l'avait trouvée, il craignait qu'on ne la lui ravisse.

Jamais ! se promit-il. Il n'y survivrait pas. Pas cette fois-ci. Il était donc prêt à tout pour la protéger, y compris affronter son ennemi juré. Il ferait également tout pour que Sophia se réveille, se souvienne. Sans une parfaite conscience de la situation, elle pourrait difficilement contrer les attaques de l'adversaire, ne pourrait pas le défendre, lui.

— *AS ni de Dilmu^aù.bi.in.nû*[1], articula-t-il dans un murmure contre le front de Sophia.

Ses pensées s'étaient échappées sans autorisation, il avait cru réciter ces vers anciens mentalement. Peu importait. Elle ne...

— C'est moi ton unique ? demanda-t-elle d'une voix un peu ensommeillée en se pelotonnant contre lui.

Sam se figea.

— Tu comprends le sumérien ?

---

1. Avec son unique, à Dilmun il s'installa.

Sophia dut lutter contre la torpeur délicieuse et empreinte de bien-être baignant son corps et son esprit pour lui répondre.

— Non.

— Alors, soit tu es possédée par un démon, soit tu es atteinte de xénoglossie.

Quelle imagination !

— C'est un peu moins tiré par les cheveux, marmonna-t-elle, amusée pourtant.

Sophia releva la tête et posa son menton sur le torse de Sam dont le regard exprimait un vif intérêt pour sa réponse à venir.

— Je suis née à Bahreïn, lui confia-t-elle. Mon père, qui est passionné d'histoire et d'archéologie, tenait absolument à ce que je connaisse celle du royaume et par extension celle de la Mésopotamie. Il m'a fait apprendre plusieurs mythes dont certains vers et leur traduction pour ma culture générale.

Sam estimait que ces connaissances-là dépassaient largement de domaine de la simple culture générale. Mais ce n'était pas ce qui l'interpellait le plus dans ce que Sophia venait de lui confier. S'il avait cru un jour au hasard, il aurait perdu sa foi en lui à cet instant.

— Tes parents sont originaires de l'île ?

— Non. Mon père travaillait à l'ambassade de France à Manama à l'époque. Nous en sommes partis quand il a abandonné sa carrière pour pouvoir se consacrer à ses passions : l'archéologie, sa femme et sa fille, avoua-t-elle.

La tendresse de la jeune femme pour ses parents était flagrante. Sam ne put empêcher son cœur de se pincer. Il aurait aimé qu'elle ait ce regard-là pour lui. Au-delà de cela, il regrettait ne plus avoir de famille. Enfin, si, elle existait toujours, mais elle et lui s'étaient mutuellement reniés donc, dans les faits, il se retrouvait orphelin.

— Ton nom de famille n'a pas une consonance occidentale pourtant, lui fit-il remarquer.

— Je sais, répondit-elle avec un clin d'œil. En réalité, il s'agit d'un de mes prénoms. C'est le pseudo que j'utilise en tant que photographe. Mon nom entier est : Sophia Lila Sikil Gardo. Lila est le prénom de ma mère et mon père a tenu à ajouter Sikil parce que c'est…

— … le terme sumérien exprimant l'idée de féminité ou de pureté, compléta Sam à sa place, presque machinalement, encore sous le coup des révélations de la jeune femme.

Sophia gloussa.

— Pour la pureté, c'est raté, je crois.

— Pourquoi dis-tu cela ? s'exclama-t-il comme si elle venait de proférer une énorme ânerie. La pureté n'est pas une question de sexualité, ou d'abstinence, si c'était ce à quoi tu faisais allusion, mais bien plus d'honnêteté et de simplicité du cœur, selon moi.

— Tu philosophes encore, le taquina-t-elle en lui adressant un petit clin d'œil.

— Je t'ennuie ?

— Je n'ai pas dit ça. Et je suis assez d'accord en fait.

Si Sam sourit, il n'en resta pas moins très sérieux.

— Alors, écoute ceci, fit-il gravement. Ça n'est pas de la philosophie, mais une vérité.

Ses iris brillant de tous leurs ors annonçaient déjà ce qu'il allait dire. Sophia retint son souffle.

— Je t'aime.

La jeune femme sentit son regard s'adoucir sous l'effet de ces mots s'écoulant comme du miel chaud sur son cœur battant fort contre ses côtes. Jamais elle n'aurait imaginé que les entendre pouvait être aussi doux. En réalité, elle s'était dit que si cela arrivait un jour, ils seraient articulés dans un moment de passion ou sous le coup d'une révélation et qu'elle ressentirait alors quelque chose de puissant, de dévastateur. En aucun cas, elle n'avait envisagé qu'ils auraient cet accent d'évidence chez l'homme qui les prononcerait. Ni qu'ils revêtiraient cette aura de gravité comme si cet aveu avait une importance quelconque pour le reste de l'univers. C'était idiot, cela ne concernait que Sam et elle. Seulement Sam en réalité. Du moins, pour l'instant.

Sophia n'avait pas non plus prévu de se trouver privée de réponse à offrir en échange. Bon sang ! Elle ignorait vraiment quoi répondre. C'était terrible. C'était nul.

À sa décharge, c'est à peine si elle connaissait le jeune homme même si elle l'appréciait de plus en plus, et pas uniquement par ce qu'il était un amant exceptionnel. Elle aurait voulu avoir quelque chose d'intelligent à lui dire.

— Sam, je ne…

— Tu n'as pas besoin de dire quoi que ce soit, la coupat-il de peur qu'elle ne réponde qu'elle ne l'aimait pas, ce qui devait d'ailleurs être le cas mais il n'avait aucune envie de l'entendre. Mes mots n'appelaient aucune réponse. Je voulais juste que tu le saches.

Sophia lui sut gré de ses paroles et eut un petit sourire. Puis elle déposa un baiser sur son torse avant d'y reposer sa joue. Sam commença à lui caresser le dos, tendrement quoique avec un rien de polissonnerie ; chaque caresse descendait toujours un peu plus bas que la précédente. L'une de ses mains s'immobilisa lorsque ses doigts parvinrent à ses fesses, l'autre remonta jusqu'à sa nuque et y resta.

— Comment sait-on que l'on aime une personne ? demanda-t-elle dans un murmure.

Sam prit une profonde inspiration.

— Je ne peux pas parler pour les autres, soupira-t-il, songeant qu'il aurait peut-être dû s'abstenir de lui ouvrir son cœur en grand.

Mais il avait eu envie de le faire, espérant que cette graine plantée dans le sien finirait par germer, l'inciterait à faire un pas vers lui. La seule chose qu'il avait obtenue avait été de la voir s'arrêter net.

Son regard s'éleva jusqu'aux voûtes de la crypte. Au lieu d'y projeter ses sombres pensées comme il l'avait si souvent fait avec l'envie qu'elles se muent en trou noir et l'engloutissent, cette fois-ci, il s'en servit comme toile pour y composer un tableau. Le plus beau.

— En ce qui me concerne, reprit-il, je pourrais dire que tu m'as touché, profondément, que tu as atteint une région de mon âme, triste et désolée, que je pensais définitivement morte. Et que tu y as apporté ta lumière.

Sam se représentait facilement cette terre déserte et stérile ; elle ressemblait beaucoup à cette partie du jardin d'hiver résistant à toutes ses tentatives de sauvetage. Dans son œuvre virtuelle, un rayon de soleil faisait miroiter les gouttelettes laissées par une ondée récente ; le désert flétri se parait de milliers de petites perles porteuses de vie et d'espoir.

— Je pourrais aussi dire que tu es une femme splendide, poursuivit-il en faisant apparaître Sophia dans le décor qu'il avait créé, mais ce serait réducteur. Ou que ta présence agit sur moi comme un garde-fou, qu'elle m'apaise, que ta proximité met de l'ordre dans ce chaos dans ma tête. Que la confiance que tu m'as témoignée me rend humble et que je suis fou de ton corps, que tes baisers me rendent dingue…

Sa toile était loin d'être achevée, pourtant il s'arrêta là. À mesure qu'il parlait, l'enclos fané se transformait peu à peu en jardin épanoui. Sam y avait rejoint Sophia, l'avait enlacée et contemplait son visage rayonnant levé vers le sien ; ses yeux brillaient de tendresse et de passion pour lui. Ce qui le touchait le plus était de voir miroiter toutes ces étoiles d'or sur la nuit de ses iris, comme autant de preuves de leur connivence.

Abandonner cette vision fidèle à son souhait le plus cher lui fut d'autant plus désagréable que dans la réalité le regard de Sophia, qui s'était une fois de plus redressée et le fixait, ne semblait qu'attentif.

— Mais au final ça reviendrait à donner une logique à mes sentiments alors qu'ils n'en ont aucune, souffla-t-il. Donc je préfère dire que je t'aime parce que c'est vrai, parce que c'est que je ressens, parce que c'est comme ça.

Contrairement à ce que Sam croyait, Sophia était émue, et fascinée par ce qu'elle lisait dans ses yeux : l'exacte synonymie de ses mots. Elle n'était pas sûre de mériter une telle dévotion ni de la vouloir si fervente et si prompte. Honnêtement, cela lui faisait un peu peur.

Sa cage était toujours grande ouverte et la jeune femme refusait qu'elle se referme. Mais si l'oisillon figurant son cœur ne s'était pas éloigné du bord, manifestement l'envol n'était pas pour tout de suite.

— Tu vas un peu trop vite pour moi, articula-t-elle espérant qu'il ne le prendrait pas mal.

S'il ne le prit pas mal, Sam ne le prit quand même pas très bien non plus. Quelque chose s'éteignit dans ses yeux et il sembla à Sophia que son étreinte se relâchait imperceptiblement. Elle s'en voulut un peu. Pourtant, il aurait été indigne de sa part, cruel aussi, de répondre qu'elle était follement amoureuse juste parce que ses paroles l'avaient touchée et qu'ils s'entendaient bien sur le plan sexuel.

— Je viens de vivre des moments exceptionnels avec toi, enchaîna-t-elle avec sincérité, espérant également que cette vérité adoucirait ses mots précédents. Mais…

— Il y en aura d'autres, la coupa-t-il ; ce n'était ni une promesse ni un espoir, mais clairement l'expression d'une volonté. Et peut-être qu'un jour tu feras plus que coucher avec moi quand je te fais l'amour.

Sophia se crispa. Elle n'en revenait pas qu'il lui ait dit un truc pareil. Blessée, elle était aussi vexée et cela lui occasionnait une désagréable sensation, comme une horripilante petite démangeaison après une piqûre. Juste là. Dans son orgueil.

— Je suis navrée de t'avoir donné l'impression de seulement baiser avec toi ! s'exclama-t-elle en prenant appui sur ses mains pour se redresser avec la claire intention de se défaire de son étreinte. Pour moi c'était plus que ça, mais si c'est tout l'effet que ça te fait...

— Sophia, l'interrompit-il à nouveau, l'empêchant de s'éloigner de lui. Ce n'était pas un reproche. Je voulais dire : j'espère qu'un jour tu pourras connaître le plaisir d'être avec quelqu'un que tu aimes et qui t'aime.

La jeune femme lui jeta un regard rien moins que suspicieux. Sincère, Sam semblait l'être, mais ses paroles avaient un petit goût de « je rattrape le coup comme je peux ».

Lui accordant toutefois le bénéfice du doute, elle attendit une suite éventuelle.

— Mais je veux que ce soit moi.

Là, ça sonnait déjà plus juste.

— Je peux comprendre que tu sois en colère ou déçu, répondit-elle plus posément, mais...

— Je ne suis ni déçu ni en colère. Ça me fait mal, c'est tout.

Sophia eut mal elle aussi. Comme un choc en retour de ce qu'elle infligeait à Sam. Les derniers mots l'avaient percutée avec la force d'un coup de poing. Son empathie lui rendait la douleur d'autrui difficile mais, autant qu'elle s'en souvienne, jamais elle n'en avait été la cause, pas ce genre de souffrance en tout cas. À moins qu'il ne soit de glace ou de pierre, il était facile de faire saigner un cœur. Et celui de Sam était tendre.

— Je suis désolée, murmura-t-elle, abaissant à demi ses paupières.

Sam libéra une de ses mains ; deux de ses doigts se saisirent d'une longue mèche auburn ruisselant des épaules de Sophia et ondulant jusqu'à lui. Un trait d'union entre eux. Éclatant. Un lien de feu. De lumière.

Voulant y voir un signe, Sam se dit qu'il était impossible qu'elle ne l'aime pas un jour, se le répéta jusqu'à ce que son souhait se fasse certitude. Le regard de la jeune femme retrouvant le sien, troublé, un peu trop au goût de Sam, lui fit comprendre qu'elle ne rejetait pas ses sentiments, mais les craignait. Parce qu'elle y croyait. Elle les redoutait presque autant qu'elle l'avait craint, lui, dès le début.

Remettre un peu de distance entre eux était donc la chose à faire. Sophia avait besoin de temps et d'espace, pas de se sentir prisonnière, étouffée par ce qu'il ressentait. C'est pourquoi il ne la retint pas lorsqu'elle se sépara de lui pour aller s'asseoir au bout du canapé, jambes repliées sous elle. Sam n'attendit pas pour se relever à son tour et la rejoignit, s'installant à genoux perpendiculairement à Sophia. S'empêcher de la toucher lui était manifestement impossible. Il tendit une main et effleura son bras du bout des doigts.

Percevoir le léger frémissement que son geste occasionna le réconforta, lui assurant que rien n'était perdu. Son corps réagissait au sien, répondait instantanément à ses caresses, aussi furtives soient-elles.

Sophia se tourna vers lui et le regarda en silence. Il voulait qu'elle lui parle, dise quelque chose, même si c'était son prénom, et que son esprit l'accepte au même titre que sa chair.

— Laisse-moi un peu d'espoir, Sophia, articula-t-il avec une infinie douceur s'accordant à celle de sa main allant et venant sur sa peau.

Elle cilla, paraissant tout à coup émerger d'un rêve éveillé. Le cœur de Sam qui battait déjà comme un dingue s'emballa.

Le regard de Sophia se fit curieusement fixe, intense et braqué sur son âme. Il le sentait presque physiquement y pénétrer.

— L'espoir est parfois un poison, répondit-elle. Il n'est pas ce dont tu as besoin.

Sa voix était toujours la sienne, douce et un peu grave ; il y flottait aussi une note particulière, comme l'écho d'une vérité éternelle.

— De quoi ai-je besoin ? demanda Sam dans un souffle.

Il le savait déjà. Ayant compris que quelque chose était en train de se produire chez la jeune femme, il voulait l'entendre d'elle.

— De moi. Tu as besoin de moi.

Une évidence pour lui, mais aussi en cet instant une évidence pour elle. Sam le lisait dans ses yeux ; il en aurait hurlé de bonheur. Le réveil de la jeune femme était imminent et...

— Il a besoin de nous, poursuivit Sophia.

Le cœur de Sam faillit s'arrêter sous le coup de l'angoisse générée par ses derniers mots. Il n'avait aucun besoin de précision supplémentaire pour savoir à quoi elle faisait référence.

— Sophia ? Pourquoi dis-tu...

— Il s'éteint, le coupa-t-elle.

— Il ne peut pas, lui assura-t-il.

Cela ne suffit pas à le rassurer.

— Je dois...

La jeune femme ne poursuivit pas.

— Que dois-tu faire ? insista Sam, prenant sur lui de conserver son calme en dépit de l'indescriptible peur lui glaçant l'âme.

Il n'avait jamais été question qu'« il » s'éteigne. Jamais. Il était simplement endormi, paralysé...

Elle se trompait. Ou on lui avait menti.

Sam s'empara de la main de la jeune femme ; plus que jamais il ressentait le besoin de sentir sa chaleur, sa vitalité.

Elle resta inerte au creux de la sienne, mais son contact l'apaisa un peu.

— Il faut que je…, reprit-elle avant de s'interrompre à nouveau.

Elle battit plusieurs fois des paupières.

— Je…

Sophia fronça les sourcils comme si elle n'avait fait que perdre le fil de ses pensées. Sam, lui, comprit qu'elle était revenue à la réalité, cette réalité qui n'était pas vraiment la leur. Elle soupira et son regard changea, se défaisant de cette acuité extraordinaire qu'il avait eue.

— Je… Je suis désolée si tu souffres à cause de moi, articula-t-elle, continuant la conversation précédente sans paraître se rendre compte de son absence.

Elle avait au contraire été plus présente que jamais, songea Sam.

Sophia baissa les yeux sur leurs mains réunies et entrelaça ses doigts aux siens avant de le regarder à nouveau.

Le regard du jeune homme lui apparut si égaré qu'elle s'en voulut encore plus.

— Je ne te repousse pas, Sam. Je te demande seulement de me laisser le temps de mieux te connaître.

Sam pinça les lèvres, retenant un éclat de rire amer. Quelle ironie ! S'il existait une personne au monde le connaissant mieux que quiconque, c'était Sophia. Et à l'entendre, le temps était précisément ce qui lui manquait.

Encore trop perturbé par ce qui venait de se produire pour être capable d'autre chose, trop en colère aussi, il se contenta de répondre d'un hochement de tête. Elle n'y était pour rien. Tout était sa faute à lui.

— Sam ? Qu'y a-t-il ? Ça ne va pas ? se soucia Sophia, notant qu'il avait pâli et que son regard restait trouble.

Le jeune homme s'inclina sur elle. Guidant sa main vers son épaule, il l'y laissa et posa la sienne sur la joue de la jeune femme.

— Si, ça va, répondit-il enfin, d'un ton assez convaincant pour donner le change.

Le baiser tendre et sage qu'il lui offrit, qu'elle accepta, octroya un accent de vérité à ces mots. Le pouvoir de Sophia sur lui était extraordinaire. Et elle était là, merveilleuse, pleine de vie et de tout ce qui lui manquait. L'angoisse opéra un net recul, autorisant Sam à savourer pleinement cet instant, lui redonnant même foi en l'avenir, en elle, en eux.

— J'avais juste très envie de t'embrasser, murmura-t-il contre ses lèvres, son pouce effleurant sa pommette.

Hormis un furieux désir de recommencer qu'il dut juguler, Sam allait mieux.

— Tu ne m'en veux pas ? s'inquiéta encore Sophia.

— Non. Mais le moment est venu d'honorer mon serment.

— Ton serment ?

Il sourit, parvenant à unir espoir, malice et séduction sur ses lèvres.

— Celui de te rendre folle de moi.

Chapitre 24

Chantilly.

Certains mots avaient le pouvoir pas vraiment surprenant de réveiller les appétits d'Annette et de faire naître certaines images exquises dans son esprit, images qui alliaient d'ores et déjà la légèreté sucrée de la crème fouettée à une partie de l'anatomie de Shax.

Sauf que ce ne serait pas Annette qui aurait droit à la gâterie, mais cette saleté de Zoé. Enfin non, Shax plus probablement. Tout dépendait de quel point de vue l'on se plaçait.

Quoi qu'il en soit, la jeune femme avait tendance à penser qu'il s'agissait là d'une injustice sans nom. Parce que non seulement c'était à cause du comportement odieux du géant à son égard qu'elle serait privée de cette expérience ne pouvant qu'être délicieuse, mais qu'en plus lui ne serait privé de… rien du tout. Shax se moquait éperdument de qui se trouvait avec lui du moment qu'il obtenait ce qu'il voulait.

D'ailleurs, elle l'avait lu dans son regard avant qu'il ne le détourne d'elle. Le message : « Toi ou une autre, peu m'importe » y avait brillé autant qu'une enseigne lumineuse.

Ce sera donc une autre, songea-t-elle en l'observant rejoindre Zoé.

— Allons-y, articula Amon en pressant légèrement sa main au creux de ses reins.

Plus qu'une invitation, les mots avaient eu un petit quelque chose d'autoritaire qui interpella Annette et l'incita à décrocher ses yeux de Shax et de sa poule pour se tourner vers lui.

Le jeune homme hocha la tête, son regard sérieux lui confirmant qu'il s'agissait bel et bien d'une injonction.

Annette n'avait rien contre le fait d'obéir à cet ordre-là mais s'interrogeait. Pourquoi Amon, lui, estimait-il brusquement nécessaire, voire essentiel, de leur faire quitter la pièce séance tenante ? Annette gérait parfaitement sa contrariété et n'allait pas faire d'esclandre, si telle était son inquiétude.

Il aurait certes fallu être aveugle pour ne pas voir ou entendre qu'il s'était passé quelque chose entre Annette et le géant et qu'un différend les opposait. Même Miss Chantilly l'avait compris. Était-ce là le problème ? Amon craignait-il une surenchère dans la provocation de la part de l'autre jeune femme ?

Un tel comportement n'aurait pas étonné Annette outre mesure cela dit. Entre les œillades langoureuses qu'elle lançait à Shax et celles de plus en plus assassines qu'elle lui destinait, il y avait fort à parier que Zoé pouvait se transformer en furie pour se débarrasser d'une rivale potentielle.

Amon devait donc estimer de son devoir de lui éviter plus de désagrément et la préserver, manifestation très appréciable d'une prévenance la changeant agréablement de la goujaterie dont elle avait été l'objet jusqu'ici de la part de Shax.

À moins que, ultime hypothèse, Amon ne soit pris d'une envie impérieuse de se retrouver seul avec elle. Ce qui convenait parfaitement à Annette.

Annette se trompait partiellement quant aux intentions du jeune homme ; elle ne l'apprit que lorsqu'ils débouchèrent dans le hall du château.

— Puis-je vous donner un conseil ? lui demanda Amon en lui proposant son bras.

Annette l'accepta, décidément charmée par la civilité de cet homme, et lui jeta un coup d'œil.

— À quel propos ?

— Notre ami Shax.

— C'est le vôtre, pas le mien, rectifia-t-elle platement. Et cet homme ne m'intéresse pas. Plus, corrigea-t-elle par souci d'honnêteté.

Un furtif regard vers le visage d'Amon permit à Annette de surprendre un sourire en coin. Elle ne releva pas ce qui semblait être une manifestation d'incrédulité et reporta son attention droit devant elle.

— Eh bien, pour le cas où cela changerait, je vais quand même vous donner un conseil ou deux.

— Très bien, allez-y, soupira-t-elle.

De toute manière, elle n'y échapperait pas et Amon était parvenu à piquer sa curiosité.

Annette ne vérifia pas, mais elle aurait parié que le jeune homme affichait cette fois-ci une franche hilarité.

— Jouer la carte de la jalousie ou celle de l'indifférence ne vous mènera nulle part avec lui, commença-t-il. L'intérêt de Shax pour une femme se limite à ce que son corps peut apporter au sien et inversement, mais il s'éteint dès qu'elle a refranchi le seuil de sa chambre ou quelle que soit la pièce dans laquelle il l'a eue. C'est encore plus vrai lorsqu'il la connaît déjà.

Un charmant tableau correspondant beaucoup à celui que l'expérience d'Annette avec le géant lui avait permis d'esquisser, à la différence que ce dernier était pire.

— Le seul moyen de l'atteindre, reprit Amon, autrement dit de représenter autre chose qu'une gourmandise charnelle à ses yeux, serait d'être amie avec lui. Alors tout deviendrait possible.

Oui, comme tout était possible à celui le voulant vraiment. Mais dans le cas présent, cela reviendrait à essayer de creuser un tunnel dans une montagne de granit avec une petite cuiller en plastique. Et pour quoi au final ? Atteindre un cœur dont l'existence n'était même pas certaine ? À supposer que tel soit son objectif, naturellement.

— Est-ce déjà arrivé ? s'enquit Annette en obligeant le jeune homme à s'arrêter.

Le regard d'Amon descendit jusqu'au sien.

— Pas que je sache.

— Et vous savez pour quelle raison ?

— Elles n'ont pas eu la patience.

Et voilà.

Les pauvres femmes s'y étant risquées devaient s'être cassé les dents sur ce roc.

— Mais pourquoi me dites-vous cela ?

Amon haussa les épaules.

— J'ai supposé que ça vous intéresserait de le savoir.

— Eh bien, vous vous trompiez.

Dans l'esprit d'Annette, sa réponse n'était pas un mensonge. Pas un *gros* mensonge.

— Je vous remercie de vos conseils, mais ils arrivent trop tard, reprit-elle. Ce… ce qui s'est passé entre nous ne se reproduira pas et j'ai mieux à faire que gaspiller mon énergie avec un mec qui n'a aucun respect pour les femmes.

— Pour les femmes ou pour vous ?

— Quelle différence ? Je suis une femme, non ?

— Indéniablement, acquiesça Amon, sa voix flirtant avec un grave profond sur les deux dernières syllabes.

L'étincelle s'allumant dans les yeux du jeune homme informa Annette qu'il en était effectivement très conscient mais surtout qu'il y était particulièrement sensible. Si elle ne mit pas le feu aux poudres, elle n'en flatta pas moins Annette.

— Shax respecte les femmes, reprit-il, manifestement enclin à plaider la cause de son ami auprès d'elle mais Annette ne comprenait toujours pas pourquoi. Plus que beaucoup d'hommes.

— Vraiment ? s'esclaffa-t-elle.

Il y avait quand même des choses difficiles à avaler.

— Ce n'est pas parce qu'il a son franc-parler qu'il est sexiste. Son absence de galanterie, de prévenance ou de délicatesse ne fait pas non plus de lui un macho. C'est sa façon d'être. Et puis, en se comportant avec vous comme avec les hommes, finalement, il vous traite d'égales à égal. Vous n'êtes pas d'accord ?

— Sans doute, convint-elle du bout des lèvres. Mais je ne suis pas seulement une femme, voyez-vous. Je suis aussi journaliste. Et à ses yeux, c'est suffisant pour me coller sur sa liste noire et l'autoriser à me traiter comme la dernière des dernières.

— Qu'a-t-il fait ? demanda encore Amon, très étonné que son ami ait pu se montrer aussi odieux avec une créature aussi délicieuse.

— Peu importe, soupira Annette très peu désireuse de revivre son humiliation. Le sujet est clos.

Comme l'est l'épisode Shax, ajouta-t-elle mentalement, avec un brin de morosité.

Amon sembla sur le point d'insister, mais se ravisa et se remit en route, entraînant Annette avec lui.

— Je vais quand même vous confier un petit secret, ajouta-t-il lorsqu'ils s'immobilisèrent devant la porte du bureau de Sam.

Amon l'ouvrit puis s'effaça galamment pour permettre à Annette d'y entrer.

— Zoé n'est pas son amie.

— Vous la connaissez bien ? demanda Annette en pénétrant dans la pièce et espérant qu'il n'aurait pas surpris le début de sourire s'esquissant sur ses lèvres.

— Shax et moi avons des choses en commun, répondit-il sobrement dans son dos.

Autrement dit, il se l'était tapée lui aussi.

Annette entendit le déclic de la porte qui se refermait. Ne voyant pas Amon réapparaître dans son champ vision elle se tourna vers lui. Adossé au panneau, bras croisés contre son torse, il arborait l'air réjoui et gourmand d'un gros chat venant de capturer une souris.

Une souris satisfaite de son sort.

— Et nous pourrions en avoir une de plus, laissa-t-il entendre alors que ses yeux glissaient lentement sur elle.

Son regard eut le temps de faire un aller-retour avant qu'elle ne réponde, trajet occasionnant de délicieux petits incendies çà et là dans le corps de la jeune femme.

N'allait-elle pas reproduire la même erreur qu'avec Shax ? Amon semblait certes beaucoup plus civilisé que son ami et lui plaisait énormément, mais…

— J'espère que c'est une proposition et non pas un avertissement quant à vos manières, plaisanta-t-elle mais à demi, inclinant la tête sur le côté.

— Il s'agit bien d'une proposition.

Annette n'avait que trois pas à faire pour rejoindre Amon et provoquer un contact entre eux qu'elle devinait déjà fort intéressant. Elle n'en fit qu'un.

— Pour passer des moments dont nous avons tous les deux envie, précisa-t-il s'il en était besoin.

À son second pas, Amon décroisa ses bras.

— Approche encore.

Une invitation qui sonnait comme un défi. La jeune femme n'obéit pas immédiatement. Il n'aurait eu qu'à tendre la main pour se saisir d'elle mais s'en abstint.

Annette avait déjà compris qu'elle avait affaire à un joueur. Calculateur mais aussi très instinctif. Derrière ses paupières mi-closes, le regard bleu-vert d'Amon brillait d'une espèce de férocité lui donnant plus que jamais l'air d'un félin laissant s'approcher une inconsciente petite proie. Annette ne l'était pas. Elle était tout aussi loin d'être innocente et déjà prête à jouer, aurait précisé la jeune femme.

— Vous avez du travail, lui rappela Annette de sa voix la plus suave avant de lui offrir un sourire scandaleusement aguicheur.

Les yeux d'Amon se plissèrent encore, lui conférant une mine faussement indolente qui ne la leurra pas une seconde. Il bondirait à la seconde où elle franchirait l'ultime limite de son de territoire.

— Exact, concéda-t-il d'un ton absolument neutre.

À l'instant où Annette ébaucha son dernier pas, Amon l'attrapa par la taille et l'attira à lui. Une collision dure, chaude, délicieuse et incidemment édifiante quant à son état d'esprit. Enfin, d'esprit…

— Mais cela ne nous empêche pas de faire un peu connaissance.

Par faire connaissance, Amon devait entendre promener ses mains sur son corps et sa bouche sur sa peau.

Écartant délicatement ses cheveux d'une main, il pressa ses lèvres sur son cou ; l'autre s'aventura au creux de ses reins, y faisant une petite pause avant de descendre jusqu'à ses fesses où elle resta. Annette ne trouva rien à y redire et s'autorisa elle-même une exploration tactile. Après avoir bataillé un instant contre les boutons de la veste d'Amon, elle put enfin glisser ses mains sous l'étoffe. Ses doigts rencontrèrent la douceur de sa chemise tendue sur des pectoraux d'acier qu'elle aurait aimé pouvoir contempler.

Quelque chose lui disait pourtant qu'elle devrait patienter pour découvrir toutes les merveilles que dissimulait son beau costume, tout comme elle devrait attendre pour vraiment partager quelque chose avec lui. En plus d'être joueur, le jeune homme semblait aussi du genre à prendre son temps. Et même plus. Voilà qui promettait des instants ensorcelants, songea-t-elle alors qu'Amon faisait glisser le bout de sa langue le long de son cou. Elle frissonna et sourit.

Ce qu'elle ressentait était délicieux, mais n'avait rien à voir avec le cyclone de désir dévastateur l'ayant assaillie dès qu'elle avait posé les yeux sur Shax. Cela ressemblait plus à des braises, un feu couvant qu'il avait toutefois le pouvoir d'attiser et transformer en feu de joie.

Les lèvres d'Amon dérivèrent jusqu'à celles de la jeune femme qu'elles ne firent que frôler.

— Que portes-tu sous ta jupe ? voulut-il savoir.

— Des bas, souffla-t-elle.

— String ?

— Oui.

— Quelle couleur ?

— Noir. De la dentelle.

Sa lingerie, qu'il n'avait pas encore vue, semblait pourtant déjà lui plaire. C'est ainsi en tout cas qu'Annette interpréta le sourd grondement s'élevant dans la pièce.

— J'ai hâte de découvrir les trésors que tu me caches, lui confia-t-il.

— Qu'est-ce qui t'empêche de le faire maintenant ?

— J'ai du boulot, tu te souviens ?

Annette eut une moue de contrariété adorable donnant à Amon l'envie de la dévorer toute crue.

— Eh bien, disons qu'il peut attendre un petit peu. Qu'en penses-tu ?

— Que maintenant tu es déterminée à me détourner du droit chemin, fit-il mine de la gronder, ses iris étincelant de désir démentant formellement un quelconque souci de zèle.

Annette éclata de rire.

— Je ne crois pas que tu aies besoin de beaucoup d'encouragements pour cela.

— Oh, tu me vexes. Je suis quelqu'un de très droit, se défendit-il.

Un sourire positivement canaille s'afficha sur les lèvres de la jeune femme.

— D'après ce que je sens contre moi, ce n'est pas tout à fait exact.

*

Un silence relatif baignait la galerie, uniquement perturbé par le bruit des pas de Shax et de Zoé, marchant près de lui en direction du grand escalier.

Un lointain éclat de rire féminin, rapidement suivi par son écho masculin assura au géant que le sommeil ayant férocement étreint le château jusqu'ici l'avait fui. S'il se réjouissait de ce réveil de la vie reprenant ses droits – et surtout que Sam eût enfin trouvé Sophia –, il n'était pas certain de pouvoir qualifier d'amusante la complicité flagrante et immédiate entre Amon et la petite journaliste. Sans doute parce qu'il ne parvenait pas à analyser correctement ce que cette connivence générait chez lui. Ou *parce que* cela produisait un effet en lui.

A priori, il ne s'agissait pas d'une indisposition de son ego. Après tout, si elle n'avait pas résisté une demi-seconde au charme d'Amon, elle n'avait pas fait un pli avec lui.

Alors, c'était peut-être bien de la déception qu'il ressentait lui aussi. Parce qu'elle se servait de sa fierté froissée pour lutter contre lui, refusait d'admettre qu'elle le voulait encore entre ses cuisses et ne le croyait pas une seconde quand il laissait entendre qu'il y aurait bien fait un autre séjour. Et sans doute également parce qu'il était absolument certain qu'elle était capable de merveilles avec la chantilly.

Shax jeta un coup d'œil discret à Zoé. La ravissante jeune femme avait beau être douée, pleine d'ardeur et particulièrement délurée, il la connaissait par cœur. Il y avait bien longtemps qu'elle avait cessé de le surprendre. Sans regretter l'avoir appelée, il commençait néanmoins à douter qu'elle soit capable de lui donner ce dont il avait besoin ce jour-là. Pour la bonne raison qu'il ignorait lui-même de quoi il s'agissait. Ou parce qu'il en était bien trop conscient, au contraire ?

Quoi qu'il en soit, Shax n'était plus très loin de coller son irritation grandissant au même rythme que sa frustration sur le dos d'Annette. Il franchit le pas lorsque, au moment de s'engager dans le grand escalier, un petit cri aigu se fit entendre.

Comme ce glapissement à la limite du gémissement ne provenait pas de la crypte, et à moins que le personnel ne se soit laissé aller à batifoler dans les étages au lieu de bosser, il ne pouvait émaner que du bureau. Agissant comme un turbo sur le moteur interne de Shax, la plainte lui fit brusquement accélérer son ascension des marches.

Célérité que Zoé interpréta à sa manière, à savoir que Shax avait un besoin urgent d'elle et de ses talents. Un sourire satisfait ourla ses lèvres impeccablement maquillées. Connaissant le géant et surtout ses goûts, elle avait pris un soin tout particulier à choisir ce qu'elle portait, une robe simple mais élégante, de la lingerie raffinée, et un rouge à lèvres, rouge vif mais surtout à toute épreuve. Toutes.

Zoé avait beau connaître les lieux, pénétrer dans les appartements du géant lui faisait toujours le même effet. Cela commençait par une légère surprise rapidement suivie d'une sorte de transe languide.

L'étonnement tenait essentiellement au fait que la décoration pouvait de prime abord sembler ne pas convenir du tout à un homme de sa trempe. Alliant magnifiquement des éléments baroques à une sobriété de bon goût, son loft lui allait vraiment bien pourtant et même lui ressemblait par certains aspects. La prédominance du noir était sans doute le plus frappant. Elle concernait les murs non pas tapissés mais peints, ce qui leur donnait une petite touche de rusticité et de modernité à la fois, ainsi que les quelques meubles garnissant la pièce. L'appartement de Shax n'en était pas sinistre pour autant, pas plus que l'homme ne devenait lugubre en raison de ses goûts vestimentaires.

Çà et là, quelques cadres et miroirs dorés aux formes caractéristiques du style choisi étaient aussi bien mis en valeur par cette sombre toile de fond qu'ils la rehaussaient eux-mêmes, y déposant une lumière intime, une aura presque secrète. Et là où une femme aurait probablement opté pour des teintes violine ou prune, Shax avait préféré parachever son décor avec plusieurs nuances de rouge foncé, épaisse moquette cramoisie, tentures alizarines…

Tout, des couleurs aux meubles en passant par l'utilisation de l'espace, conférait à la pièce pourtant vaste une atmosphère intime, de celle des alcôves vous donnant envie de murmurer plutôt que parler, ou mieux, vous taire afin d'écouter la rumeur d'une respiration, le bruissement d'un vêtement que l'on ôte glissant sur de la peau, le murmure des fantômes d'instants enfuis. Ou le silence.

Quelle que soit la raison de sa présence, une femme ne pouvait pas plus échapper à l'emprise des lieux qu'à celle de leur propriétaire. À l'instar de l'aura de puissance sexuelle enveloppant Shax, l'ambiance de ses quartiers s'insinuait en elle et la plongeait dans un état de conscience autre, une douce indolence la prenant par la main et la menant tout droit à lui.

Et si elle avait de la chance, il la conduirait ensuite lui-même jusqu'à son lit, un meuble colossal et somptueux, un autel dédié au sexe bien plus qu'au sommeil que l'on ne pouvait découvrir qu'après avoir franchi un rideau courant d'un mur à l'autre et faisant office de cloison coupant la pièce en deux. Le saint des saints en quelque sorte.

Zoé comprit rapidement qu'elle n'y aurait pas droit lorsque Shax l'invita à l'attendre dans le salon plutôt que dans sa chambre le temps qu'il prenne une douche. Aussi flattée soit-elle d'avoir été l'élue du jour pour ce qui n'était donc qu'une urgence, elle n'en conçut pas moins un brin de dépit. Qu'elle se devait de dissimuler sous peine d'être définitivement exclue de ses favorites.

Après avoir déposé la bouteille de champagne et les deux verres qu'elle tenait sur la table basse, près des deux bombes de crème chantilly et d'une coupelle contenant des fraises, la jeune femme dédaigna sofa et méridienne pour se diriger vers l'une des grandes portes-fenêtres. Il faisait un peu trop froid pour faire l'amour sur la terrasse. Zoé songea d'ailleurs que le printemps encore timide était parfaitement en harmonie avec l'attitude un peu fraîche du géant avec elle.

C'était à elle d'en faire un été brûlant.

*

Avant d'ouvrir la porte du bureau, Annette jeta un dernier coup d'œil à Amon, interceptant le regard furtif que le jeune homme lui lança au même instant. Un demi-sourire soulevait le coin de sa bouche, exprimant aussi bien sa satisfaction masculine qu'un brin de moquerie.

Amon avait tenu à jouer leur tempérance à pile ou face. Ni Annette ni lui n'avaient réellement gagné, sauf à considérer l'aggravation d'une excitation délibérément provoquée et ensuite frustrée comme une victoire naturellement.

Seigneur, les doigts et les lèvres d'Amon devaient être dotés de pouvoirs magiques ! Et il n'avait fait que...

Les joues rosies, sa coiffure un peu dérangée et son chemisier rajusté en vitesse, Annette dut se faire violence pour s'empêcher de se jeter sur lui et l'implorer de finir ce qu'il venait de commencer. La seule consolation de la jeune femme se trouvait dans sa certitude qu'Amon ne devait pas être plus à l'aise dans son pantalon qu'elle dans son état.

Elle ouvrit la porte et se faufila hors de la pièce pour prendre la direction de l'escalier. Amon ne l'avait pas mise à la porte du bureau. Son invitation, ferme, d'aller récupérer son ordinateur portable dans sa chambre tenait autant de sa volonté de l'aider dans son reportage sur Sam que du jeu qu'il avait initié entre eux. Annette convenait volontiers que le point de vue d'Amon, proche de l'écrivain, serait fort instructif et la jeune femme avait été réellement touchée du soutien que le jeune homme souhaitait lui apporter, même si dans l'immédiat elle avait vraiment autre chose en tête.

Dans l'idéal, songea-t-elle alors qu'elle gravissait les marches, pour son reportage, il lui aurait fallu pouvoir passer plus de cinq minutes avec Sam et aussi recueillir le témoignage de Shax. Annette doutait sincèrement du succès d'une telle entreprise sur ce dernier point. D'autant qu'elle doutait encore plus de l'accueil fait à une telle sollicitation. Elle voyait déjà la tête du géant si elle s'avisait de lui poser la question. Sourcils froncés au-dessus de son regard clair ne révélant rien, éventuellement haussement d'un sourcil pour manifester sa surprise, ou sa réprobation plus probablement. Et ensuite, quelque chose comme : « Même pas en rêve, petite fouine. »

Annette soupira. Il fallait vraiment qu'elle se sorte ce malotru de la tête ! Penser à Amon l'attendant dans le bureau était la solution idéale. Elle le fit, retrouva et son entrain et son sourire.

Parvenue sur le palier du second, la jeune femme emprunta le long couloir de droite qu'elle remonta jusqu'au bout pour atteindre ses quartiers. Comme au premier niveau, l'escalier donnait sur trois corridors, un conduisant aux appartements de Sam, les deux autres galeries partant dans l'autre sens et se déroulant de part et d'autre d'un espace aménagé comme la grande galerie du rez-de-chaussée, avec canapés, fauteuils et statues antiques dont le marbre blanc était mis en valeur par une tapisserie d'un bleu profond, s'accordant elle-même à merveille aux boiseries foncées. Chaque couloir desservait son lot de chambres, quatre en tout, et débouchait sur un palier permettant d'accéder aux tours sud et est. Les petits donjons avaient été aménagés en des suites magnifiques, dont celle qu'Annette occupait. Sans avoir vraiment fouiné, la jeune femme n'avait pas résisté à la tentation de jeter un coup d'œil ici et là.

Son ordinateur sous le bras, enchantée à l'idée de rejoindre Amon, Annette regagna rapidement le palier et s'immobilisa juste avant de poser le pied sur la première marche. De drôles de sons lui parvinrent. En fait, ils n'avaient rien d'amusant mais étaient suffisamment particuliers et évocateurs pour attirer son attention. Et effacer toute trace de joie sur son visage. Lentement, avec précaution, la jeune femme contourna l'escalier et s'engagea dans le corridor opposé à celui qu'elle venait d'emprunter. Les... bruits provenaient d'une porte que l'on n'avait pas jugé utile de refermer. Et elle devinait déjà à peu près ce qu'elle découvrirait si d'aventure elle risquait un coup d'œil par cet entrebâillement. Seulement « à peu près » n'était pas à proprement parler une expression en mesure de satisfaire Annette. Elle voulait savoir... Voir.

Sans être réellement voyeuse, la jeune femme n'avait pas froid aux yeux non plus. Et puis... et puis avec un peu de chance, elle verrait autre chose de Shax que son sexe.

Ne plus avoir le droit à une part du gâteau n'empêchait pas de le regarder. Si ? Non !

Le cœur battant, l'eau déjà à la bouche, et même si elle savait que ce serait mauvais pour elle, Annette s'approcha précautionneusement du seuil de la pièce où elle se figea.

Installé dans un très grand sofa en cuir aux lignes typiques du style rococo, et comme un fait exprès faisant face à la porte, ses bras étendus de part et d'autre du dossier et tête rejetée en arrière, jambes écartées, Shax totalement nu se livrait tout entier à la gourmandise de... – Ah oui, Zoé ! – à moitié dévêtue, et surtout agenouillée devant lui. La présence de champagne et de fraises associée à la position du couple rappela un film à Annette ; honnêtement, elle avait très envie de croire que Zoé exerçait la même profession que Viviane.

Par la force des choses, Annette ne pouvait voir du géant que ses jambes, musclées, ses splendides pectoraux où couraient deux longues mèches noires, et ses bras, puissants. Caressés par la lumière ambrée dispensée par une applique qu'elle ne voyait pas, ses muscles semblaient taillés dans un marbre doré et tendaient sa peau à laquelle l'ambiance feutrée donnait un velouté inouï.

Mon Dieu !

Il était superbe. Tellement qu'Annette en eut le souffle coupé.

Tant mieux, cela lui évita de trahir sa présence avec un petit cri d'émerveillement.

Les mains de la jeune femme la démangèrent ; elles se crispèrent sur l'ordinateur qu'elle retenait contre elle. Une bien piètre étreinte quand on y songeait.

Annette fut un instant tentée de s'éclipser avant d'être prise en flagrant délit de voyeurisme. Mais elle était bien trop fascinée par ce tableau d'une beauté époustouflante et hypnotisée par Shax, sublime dans le plaisir. Et puis il était trop tard. Il avait redressé la tête et l'avait vue. Pire, il la regardait.

La seule manifestation visible du choc qu'Annette en conçut fut ses yeux qui s'écarquillèrent, réaction loin d'être révélatrice de ce qui se produisait en elle. Son cœur s'emballa, elle mourait de chaud et avait envie de serrer les cuisses pour soulager une subite tension entre elles.

Très probablement inconscient de tout ceci, Shax sembla déterminé à faire naître d'autres émotions en elle. Moins agréables celles-ci.

Ramenant ses bras devant lui, il pressa une main sur la nuque délicate de sa maîtresse tandis que l'autre se plaçait sur celle de la jeune femme posée sur sa cuisse. Ce fut ce geste qu'Annette suivit des yeux. Allez savoir pourquoi…

Leurs doigts s'entrelacèrent, avec ce que la jeune femme aurait dit être une complicité ne pouvant exister qu'entre deux êtres se connaissant parfaitement et surtout s'appréciant.

C'était totalement absurde, mais Annette fut prise d'une subite et ridicule envie de pleurer.

Son regard eut vite fait de remonter jusqu'à celui de Shax qui ne l'avait pas quittée. La jeune femme nota que le géant avait incliné la tête sur le côté, dans une attitude pouvant laisser à penser qu'il se moquait d'elle. Ses yeux racontaient une histoire un peu différente et montraient très clairement qu'il aimait avoir un public.

Cela devait pimenter ce qu'il ressentait, songea Annette avec une pincée de méchanceté.

Si c'en était, cela se trouvait cependant être ce que Shax estimait lui aussi en cet instant.

Depuis qu'il avait découvert la présence de la jeune femme pratiquement sur le pas de sa porte, depuis qu'il avait vu avec quel intérêt elle les regardait, son excitation avait franchi un cap… et son érection, passé un nouveau seuil de dureté également.

Les caresses de Zoé, pourtant experte en la matière, y avaient aussi trouvé un petit quelque chose de plus excitant. Sans doute parce que la petite journaliste, avec ses grands yeux écarquillés, sa respiration presque haletante et sa délicieuse façon de s'humecter les lèvres du bout de la langue le rendaient fou. Ce qui n'était un gage de rien sinon que la regarder le mater en train de se faire sucer le rendait dingue.

Et puis, tout en la fixant, il s'imaginait que c'était sa jolie bouche qui montait et descendait sur lui, sa langue qui courait sur son sexe, s'enroulait autour, sa gorge à elle qui l'accueillait, ses doigts qui l'emprisonnaient impitoyablement.

Une petite compensation pour l'avoir repoussé dont elle ne saurait rien et ne faisant de mal à personne, en somme.

Shax espérait seulement qu'elle ne le lâcherait pas au dernier moment… qui ne tarderait plus, grâce à elle. Ou à cause d'elle. Il serra les dents et s'interdit de céder à la tentation de fermer les paupières pour se livrer au plaisir. Il avait encore envie de ses grands yeux bleus sur lui, de cette connexion. Besoin ? Les mots importaient peu. Rien ne comptait que cette brûlure irradiant dans ses reins, la tension dans son bas-ventre ne cessant d'augmenter et la vibration de son corps sur le point de lâcher prise, si ce n'était sa volonté qu'elle le regarde jouir.

Son orgasme le prit en traître, lui soutirant une sorte d'éclat de rire rauque et nerveux mais surtout lui faisant rompre le lien.

Terrassé, incapable de s'en empêcher, il ferma les yeux ; sa tête bascula en arrière alors que des coups de reins irrépressibles le faisaient plonger tout au fond de la gorge de sa maîtresse.

Shax laissa filer quelques secondes après que la satisfaction eut envahi son corps puis se redressa. En aucun cas bien-être ne signifiait satiété pour le géant dont les appétits ne connaissaient pour ainsi dire pas de limites. Mais, de toute manière, son contentement disparut à la seconde où son regard se reporta sur la porte entrouverte.

Elle était partie.

*

Les joues d'un rose beaucoup plus soutenu au retour qu'à l'aller, Annette descendit l'escalier aussi vite que ses hauts talons le lui permirent. Que le lui permirent ses escarpins, mais aussi son cœur battant à tout rompre dans sa poitrine.

La honte n'était pour rien dans ces phénomènes, pas plus qu'une quelconque gêne. Ce à quoi elle venait d'assister l'avait profondément troublée. Au-delà de l'aspect purement sexuel qui l'avait excitée, elle avait le pressentiment que quelque chose ne tournait plus rond chez elle et cela l'effrayait.

Elle savait pourquoi elle avait pris plaisir à contempler Shax dans ce moment normalement destiné à rester intime : aucun tabou particulier ne la bridait et elle aimait le sexe. Ce qu'elle saisissait moins en revanche était la raison la poussant à s'intéresser à cet homme splendide mais horripilant qui ne l'appréciait pas. D'ordinaire, elle faisait preuve de beaucoup plus de discernement dans ses relations avec les mecs et fuyait comme la peste les situations impliquant rivalité et regrets.

Oui, de belles résolutions et des limites qu'elle s'était elle-même fixées mais qu'Annette réalisait avoir largement dépassées. Il y avait à peine quelques minutes de cela.

— Tu en as mis du temps, lui fit remarquer Amon lorsqu'elle réintégra le bureau.

N'entendant aucune réponse venir, le jeune homme leva le nez du porte-vues qu'il feuilletait tranquillement, assis dans l'un des fauteuils. Il se tourna vers Annette et fronça les sourcils en découvrant son air un peu perdu.

— Un problème ?

— Non, non.

Elle mentait. Amon ne fit aucun commentaire et l'observa déposer son ordinateur sur le bureau de Sam puis le rejoindre. Elle resta là, plantée devant lui, le regard dans le vide puis parut se ressaisir.

— Je peux te demander quelque chose de… de ridicule ? articula-t-elle en le regardant enfin dans les yeux.

— Je t'écoute.

— Tu pourrais me prendre dans tes bras ?

Sa requête était surtout plus surprenante que ridicule selon Amon. Refermant le porte-vues qu'il consultait et déposa à même le tapis, Amon fronça derechef les sourcils.

— Viens là, l'invita-t-il.

Annette s'installa en travers de ses genoux, croisa ses bras contre elle mais posa sa tête contre son épaule.

Amon mit un peu de temps à l'enlacer. L'attitude d'Annette n'était pas à proprement parler tendre ; elle n'en restait pas moins aussi déroutante que le reste. Cette jeune femme qu'il connaissait à peine et avait immédiatement classée dans la catégorie des femmes avisées donc maîtresses idéales puisque ne cherchant pas autre chose que des aventures semblait non seulement avoir perdu une bonne partie de sa légèreté, mais en plus paraissait rechercher son soutien.

La situation ne figurait vraiment pas parmi les favorites d'Amon. Honnêtement, il savait déjà ne pas mériter la confiance qu'elle semblait vouloir lui accorder. Les choses étant ce qu'elles étaient, à savoir qu'il n'escomptait pas se passer de ce qu'elle avait encore à offrir, il décida de jouer le jeu pour le moment et de voir ce qui pouvait être sauvé.

— On dirait que tu viens de croiser un loup, articula-t-il tout bas.

Annette en conclut qu'Amon avait compris que sa curieuse requête était en rapport avec Shax et lui était reconnaissante d'user de cette métaphore qu'elle estimait être une preuve de délicatesse.

Si Amon avait entendu ses pensées, il aurait ri. Manifestement, la jeune femme n'avait pas encore réalisé qu'elle se trouvait entre les bras d'un autre loup.

— Oui, confirma-t-elle, songeant que l'image utilisée par Amon était aussi particulièrement appropriée. Et un gros.

— Il t'a croquée ?

— Non, mais j'ai entraperçu ses crocs.

Une menace bien réelle, donc. Au moins dans l'esprit d'Annette qui associait désormais son image à ce que l'animal faisait naître en elle.

— Ça te fait peur ?

— Je suis terrifiée.

Elle l'était. Il la sentit frissonner contre lui.

— Que veux-tu que je fasse ?

Les mots étaient sortis tout seuls et témoignaient de la volonté, féroce, du jeune homme d'obtenir ce qu'il désirait en dépit de tout. Il avait initié un jeu avec elle et rien ne le ferait la lâcher. Sa proie était bien trop délicieuse. Aider Annette serait donc avant toute chose un moyen de parvenir à ses fins, et seulement en second lieu la manifestation d'une espèce de… d'affection pour elle ? Peut-être, si tant est qu'il en soit capable.

Annette se redressa pour le regarder droit dans les yeux. Son grand regard bleu était presque grave. Amon y discernait encore la petite étincelle de douce folie caractérisant la jeune femme. Elle n'était donc pas irrémédiablement perdue. Pas encore.

— Que je te protège de lui ou que je t'aide à pénétrer sa tanière ? proposa-t-il.

— Ni l'un ni l'autre. Je veux simplement ne plus y penser.

Une décision qu'Amon estimait la pire de toutes. L'oubli n'empêchait jamais les choses d'arriver.

Chapitre 25

Sam n'aurait probablement pas à se mettre en quatre pour la rendre folle de lui. La nuance était sans doute de trop elle aussi.

Sophia se garda de le lui faire remarquer et lui sourit. Si elle restait curieuse, très curieuse même, de voir comment il comptait s'y prendre, elle n'avait pas plus envie de brûler les étapes que de se priver des attentions qu'il lui destinait.

Sam lui avait dit vouloir la surprendre... Eh bien, c'est exactement ce qu'il fit, encore que d'une manière différente de celle qu'elle aurait pu imaginer.

Plutôt que de prolonger leur moment d'intimité, il abandonna le canapé pour récupérer leurs effets éparpillés un peu partout sur le tapis. Vaguement déçue bien que comblée, elle le regarda faire. Les petites lampes du plafond diffusaient un éclairage tamisé descendant sur Sam à la façon d'une complice, ensoleillant ses cheveux, et, pour chaque part de lumière qu'il déposait sur lui, il jetait une part équivalente d'ombre sur son corps, soulignant les reliefs fascinants de ses pectoraux, ses abdominaux ou les muscles de son dos jouant au gré de ses mouvements, ceux de ses fesses... à croquer.

Sophia retint un soupir conquis. Elle n'avait pas du tout envie de se rhabiller. Alors, quand Sam lui tendit ses vêtements, elle les posa sur le sofa et se leva.

— Tu es très beau, chuchota-t-elle, faisant lentement glisser son index sur son torse.

Caresse et compliment firent fleurir du plaisir dans les yeux du jeune homme, mais pas de sourire sur son visage et cet apparent désaccord accentuait encore son charme, commuant l'évidence en insolence.

— Tu me laisseras te photographier un jour ? demanda-t-elle ensuite.

Sam prit son visage entre ses mains et déposa un baiser, léger, sur ses lèvres.

— Pourquoi ? Seulement parce que tu me trouves beau ? D'après ce que j'ai vu de ton travail, tu n'es pas du genre à te satisfaire de la facilité.

— Tu trouves la beauté facile à saisir ? s'étonna-t-elle. Personnellement, je la trouve excessivement subjective et volatile. Même si elle peut sembler frappante, un rien peut la faire s'envoler. Alors non, je ne pense pas que ce soit si facile. Ce que mes yeux me montrent, ce que je peux ressentir comme étant de la beauté, l'appareil, lui, ne le capte pas nécessairement. Pas forcément. L'objectif reste... objectif. Mais je vois différemment à travers lui.

— C'est à ton tour de philosopher, mon ange, se moqua-t-il gentiment.

La facétie fit pétiller des étincelles dans ses iris.

Sophia gloussa.

— Je suis désolée.

— Ne t'excuse pas. Donc, dis-moi ce que tu penses pouvoir saisir par le biais de ton objectif.

— Je l'ignore encore. C'est lui qui me le dira.

— Tu penses que je cache des choses ?

— J'en suis certaine. Plein.

Sam sourit. Un de ces sourires à la fois mystérieux et enjôleur, indulgent et malicieux. Puis son regard se fit pénétrant.

— Mais les secrets sont faits pour être découverts. Non ?

Voilà qui sonnait moins comme une question que comme une invitation que Sophia pouvait aussi lire dans les yeux de Sam. Un appel auquel elle comptait répondre. Parce qu'elle était curieuse mais surtout parce que, dans son esprit, cela signifiait qu'il désirait gagner sa confiance. Ce n'était peut-être pas le seul chemin menant à son cœur, pas le plus rapide en tout cas, mais probablement le plus sûr, pavé de sincérité. Les bandits de grand chemin comme le doute et le mensonge n'avaient aucun intérêt à s'y aventurer.

Mais partir à la chasse aux secrets serait pour une autre fois.

— Habille-toi avant que je ne cède à mon envie de te faire l'amour encore une fois, la convia-t-il en plantant un petit baiser sur le bout de son nez avant de libérer son visage.

— Ton rendez-vous est important ? demanda-t-elle, histoire de savoir si elle avait une chance qu'il cède à son inclination.

— Oui.

— Je n'ai donc aucune chance de te détourner du droit chemin ?

— Mon chemin est plus tortueux que droit et tu as toutes les chances de m'en détourner, Sophia. Mais je dois vraiment y aller.

La jeune femme eut une adorable petite moue de dépit qui émut Sam plus que de raison. Après des années de nuit et de grisaille dans sa vie, il savourait le moindre rayon de soleil qu'elle lui offrait, et cette petite mimique parlante sinon révélatrice lui réchauffait le cœur. Il n'avait pas plus envie qu'elle de mettre fin à ce moment.

S'opposer à ce qu'il désirait vraiment, ne pas céder à l'irrésistible attraction qu'elle exerçait sur lui, coûta affreusement à Sam qui dut se détourner de Sophia pour résister.

Il ne se retourna vers elle qu'une fois revêtu.

Déjà rhabillée, son sac à dos calé sur son épaule et sa veste au creux de son bras, elle l'attendait. Son regard aussi.

— Cet endroit. Qu'est-ce que c'est, Sam ? voulut-elle savoir.

— Beaucoup de choses.

Une réponse qui ne la satisfit pas le moins du monde.

— Tu ne veux pas me le dire ? fit-elle, un rien froissée, et accessoirement se demandant pourquoi il l'avait conduite ici plutôt que dans sa chambre surtout s'il n'avait pas l'habitude d'y amener ses conquêtes.

— Si, souffla-t-il. Viens, je vais te montrer.

S'emparant de sa main libre, il la reconduisit vers l'escalier qu'ils avaient emprunté et actionna plusieurs interrupteurs allumant des bulles de lumière un peu partout dans... une pièce que Sophia aurait facilement qualifiée d'extraordinaire, et ce dans tous les sens du terme car elle l'était de par sa surface autant que par les trésors qu'elle accueillait et leur nombre. C'était presque trop. Trop à la fois, trop beau, trop...

Les yeux de Sophia ne savaient plus où se poser et s'écarquillèrent, une tentative pratiquement vouée à l'échec de tout découvrir d'un seul coup, de fixer dans sa mémoire les trésors que Sam leur livrait. Tous les trésors de Sam. De sa place, il n'y avait guère que les statues qu'elle pouvait réellement voir. Plusieurs époques de l'antiquité y étaient représentées, les grecques et romaines ne prédominaient pas. Alignées le long des murs, elles semblaient se faire gardiennes des nombreuses vitrines placées çà et là dans l'immense salle. Des innombrables richesses qu'elles contenaient, la jeune femme ne pouvait distinguer que leurs matériaux et leurs couleurs, la douceur mate et un peu terne du calcaire, les ocres de poteries, le blanc laiteux de l'albâtre, l'éclat de l'or, la rusticité du fer ou du bronze. Avec la sensation frustrante d'avoir pénétré nuitamment dans un musée sans autorisation de le visiter, Sophia laissa ses yeux errer encore un moment sur les trésors archéologiques puis sur les vitrines les plus proches d'elle. Chacune n'abritait qu'une catégorie d'objets. Des livres. Si anciens qu'ils devaient nécessiter un traitement spécial et une attention de tous les instants. Volumineux, leurs reliures en cuir craquelé et leurs ferrures les faisaient ressembler à des grimoires.

Toutes ces merveilles occupant la partie de la salle sur la droite de l'escalier, Sophia fit lentement dévier son regard sur la gauche. Une zone d'ombre persistait au fond de la crypte, droit devant elle. Ne pas même distinguer les pierres claires des murs laissait supposer qu'elle s'étendait encore plus loin que ce qu'elle pouvait en voir. Peut-être cette zone-là n'accueillait-elle encore aucune collection et ne nécessitait donc aucun éclairage.

Si Sophia était parvenue à résister à la tentation d'approcher les œuvres exposées, s'empêcher de se diriger au-delà des trois grands canapés vers ce qui ne pouvait qu'être l'atelier de Sam lui fut beaucoup plus difficile. Parce que tous les tableaux en appui contre le mur et dont elle ne voyait que le dos, le chevalet, le tabouret, les couleurs, et un peu plus loin le plan de travail croulant sous les papiers, livres et autres dossiers, le local clos ne pouvant qu'abriter sa chambre noire menaient à Sam beaucoup plus sûrement que son musée personnel. Son goût pour l'histoire et l'archéologie était une chose que l'on pouvait retrouver chez beaucoup de personnes. Mais ce que Sam créait émanait de lui et seulement de lui, de sa sensibilité, de ce que contenait son âme, son imaginaire, le dévoilait bien plus que tout le reste. C'était ce Sam-là que Sophia voulait découvrir.

Manifestement beaucoup plus qu'elle ne l'imaginait elle-même, car elle sentit la main du jeune homme se refermer doucement sur son bras pour l'empêcher de s'éloigner.

— Sam, protesta-t-elle en se tournant vers lui.

— Plus tard, Sophia, opposa-t-il doucement comme pour amoindrir l'effet de son refus. Je te promets que je te montrerai tout ce que tu voudras une autre fois.

Cette promesse ne l'empêcha nullement d'être contrariée.

— Très bien, soupira-t-elle.

Sam s'effaça pour lui permettre de s'engager dans l'escalier, ce qu'elle fit après un ultime regard de convoitise vers le fond de la crypte.

— Résister à une tentation est bien plus facile lorsqu'on ignore qu'elle existe, n'est-ce pas ? l'entendit-elle articuler derrière elle alors qu'elle parvenait aux dernières marches.

Mots amenant Sophia à nourrir la certitude que lui dévoiler son véritable jardin secret avait été son but depuis le début... son autre but.

S'immobilisant sur le palier, elle se tourna vers lui.

— Tu l'as fait exprès, l'accusa-t-elle, sans animosité, réprimant même un sourire.

Les sourcils de Sam s'élevèrent haut sur son front ; une admirable imitation de l'innocence qui ne la berna pas le moins du monde.

— Pourquoi aurais-je fait ça ? fit-il mine de s'offusquer.

— Ça fait partie de ton plan. Pour me séduire.

Le coin des lèvres de Sam frémit. Une preuve. Un aveu. Et une autre tentation : celle de l'embrasser.

À la fois pour ne pas lui céder et en guise de petites représailles, Sophia se retourna.

— Mais je ne te dirai pas si ça fonctionne, articula-t-elle en poussant la porte.

Le grommellement de Sam colla un grand sourire sur ses lèvres, qui s'évapora lorsque le jeune homme referma la porte, mais persista dans ses yeux. Un sourire assez semblable brillait dans ceux de Sam quand il lui jeta un coup d'œil avant qu'ils ne s'engagent dans l'escalier menant au rez-de-chaussée.

Sophia comprit alors que le jeu auquel Sam l'avait invitée à jouer avait débuté bien avant qu'elle n'en soit consciente. Et qu'il promettait d'être des plus réjouissants. À bien des titres.

Sam l'étonna une nouvelle fois lorsqu'il la laissa dans la chambre qu'il lui avait choisie et où l'attendaient déjà ses bagages. Parce qu'il aurait pu lui demander de s'installer avec lui, l'insinuer ou tenter de l'en convaincre comme Sophia s'y était d'ailleurs attendue. Il s'en était abstenu. Elle aurait une chambre rien que pour elle. Une attention qui la touchait plus que la raison, pourtant délicate, l'ayant incité à lui allouer cette ravissante petite suite plutôt qu'un appartement dans l'une des tours.

Resté derrière elle pendant qu'elle découvrait les lieux, Sam lui avait avoué que la décoration de la chambre avec ses tapisseries et tissus déployant plusieurs nuances de bleu lui allait à ravir, ce qui n'aurait pas été le cas de la dominante rouge de la suite de la tour. Et puis, il lui avait précisé, comme ça, en passant et l'air de rien, où se situaient ses propres quartiers… c'est-à-dire beaucoup plus près des siens que si elle avait été logée dans le petit donjon. Autrement dit, libre à elle de venir frapper à sa porte quand elle le désirerait.

Sophia avait momentanément interrompu son examen pour se tourner vers Sam et le remercier d'un simple mot assorti d'un sourire.

Sans le lui rendre, Sam l'avait regardée un instant puis avait fait volte-face et s'était presque enfui. Sophia n'avait pas tenté de le retenir ou de le rappeler, obéissant à la supplique qu'elle avait lue dans ses yeux de n'en surtout rien faire. Si elle n'y avait aussi deviné la douloureuse intensité de ses sentiments, ou de son désir, ou des deux, elle se serait autorisé un nouveau sourire satisfait. Au lieu de quoi elle resta un instant à fixer l'endroit où Sam s'était tenu avant de refermer la porte.

Les sentiments du jeune homme la flattaient et lui plaisaient, presque trop, elle devait le reconnaître, mais elle en craignait un peu la force et la promptitude, craignait de se laisser emporter par ce tourbillon de sensations, d'émotions et de passions extrêmes n'appartenant encore qu'à Sam. Seulement, elle en mourait d'envie. Elle voulait vivre, enfin. Sam avait le pouvoir de le lui offrir.

En appui contre la porte, Sophia observa un moment son nouveau domaine.

Presque aussi grande que son salon et sa chambre réunis, la pièce principale était joliment meublée de quelques bergères, d'une méridienne et d'une commode aux lignes typiques et exquises du style Récamier, et plus particulièrement celles du salon conservé au Louvre. S'ils y restaient fidèles par leurs bois exotiques, leur inspiration antique, elle ne pouvait en dire autant de la grande couche placée à proximité d'une porte-fenêtre à la française.

Par son dossier renversé, la tête de lit ne détonait pas avec le reste mais le meuble en lui-même était rond et agrémenté d'un minuscule baldaquin circulaire également d'où descendait une vaporeuse moustiquaire.

Abandonnant sa place, un franc sourire aux lèvres cette fois, Sophia jeta un œil un petit peu partout. Deux autres pièces attenaient à la chambre. Un salon décoré dans des nuances lavande et parme accueillait un petit bureau d'époque ainsi qu'une autre méridienne mais surtout deux grandes biblio-thèques dont la jeune femme s'approcha, fatalement attirée et très curieuse des ouvrages qu'elle contenait. Effleurant le dos des livres, certains anciens et reliés en cuir, elle en parcourut les titres. Recueils de poésie, chefs-d'œuvre de la littérature, romans, tragédies, romans d'aventures, romances tous genres confondus, érotisme, policier, fantasy et science-fiction... En fait, il n'y avait guère que l'horreur et le gore à ne compter aucun représentant.

Son sourire s'épanouit encore.

Poursuivant sa visite, Sophia découvrit une salle de bains correspondant peu ou prou à celle dont elle aurait pu rêver. Entièrement carrelée et dallée de marbre blond, de taille relativement raisonnable, elle donnait à la fois une impression de luxe et de sobriété. Une alcôve accueillant une baignoire encastrée, et, en face, un autre petit renfoncement flanqué de deux jolies colonnes toscanes aux formes épurées abritait une table de toilette, Empire une nouvelle fois.

À défaut de la comédie romantique qu'elle avait souhaitée, et abstraction faite de la raison pour laquelle elle se trouvait au château, Sophia avait désormais l'impression d'évoluer entre les pages d'un conte de fées. Château, trésors et secrets à découvrir, tout y était. Cela lui allait aussi bien. Et si Sam pouvait correspondre à une certaine image du prince charmant, la jeune femme espérait que, comme dans les contes, les méchants seraient vaincus.

Hormis cette histoire de désobéissance, Sophia ignorait tout du conflit opposant Sam et ses ennemis. S'il ne voulait pas lui en parler, elle ne le forcerait pas à le lui dire. S'il voulait le faire, elle l'écouterait. Mais en définitive, elle n'avait pas besoin de détails pour croire ce que son instinct lui soufflait : la punition était exagérée au regard de la faute de Sam. Il ne méritait pas de vivre de la sorte, reclus, harcelé et constamment sous pression, sans parler du fait que c'était loin d'être sain. L'injustice dont il faisait les frais lui donnait envie de l'aider, l'apaiser. Et cette vulnérabilité qu'elle décelait chez le jeune homme l'incitait à vouloir le protéger. Quant à la force qui l'habitait également, aussi paradoxal que cela puisse paraître, Sophia devait bien admettre qu'elle y était aussi sensible qu'au feu qui l'animait.

Pour ce qui était de sa situation, Sophia ne s'estimait pas piégée bien que ce soit le cas dans les faits. Certes, sa présence en ces lieux s'expliquait parce qu'elle avait approché Sam, mais elle ne sentait pas menacée et encore moins emprisonnée. Et elle ne doutait pas que Sam la défendrait si quiconque tentait de s'en prendre à elle. Il tenait à elle, l'aimait. Pour une raison qu'elle ne s'expliquait pas, ce coup de foudre ne l'étonnait pas outre mesure. Non qu'elle se considère comme irrésistible. Plutôt parce qu'elle pressentait, comme il le lui avait d'ailleurs dit, qu'il l'attendait depuis longtemps, comme s'il l'avait immédiatement reconnue comme étant sienne. Ce qui la surprenait plus en revanche était ce sentiment grandissant qu'il ne se trompait pas. Sinon, elle n'aurait pas été si impatiente de le retrouver, une impatience confinant au manque...

Mais, aussi pressée soit-elle de le rejoindre dans son bureau comme il l'y avait invitée, sans lui en donner la raison, Sophia ne résista pas à la tentation, une s'additionnant aux autres, d'un bain dans ce décor de rêve.

*

S'apprêtant à s'annoncer par quelques coups à la porte du bureau de Sam restée entrouverte, Sophia suspendit son geste.

Assis à sa table de travail, le jeune homme semblait perdu dans l'observation d'un document posé juste devant lui. D'où elle se trouvait, la jeune femme ne pouvait voir de quoi il s'agissait exactement : texte, facture, contrat, dessin, feuille vierge... Quoi qu'il en soit, à en juger par son expression

344

concentrée et ses sourcils légèrement froncés, ce papier l'interpellait. Ce n'est que lorsque Sam s'en saisit d'une main et d'un geste vif comme si ce qu'il fixait si attentivement l'irritait ou l'exposait à un problème insoluble que Sophia comprit qu'il s'agissait du tirage d'une photographie.

L'une des siennes ? Si oui, laquelle avait le pouvoir de le perturber autant ?

Sophia le vit ensuite reposer l'épreuve sur le bureau, face contre le bois, se laisser aller contre le dossier de son fauteuil et fermer les yeux. La jeune femme aurait donné beaucoup pour savoir à quoi il pensait, ou plus exactement quelle émotion le cliché faisait naître en lui.

En ce qui concernait ses photos, pour chacune de celles qu'elle avait prises, si elle se souvenait de ce qu'*elle* avait voulu saisir, jamais personne n'avait été capable de lui dire ce qu'il éprouvait précisément en les regardant. La plupart du temps, elle n'obtenait que des commentaires généraux, pas nécessairement positifs et même parfois neutres. Alors, de deux choses l'une, soit Sophia se leurrait depuis le début et son travail ne valait pas grand-chose, car incapable de générer une quelconque émotion chez quiconque, soit c'étaient les gens qui, enfermés dans la coquille dure et opaque de leur vie trépidante, ne savaient plus se laisser émouvoir par quoi que ce soit. Ou alors c'était elle qui était trop sensible, et son talent, supposé ou avéré, pouvait bien n'être perceptible que par une poignée de sensitifs.

Sam en faisait partie, il lui avait dit avoir été touché par son travail. Seulement, en tant que financeur potentiel, il pouvait aussi estimer son talent beaucoup trop confidentiel pour être livré au grand public. S'il décidait de ne pas l'éditer ou de l'exposer, Sophia serait très déçue naturellement, et essaierait de ne pas trop lui en vouloir. Elle refusait en revanche catégoriquement qu'il la publie uniquement pour lui faire plaisir ou parce qu'il éprouvait quelque chose pour elle. Passe-droit et autres pistonnages n'avaient jamais été son truc.

Et personne n'avait besoin de savoir ce qui s'était passé entre eux dans la crypte.

Parce que, comme l'avait si bien dit Dostoïevski, si l'argent avait l'odieuse faculté de conférer du talent, beaucoup considéraient que des coucheries stratégiques possédaient un pouvoir similaire. Sophia n'avait pas cédé à Sam pour cette raison, naturellement. Du reste, le verbe céder n'était pas approprié. La vérité était qu'elle était séduite et qu'elle avait couché avec lui parce qu'elle en avait eu envie. Bien que charmée, elle se sentait pourtant encore troublée. Trop pour faire confiance à ce qu'elle ressentait pour lui.

Sam n'avait toujours pas rouvert les yeux. N'eût été le lent balancement qu'il imprimait à son fauteuil, on aurait pu le croire assoupi. Le jeune homme était typiquement le genre de personne à ne jamais dormir que d'un œil, et à percevoir une intrusion sur son territoire une demi-seconde avant que celle-ci n'intervienne. Ce qu'il lui confirma, soulevant ses paupières et se tournant vers elle juste avant qu'elle ne frappe discrètement à la porte.

Quel qu'ait été l'objet de ses méditations, celui-ci n'avait pas totalement déserté son esprit lorsqu'il la rejoignit sur le seuil de la pièce. Son regard était un peu brumeux, une nébulosité dorée que Sophia lui avait déjà vue la veille, dans ce bureau d'ailleurs, et dans laquelle elle avait envie de se fondre. Un battement de cils suffit à rendre leur clarté à ses iris. Pendant un instant, la jeune femme ne put que le regarder droit dans les yeux avec cette curieuse certitude flottant dans son esprit que l'un des secrets de Sam la concernait elle plutôt que lui. La conviction ne fit pas le poids contre le bon sens et encore moins contre cette vérité qu'elle n'avait pas la tête au travail, mais alors pas du tout. Et aussi que ce serait le cas chaque fois qu'elle se trouverait proche de lui.

— Je veux te présenter quelqu'un, articula Sam comme s'il n'avait pas remarqué avant de s'effacer pour la laisser entrer dans la pièce. Ensuite, je verrai ce que je peux faire pour toi, ajouta-t-il, si bas qu'elle dut être la seule à l'entendre mais d'un ton si plein d'insinuation qu'elle se demanda s'il n'avait pas accès à ses pensées ; auquel cas, il avait dû saisir des choses assez croustillantes.

Une chaleur traîtresse s'épanouit au creux de son ventre, mais le responsable de celle accompagnant le rose lui montant aux joues était sans nul doute l'inconnu qu'elle découvrit installé dans un fauteuil, non loin de sa très chère Annette comme de bien entendu. Parce que si l'un et l'autre la dévisageaient, si la complicité faisait étinceler les yeux de son amie, ce qui éclairait les iris incroyablement verts de l'homme n'avait absolument rien de léger. Bien sûr, elle pouvait se tromper et mal interpréter son regard, mais Sophia était tentée dire qu'il s'agissait de fascination, à condition de dépouiller le terme de toute connotation charnelle, état de fait qui ne devait pas être une habitude chez un tel spécimen masculin. Elle l'observa avec une attention similaire, tout aussi dénuée d'intérêt sensuel.

Le charme et la beauté de cet homme, aussi mortels que pouvaient l'être ceux de Shax, aussi flagrants que ceux de Sam, étaient bien plus dangereux en ce qu'ils étaient adoucis par un raffinement extraordinaire. Malheur à celles n'y prenant pas garde, songea Sophia. Elle espérait qu'en femme avisée Annette l'avait perçu.

Profitant de ce qu'il se levait et la libérait de ses yeux, Sophia jeta un furtif coup d'œil à son amie qui de son côté l'observa déployer sa haute silhouette. Quoiqu'en réalité, elle ressemblait plus à une chatte s'apprêtant à déguster un bol de lait qu'à une femme se contentant de regarder un homme.

Eh bien, eh bien ! Et dire que Sophia trouvait les choses un peu trop rapides entre elle et Sam. Manifestement, avisée ou pas, sa copine avait vite oublié son ange déchu. Ou c'était là ce qu'elle voulait laisser croire et tentait de se convaincre à la fois.

— Sophia, je te présente Amon, articula Sam derrière elle, coupant court à ses interrogations.

Resté en retrait jusqu'ici, il se rapprocha d'elle ; la main qu'il posa au creux de ses reins ne tarda pas à glisser jusqu'à sa taille et y resta.

— Ravi de faire votre connaissance, Sophia, la salua le jeune homme d'une voix de velours après un baisemain répondant aux règles les plus strictes de l'étiquette.

Règles qu'il s'empressa d'enfreindre l'instant suivant, gardant sa main dans la sienne et accrochant son regard au sien.

— Si je ne craignais les foudres de notre ami, poursuivit-il avec un clin d'œil, je rajouterais que vous êtes délicieuse. Je me réjouis de notre collaboration et de passer du temps en votre compagnie.

Si le cœur de Sophia s'emballa, les compliments d'Amon n'y étaient pour rien…

— Notre… notre collaboration ? bredouilla-t-elle, sa voix grimpant dans des aigus qui ne lui étaient pas coutumiers.

La délivrant à la fois de sa main et de ses yeux, le jeune homme se redressa et abandonna son costume de séducteur pour celui du professionnel.

— Sam m'a chargé d'organiser une exposition de vos œuvres et de préparer les maquettes d'une série d'ouvrages à paraître. Je suis d'avis que les recueils devraient respecter vos séries thématiques, mais si vous préférez que nous fassions autrement, je suis ouvert à toutes suggestions. Pour ce qui est de l'expo, je pense que nous pourrions exceptionnellement l'installer dans le grand hall du château, si Sam est d'accord, certains de vos clichés y trouveraient un cadre idéal. J'ai déjà établi une liste d'acheteurs potentiels que nous pourrions inviter, mais je souhaiterais voir avec vous les épreuves que nous allons présenter.

En temps normal, Sophia n'était pas particulièrement émotive. C'était donc que le temps normal n'avait plus court. Ce que son impression d'évoluer en plein rêve et le mal qu'elle eut à intégrer ce que le flot de paroles du jeune homme impliquait semblaient vouloir confirmer. Ciller plusieurs fois en affichant un air stupéfait et un sourire probablement idiot ne constituait en aucun cas une réponse, mais était assurément la seule chose dont elle fut capable pendant un instant. Son esprit lui faisait l'effet d'avoir été lessivé par une tornade.

— Oui... heu... Je...

Compter sur des paroles cohérentes était un brin prématuré apparemment. Inspirant puis expirant profondément, elle reprit suffisamment ses esprits pour aligner quelques mots compréhensibles et calmer un peu les battements de son cœur.

— C'est parfait, je pense. Merci beaucoup.

Sam était d'un avis un peu différent.

— Toutes, intervint-il s'adressant à son ami. Elles doivent toutes être exposées, Amon. Chaque série est un ensemble cohérent qu'il ne faut pas rompre.

Puis, baissant les yeux sur la jeune femme, il la convia à se tourner vers lui.

— Ton talent et ta sensibilité s'y expriment différemment également. Alors je pense qu'il serait intéressant d'en exposer les multiples facettes pour toucher un maximum de personne.

— Tu trouves que j'ai vraiment du talent ?

L'avis de Sam en tant que professionnel comptait beaucoup pour Sophia. Mais sa question était aussi motivée par son besoin de s'entendre dire qu'il ne lui faisait pas une faveur.

— Sinon je n'aurais pas prié Amon d'organiser une exposition ni décidé de t'éditer, répondit-il gravement.

Sa réponse fit naître un sourire sur les lèvres de la jeune femme, éclore une satisfaction confinant au bonheur dans son cœur. Et, honnêtement, une caresse fort agréable sur son ego de photographe également.

— Mais j'aurais dû dire : toutes doivent être exposées sauf une, reprit Sam.

Sophia n'eut pas besoin de demander quelle photographie Sam évoquait, comprenant aussi que c'était ce cliché qu'il avait observé si attentivement.

Sa main toujours sur sa taille, il l'entraîna jusqu'au bureau.

— Tu viens de dire qu'il ne fallait pas dépareiller les séries, lui fit-elle remarquer.

— Celle-ci est à part, répliqua-t-il en s'emparant du tirage pour le lui mettre sous le nez. Je me trompe ?

— Non, murmura Sophia dont les yeux descendirent sur le cliché qu'elle connaissait par cœur.

Comme à chaque fois qu'elle regardait le *Sharajat-al-Hayat*, un sentiment fait de tendresse, de mélancolie et de respect s'élevait en elle. Ensuite, invariablement, remontaient de sa mémoire le souvenir de la rugosité de l'écorce sous ses doigts, celui du vent dans les feuilles murmurant des secrets dans le silence, le parfum inimitable du désert, les senteurs de la nuit, la lumière des soirs de pleine lune. Toute cette magie qui avait bercé son enfance et son adolescence.

L'arbre n'était pas le plus ancien que Sophia ait photographié ; certains de ceux qu'elle avait immortalisés en France, en Crète ou au pays de Galles affichaient plusieurs milliers d'années au compteur. Alors, avec ses quatre cents ans, l'aïeul de Bahreïn faisait figure de gamin au regard des vieillards que comptait la planète, mais ce jeune patriarche défiait les lois de la Nature, survivant au beau milieu du désert en l'absence avérée d'eau et de source connue. Son espèce faisait de lui un astucieux battant capable de trouver ce dont il avait besoin dans l'humidité ambiante, mais beaucoup étaient ceux préférant y voir de la magie en lui attribuant une survie miraculeuse. Sophia n'avait pas d'avis particulier sur le sujet, se contentant de s'émerveiller de sa survie dans le désert.

— Tu as raison, confirma-t-elle à nouveau. Comment le sais-tu ?

— Tu l'as prise pour toi. Ça se voit et se ressent.

Là encore, Sam ne se trompait pas. L'avait-il compris grâce à son intelligence ou à sa sensibilité ? Les deux probablement. Deux qualités hautement séduisantes aux yeux de la jeune femme.

— Et je la veux.

Sophia leva vivement les yeux vers lui. Elle avait la sensation d'avoir reçu un coup sur la tête et dut retenir le non instinctif qui voulut jaillir de ses lèvres.

Cette photo n'était ni la première qu'elle ait réalisée ni celle l'ayant décidé à faire de la photographie sa profession. Seulement s'en séparer, aussi idiot que cela puisse paraître, lui donnait l'impression de devoir abandonner un vieil ami. Mais elle l'avait incluse dans ses books et par conséquent ne pouvait refuser. D'autant moins que le jeune homme devait être l'un des rares à la comprendre. Le seul à qui elle pourrait la céder.

— Je la veux, répéta Sam avec une telle ferveur qu'elle flamboyait aussi dans ses iris. S'il te plaît, insista-t-il.

— Parce que tu te sens proche de lui ? demanda Sophia, se souvenant de ce qu'il lui avait avoué au téléphone.

— Pour cette raison et parce que j'aime les arbres.

— Oh ? Vraiment ? ironisa-t-elle gentiment avec un petit sourire en coin que Sam parut ne pas voir.

— Je veux quelque chose que personne d'autre n'aura et cette part de toi que tu as insufflé à *cette* photo, précisa-t-il sérieusement, mais d'une voix douce et grave en s'inclinant sur elle.

Indépendamment de ces mots ayant une incidence notable sur son cœur qui sembla sur le point de fondre, Sophia voyait clair dans le jeu de Sam. Un jeu où sortilège et sincérité se mêlaient.

— Je te promets d'en prendre soin et tu auras un droit de visite illimité. Je vais la faire encadrer et la mettre sur ma table de nuit.

Sophia se retint de pouffer. La manœuvre était habile.

Sam se pencha encore sur elle, la contraignant à s'incliner plus en arrière afin de pouvoir continuer à le regarder dans les yeux.

— Sam, souffla-t-elle. Tu n'as pas besoin de m'envoûter pour avoir cette photo.

— Aussi n'est-ce pas mon intention. Mais j'ai envie de t'embrasser.

C'était la même chose, non ?

Si les baisers de Sam avaient le don de la chavirer, son regard avait un pouvoir incroyable. Pas dans le sens d'une faculté hypnotique destinée à faire céder quelqu'un contre sa volonté, encore que cela n'aurait pas étonné Sophia qu'il en soit capable. Non, il s'agissait d'autre chose, ne concernant qu'elle. Le moment était sans doute mal choisi pour l'embrasser, mais Sam n'était pas homme à se soucier de ce genre de détails. Sophia n'avait pas tellement envie de s'en préoccuper non plus. Pas quand il la regardait comme il le faisait en cet instant, avec son âme plus qu'avec ses yeux. Parce qu'elle se sentait non pas renaître, mais naître, devenir vraiment femme, comme un bouton de fleur qui aurait oublié d'éclore ou qui n'attendait que lui pour le faire. Sophia ne s'était jamais vraiment inquiétée de savoir quelle femme elle était exactement. En revanche, elle savait ce qu'elle voulait maintenant : jouer avec lui, le séduire, le provoquer, le rendre fou...

— Nous ne sommes pas seuls, lui rappela-t-elle, tout bas.

— Je suis sûr qu'ils n'en seront pas choqués.

C'était certain. Mais à la façon qu'avait Sam de la regarder, à la manière qu'elle avait de réagir au moindre contact, au plus petit de ses effleurements ou seulement parce qu'elle adorait son odeur chaude et citronnée, Sophia doutait que leur baiser reste chaste bien longtemps.

— Et ton travail ?

— J'ai terminé, lui assura-t-il avec un soupçon d'impatience.

— Et le reportage d'Annette ? fit-elle encore valoir.

Cette fois-ci Sam ne répondit pas et la fixa durant quelques secondes sous ses sourcils légèrement froncés. Il n'avait pas l'air fâché et donnait plutôt l'impression de s'interroger. Après s'être détourné d'elle le temps de reposer la photo sur le plan de travail, il lui fit de nouveau face. Un sourire ourlait ses lèvres ; la lueur faisant briller ses iris laissait à penser qu'il avait obtenu les réponses à ses questions. Ou pris une décision.

Sophia eut à peine le temps de voir son sourire s'épanouir. L'instant suivant, Sam prenait son visage entre ses mains et se penchait sur elle pour l'embrasser.

Un baiser tout simple, doux et sage, peut-être, mais aussi un fil d'Ariane. Non pas pour retrouver son chemin vers le monde cette fois-ci mais pour rejoindre Sam dans le sien.

Il n'avait fermé les yeux qu'à demi et semblait guetter dans les siens ce moment fugace où elle jetterait sa volonté aux orties pour s'autoriser à sombrer jusqu'à lui.

Sophia s'abandonna à la caresse tendre de ses lèvres sur les siennes.

Chapitre 26

À l'inverse d'Amon qui observait la scène un sourire malicieux accroché aux lèvres, Annette avait baissé les yeux, fixant sans le voir l'écran de son ordinateur. Aucune envie ne siégeait dans son cœur. Bien au contraire, elle se réjouissait que Sophia autorise enfin un homme à l'approcher. Encore que Sam avait fait bien plus que cela. Il avait débarqué dans sa vie sans crier gare, avait enfoncé les portes, abattu les murs et la plupart des défenses de la jeune femme. Ce qui n'était pas rien si l'on considérait son handicap de départ.

Annette était très fière d'elle.

Aussi, si son attitude n'avait rien à voir avec une quelconque rancœur, et encore moins avec de la pudeur, en revanche, son succès en tant qu'entremetteuse, par elle ne savait quel processus, lui avait ouvert les yeux sur des aspirations qu'elle ignorait nourrir. Une révélation de taille qui lui était tombée dessus grâce à ce baiser tout simple, si beau. À cause de lui.

Plus qu'une révélation, un choc. Ou une contagion.

Annette voulait compter pour un homme autrement que pour le plaisir qu'ils échangeaient, qu'il la regarde comme si elle était la plus belle à ses yeux, la plus précieuse, l'embrasse avec autant de passion que de tendresse et de respect.

En somme, elle voulait qu'un homme veuille lui offrir ce que Sam donnait à Sophia en cet instant. Même si c'était seulement un petit peu. Et si elle avait eu son mot à dire, elle aurait bien aimé que cet homme soit...

L'arrivée de Shax dont l'imposante et sombre silhouette s'encadra sur le seuil de la pièce modifia sensiblement l'atmosphère, suffisamment pour court-circuiter les pensées d'Annette qui leva les yeux et surprit le regard du géant posé sur le couple. Un regard qu'elle n'aurait pas hésité à qualifier d'attendri si elle l'avait cru capable du moindre sentiment. Pourtant, elle n'avait pas la berlue, ses traits s'étaient adoucis. Sa beauté en était sublimée, passant d'irrésistible à franchement insupportable.

Quelle guigne !

Annette s'empressa de baisser à nouveau les yeux sur son écran et fit mine de se concentrer sur ses notes. Peine perdue. Ce dont elle venait d'être témoin se mêla à d'autres souvenirs, très récents ceux-là, à d'autres datant de la veille, le tout s'entremêlant pour créer une belle histoire dans son esprit. Un rêve, très éloigné de sa réalité un peu amère. Une chimère.

La jeune femme n'avait même pas la consolation de se dire qu'elle pouvait rattraper le coup. Elle avait obtenu ce qu'elle croyait vouloir et regrettait presque de s'être montrée aussi impulsive qu'à son habitude avec Shax. Encore que cela n'aurait probablement pas changé grand-chose à l'affaire. Elle aurait fini par coucher avec lui de toute façon, plusieurs fois peut-être mais n'aurait rien eu de plus. Au-delà de son problème de respect vis-à-vis des femmes qu'il sautait, et des journalistes qu'il détestait cordialement, cet homme aussi sensible qu'un crocodile n'autoriserait jamais quiconque à entrer dans sa vie. Une femme ne ferait que l'encombrer.

Pour le reste, Annette ne connaissait rien de Shax et cet état de fait n'était pas près de changer.

Les mots d'Amon choisirent ce moment pour remonter à la surface de l'esprit d'Annette, lui assurant qu'elle se trompait, que Shax savait se laisser toucher, qu'une amitié avec lui était possible. Si elle ne pouvait décemment taxer le géant d'insensibilité absolue, d'autant moins qu'elle venait d'avoir la preuve que ce qu'il ressentait pour Sam était bien réel, beau également, Annette restait en revanche persuadée que ce remarquable sentiment était réservé à la gent masculine. Ou à une espèce d'élite à laquelle elle n'appartiendrait jamais. De toute façon, elle n'avait pas envie de devenir amie avec cet homme. Cela aurait été d'une déloyauté sans nom doublée de perfidie compte tenu de l'effet qu'il produisait sur elle. Une trahison envers lui mais aussi envers elle. Quelle que soit la somme de ses défauts, des reproches qu'elle pouvait lui faire, Annette estimait lui devoir au moins son honnêteté... N'en avait-il pas fait preuve lui aussi ? Une franchise trop nue, trop crue, mais de la franchise quand même.

Une autre solution pour la jeune femme aurait consisté à s'asseoir sur son orgueil, accepter ses invitations et s'offrir quelques heures de sexe torride. Seulement, cela reviendrait à exposer son cœur à un danger qu'il n'était pas préparé à affronter.

Le mieux était donc, comme elle l'avait dit à Amon, d'oublier, de conjuguer définitivement Shax au passé. Et le fuir aussi sans doute, par mesure de sécurité. Heureusement, le château était grand et elle n'y resterait pas plus que son travail ne l'exigeait.

Son reportage bouclé, elle aurait tout loisir de se mettre en chasse d'un compagnon. À moins qu'elle n'attende bien gentiment qu'il pointe le bout de son nez. Parce que naturellement, elle n'était pas naïve au point d'aller imaginer Amon différent de Shax et encore moins un candidat potentiel. Raffinement et courtoisie ne l'avaient jamais bernée ni empêchée de discerner la vraie nature d'un homme. Amon avait au moins le mérite de n'éveiller que ses appétits et se trouvait sans doute être le meilleur prétendant au titre de dernier amant d'une future ex-libertine.

Réprimant un soupir inspiré par le deuil qu'elle devait faire de son ange déchu, Annette n'osa pas relever le nez et s'occuper de ce qui se passait dans la pièce. Le risque de croiser le regard du géant était trop grand. Et puis son attitude pouvait aisément passer pour une volonté de ne pas déranger les amoureux.

Aussi satisfait soit-il du tableau touchant qu'il découvrit en arrivant, Shax ne commit pas l'erreur de croire que tout était arrangé. Au risque de se faire oiseau de mauvais augure, rien ne l'était. Pas encore, même s'il y avait un mieux. Il aurait pu sourire et oublier. Au lieu de quoi, son visage resta de marbre alors qu'il se jurait de veiller sur Sam plus que jamais.

Il le connaissait par cœur. Les blessures de Sam étaient trop anciennes, trop profondes pour que ce tendre rapprochement avec Sophia suffise. Il pouvait encore basculer à tout moment, même pour une broutille. Parce que son ami ne se battait pas seulement contre ses ennemis ; il devait aussi lutter contre lui-même, contre ce que sa propre nature pouvait le pousser à faire, à dire ou penser…

Shax serait là et le protégerait, comme toujours. Mais la force de Sam, la vraie, celle dont il avait réellement besoin, celle capable de tout, il la tenait entre ses bras.

Cela dit, son ami en était très certainement conscient et, le connaissant, ferait tout pour que Sophia le soit également.

Reportant son attention sur Amon, dont le regard entendu lui assura que ses pensées et conclusions étaient identiques aux siennes, Shax fit ensuite dévier ses yeux sur Annette. Installée non loin d'Amon, concentrée sur son écran, elle semblait ne pas s'être aperçue de sa présence. À moins que sa rancœur ne l'incite à l'ignorer. Ce qu'elle faisait très bien du reste.

Shax, lui, était incapable de ne pas la regarder et cela suffisait à le faire bander, ce qui n'avait rien de surprenant et n'était pas véritablement un souci compte tenu du nombre de filles qui se feraient un plaisir de s'occuper de ses érections s'il le leur demandait. En revanche, l'espèce de férocité coléreuse que Shax sentait monter en lui pouvait en être un. Parce qu'elle était susceptible de l'amener à franchir certaines limites, dont celle du consentement d'Annette. Encore que sur ce point, son corps mentait moins qu'elle. La jeune femme pouvait dire ce qu'elle voulait, Shax savait que c'était son orgueil qui lui dictait son attitude, pas cette histoire de respect. Et elle avait beau le nier et se récrier, elle avait encore envie de lui. Il le percevait aussi distinctement que lorsqu'il l'avait vue la première fois. Son ardeur l'atteignait. Même à cette distance. Et maintenant qu'il avait eu droit à un petit apéritif, il ne songeait plus qu'à passer au plat de résistance. Sans parler de son envie de la punir pour n'être pas honnête avec lui et la châtier pour l'avoir repoussé à cause d'une fierté mal placée. Il avait d'ailleurs quelques idées sur le sujet. Elle adorerait ça.

En dépit des apparences – et de ce dont Annette se convainquait aussi –, si Shax excluait toute tendresse et ses manifestations dans ses rapports avec les femmes, s'il multipliait les conquêtes, lorsqu'une demoiselle l'attirait, il ne se satisfaisait pas d'un petit coup vite fait. Et s'il appréciait la diversité, il aimait surtout découvrir une maîtresse, d'un point de vue exclusivement sexuel, certes, mais totalement. Caressant, goûtant, explorant avec elle ses limites, les franchissant parfois… mais toujours pour la combler, sans relâche. Pourtant, en dépit de sa science en la matière, les femmes restaient bien souvent des créatures étranges à ses yeux, des univers mystérieux ne livrant jamais tous leurs secrets.

Shax avait décidé de découvrir ceux de cette fille aussi attirante que le plus capiteux des péchés, aussi excitante dans le refus qu'elle l'avait été lorsqu'elle lui avait sauté dessus. Oh il ne doutait pas un instant que cette petite chatte sortirait ses griffes. Et à vrai dire, il s'en réjouissait déjà. Une femme trop soumise ou passive ne l'amusait pas et quelques égratignures ne l'effrayaient aucunement.

En outre, l'heure passée avec Zoé n'avait pas tenu la moitié de ses promesses et l'avait laissé dans une insatisfaction le mettant en rogne. Plus concentrée sur sa jalousie que sur le sexe puisqu'elle avait naturellement compris qu'Annette ne lui était pas totalement inconnue, la jeune femme l'avait vite saoulé. Il s'était donc arrangé, avec quelques égards tout de même, pour écourter leur moment après qu'Annette se fut mêlée de saboter l'expérience si intéressante qu'elle avait elle-même initiée.

Y repenser le mettait dans un état impossible, imaginer tout ce qu'il pourrait faire avec une femme telle qu'elle le rendait carrément dingue. Il pouvait presque entendre ses cris si érotiques, la voyait déjà ondulant sur ses draps, brûlante et dévorée de désir...

Rien qu'à la façon dont son corps était tendu, à la légère rougeur sur ses joues, il savait qu'elle était encore excitée. Mais peut-être la proximité d'Amon était-elle en cause plutôt que sa présence. Ça ou ce qu'ils avaient fait ensemble pendant qu'ils étaient seuls.

Quoi qu'il en soit, il n'y avait pas trente-six façons de le savoir ni d'obtenir ce qu'il voulait.

Shax passa à l'attaque.

Profitant de ce que Sam quittait la pièce avec Sophia après les avoir tous invités à se joindre à eux le soir même pour un dîner informel entre amis, Shax rejoignit l'autre couple. Rapprochant l'un des fauteuils, le géant s'installa presque en face d'Annette et, comme si cela ne suffisait pas, prit soin d'adopter une attitude ouvertement provocatrice. Sa position typiquement masculine, jambes écartées, permettrait à la jeune femme de constater que la situation dans son treillis devenait de plus en plus tendue. Lorsqu'elle daignerait lever les yeux sur lui. Si elle condescendait à le faire.

Maintenant qu'il était près d'elle, la mettre dans son lit n'était plus une option. Plus il l'observait, moins ça l'était d'ailleurs. Annette était réellement très jolie. Plus que beaucoup de ses maîtresses, car à sa beauté et son aura de sensualité flagrante s'alliait un petit quelque chose d'indéfinissable. Peut-être cela venait-il de son caractère pétillant dont il n'avait eu encore qu'un aperçu et dont il percevait déjà qu'il pourrait conférer à une liaison, même clairement fondée sur le sexe et justifiée par un désir respectif, une dimension qu'il avait envie d'explorer. Aucune des filles que Shax sautait n'était une amie. C'était peut-être le moment de tenter une nouvelle expérience, se dit-il. Seulement, il n'arriverait à rien s'il ne faisait pas quelques concessions de son côté. Se fendre de quelques excuses, faire preuve de ce respect et éventuellement aussi de cette délicatesse auxquels Annette semblait tenir, ne lui coûterait pas beaucoup au fond.

— Ton reportage avance ? demanda-t-il à la jeune femme avant de jeter un coup d'œil à Amon.

Ce dernier haussa un sourcil. Ce n'était ni l'avertissement d'un mâle à un autre mâle s'aventurant sur son territoire, ni la manifestation d'un étonnement. Plutôt une question sur ses intentions.

Annette pour sa part n'en était pas encore à s'interroger sur ce point. Il lui fallait d'abord se remettre de l'impact de la voix grave sur son cœur et de ses conséquences sur son corps. Était-ce parce qu'il s'était adressé directement à elle, mais le timbre profond de sa voix lui faisait un effet terrible, s'attaquant aux défenses qu'elle avait tenté d'élever et déjà mises à mal par sa proximité. Elle avait cru ses remparts de pierres bien solides. Lorsqu'elle avait compris que Shax s'approchait, elle avait pu constater qu'ils n'étaient que de bois. Sa présence puis le son de sa voix, bien plus que la question qu'elle estimait d'hypocrite politesse, lui avaient prouvé qu'ils n'étaient en réalité que de paille. Il suffirait d'un souffle pour les abattre. Quoiqu'en réalité, y mettre le feu serait bien plus dans le style de cet homme puisqu'il était déjà capable de l'enflammer, elle, de quelques mots, d'un regard, d'un geste.

Quelle injustice !

Quelle poisse aussi.

La jeune femme leva lentement les yeux jusqu'à ceux de Shax, déglutissant difficilement lorsqu'ils glissèrent sur la saillie déformant son pantalon. Si l'épreuve d'empêcher ses yeux de se fixer dessus s'avéra de taille – sans mauvais jeux mots –, celle qui l'attendait sur le visage du jeune homme n'était pas tellement moins notable. Comme d'habitude, rien de ce qu'il pensait ne s'y lisait, mais la lueur ironique brillant d'ordinaire dans ses yeux avait cédé sa place à une chaleur que jamais elle n'aurait cru pouvoir y déceler. Et voilà ! C'en était fini de ses bonnes résolutions. Il n'avait pas besoin de le savoir. Si un certain nombre de répliques bien senties tournoyaient dans son esprit, la jeune femme était bien trop troublée et déstabilisée pour les formuler.

Elle ne répondit pas.

— Tu es toujours fâchée ? voulut encore savoir Shax que le silence d'Annette ne parut pas perturber outre mesure.

Pas plus que son battement de cils en guise de réponse à cette seconde question. Il poursuivit.

— Mes mots n'ont jamais signifié que je ne te respectais pas. Si c'est ce que tu as compris, j'en suis désolé.

Annette entrouvrit les lèvres. Pour répondre quoi ? Mystère. Elle ne se serait pas sentie plus perdue si on l'avait larguée en pleine jungle amazonienne avec pour seul secours une boussole démagnétisée.

L'espèce de dimension parallèle où Shax venait de l'envoyer lui coupait le sifflet ; ça et la vision qu'il lui offrit en se relevant. Sa haute silhouette se déploya devant elle, s'approcha ; son ombre lui sembla l'envelopper toute entière, dangereuse sinon menaçante pour de multiples raisons.

Lorsque le géant s'inclina jusqu'à pouvoir poser ses mains sur les accoudoirs du fauteuil, Annette se plaqua contre son dossier, retint son souffle. Et si ce n'était pas de peur qu'elle tremblait, elle n'en était pas moins prise au piège. Lui échapper était impossible, même si elle l'avait voulu. Le voulait-elle ? Non, réalisa-t-elle à son grand dam. Pas quand il la regardait avec cette chaleur au fond des yeux, une douceur incroyable présageant tout un monde insoupçonné de délices...

Shax se pencha encore, marqua une pause – elle en aurait hurlé –, son regard abandonna le sien écarquillé pour sa bouche puis remonta lentement pour le retrouver.

Oh ! Mon Dieu.

Il allait... Il...

Les pensées d'Annette se dissipèrent à l'instant où les lèvres, sublimes, tièdes et douces, du géant se pressèrent sur les siennes.

Un baiser tout doux, délicat, léger... qui ne dura pas.

— Si tu as besoin de moi, pour quoi que ce soit, tu sais où me trouver, murmura Shax.

Avant qu'elle n'ait eu le temps de revenir à la réalité, il s'était redressé et avait fait volte-face. Déjà, il s'éloignait.

L'empêchant de remarquer qu'il avait l'air aussi troublé qu'elle.

Chapitre 27

Le petit pique-nique improvisé auquel Sam avait convié Sophia à l'office – pièce qu'elle trouva singulière car lui évoquant furieusement celle de l'hôtel Overlook dans *Shining* tant par son aspect que ses dimensions – fut l'occasion pour elle d'en apprendre un peu plus sur le jeune homme.

À ses activités artistiques, il fallait ajouter un goût pour la cuisine. Sans aller jusqu'à mitonner un plat compliqué pour leur encas, il leur élabora néanmoins une délicieuse salade composée, exquise et originale surtout, à base de melon, d'avocat et de pignons de pin grillés pour accompagner un assortiment de poulet et de rôtis froids. Leur collation se termina sur la note douce-amère d'une part de gâteau au chocolat que Sam lui conseilla de déguster avec le *caffè macchiato* qu'il lui prépara. Succulent.

En second lieu, la jeune femme le découvrit aussi gourmand qu'elle.

Sophia avait toujours estimé grotesque l'idée de faire d'un plaisir un péché, vice que certains n'avaient pas hésité à rapprocher de celui de luxure par le passé. Ce en quoi ils n'auraient pas eu totalement tort en ce qui concernait Sam. Parce que l'observer se délecter des mets, surprendre une satisfaction quasi charnelle dans ses yeux ou sur son visage, revenait peu ou prou à assister à une scène érotique. Le plaisir gourmet de Sam était si flagrant que Sophia s'était interrompue un moment dans sa propre dégustation pour contempler son complice en débauche gustative se délecter de chocolat. Un spectacle des plus fascinants auquel elle fut aussi sensible que son cœur.

Sam se montra vraiment adorable, abandonnant son costume d'amant et d'amoureux, de prisonnier et d'artiste, pour celui de l'homme qu'il était aussi, charmant, amusant et cultivé, discutant de tout et de rien avec elle comme un ami. Chou n'était toujours pas un mot avec lequel elle songerait à le qualifier parce que dans son esprit ce mot impliquait une notion un peu trop sucrée pour un être tel que Sam. Parce qu'un homme « chou » ou « trop mignon » l'était au même titre qu'un chaton ou qu'un chiot, et surtout parce que l'on pouvait y voir une volonté délibérée de s'attirer les bonnes grâces d'une femme. Or, Sophia refusait de considérer le comportement de Sam comme une manœuvre pour la séduire, plutôt une façon plus honnête de lui montrer qui il était vraiment. Alors oui, le résultat fut le même, un franc succès d'ailleurs. Mais le chemin pour la séduire était plus sincère. Et cela permit aussi à Sophia de comprendre quelque chose d'important sur Sam.

Quoi que fasse le jeune homme, il le faisait toujours avec passion et authenticité : déguster une part de gâteau, la regarder, se fâcher, l'embrasser, se révolter, lui faire l'amour, se livrer... Tout son être semblait régi par l'exigence d'une franchise et d'une justice pure, et soumis à un tempérament incendiaire.

Sam se révélait vraiment un être à part aux yeux de Sophia et aussi au regard de ses expériences avec la gent masculine. Et si elle pensait qu'il s'arrêterait en si bon chemin sur la voie de son cœur, elle réalisa son erreur peu de temps après qu'ils se furent engagés dans la galerie du rez-de-chaussée.

Sam la fit s'arrêter au niveau de la première porte se présentant à eux sur leur gauche. Dans la réalité des faits, il s'était plutôt immobilisé soudainement, comme sous le coup d'une brusque inspiration, l'avait repoussée contre le panneau avant de se plaquer contre elle et l'avait embrassée. Juste une tendre pression de ses lèvres sur les siennes qui peu à peu se chargea de passion, sa bouche s'attardant, jamais assez. Des baisers inachevés se succédant sans cesse pour n'en former qu'un, parfait.

Mais, Sam la priva de ses lèvres.

— Je veux te montrer quelque chose, lui confia-t-il alors que ses mains se refermaient sur sa taille.

— Ah ? fit Sophia, intéressée. Ça a quelque chose à voir avec ce qui a poussé dans ton pantalon ? demanda-t-elle ensuite d'un ton des plus candides.

— Et après on dit que les hommes ne pensent qu'à cela ! s'offusqua-t-il faussement.

— Il faut bien que tu aies songé à quelque chose pour te retrouver dans un tel état. Non ?

— Et si je te disais qu'il suffit que je pense à toi ? En fait, poursuivit-il sans lui laisser le temps de répondre autrement que par un ravissant rosissement, je réfléchissais aux façons dont je pourrais t'attirer dans mon lit, à celles susceptibles de me conduire dans le tien et à ce que j'ai envie d'y faire avec toi dans un cas comme dans l'autre.

— Serait-ce une proposition de sieste crapuleuse ?

— Qu'en dis-tu ?

L'idée était déjà séduisante en elle-même. Le corps puissant et chaud de Sam se pressant contre le sien, ses mains sur elle en faisaient une tentation irrésistible.

Sophia la raisonnable, sage par la force des choses certes, ne semblait pourtant plus qu'un lointain souvenir que la jeune femme n'avait pas envie de rattraper. Même si ses débuts avec Sam avaient été difficiles, le jeune homme était finalement parvenu à la toucher, la captiver, l'aidant à se dégager de cette peau morte dont elle n'avait pas su se défaire seule. Et tout ceci en vingt-quatre heures de temps. Le miracle n'était pas loin.

Encore que le temps devait probablement avoir un cours différent dans les affaires de cœur. Il n'y est pas tant question d'heures ou de jours que de sensibilité et de réceptivité. Lorsqu'il s'agit de la bonne personne, il y a des signes qui ne trompent pas. Et Sophia en avait remarqué plusieurs. Être belle à ses yeux la ravissait, sa façon de la désirer pour elle-même, et si fort, la comblait. Sans parler de son don particulier pour lui donner du plaisir et la satisfaire tout en attisant son désir en même temps.

— J'en dis que c'est tentant, répondit-elle d'une voix un peu voilée.

Nouant ses bras autour du cou de Sam, elle se hissa sur la pointe des pieds avec la claire intention de l'embrasser. Il la prit de vitesse, prenant aussi possession de ses lèvres avec à nouveau cette espèce d'avidité réprimée faisant de ses baisers de merveilleux pièges dont elle n'avait pas envie de s'échapper… ou qu'on l'en délivre.

Sam y mit encore fin bien trop tôt au goût de Sophia, la libérant immédiatement de son étreinte pour l'inviter à se tourner vers la porte. Il avait manifestement une idée derrière la tête. Autre qu'une sieste crapuleuse.

— Ferme les yeux, ordonna-t-il doucement. C'est une surprise, insista-t-il en la voyant froncer les sourcils.

Un demi-sourire creusa une petite fossette sur sa joue et son regard se mit à pétiller d'une espièglerie presque enfantine. Sophia n'eut pas envie de le contrarier, céda et abaissa ses paupières.

— Ne triche pas, hein !

— Promis, gloussa-t-elle.

Après l'inévitable son de clef tournant dans sa serrure, celui, infime, de la poignée que l'on actionnait, Sophia perçut le léger grincement des gonds lorsque Sam ouvrit la porte.

Et puis, ce fut une sensation curieuse qui l'enveloppa, celle de se trouver au seuil de l'univers. Sam la prit par la main et l'invita à s'avancer.

Hormis le bruit de leurs pas, le silence était total. La pièce était fraîche, son ambiance étrangement feutrée et solennelle à la fois, et son parfum caractéristique. Sophia savait déjà ce qu'elle découvrirait, mais elle n'avait pas le cœur à saboter la surprise de Sam. L'attention et la mise en scène étaient tellement adorables !

— Ça y est ? Je peux les ouvrir maintenant ? murmura-t-elle, rentrant définitivement dans son jeu.

— Vas-y.

La jeune femme souleva lentement les paupières, puis écarquilla les yeux.

Si elle savait déjà se trouver dans une bibliothèque, elle en avait clairement mésestimé la grandeur et la beauté.

La pièce, très haute de plafond, lumineuse et magnifique, accueillait deux niveaux de rayonnages de bois blanc occupant le moindre pan de mur et emplis de livres naturellement.

De grandes portes-fenêtres se nichaient dans des alcôves décorées de frontons peints dans des tons clairs, les parois du balcon supérieur étaient quant à elles percées d'œils-de-bœuf ovales, le tout apportant toujours plus de lumière et donnant un cachet extraordinaire à l'ensemble. Dans cette clarté, cette blancheur, les reliures des ouvrages offraient toute une palette de couleurs, riches, vives ou tendres, un nuancier d'histoires et de mots.

Ce n'était pas tout. Une ouverture avait été pratiquée dans le plafond, évoquant un peu l'oculus d'une basilique latine mais s'ouvrant sur l'étage du dessus plutôt que sur le ciel.

Sophia s'avança pour se placer juste sous la trouée. La première chose qu'elle vit fut la voûte du premier étage ; peinte en jaune pâle, elle s'ornait de délicates moulures blanches, toujours, sans doute, dans ce souci de luminosité. Pour le visiteur du premier, l'orifice était sécurisé par une balustrade blanche entre les barreaux de laquelle la jeune femme découvrit encore et toujours des livres. Des centaines, des milliers peut-être.

Son instinct ne l'avait pas trompée. Elle se trouvait bel et bien dans un autre univers, un univers empli de mots, de mondes, de beautés, de connaissances. Tant de merveilles réunies dans ce qu'elle n'aurait pas hésité à qualifier d'immense écrin. Ou mieux, un temple où vous pouviez vénérer votre genre ou votre auteur favori ou tout simplement le livre en tant qu'objet.

Éblouie, la jeune femme ne bougea pas d'un pouce lorsque Sam la rejoignit, le contraignant à se placer devant elle pour attirer son attention.

— Ça te plaît ?

Question de pure forme. Il put le voir dans ses yeux brillant d'émotion.

— C'est magnifique, répondit-elle, abandonnant enfin sa contemplation pour plonger son regard dans le sien. Tu es quelqu'un d'étonnant.

— Pas tellement en réalité, répliqua-t-il avec un petit sourire de dérision. J'ai bénéficié d'un délit d'initié.

— Annette ?

Qui d'autre.

— Elle a laissé entendre que tu aimais lire.

C'était rien de le dire.

— C'est vrai, j'adore lire. Et j'aime aussi les livres. Mais Annette n'est pour rien dans la beauté et la richesse de ce lieu. Elle t'a donné un indice, mais c'est toi qui en as fait quelque chose de merveilleux et une magnifique surprise.

Sam accepta ce qu'il considérait comme un compliment et une marque de gratitude sincère par un nouveau sourire qui ne s'éternisa pourtant pas sur ses lèvres. Son visage reprit bien vite un air sérieux, sérieusement passionné plus exactement.

— T'arrive-t-il de les toucher, juste pour le plaisir ? De les caresser ?

Sam avait posé sa question d'un ton si ouvertement sensuel qu'elle se faisait plus intime qu'elle ne l'était en réalité. Sophia répondit d'un hochement de tête.

— Je le fais aussi, lui confia-t-il avec toujours cette intonation érotique.

Une image s'imposa à l'esprit de la jeune femme, celle des belles mains de Sam effleurant le velouté d'un maroquin, le bout de ses doigts frôlant le satiné d'un cuir de Russie à la manière d'un amoureux caressant sa maîtresse. Fatalement, son intellect s'aventura en des contrées polissonnes, dont Sam la délogea l'instant suivant.

— Quels genres littéraires préfères-tu ? demanda-t-il avant de retirer sa question. Non, ne réponds pas. Laisse-moi deviner.

Sam éleva son regard au-dessus de sa tête pour le faire courir sur les rayonnages.

— Les intrigues historiques, affirma-t-il très rapidement, en rebaissant les yeux sur elle. Et la romance.

Satisfaite de ne déceler ni sur son visage ni dans son ton cette trace de mépris habituellement présente dès qu'il s'agissait de romans d'amour, bien souvent souligné par des yeux se levant au ciel, Sophia lui sourit en guise d'acquiescement. Aurait-elle été témoin de cette morgue, la jeune femme n'aurait pas pour autant nié aimer ces lectures, mais cela lui évitait d'avoir à argumenter pour justifier ses goûts, chose que l'on ne devrait jamais avoir à faire, en matière de lecture ou d'autre chose. Quoi qu'il en soit, il était tombé juste. Aux yeux de la jeune femme, cela signifiait que Sam la comprenait, vraiment, qu'il n'était pas seulement tombé sous son charme et que son intérêt allait bien au-delà de sa seule apparence.

— À mon tour de deviner quels sont les tiens, proposa la jeune femme.

— Tu n'y arriveras pas, la défia-t-il.

Peut-être. Mais elle voulait essayer, pour le plaisir du jeu mais aussi parce qu'elle espérait y voir un peu plus clair. Son regard de photographe ou sa sensibilité ne lui étaient d'aucune aide pour cerner un homme tel que Sam. Elle doutait qu'il en existe beaucoup comme lui, cela dit. Cet homme était complexe. Sa personnalité avait tant de couleurs, tant de facettes qui s'entremêlaient ou plutôt se superposaient avec un léger décalage, donnant la curieuse impression d'un hologramme interdisant de le saisir totalement.

C'est pourquoi, contrairement à Sam, Sophia ne le quitta pas des yeux pendant qu'elle réfléchissait. La réponse lui vint assez facilement. Un homme possédant une telle bibliothèque ne pouvait qu'apprécier ceux qui y trouvaient refuge ; ce lieu n'était en aucun cas une vaine exposition d'un savoir lui étant étranger, pas plus qu'il ne s'agissait de poudre aux yeux ou d'une exhibition de richesses. Sinon la pièce n'aurait pas été fermée à clef. Dès lors, la réponse s'inscrivait dans la logique, mais… il devait y avoir un piège quelque part.

— Tu sèches ? la provoqua-t-il.

— Chuuuut, laisse-moi réfléchir, le gronda-t-elle gentiment en fronçant les sourcils alors qu'elle faisait appel à tout ce qu'elle avait vécu avec lui depuis la veille et au peu qu'elle savait de lui.

— Si tu ne trouves pas, ce n'est pas grave, répondit-il, son regard démentant formellement son indifférence sur le sujet.

Sophia sut d'instinct qu'il serait au contraire chagriné si elle tombait à côté.

— Je serais tentée de dire que tu apprécies tous les genres sans exception, commença-t-elle, s'exprimant délibérément lentement. Mais je crois que tu adores plus particulièrement les contes merveilleux.

Les sourcils de Sam s'élevèrent haut sur son front ; Sophia fut incapable de savoir s'il était stupéfait qu'elle ait deviné ou déçu qu'elle soit complètement à côté de la plaque.

— Parce que si toutes tes lectures te permettent de t'évader, ces histoires-là se situent dans l'intemporel, argumenta la jeune femme pour justifier sa réponse, que le merveilleux n'a besoin d'aucune explication rationnelle pour y exister et que donc tout y est possible. Et puis ce genre sous-tend généralement une fin heureuse avec la punition des méchants. Je ne te connais pas encore, pas vraiment, mais je crois que tu as gardé un peu de ton âme d'enfant et que l'injustice, celle que tu subis aussi bien que celle qui règne un peu partout, te fait souffrir. Tu aimes les histoires qui finissent bien, tu aimes rêver et c'est dans ces pages-là que tu te réfugies.

— Tu me connais mieux que tu ne le penses, souffla Sam après un long silence durant lequel il n'avait cessé de la dévisager, ébloui et fasciné.

Enroulant ses bras autour de la taille de la jeune femme, il la rapprocha de lui, cédant au besoin de sa présence contre lui. Sophia le rassurait, lui redonnait de l'espoir, celui, à l'instar de contes, que l'histoire se terminerait bien, pour eux deux. C'était elle son refuge.

— Et tu es stupéfiante, ajouta-t-il alors que son regard se teintait d'une tendresse infinie.

— Pas tant que ça, le contredit Sophia avec un doux sourire, ravie d'avoir correctement deviné. Dois-je te rappeler que tu nous as fait rejouer la scène de la bibliothèque dans *La Belle et la Bête* ? Tu m'as mise sur la voie.

— J'en ai toujours eu envie. C'est le moment du film que je préfère, lui avoua-t-il ensuite avec une petite moue d'auto-dérision.

Jamais Sophia n'avait rencontré d'homme capable d'exposer sa sensibilité avec autant de sincérité, sans aucun souci de pudeur, sans craindre que cela n'entache sa virilité. Sam n'en devenait que plus touchant à ses yeux. Autant que la Bête dans ses efforts pour séduire sa Belle.

— Quoique j'aime aussi celui où ils sont dehors dans la neige, s'anima-t-il gaiement. Ou encore le moment où...

Sam s'interrompit brusquement et cela ne devait rien à un souci de mémoire ou de formulation. Il mijotait quelque chose ; Sophia le voyait au nouveau pétillement dansant dans ses yeux.

— J'ai envie de danser avec toi ! s'exclama-t-il, la prenant totalement au dépourvu, ce qui tendait à devenir une habitude.

— Ici ?

— C'est le lieu idéal !

Heuuu...

— Il n'y a pas de musique, je te signale.

— Ah non ? parut-il s'étonner à nouveau alors qu'il imprimait un lent balancement à ses hanches. Ferme les yeux, écoute, chuchota-t-il après une courte pause.

Sophia obéit.

— Nous sommes au beau milieu d'un orchestre, commença-t-il à lui expliquer d'une voix douce. Tous ces livres ont un son, celui de leur couverture qui craque lorsqu'on entame sa lecture, celui de leurs pages que l'on tourne, le bruit du papier, celui qu'il fait quand on le referme une fois l'histoire terminée, ce petit bruit mat si caractéristique. Tous les récits qu'ils contiennent sont des compositions possédant leur mélodie propre, celles de leurs mots, avec leurs tempos. Comme en musique, il y a des phrases, des silences, une harmonie, des nuances, des vers.

Bercée par la voix de Sam, Sophia avait suivi le rythme de ses paroles calqué sur celui que le jeune homme appliquait à son corps.

— Et puis, il y a les mélodies citées dans ces lignes, des valses, des slows, du jazz, du classique... Mais j'aimerais que nous y ajoutions la nôtre, murmura encore Sam. La musique de notre histoire.

Sam resserra son étreinte sur Sophia alors que sa cadence se faisait plus lente, plus lascive. La jeune femme se laissa aller contre lui, perçut les martèlements de son cœur, battant en contrepoint du sien. Même mesure un peu soutenue, air identique mais en canon. Leur musique. Une mélodie toute simple. Une harmonie idéale s'élevant dans le silence de ce lieu magnifique en cet instant privilégié.

Sam mit progressivement fin à leur danse, mais garda la jeune femme étroitement serrée dans le berceau de ses bras.

Rarement, Sophia s'était sentie aussi sereine, aussi proche d'une personne, d'un homme. Un moment de bien-être qu'elle comptait parfaire grâce à un baiser. Dans un premier temps.

Inspirant profondément, avant de se redresser, pour s'imprégner du parfum de Sam qu'elle adorait, Sophia rouvrit les yeux. La tendresse qu'elle vit dans les siens s'envola au profit d'une passion faisant miroiter les ors de ses iris. La jeune femme y décela aussi un espoir qu'elle ne comprenait pas ; il semblait concerner quelque chose de plus lourd de sens que la réciprocité des sentiments qu'il convoitait. Quel que soit ce souhait secret, il semblait toutefois moins pressant que son désir de la conduire à nouveau dans ce monde où son emprise sur elle était absolue, cet univers brûlant où le désir la consumait totalement.

Il lui suffisait de l'embrasser pour qu'elle emprunte ce chemin, y coure même.

Après toutes les émotions que Sam venait de lui faire vivre, après l'éblouissement, Sophia aurait pu s'imaginer avoir besoin de douceur. Elle se trompait. Sam lui donna exactement ce qu'elle ignorait vouloir. Il captura sa bouche sans cette fois réprimer sa fougue, un baiser sans doute fidèle à ce qui bouillonnait véritablement en lui, presque dur, implacable et avide. Un frisson d'excitation la parcourut ; Sophia fut tentée de lui mordre la lèvre pour le provoquer et obtenir plus de voracité. Alors même que cette idée ne faisait encore que s'évaporer, la langue de Sam s'était frayé un chemin entre ses lèvres, la goûtait, l'envahissait, l'explorait avec une sensualité féroce qui la fit gémir et empoigner les cheveux de son compagnon sans douceur aucune.

Sa plainte de satisfaction et ce geste agirent comme un coup de fouet sur Sam qui gronda, laissant s'exprimer la bête qui le hantait bien plus qu'il ne l'y avait autorisée jusqu'ici, un grondement grave et fauve dont les vibrations percutèrent le corps de Sophia qui se mit à trembler.

Se méprenant sur la réaction de Sophia, Sam s'arracha à ses lèvres, se retenant de rugir de frustration, et la scruta avec anxiété. Il s'était montré trop brutal, trop... présent. Mais maintenir son hôte en laisse lui était de plus en plus difficile. Si seule la bête possédait les ressources suffisantes pour protéger la jeune femme, elle la convoitait aussi, la voulait totalement. Sophia n'était pas encore prête pour ça.

Sophia le fixa, avec colère lui sembla-t-il. Son regard noir au sens propre comme au figuré était empli de reproche.

— Je suis désol...

— Encore, exigea-t-elle dans un souffle, se servant de sa prise sur ses cheveux pour l'attirer à elle.

Déstabilisé, Sam n'opposa aucune résistance, laissant Sophia prendre possession de lui comme il venait de le faire avec elle. Jusqu'à ce qu'elle le morde, une petite morsure envoyant une décharge de pur plaisir tout droit dans son bas-ventre et occultant momentanément sa vision. Dans son esprit, les chaînes retenant encore l'animal cliquetèrent. Combien de temps tiendraient-elles si la jeune femme ne cessait de la provoquer ?

Repoussant Sophia à nouveau, il plongea son regard dans le sien, s'adressant directement à la petite louve ne faisant encore que pointer le bout de son museau. Il était impératif qu'elle reste à l'abri de sa tanière, sans quoi il ne répondrait plus de rien.

— Ne joue pas à ça avec moi, la prévint-il, sa voix grave prenant un accent dur. Tu pourrais faire une mauvaise rencontre.

Comment osait-il lui faire miroiter la perspective d'un moment intense et le lui refuser l'instant suivant ? C'était cruel. Et puis de quoi parlait-il ? Quelle mauvaise rencontre ? Si c'était de lui qu'il s'agissait, c'était précisément ce que Sophia voulait. Sam lui cachait encore beaucoup de lui-même et elle désirait se frotter à lui pour en apprendre encore un peu plus. Que Sam puisse la voir comme une petite chose fragile à laquelle il ne voulait destiner que sa délicatesse lui déplaisait aussi profondément. D'autant qu'il n'avait pas fait montre d'autant de scrupules lorsqu'ils étaient dans la crypte. Si, dans ses relations avec les autres, Sophia se montrait accommodante et relativement douce, des étreintes impétueuses ne l'avaient jamais effrayée. Mieux, peu de ses partenaires, pour ne pas dire aucun, avaient été capables de lui offrir les instants intenses de vie qu'elle réclamait.

Alors, d'accord, la veille, Sophia ne voulait rien savoir de lui. Mais les choses avaient changé. Tout avait changé, à commencer par elle. En fait non, Sam l'autorisait seulement à être enfin elle-même.

— C'est ce que je veux, répliqua-t-elle, soutenant calmement son regard dur qui, elle en était certaine, n'était destiné qu'à l'impressionner.

— Tu ne peux pas vouloir que je te baise.

— Comment peux-tu savoir ce dont j'ai envie ? s'énerva-t-elle. Tu refuses uniquement parce que tu t'imagines qu'en me faisant l'amour au lieu de me baiser, comme tu dis, ça changera quelque chose à ce que je ressens, riposta-t-elle, pas le moins du monde choquée par la vulgarité qu'elle savait destinée à la heurter.

Sam encaissa tant bien que mal l'insinuation. Plus mal que bien.

— Navré de vouloir te ménager, railla-t-il, d'un ton acide.

— Je ne veux pas que tu me ménages, bon sang ! s'énerva-t-elle. Je veux que tu sois toi-même et que tu me laisses être totalement moi !

Sophia sut ce que Sam allait dire avant même qu'il ne l'exprime, simplement parce qu'il la libéra de ses bras. Elle laissa les siens retomber le long de son corps. Pendant un court un instant, le silence ne fut perturbé que par son souffle un peu saccadé. Malheureusement, sa colère y était pour plus que son affolant baiser.

— Je m'y refuse, trancha Sam, le ton était sans appel. Je ne peux pas te faire ça.

— J'ignore à quoi « ça » fait référence exactement, répondit-elle sans prendre la peine de cacher sa profonde déception, mais manifestement me frustrer ne te pose aucun problème.

Sophia se trompait. Lourdement. Mais, écartelé entre son refus catégorique de la soumettre à ce qu'il y avait de pire en lui et son envie d'elle, Sam ne put rien faire d'autre qu'attendre, sans bouger, sans un mot, en espérant qu'elle comprendrait qu'il essayait juste de la protéger.

La voir baisser la tête lui lacéra le cœur. Et les quelques mots qu'elle prononça ensuite, associés à la déception ternissant son beau regard, lui firent l'effet d'un coup de poignard.

— Je te fais confiance, Sam, mais je ne vais pas quémander ce que tu me refuses, soupira-t-elle en se redressant pour le regarder. Je préfère rester insatisfaite.

Sam serra dents et poings.

Les yeux de Sophia se détachèrent de lui pour se promener sur les bibliothèques situées derrière lui avant de retrouver les siens.

— Je... Merci de m'avoir fait découvrir ce lieu magnifique et pour l'exposition, articula-t-elle avec une douceur pleine de regrets.

Sur quoi, elle se détourna de lui et s'éloigna.

Insatisfaite.

Bien après que Sophia ait quitté la pièce, le mot tournoyait encore dans l'esprit de Sam. L'idée lui était insupportable, mais il n'avait pas bougé. Ses bottes semblaient avoir fusionné avec le parquet.

C'était sans doute préférable. Qui pouvait savoir à quoi il se serait livré dans le cas contraire. Quant à sa colère, il l'avait laissée exploser, en lui. Son mental était déjà dans un tel état que ça ne ferait pas grande différence.

Restait le cas de son cœur. Son point faible.

La désertion de Sophia, son reproche, profondément injustes dans la mesure où il n'avait voulu que la protéger, l'avaient fait se recroqueviller dans sa poitrine. Si la jeune femme le dédaignait trop longtemps, il ne tarderait pas à devenir aussi blet qu'un vieux fruit.

L'image lui arracha une grimace ironique et douloureuse.

Ouais, c'était exactement cela.

Sophia lui avait pourtant tellement donné ce jour-là : son corps et sa beauté, sa passion, du temps, des sourires et son rire. Et même de la tendresse. Autant de baume sur ses cicatrices. Autant d'eau vitale pour son jardin désolé. Elle l'avait écouté aussi, s'était révoltée et inquiétée pour lui, l'avait désiré et presque reconnu. Pourquoi dès lors ne l'avait-elle pas cru, pourquoi refusait-elle de comprendre qu'il crevait d'envie de lui donner ce qu'elle voulait, mais qu'il crevait aussi de trouille. Si elle se retrouvait confrontée trop tôt à ce qui prenait de plus en plus d'ampleur en lui, si elle approchait la bête avant qu'elle ne se fonde à nouveau en lui, il courait à la catastrophe.

Une telle dispute aurait pu le plonger *illico* dans une phase dépressive comme il en avait tant connu, mais ce ne fut pas le cas. Sam était révolté en plus d'être affreusement frustré. Deux émotions suffisamment puissantes pour l'arracher à son inertie.

Chapitre 28

Shax n'avait rien contre le fait qu'une femme lui tombe dans les bras, *a fortiori* si la demoiselle était jolie. Et Sophia était plus que cela.

Quoique sa rencontre avec elle alors qu'il se dirigeait vers le grand escalier pour gagner le premier étage tienne plus du télescopage.

À son petit glapissement de surprise au moment du choc ainsi qu'à son regard un peu perdu lorsqu'il referma ses mains sur ses bras pour l'empêcher d'être projetée en arrière, il comprit qu'elle devait marcher tête baissée. Il n'était pas précisément le genre de personne que l'on pouvait louper, surtout dans un couloir, à moins de ne pas regarder où l'on allait.

Pourquoi fonçait-elle ainsi et surtout pourquoi n'était-elle plus avec Sam ?

Quelque chose lui disait que la flamme de colère brillant dans ses beaux yeux noirs ne devait rien à leur collision, soupçon confirmé par sa mine quelque peu déconfite.

— Tout va bien, Sophia ? s'inquiéta-t-il.

Il était peut-être sincère, mais la jeune femme n'était pas d'humeur à supporter de la compassion, d'où qu'elle vienne.

— Non, répondit-elle, si sèchement qu'elle s'en voulut la seconde suivante. Désolée, s'excusa-t-elle.

Le géant l'observa, sourcils légèrement froncés. Il semblait attendre qu'elle s'explique ; Sophia n'avait pas spécialement envie de parler de ce qui s'était passé, d'autant que Shax ne pouvait rien pour elle.

À moins que...

— Je me suis disputée avec Sam, soupira-t-elle.

Merde !

— Rien de grave, mais il m'a mise en colère.

— Vous voulez en discuter ? proposa-t-il.

Shax n'était que vaguement rassuré dans la mesure où « rien de grave » pour le commun des mortels ne l'était pas nécessairement en ce qui concernait Sam.

— Non. Mais...

À son hésitation et surtout au joli rosissement de ses joues, le géant obtint un certain nombre de renseignements. Non seulement il allait en apprendre un peu sur ce qui s'était passé entre elle et Sam mais encore, il savait désormais qu'elle allait aborder une sphère intime.

Se gardant bien de montrer le plus petit amusement ou un intérêt particulier, il attendit qu'elle trouve le courage de lui exposer son problème. Quoiqu'il devinait déjà de quoi il pouvait s'agir.

— Je peux vous demander quelque chose d'indiscret ? demanda-t-elle d'une petite voix évoquant presque celle d'une gamine.

Amusé par la question pouvant laisser entendre qu'elle le concernait lui et non Sam, Shax haussa un sourcil, avec pour résultat celui escompté : une nuance plus soutenue de rose sur les pommettes de Sophia. Ça n'était sans doute pas le bon moment, mais il était incapable de s'empêcher de la taquiner. Et puis, cela le distrayait de ce qui le taraudait depuis qu'il...

Peu importe.

— À propos de Sam, précisa-t-elle.

— Je vous écoute.

— Voilà, se lança-t-elle dans un souffle. Je voulais savoir si... enfin..., est-ce que Sam a des penchants particuliers ?

— À quel point de vue ?

— Sexuel, lâcha Sophia, un peu rudement, parfaitement consciente que Shax avait déjà compris où elle voulait en venir.

Avant de répondre, le géant croisa ses bras impressionnants sur son torse non moins saisissant. Puis, il s'appuya d'une épaule contre le mur du couloir.

— Oui et non, finit-il par dire.

Réponse de Normand.

Horripilant !

— J'entends par là que Sam n'a ni donjon ni chambre de torture, si c'est là ce que vous craigniez, et que le BDSM ne l'intéresse que d'un point de vue esthétique pour certaines de ses photos.

Pourquoi Sophia eut-elle soudain la curieuse certitude que Shax, en revanche, n'envisageait pas cette dernière pratique que d'un point de vue exclusivement artistique et qu'en outre il apparaissait sur certaines desdites photos ?

Quelques battements de cils lui permirent de chasser les images prenant vie sans autorisation dans sa tête. Mais, naturellement, Shax savait à quoi elle pensait et eut un sourire parfaitement exaspérant. Elle l'aurait volontiers frappé si elle n'avait été certaine que cela l'aurait grandement amusé.

— Mais il flirte parfois avec certaines limites, poursuivit-il avec une pudeur assez inattendue de sa part. Pour le reste, il faudra le lui demander directement. Cependant, je peux vous dire ceci : Sam est quelqu'un de compliqué. Un être excessivement sensible et spirituel d'un côté, singulièrement charnel et vigoureux de l'autre. Comme tout le monde, il a aussi sa part d'ombre. Seulement, contrairement à beaucoup, il en est conscient et la connaît très bien. Il sait quelles envies s'y tapissent et les maîtrise. Il ne faut pas avoir peur de lui, jamais il…

— Je n'ai pas peur de lui ! l'interrompit Sophia, réalisant qu'il faisait fausse route sur le but de sa question.

— Ah non ? s'étonna Shax qui pour le coup ne comprenait pas. Où est le problème alors ?

— C'est Sam qui a peur. De me faire du mal, je suppose.

— Il tient beaucoup à vous, plaida le géant sans trop se mouiller.

Il ignorait où le couple en était précisément dans sa relation du point de vue des sentiments.

Le cœur de Sophia se pinça.

— Je sais, soupira-t-elle, regrettant de s'être emportée et se reprochant certains de ses mots.

Sam s'était montré patient et compréhensif, véritablement adorable, et pour le remercier elle s'était fâchée contre lui parce qu'il ne lui donnait pas illico ce qu'elle voulait. Son envie n'avait pourtant rien d'un caprice, et la frustration persistait. Elle la sentait, pesante, au creux de son ventre. Sophia ressentait aussi un vide insupportable. Au même endroit.

— Mais je n'ai pas besoin qu'il me protège. De lui, ou de moi.

— Je suis prêt à parier qu'il s'en rendra vite compte, lui assura Shax.

— Peut-être, convint Sophia du bout des lèvres. Seulement, il est têtu et…

— Vous avez remarqué ? plaisanta le géant alors qu'une lueur moqueuse s'allumait dans ses yeux.

— Oui, grimaça-t-elle.

— Sophia, reprit Shax. Sam est un mâle comme les autres, autrement dit, son corps est prédisposé à répondre à celui d'une femme, et plus encore à celui de celle qu'il veut. Alors, je serais vous, j'userais de tout mon pouvoir de persuasion sans aucun scrupule.

Sophia se demanda si ces mots étaient valables pour lui aussi. Indiscrétion à laquelle elle ne céda pas et dont en outre elle avait déjà la réponse. C'était évident. Cet homme était l'archétype du mâle existant par et pour le plaisir charnel.

— L'idée de le manip... de forcer Sam ne me plaît pas.

— Il ne s'agit pas de le contraindre. S'il y a au monde une personne capable de tout obtenir de lui, c'est vous. Vous disposez d'une arme absolue.

La jeune femme haussa un sourcil interrogateur.

— Vous êtes vous, Sophia, l'éclaira-t-il. Et il vous veut, mais ça, je suppose que vous le savez déjà.

Sophia baissa pudiquement les yeux. Les mots du géant lui étaient infiniment doux et lui firent aussi réaliser que Sam avait très probablement attaché quelques bémols à ses paroles lorsqu'il lui avait avoué ce qu'il ressentait pour elle. Peut-être la raison pour laquelle ses mots avaient résonné à la manière d'une complainte alors qu'il aurait pu en faire une jolie ballade, vive et joyeuse.

— Mais ne le faites pas souffrir, il a déjà eu plus que son compte sur ce plan-là.

Une promesse que Sophia ferait volontiers si elle avait été certaine de pouvoir la tenir. Faute de l'avoir jamais ressenti, le sentiment amoureux lui était pratiquement inconnu. Elle savait en revanche qu'il constituait un terrain propice à toutes sortes de douleurs et que le sentier y menant n'en était pas exempt non plus. Et en cet instant, Sophia fut plus consciente que jamais de se trouver sur ce sentier. Lucide également sur son impossibilité à faire demi-tour, la jeune femme ne craignait pas de poursuivre sa route ; ni précipice ni barrière ne l'attendaient. Au bout du chemin, il y avait Sam.

Un fin sourire étirait ses lèvres lorsqu'elle releva les yeux sur le géant. Il avait moins à voir avec ce qu'elle venait de réaliser qu'avec l'homme se dressant devant elle et qui se révélait beaucoup moins insensible que son allure ou ses manières ne le laissaient présager. Annette serait sans doute fort intéressée par cette information...

— Vous l'aimez beaucoup, n'est-ce pas ?

Question à laquelle Shax aurait peut-être répondu si Sam n'avait pas fait son apparition juste ce moment-là. Ignorant superbement le couple qui, de son côté, l'observa se diriger vers son appartement, il en referma violemment la porte sur lui, faisant sursauter Sophia et froncer les sourcils au géant.

— Plus tard, ordonna Shax en tendant le bras pour retenir Sophia qui avait déjà esquissé un pas. Laissez-le se calmer.

C'était plus sage, effectivement.

*

Shax ne prit pas la peine de frapper avant d'entrer chez Sam.

Refermant la porte derrière lui, il parcourut le domaine de son ami du regard.

Plus grand que toutes les autres suites du château puisque s'étendant pratiquement de la tour nord à la tour ouest, il n'était constitué que d'une seule pièce, si l'on excluait la salle de bains et le dressing, faisant office de chambre aussi bien que de salon et de bibliothèque. Ses murs nus en pierres de taille blondes lui donnaient un petit cachet médiéval encore appuyé par quelques tapisseries d'Aubusson, choisies parmi les verdures.

Les lieux comportaient deux particularités architecturales intéressantes sinon notables. Trois des murs étaient totalement aveugles. Cette singularité aurait pu conférer une impression claustrale à la pièce, s'il n'y avait eu la hauteur sous plafond atteignant facilement les quatre mètres. Et puis il y avait la cloison qui aurait dû clôturer le rectangle de la suite. Aurait dû, car elle n'existait pas et avait été remplacée par un grand balcon intérieur, une avancée bordée d'une balustrade et donnant sur le jardin d'hiver. Le jour filtrant par la coupole de verre était la seule source de lumière naturelle des appartements. Par beau temps, il n'était pas rare que le dôme se fasse complice du soleil pour y déposer des feux arc-en-ciel.

Pas ce jour-là. Le ciel était d'un blanc laiteux désespérant jetant un voile terne sur Sam.

Une seule jambe en appui sur la rambarde du balcon, adossé au mur, le jeune homme avait croisé ses bras sur son torse et semblait perdu dans la contemplation de la végétation, deux niveaux plus bas.

Récupérant un cendrier en cristal sur une petite console en acajou, Shax prit son temps pour rejoindre son ami, guettant la moindre réaction. Sam n'en eut aucune, pas même lorsque, dédaignant fauteuils et canapés, le géant s'appuya sur la balustrade près de lui, dos au vide.

Il repêcha son paquet de cigarettes et son briquet dans sa poche de pantalon, en alluma une et patienta un moment. Sam finirait bien par lui parler. Shax se demanda combien de temps il lui faudrait pour s'enquérir de la teneur de son entretien avec la jeune femme. D'ailleurs…

— De quoi parlais-tu avec Sophia ? demanda Sam d'un ton morne sans quitter son trésor végétal des yeux.

Dissimulant sa satisfaction dans sa dernière bouffée de cigarette, Shax prit le temps d'éteindre son clope avant de répondre.

— Elle voulait savoir si tu avais des goûts sexuels particuliers.

Shax aurait pu enrober la vérité de sucre, mais il la préférait nature dans la mesure où ainsi elle ne pouvait qu'interpeller son ami.

Sam consentit à relever la tête. Et son regard lui renvoya autant de stupéfaction que d'anxiété.

— Je vois.

— Pourquoi ne lui as-tu pas donné ce qu'elle désirait ? Tu craignais qu'elle te découvre tel que tu es ?

Une provocation flirtant avec une vérité incitant Sam à détourner les yeux, l'air dégoûté de lui-même.

— Je suis un pervers.

— Non. *Je* suis un pervers. Toi, tu es un idiot.

Sam ne moufta pas.

— Nous parlons de Sophia, insista Shax, pas d'une poule quelconque !

— Tu crois que je n'en suis pas conscient ? aboya le jeune homme, reportant un regard vibrant de colère sur son ami. Si je gâche tout, je la perds pour de bon !

— Tu ne gâcheras rien, riposta Shax, optant pour un calme à même de donner plus de poids à ses arguments. Et encore une fois, tu oublies qui elle est.

— Je n'oublie rien, gronda Sam.

Il aurait préféré en avoir la capacité. De temps en temps.

— Dans ce cas, laisse-la l'approcher. C'est ce que vous voulez tous les deux.

— C'est trop tôt, s'obstina Sam.

Bordel de bordel !

Shax ne comprenait pas ces tergiversations. Que Sam ait peur de malmener Sophia était compréhensible et logique. Mais bon sang ! Il l'avait tellement attendue et maintenant qu'elle était là, réceptive qui plus est, il hésitait ?

— Sophia ne peut pas le rejeter, répliqua le géant d'une voix encore plus posée, plus douce, usant des vibrations de son timbre profond comme d'un sédatif pour anesthésier l'angoisse de son ami. C'est elle qui le maîtrise. Si Sophia a fait ce pas vers lui, c'est qu'elle est prête, qu'elle a besoin de lui, même si elle n'en est pas consciente. Si tu veux mon avis, il est préférable qu'elle se réveille avec toi, et dans ces conditions, que seule.

Sam n'était pas rebelle au point de ne pas comprendre quand on tentait de l'aider. Fermant les yeux pour mieux se laisser porter par les mots de son ami, il garda le silence.

Shax avait raison. Sophia aussi, dans son inconscience. S'il ne pouvait pas se faire confiance, en revanche, il pouvait avoir foi en eux, le devait. Parce qu'ils étaient tout ce qui lui restait. Eux et ce trésor sur lequel il veillait qu'il n'aurait pourtant jamais cru voir comme un sablier. Presque écoulé.

— Il s'éteint, murmura Sam, brisant le silence qu'il avait lui-même instauré, avec l'espoir que cela briserait aussi le sceau de son destin.

— Quoi ?

— Tout à l'heure, lorsque nous étions dans la crypte, Sophia a eu comme une absence. Elle a dit qu'il s'éteignait.

Ce à quoi Shax ne répondit rien. Qu'aurait-il pu dire ? Il n'avait pas besoin de plus pour savoir de quoi son ami parlait mais surtout était sur le cul.

— Elle s'est rendu compte de quelque chose ? demanda-t-il ensuite.

— Je ne pense pas. Ça n'a pas duré et je n'ai pas voulu l'obliger à aller plus loin.

— Tu aurais peut-être dû.

— Je refuse de précipiter son réveil. Ça peut être dangereux pour elle.

— J'en doute. Je crois qu'elle en est plus proche que jamais.

— Qu'est-ce qui te fait dire ça ?

— Sophia m'a parlé de rêves qu'elle faisait depuis l'enfance et surtout de celui qui l'a réveillée la nuit dernière. À mon sens, ce cauchemar ne peut qu'avoir un rapport avec votre rencontre, mais je crois surtout que c'est un signe.

— Raconte, le pressa Sam alors qu'il sentait son estomac se nouer d'appréhension.

Shax abandonna le garde-fou pour aller se laisser tomber dans l'un des fauteuils proches. Sam l'observa s'allumer une autre cigarette.

À mesure que son pote lui rapportait le mauvais rêve de Sophia, une colère incommensurable s'empara de lui.

Une fois débarrassé de son symbolisme, il ne lui fut pas difficile de comprendre la signification profonde du rêve. Et il en avait la nausée.

Pas étonnant que des cauchemars aient jalonné les nuits d'enfant de la jeune femme.

Sam fut pris d'un besoin impérieux de la tenir tout contre lui, de refermer ses bras sur elle pour ne plus jamais l'en laisser partir, de l'embrasser et de l'aimer.

Au lieu de quoi, il serra les poings pour s'empêcher de courir jusqu'à sa chambre. Après leur dispute, elle n'aurait pas envie de sa présence. Pas avant un moment peut-être.

Au moins, Sam avait-il désormais les réponses à certaines questions l'ayant torturé des années durant. Il avait toujours su le pourquoi et toujours ignoré le comment. Pour le bien que ça lui faisait... Mais aujourd'hui, il entrevoyait également la fin que l'on espérait pour lui. Elle n'avait vraiment rien de folichon en ce qui le concernait en propre, était carrément catastrophique en plus d'être inadmissible pour tout le monde. Seulement, Sam n'envisageait pas de se laisser faire. Ça n'avait jamais été le cas. Et à présent, il avait Sophia.

— Cet enfoiré a menti.

— Ça t'étonne ? ironisa Shax.

— Pas le moins du monde. Sauf que maintenant, je sais ce que ce connard essaye de faire. Et lui ignore que je suis au courant.

C'était peu ou prou ce que le géant aurait dit, abstraction faite de la déduction, quoiqu'il aurait volontiers rajouté d'autres adjectifs plus grossiers encore.

— Il n'a jamais été foutu d'honorer sa propre parole et ses beaux principes, renchérit Sam, révolté comme jamais il l'avait été.

En réalité, si. Sa rébellion n'était pas nouvelle. Elle trouvait juste un nouveau regain au jour de ce qu'il venait d'apprendre.

— C'est ce qu'il a toujours fait, appuya Shax d'un ton loin de trahir la haine qui l'enflammait. C'est bien pour cette raison que nous en sommes là, non ?

— Ouais, soupira Sam en reportant une fois de plus son regard sur le jardin.

De son balcon intérieur, prévu précisément pour cela, il pouvait garder un œil sur son trésor, son talon d'Achille, son âme et son énergie à la fois.

Abandonnant son poste, Sam plongea sa main dans sa poche de pantalon, y récupéra son mobile et entra dans le répertoire.

Shax l'observait, satisfait, autant que faire se pouvait, de lire la détermination sur son visage.

— Ilan, j'ai besoin de toi, annonça Sam à son interlocuteur.

La réponse qu'il reçut fit éclore un quart de sourire sur ses lèvres, indiquant à Shax à quoi le jardinier était occupé précisément au moment de l'appel de Sam.

— OK, alors rejoins-moi dès que tu peux dans la serre, s'il te plaît. Et… Francis est chez toi ?

Cette fois-ci, ce fut le visage de Shax qui se fendit d'un demi-sourire. Il y avait fort à parier que Magdalene, la compagne d'Ilan, soit responsable de la disparition récente du dénommé Francis. Non pas que le géant se soit inquiété, il en fallait tout de même un peu plus que cela. Il n'avait jamais bien compris quel processus intervenait dans cette tendresse quasi instantanée qu'éprouvaient les femmes dès qu'elles étaient présentées pour la première fois au jeune mâle, affection qui ne faisait que croître à mesure qu'elles le fréquentaient.

Cependant, l'idée de se servir de lui pour entrer dans les bonnes grâces d'Annette puis obtenir ce qu'il voulait d'elle avait éclos dans son esprit. Elle ne cessa de prendre de l'ampleur pour finir par se faire idée fixe lorsque Ilan se pointa dans le jardin d'hiver avec Francis.

Le jeune homme le confia à Shax avant que Sam ne lui expose ce qu'il attendait de lui. Ses iris bruns s'illuminèrent d'une lueur espiègle à la vue de ce couple original après que le géant eut récupéré la laisse de Francis.

Tous les quatre se trouvaient à l'extrémité de la serre, cette terre que l'on aurait pu croire grillée par le soleil. L'astre n'y était pour rien, et le désastre évoquait plutôt les conséquences d'une malédiction. De même, on aurait pu rêver plus bel écrin que les victimes d'une calamité pour veiller sur le legs que Sam s'était vu imposer. Quoiqu'il préférait largement en être le gardien. Parce que si le jeune homme avait dû être séparé de ce témoin muet de sa faute, témoin et victime à la fois, preuve que leur temps à tous deux était compté aussi, il aurait été amputé d'une partie de lui. Si faute il y avait eu, elle lui apparaissait encore maintenant comme l'acte de justice qu'elle avait toujours été à ses yeux. Au moins, Sam pouvait-il s'enorgueillir de n'avoir jamais trahi ses convictions profondes, jamais, pas même lorsque la condamnation était tombée. Pas même au moment de l'exécution de la sentence. Contempler ce qu'il considérait comme son alter ego avait le don assez terrible de lui faire revivre ces épreuves et l'indicible solitude qu'il avait endurée depuis lors. Ce jour-là, pourtant, Sam put le regarder presque sereinement.

Sam estimait n'avoir fait preuve ni d'irrespect ni de dolorisme ni encore de pathos en le confiant à d'aussi piteux compagnons, mais bien plutôt de cohérence, voire d'harmonie, même si le contraste entre splendeur et désolation pouvait inspirer de la tristesse. La beauté ne faisait pas obligatoirement naître la joie, de toute façon. Et en ce qui concernait Sam, elle faisait surtout éclore de l'humilité, du respect, de la fierté et, en dépit de la situation, un peu d'espoir également.

Immobile, se dressant devant lui aussi majestueuse qu'une divinité, l'idole figée dans le temps par la pierre opaline évoquait la figuration païenne d'une énergie presque trop pure pour n'être pas impressionnante, trop vraie, trop évidente pour ne pas inciter quiconque se trouvant devant elle à s'incliner avec une déférence craintive. Sam, pas plus qu'Ilan ou Shax, ne pouvaient être qualifiés de tout-venant. Peut-être la raison pour laquelle émotion et déférence les saisissaient à sa proximité plutôt que la crainte.

Mais ce n'était pas pour se recueillir que le jeune homme avait demandé à Ilan de le rejoindre.

— Je voudrais que tu examines très attentivement la zone, sollicita Sam, désignant le secteur d'un ample mouvement du bras.

Ilan en connaissait la moindre parcelle et cette partie du jardin constituait un véritable affront à ses connaissances, à ses soins et à son art ainsi qu'à l'amour qu'il lui avait prodigué, amour non payé en retour.

— Pourquoi ? s'enquit-il simplement.

Son timbre de baryton léger était empreint de cette douceur que l'on pouvait retrouver également sur ses traits, dans sa manière d'être, dans ses gestes. À vrai dire, Ilan était ce genre d'homme animé par une âme de poète, avec une allure d'éternel adolescent n'ôtant pourtant rien à sa virilité. Sur ce point, Magdalene aurait pu attester que son compagnon n'avait rien d'un môme...

— J'aimerais que tu me dises si tu décèles un quelconque changement. Sinon, il faudrait que tu mémorises très précisément l'état de nos petits malades.

Ilan jeta un coup d'œil perplexe à son ami.

— Sam, je sais à quel point ça te désole, mais nous avons tout essayé et je crains…

— Fais seulement ce que je te demande, l'interrompit calmement le jeune homme.

Renonçant à le contrarier, même pour son bien, Ilan haussa les épaules et entama son inspection, sous le regard attentif de Sam.

Shax était pour sa part plus distrait. Francis tentait par tous les moyens d'attirer son attention, soit en levant des yeux implorants vers lui, soit en se frottant contre lui. Le géant le toisa de toute sa hauteur, sans agressivité et avec juste ce qu'il fallait d'autorité. Francis n'avait pas encore bien saisi quelle était sa place au château et son dressage était une occupation de presque chaque instant. Shax ne céda à aucune de ses suppliques muettes et reporta son regard sur Ilan déambulant toujours parmi les végétaux racornis. Ce qu'il ressentait se lisait sur son visage. Ça lui faisait mal au cœur et le révoltait, ce que Shax comprenait pour l'éprouver lui-même. Comme de coutume, il n'en laissait rien paraître.

Après avoir inspecté consciencieusement toutes les plantes, fleurs et arbustes, Ilan revint vers Sam.

— Rien de changé, ni en mieux ni en pire, lui confia-t-il, à contrecœur et redoutant déjà l'impact de ses mots sur son ami.

Sam étonna tout le monde, ce qui tendait à devenir une habitude ces derniers temps, d'abord en esquissant un léger sourire, ensuite avec sa réponse.

— C'est plutôt bon signe, non ?

Ilan n'aurait pas mis autant de temps à répondre s'il n'avait pas été aussi stupéfait. Depuis quand Sam était-il optimiste ? Il jeta un coup d'œil à Shax dont, naturellement, le visage resta de marbre. Pas la peine d'espérer de l'aide de ce côté-là.

— On peut dire ça, convint le jeune homme du bout des lèvres, abandonnant l'idée de lui faire remarquer que quelque chose de mort, ou peu s'en fallait, ne pouvait guère voir son état empirer. En tout cas, le phénomène ne s'est pas répandu ailleurs, donc je suppose que c'est effectivement positif. Où veux-tu en venir Sam ? lui demanda-t-il.

— Nulle part, fit-il pensivement, preuve qu'il n'était pas totalement sincère. Enfin… Je voudrais tenter une expérience. Prends plusieurs de ces plantes, n'importe lesquelles, et déplace-les. Mets-les ailleurs dans le jardin et surveille-les. Si ou plutôt quand tu observeras un changement, fais-le-moi savoir.

— Tu n'as pas peur de contaminer le reste en faisant cela ? Si le problème vient d'un parasite ou d'une maladie dont j'ignore tout, je ne pourrai rien préserver.

— Le problème vient de lui, assura Sam en se tournant vers le coupable.

Shax et Ilan l'imitèrent après s'être mutuellement jeté un coup d'œil.

Sam avait eu l'évidence sous les yeux depuis le début et n'avait pas su voir. Obsédé par sa quête égoïste pour se sauver et animé par une haine agissant sur lui tel un poison, il n'avait pas compris, courant ainsi à sa perte mais surtout à celle de son exceptionnel compagnon. Le jeune homme l'avait toujours cru immarcescible et il avait suffi d'un fruit pourri pour le contaminer. Bien entendu, cela avait été délibéré, un complot ourdi de main de maître certes, mais d'une sournoiserie abjecte.

Que Sam vienne à trépasser était une chose dont beaucoup s'arrangeraient sans doute. Mais que lui disparaisse était tout bonnement inconcevable.

Aux yeux du jeune homme, cette machination constituait une preuve supplémentaire de l'extraordinaire suffisance de son ordonnateur. Cela non plus n'aurait pas dû le surprendre autant. Il fallait donc croire qu'il était d'une naïveté confondante. Ou qu'avait subsisté en lui une infime particule de foi. Si c'était le cas, la réalité venait de l'anéantir.

Quoi qu'il en soit, Sam avait besoin d'espoir. Pas de ces petites espérances ne vous offrant qu'un sursis illusoire ou une pause momentanée mais d'un véritable espoir, de ceux ayant valeur de certitude, de vérité. Et c'était Sophia qui l'incarnait.

Alors, Sam prit deux décisions. La première n'était qu'une réaffirmation de celle prise depuis bien longtemps de se battre jusqu'au bout. La seconde en découlait d'une certaine manière. Aussi anxieux soit-il de se dévoiler totalement à Sophia, il le ferait. Dès qu'elle l'y autoriserait et… si elle le désirait toujours.

*

Sam, Shax et Francis abandonnèrent Ilan à sa mission puis regagnèrent la grande galerie du rez-de-chaussée alors qu'Annette et Amon quittaient le bureau. Bras dessus, bras dessous, nota Shax. Quelque chose lui disait que la séance de travail était terminée et que le couple envisageait de s'adonner désormais à des activités plus récréatives. Ou sportives.

Restant délibérément en retrait près de la porte du jardin d'hiver alors que Sam les rejoignait, le géant braqua un regard que d'aucuns auraient qualifié de noir sur la jeune femme qui de son côté prenait un soin extrême à ne pas tourner les yeux vers lui. Il le voyait à sa façon de s'accrocher au bras d'Amon, à ses lèvres légèrement pincées et à son air bien trop détaché pour être honnête.

S'il ne participa pas au bref échange entre Sam et Amon, Shax n'en loupa rien non plus. Ce qu'il entendit eut un curieux effet sur lui. Comme une drôle de crispation interne localisée au niveau de son plexus solaire dont il refusa de tenir compte. Et s'il n'apprécia que moyennement d'apprendre qu'Amon quittait le château en compagnie d'Annette, il ne goûta guère plus l'entendre préciser qu'après être passé à son bureau, il la conduirait chez elle afin qu'elle y récupère quelques affaires, et que donc ils ne seraient pas de retour pour dîner avec eux.

Ce qui inévitablement flottait dans l'esprit d'Amon devait beaucoup ressembler à ce que lui-même aurait eu en tête s'il avait été à sa place.

Mais, par-dessus tout, Shax détesta le furtif regard que la jeune femme lui lança juste avant de se remettre en route, plus que jamais agrippée au bras de son compagnon.

Ce coup d'œil-là avait tout du point d'exclamation soulignant le mépris. Pas celui qu'elle lui réservait en propre, plutôt celui qu'elle destinait au traité de paix qu'il lui avait proposé un peu plus tôt.

Shax songea que jouer les pimbêches lui allait vraiment très mal. Il réalisa aussi que cette fin de non-recevoir ne lui convenait pas. Il n'en tiendrait donc pas compte. La miss ne payait rien pour attendre.

Chamboulée par le baiser de Shax s'attardant encore sur ses lèvres, même si longtemps après, ou ranimé par sa proximité, Annette avait voulu lui faire payer son état par le biais de ce coup d'œil qu'elle avait souhaité provocateur, pour lui apprendre à vivre, lui faire comprendre qu'elle était déterminée à mener la danse.

Le découvrir aussi impassible alors qu'il devinait nécessairement la vérité se cachant sous les paroles décentes d'Amon la perturba encore plus.

Annette en vint à se demander si elle n'avait pas rêvé, si son baiser, les mots d'excuse et l'invitation qu'il lui avait adressés n'avaient pas finalement été un fantasme particulièrement vivant.

Malheureusement, la jeune femme ne connaissait pas Shax et était incapable d'interpréter ses silences ou ses regards. Cela dit, existait-il au monde une personne apte à deviner ce que cachait vraiment cette perpétuelle mine flegmatique ? En revanche, elle savait que le regarder avait été une erreur tactique dont les conséquences atteignaient aussi bien son cœur et son corps que sa conscience. Cet homme était tellement sexy qu'elle en avait chaud partout, mais son regard distant la peina.

Annette avait fait une bêtise en sollicitant d'Amon qu'il la raccompagne chez elle. Elle venait de le comprendre, comme elle réalisait qu'elle s'apprêtait peut-être à en commettre une autre avec lui. Ou plusieurs.

Amon était diablement séduisant et lui avait laissé entrevoir les merveilles qu'elle ressentirait entre ses bras. Mais...

Après Annette et Amon, ce fut au tour de Sam d'abandonner Shax, le laissant seul avec Francis.

Le géant baissa les yeux sur lui.

— On va faire un tour ?

Chapitre 29

Sophia tournait en rond.

Ranger ses affaires ne lui avait pris que peu de temps et n'avait pas été à même de la détourner de son idée fixe. Pas plus que s'étendre sur son lit de princesse en dépit de ses efforts pour se calmer.

Donc, elle tournait en rond depuis un moment, marquant une infime pause dans sa circonvolution chaque fois qu'elle se trouvait près de la porte avec l'espoir que Sam la franchirait. Malheureusement, à la façon dont il avait claqué la sienne, elle doutait qu'il vienne frapper chez elle de sitôt.

En outre, les minutes passées, l'heure peut-être, n'avaient en rien changé ses dispositions. À croire que son corps cherchait à se venger des privations qu'elle lui avait infligées ; allié à sa libido, il inaugurait une coalition pour le moins despotique. Sans parler de sa conscience l'incitant à aller s'excuser auprès du jeune homme. À moins qu'il ne s'agisse d'une ruse élaborée par son cœur afin de lui procurer une excuse valable pour le rejoindre.

Incapable d'autre chose que penser à Sam, et surtout à ce qu'elle avait envie de faire avec lui pour assouvir sa fringale, Sophia avait même renoncé à lire. Ce qui en disait long sur son état. D'ordinaire, et dans ce genre de situation, les livres s'étaient toujours montrés de vrais amis secourables, lui permettant d'oublier ce qu'elle ne pouvait avoir.

Sauf que là, ce qu'elle voulait se trouvait si proche...

Après un ultime tour, Sophia s'immobilisa en face de la porte de sa chambre qu'elle fixa d'un œil mauvais, allant jusqu'à lui reprocher de ne pas s'ouvrir, et croisa ses bras sur sa poitrine. Elle regrettait de n'avoir aucun pouvoir magique à même de contraindre Sam à venir la rejoindre.

Mais bien sûr que si, elle détenait un pouvoir ! Certes, celui-ci n'avait rien à voir avec une magie quelconque et ne serait d'aucune utilité contre l'obstination du jeune homme ; *a priori*, car ça restait encore à prouver. En revanche, son don lui serait d'un certain secours, ou d'un secours certain, pour obtenir ce qu'elle voulait. Shax le lui avait dit d'ailleurs.

Et le verbe vouloir n'était pas à prendre au sens cérébral du terme, mais charnel. Et pas non plus à la légère.

Sophia avait besoin de Sam, près d'elle ou contre elle, sur ou sous elle, devant ou derrière elle, peu lui importait du moment qu'il était en elle. Le vide qu'elle avait ressenti tendait à s'aggraver, à se muer en trou noir capable d'absorber sa raison. Il lui manquait quelque chose que seul Sam pouvait lui donner. De cela elle était certaine. Elle l'avait compris depuis... Bonne question, depuis quand ? En réalité, la jeune femme avait la sensation de l'avoir toujours su.

Un sourire rien moins que rusé joua sur les lèvres de Sophia qui abandonna son poste pour s'approcher de la commode où elle farfouilla en quête d'une petite chose à même de remplacer avantageusement ses pull et jeans... quelque chose de simple dont on pouvait se débarrasser en un tournemain... une chose que l'on ne regretterait pas si elle venait à être déchirée. Ce qui, compte tenu de ce qu'elle avait en tête, pouvait fort bien arriver.

Sophia trouva son bonheur sous la forme d'une petite robe noire à bretelles, toute bête, qu'elle portait habituellement par-dessus des ensembles pantalon tee-shirt. Déterminée à mettre le paquet comme on dit, elle abandonna l'idée de porter des sous-vêtements. Son dessein n'ayant que peu à voir avec une entreprise de séduction classique, elle les estima superflus. Quant aux chaussures, elle décida de s'en passer également. La suite de Sam n'était pas très loin de la sienne et le sol du couloir était recouvert d'une épaisse moquette.

Après un petit passage par la salle de bains pour se changer dont elle profita pour brosser ses cheveux qu'elle laissa libres, Sophia gagna la porte de sa chambre. L'ouvrant avec précaution, elle risqua un coup d'œil dans le corridor. Il était désert, mais ça ne voulait rien dire. Il l'avait été aussi un peu plus tôt, juste avant qu'elle ne heurte l'armoire à glace qui passait par là. Même si elle appréciait Shax, Sophia ne tenait pas particulièrement à tomber sur lui, surtout dans cette tenue. L'animal semblait doué de la faculté de détecter ce qu'il ne devrait pas.

Arrivée à la porte de Sam, le cœur battant, la jeune femme colla son oreille au panneau. Aucun son ne lui parvenant, elle se redressa et s'apprêta à y frapper avant de changer d'avis.

Songeant que jamais de sa vie elle ne s'était montrée aussi audacieuse, le terme lui plaisait plus qu'imprudente ou sans-gêne, Sophia posa sa main sur la poignée de la porte, l'actionna lentement et se faufila chez Sam avant de refermer doucement derrière elle, sans bruit.

L'on dit souvent qu'un intérieur reflète la personnalité de son occupant. Sophia ne sut trop que penser de cette croyance lorsqu'elle découvrit celui de Sam. Parce que la pièce, immense et très belle, lui parut vide en dépit des meubles la garnissant. Était-ce ainsi qu'il se voyait ? Vide ? Quelle ineptie ! Sophia n'avait jamais connu quelqu'un de plus débordant de... de tout. De dons, déjà. De vie ensuite. Et probablement de secrets également.

Se souvenant de ce que le géant lui avait confié dans la voiture la veille, et aussi de ce que Sam lui avait avoué un peu plus tôt, Sophia entrevoyait à quel point l'existence de Sam était solitaire. Mais sa solitude aurait pu, ou dû, l'inciter à s'entourer d'une partie de ses trésors archéologiques ou historiques, de ses toiles ou photos ou même de souvenirs personnels. Ce n'était pas le cas. À croire que le jeune homme refusait vraiment toute compagnie. À croire qu'il n'y avait pas non plus eu de moments ou de personnes importants dans sa vie.

Cela dit, son confort était loin d'être spartiate.

On aurait probablement pu dormir à trois ou quatre sans risquer de déranger son voisin dans le lit à colonnes de style victorien dont l'acajou contrastait joliment avec la couleur blonde de la paroi. Le meuble était la première chose que l'on découvrait en entrant, ce qui n'était guère étonnant eu égard à sa taille. Pratiquement isolé dans l'immense pièce, accolé au mur, il donnait l'étrange impression de tenir le rôle de trône à un roi un peu particulier, bien plus que celui d'un lieu de repos. Il faisait face à une grande cheminée aux lignes sobres et probablement taillée dans la même pierre que les murs. Tout au fond de la chambre, sur la droite, Sophia nota la présence de plusieurs bibliothèques, deux lits de repos, un grand canapé ainsi qu'un petit secrétaire du même style que la couche. Ce que la jeune femme découvrit de l'autre côté était de nature à lui faire momentanément oublier la raison de sa présence.

Irrésistiblement attirée par le balcon, elle n'avait encore esquissé qu'un pas lorsqu'elle perçut un mouvement à l'extrémité de son champ de vision, sur sa droite. Tournant vivement la tête, elle en resta bouche bée et se figea. Éblouie et ensorcelée par le spectacle que Sam lui offrait, elle replongea *illico* dans son état précédent et oublia totalement la mezzanine. Et surtout sa détermination à obtenir de lui ce qu'elle voulait s'en trouva décuplée.

Sam sortait de sa salle de bains.

Oh purée !

Totalement nu, il se séchait les cheveux avec une serviette tout en marchant et ne l'avait pas encore vue. Sophia en profita pour s'en mettre plein la vue. Son regard gourmand l'enveloppa entièrement avant de s'intéresser aux quelques gouttelettes ayant échappé à l'éponge et scintillant encore sur ses pectoraux.

Ce fut Apollon qui s'imposa une fois de plus dans l'esprit de la jeune femme. Quoique Éros aurait très bien fait l'affaire aussi, ou n'importe lequel de leurs divins équivalents dans d'autres mythologies. Pas moins. Avec ses cheveux encore humides, moins clairs et en désordre, Sam avait tout du dieu païen, plus vraiment solaire mais assurément sauvage.

Intellectuellement, Sophia savait déjà que Sam était d'une beauté frappante, même si le terme ainsi que tous ses synonymes était réducteur. Sam était plus que cela. Bien plus. Et ce qu'elle vivait en cet instant, ce qu'elle ressentait, revenait à dire qu'il était possible d'éprouver physiquement un concept. Elle aurait pu déclarer qu'elle était plutôt sujette à une incroyable flambée de désir, comme en attestait d'ailleurs l'espèce de haut-le-corps la poussant à se rapprocher de lui, ou encore tous ces symptômes tourmentant sa chair : palpitation, frissons, chaleur et moiteur. Mais elle aurait su mentir, quand bien même son désir était avéré.

Alors qu'elle ne voyait pas son visage puisque son regard avait suivi le chemin fascinant d'une goutte d'eau plus coquine que les autres descendant lentement sur le ventre de Sam,

Sophia perçut précisément l'instant où il réalisa qu'il n'était plus seul chez lui.

L'air parut s'épaissir et s'électriser en même temps. Ses yeux remontèrent jusqu'à ceux du jeune homme.

Il s'était immobilisé à proximité de son lit et fixait un tel regard sur elle que Sophia en vint à douter de son pouvoir sur lui. Aucune surprise ne s'y lisait, aucun mécontentement, mais elle n'y voyait pas de chaleur ou de satisfaction particulière non plus. Apparemment, elle se trompait.

Sans un mot, sans la quitter des yeux surtout, Sam s'approcha jusqu'à la toucher, se servant de son corps pour la repousser contre la porte et l'y maintenir. Aurait-elle songé à esquiver ou à lutter, elle ne l'aurait pu. Son regard intense la clouait au panneau aussi sûrement que son désir absolu d'être exactement là où elle le voulait. Au moins était-elle certaine maintenant que l'attitude du jeune homme n'avait rien à voir avec un désintérêt quelconque.

— Tu t'es perdue ? demanda-t-il d'une voix que Sophia eut du mal à reconnaître tant elle était grave et chargée de…

Mais oui, c'était bien de la menace qu'elle y avait perçu, roulant tel le grondement d'un tonnerre.

Loin d'être intimidée, plutôt passablement excitée par ce comportement dominant et prédateur, la jeune femme dénia silencieusement. Être confronté à un loup ne lui faisait pas peur, elle n'était plus petit chaperon rouge depuis longtemps. Afin qu'il en soit conscient, Sophia posa les mains sur lui, à plat sur son torse. Percevoir le frémissement que son contact occasionna et les puissants battements de son cœur la satisfit, moins que sentir sa peau brûlante sous ses doigts.

Sam se pencha vers elle.

— Imprudente, lui chuchota-t-il à l'oreille d'une voix toujours rauque dont les vibrations coururent le long de ses terminaisons nerveuses, pour les exciter elles aussi.

Ce n'était pas du tout ainsi que Sophia se considérait, pas même lorsque Sam plaqua ses mains sur la porte de part et d'autre de ses épaules après avoir jeté sa serviette sur le côté.

Les lèvres de Sophia s'entrouvrirent, attirant l'attention de Sam sur elles. Les yeux du jeune homme remontèrent lentement jusqu'aux siens puis il plissa ses paupières, une manière de la mettre au défi de prononcer le moindre mot, ou de l'informer qu'il y aurait des conséquences si elle le faisait.

Sophia n'avait aucune intention de parler. Soupirer, gémir et crier, oui. Se servir de sa bouche aussi, car elle entendait bien soutirer à son amant des sons similaires. Mais avant toute chose, elle voulait obliger celui qui se terrait quelque part en Sam à se montrer. L'animal qui la retenait contre la porte n'était pas lui ; il portait seulement un masque lui ressemblant beaucoup. Il était tout près et ne demandait qu'à se laisser charmer ; Sophia le sentait.

D'un geste caressant, elle fit remonter ses mains jusqu'au cou de Sam ; elles se glissèrent ensuite sur sa nuque. Une y resta, les doigts de l'autre plongèrent dans ses cheveux. La jeune femme se servit des deux pour attirer le visage de Sam près du sien. Et s'il se laissa faire, elle eut l'impression qu'il lui faisait une faveur. Sentiment contrariant qui le fut plus encore lorsque leurs bouches se frôlèrent parce que Sam ne réagit pas. Ses lèvres restèrent scellées. Et derrière ses paupières mi-closes, les iris du jeune homme ne reflétaient toujours rien de ce qu'elle aurait aimé y voir. Sam persistait à rester hors de portée. S'offrir ne suffisait pas à l'atteindre.

Tentant d'oublier qu'il ne la touchait pas, Sophia pressa ses lèvres sur les siennes. Aussi délicieux soit ce contact, pour elle du moins, il ne provoqua toujours aucune réaction chez Sam. Sans se décourager, la jeune femme profita de la situation et se délecta égoïstement du frôlement soyeux sous sa bouche, sans se rendre compte de l'impact de ses chastes baisers sur la créature cohabitant avec celui qu'elle ne prenait encore que pour un amant.

Sophia aurait pu le harponner d'un jouissif petit coup de dents comme elle l'avait fait un peu plus tôt. Au lieu de quoi, elle tissait une toile autour de lui, un doux cocon dont elle se servait pour l'attirer à elle. La laisser tenter de l'amadouer ne présageait en rien de l'attitude que Sam adopterait lorsqu'il l'aurait rejointe. Dans l'immédiat, son cœur battant à tout rompre et sa fièvre étaient les seules manifestations de la proximité de la bête, déjà excitée mais surtout attentive. Ce que Sophia prenait à coup sûr pour de la distance n'était que prudence.

Seulement...

La détermination de la jeune femme était diabolique. Autant que son effet sur Sam, sur eux. Lorsqu'elle se hissa sur la pointe des pieds pour parfaire son baiser et faufiler sa langue entre ses lèvres, son geste provoquant un frottement soyeux des plus intéressants sur son sexe dressé, Sam fut tenté de planter ses ongles dans le bois de la porte pour se contrôler. S'empêcher de la toucher alors que son merveilleux corps se pressait contre le sien, alors que son parfum lui montait à la tête, que sa bouche possédait la sienne était de nature à justement balayer le peu de maîtrise qu'il conservait encore sur lui-même. Alors, quand Sophia, se faisant plus provocante, lécha sa lèvre inférieure avant de la mordre, un voile rouge de désir brut tomba sur son esprit.

La bête était lâchée ; Sam ne pouvait plus rien faire pour la retenir.

S'arrachant aux lèvres de Sophia, éloignant aussi ses mains de la porte, Sam compensa cette absence de soutien en plaquant son bassin plus fermement contre celui de la jeune femme. Puis, d'un geste vif pour ne pas dire brusque et impatient, il repoussa les bras de Sophia entravant ses mouvements.

S'il était des choses que la bête détestait, les liens et les limites en faisaient partie. Or Sophia l'avait délivrée des uns et voulait dépasser les autres avec lui. Il en aurait grondé de plaisir, mais se réservait cette délivrance lorsqu'il la ferait hurler de jouissance, deux ou trois fois, pas moins. Il avait tant de limites à franchir avec elle.

Sophia s'abstint de montrer sa satisfaction à voir les yeux de Sam luire désormais de convoitise ; sourire ou soupirer aurait été une erreur. Alors elle soutint le regard assombri mais plus brûlant que jamais de son amant, sans ciller.

Sam faufila ses pouces sous les bretelles de sa robe et entreprit de les faire glisser sur ses bras, juste ce qu'il fallait pour dénuder ses seins. Auxquels il n'accorda aucune attention. Ce qu'il voulait n'était pas les regarder, juste les sentir se presser contre son torse lorsqu'il enroula fermement un bras autour de sa taille pour l'écraser contre lui, tandis que sa main libre empoignait ses cheveux. Le frottement de ses tétons durcis sur la peau brûlante de Sam eut une incidence directe, et surtout délicieuse, sur le sexe de la jeune femme qui palpita entre ses cuisses. Elle fut tentée de les serrer l'une contre l'autre pour se soulager un peu, mais parvint à se retenir. Le désir qui lui nouait le ventre avait quelque chose de désespéré. Peut-être parce que, éveillé puis inassouvi, il n'en renaissait que plus exigeant. Ou peut-être parce que Sophia savait déjà qu'un orgasme ne suffirait pas à la contenter et que la jouissance ne ferait qu'exacerber sa faim. Sans bien comprendre d'où lui vint cette certitude, Sophia songeait qu'une fois apaisée, une fois son corps épuisé et comblé, une chose importante se produirait entre elle et Sam. Sérieuse mais pas grave. Forte.

S'il ignorait la teneur des pensées de Sophia, Sam aurait pu lui dire à quoi ce qu'elle pressentait faisait référence puisque c'était précisément l'état qu'il recherchait. Pas uniquement pour elle. Pour eux deux. Mais ils n'en étaient pas encore là.

S'inclinant sur la jeune femme avec un relatif contrôle, Sam n'en abattit pas moins sa bouche sur ses lèvres qu'il lécha langoureusement avant d'y insinuer sa langue. Son baiser tint presque du pillage sur une citadelle déjà conquise ; il était incapable de faire montre de délicatesse. La façon dont Sophia frémissait contre lui, le goût de sa bouche, la douceur humide de sa langue, la chaleur de son corps emprisonnant son érection lui faisaient perdre la raison, qu'il n'avait de toute manière plus depuis longtemps. Mais ces délices qu'en temps normal il aurait pris plaisir à savourer étaient loin de ce dont il avait besoin.

Libérant Sophia, de sa bouche, de lui, presque brutalement, sans s'émouvoir de sa respiration haletante, sans paraître se soucier de la flamme faisant luire ses iris, Sam se saisit de son poignet et l'entraîna avec lui.

Vers le lit, constata-t-elle. Pour ce qu'elle avait en tête, un fauteuil avait sa préférence. C'était sans doute idiot, mais dans l'esprit de la jeune femme, un lit était fait pour le sommeil, la lecture et l'amour. En ce qui concernait le sexe, en revanche, sofa, baignoire, moquette, porte… presque tout pouvait convenir. De plus, si tant est que cette considération ait une chance de flotter dans l'esprit de Sam, il n'avait pas à s'inquiéter pour ses meubles : elle ne comptait pas laisser la moindre trace…

Sa résistance occasionna un froncement de sourcils chez Sam, qui disparut lorsqu'il comprit où et comment elle le voulait. Son urgence n'excluait pas les gâteries, en préliminaire ou comme fin en soi.

Il se laissa tomber dans le fauteuil, posa ses mains à plat sur les accoudoirs et surtout écarta les jambes, sans pudeur mais sans vulgarité non plus. Certes, il s'agissait là d'une position très masculine pouvant apparaître comme une invitation, une provocation voire un ordre. Sophia y vit surtout la possibilité de contempler un mâle d'une virilité étourdissante. Son corps musclé et son érection lévitant au-dessus de son ventre y étaient sans aucun doute pour beaucoup en ce qui concernait sa masculinité, mais il y avait plus que cela selon elle. Quelque chose dans l'attitude de son amant, dans le désir fou qu'elle lisait dans son regard, touchait, excitait, attirait irrésistiblement tout ce qu'il y avait de féminin en elle. Une attirance primaire, ou originelle, en parfaite harmonie avec ce Sam qu'elle pouvait enfin approcher. Encore que seule la convoitise faisant luire son regard présageait d'instants dépourvus de tendresse. Pourtant le Sam qu'elle contemplait, et qui la dévorait des yeux, n'avait rien de primitif. Réunissant toutes les facettes dont elle avait déjà eu un aperçu, il n'avait fait que laisser remonter à la lumière cet hôte obscur qu'il tenait en laisse d'ordinaire. Secret et rusé, charnel et pervers, ou plutôt vicieux, brut, vrai, Sophia le trouvait singulièrement fascinant et tout sauf simple. En réalité, il était même très complexe. Aussi dangereusement attirant qu'un fruit défendu. Et surtout, il la voulait elle, corps et âme, et plus encore.

Tout de suite, si elle ne se trompait pas.

Sophia se débarrassa de sa robe, la faisant lentement glisser sur sa taille puis se déhanchant un peu jusqu'à ce qu'elle tombe à terre. Elle la repoussa du bout du pied et s'agenouilla entre les cuisses de Sam qui n'avait pas loupé une miette du petit show qu'elle venait de lui offrir ; son air était trop concentré et sa respiration trop ample pour ne pas trahir une tentative de maîtrise de soi.

La jeune femme se rapprocha autant que le siège le lui permettait avant de s'incliner sur lui, prenant appui sur ses poings qu'elle faufila de part et d'autre des hanches de Sam. Ce faisant, elle emprisonna son sexe rigide entre ses seins, une caresse de velours brûlant contre sa peau qui la fit frissonner. Posant enfin sa bouche sur son irrésistible peau hâlée, elle la fit dériver vers un mamelon d'un tendre brun rosé sur lequel ses lèvres se refermèrent. La légère et douce toison dorée ombrant son torse chatouillait sa joue lorsqu'elle alla goûter l'autre. Elle adorait ça. Comme elle raffolait de son goût, son odeur se mêlant au parfum de son savon, sa chaleur et sa peau. À chaque caresse de sa langue sur son téton, chaque succion, elle sentait l'érection du jeune homme tressauter contre elle. De quoi l'inciter, par provocation, à le mordiller. Et à voir son appétit réclamer plus que ces petites gourmandises.

Si Sam ne laissait échapper aucun son, elle le perçut nettement se tendre lorsque sa bouche courut plus bas. Sophia ne désespérait pas de lui soutirer plus que cela.

Sam se prépara à l'assaut des sensations que Sophia lui faisait miroiter depuis un moment. S'il était déjà dans l'urgence, il n'avait pu se résoudre à lui interdire les délicieuses tortures qu'elle venait de lui infliger. Voir sa magnifique chevelure ondoyer sur son ventre puis couler sur ses cuisses annonçait le début de tourments autrement plus diaboliques. La bête semblait s'être logée dans son sexe, dans sa chair et dans son sang qui pulsait douloureusement comme pour être seule bénéficiaire des attentions de Sophia. Et elle ne pensait plus qu'à s'enfouir au creux du corps de sa maîtresse. Sa bouche d'abord puisqu'elle en avait décidé ainsi. Ensuite...

Ce n'était pas une simple faim qui le tenaillait, ni même une fringale, mais un appétit d'ogre.

Aussi prêt soit-il, Sam dut s'agripper aux accoudoirs du fauteuil pour ne pas en bondir lorsque la jeune femme fit courir sa langue sur toute la longueur de son érection. Le bout de ses doigts s'incrusta dans le cuir aussi souple et doux que la peau d'une femme. S'il s'était laissé aller à cela sur Sophia, il l'aurait meurtrie. Marquée. Sam le fut, au fer rouge, lorsqu'elle referma ses lèvres sur le bout de son sexe. La douceur de sa bouche lui était délicieusement insupportable. Sophia lui jeta un coup d'œil, preuve qu'elle en était on ne peut plus consciente. Libérant une de ses mains, elle enroula ses doigts autour de lui, entama un mouvement de bas en haut, bien trop lent, alors que sa langue se mettait à danser sur sa chair.

Ses yeux réduits à deux fentes lumineuses braqués sur elle, Sam ne perdait rien de ces caresses. Chacune ne faisait qu'accentuer la brûlure lui vrillant les reins. Le besoin de pousser son sexe loin dans sa gorge le torturait et Sophia fit le contraire de ce qu'il voulait, le délivrant un peu pour enrouler sa langue autour de lui. Plaisir et frustration le firent frémir. Lutter contre eux, contre Sophia était voué à l'échec. Alors Sam abaissa ses paupières avec un soupçon de regret et s'abandonna. Il aurait pu continuer de la contempler mais il savait que, dans son état, ses yeux le trahiraient.

Un rien déconcertée par le silence absolu de Sam, Sophia mesurait en revanche parfaitement le plaisir qu'elle lui offrait, ne serait-ce que par sa respiration devenue erratique, par son corps tendu comme un arc contre elle. Elle entendait bien lui en procurer plus encore. En dépit de sa propre urgence lui donnant la sensation de se consumer totalement, lui donnant aussi envie de se soulager, la jeune femme n'avait aucune intention de le déposséder d'une seule seconde de plaisir en précipitant les choses. Elle pouvait toutefois les rendre plus intenses et s'y employa avec passion, joua avec lui, hâtant ou retardant l'inévitable avec une malice empreinte d'un soupçon de sadisme qu'elle ignorait receler.

Sam ne sortit de son mutisme qu'au moment de jouir, laissant échapper un grondement rauque qui résonna aux oreilles de Sophia comme la plus excitante des redditions.

Une reddition mais pas une capitulation fort heureusement, comme elle put le constater dès que Sam rouvrit les yeux. Dans son regard, l'or, l'ambre et le bronze semblaient en fusion, un feu mis à nu.

411

Sophia avait obtenu ce qu'elle voulait et pouvait maintenant enfin regarder dans les yeux celui que Sam avait définitivement libéré. Et elle avait la curieuse impression de le reconnaître.

— Sam, murmura la jeune femme avec cet accent si particulier que conféraient des souvenirs remontant du fond d'une mémoire sans toutefois en crever la surface et illuminer les pensées.

Et surtout avec cette sensation non moins étrange qu'elle aurait dû dire autre chose que cette syllabe unique.

Sam se chargea de lui faire tout oublier. Presque, car, en se jetant sur elle, il lui rappela que son corps manquait de quelque chose.

Emprisonnant son visage entre ses mains, il se pencha sur Sophia et prit sa bouche avec avidité. Sans la libérer, pesant sur elle et se servant de son étreinte, il la fit s'étendre à même la moquette pour s'allonger sur elle. Il ne la pénétra pas immédiatement. Pourtant son sexe s'était niché tout naturellement contre le sien. Il aurait suffi d'un coup de reins. Elle était prête. Tellement prête. La jeune femme agrippa ses mains aux épaules de son amant, incrustant ses ongles dans sa peau avec l'espoir de le faire bouger, agir, la prendre.

Si Sophia croyait qu'il comptait lui faire payer ses tortures, elle se trompait. Sam... la bête voulait seulement se repaître de sa bouche et de la chaleur de son corps écrasé sous le sien encore un instant. Sa captivité avait été si longue qu'elle aspirait à s'offrir ce luxe.

Sentant Sophia se tortiller d'impatience sous lui, il se détacha d'elle et attendit qu'elle trouve son regard pour y plonger le sien.

Derrière ses paupières lourdes de désir, ses iris plus noirs que jamais luisaient de fièvre. Qu'elle le veuille à ce point flattait sa vanité de mâle n'épargnant pas plus la bête que l'homme. Son rythme cardiaque s'en ressentit. Son érection également, son sexe se gorgeant d'un nouvel afflux de sang. Son cœur rata un battement lorsqu'un chatoiement doré miroita dans la nuit de ses pupilles. Sophia telle qu'il la voulait, telle qu'il la revendiquait, était là, si proche, si près d'ouvrir en grand les portes de sa mémoire pour le rejoindre. Peu habituée à éprouver autre chose que des sensations charnelles rares et lointaines, la bête, avec une certaine pudeur, dissimula son trouble profond derrière quelques mots impudiques.

— J'aime mon goût dans ta bouche, articula-t-il d'une voix gutturale.

La bête ne parlait jamais beaucoup.

Sophia frémit à cause de la raucité du timbre et de son effet sur elle, mais ces paroles délibérément provocatrices l'excitèrent.

Elle retint, mal, un gémissement ; la note un peu aiguë qui s'échappa pourtant de ses lèvres fit étinceler les yeux de Sam.

— Donne-moi encore ta bouche, exigea-t-il en rapprochant ses lèvres des siennes.

Un ordre.

— Offre-la-moi et je te donne ce que tu veux.

Un chantage. Un jeu.

Plantant plus profondément ses ongles dans la peau de Sam, une réprimande pour le racket, Sophia céda, pour jouer avec lui.

Perdu dans le plaisir infini qu'il avait à la dévorer, le jeune homme tarda un peu à honorer sa part du marché. Trouvant finalement la force de s'arracher à leur baiser, il libéra le visage de Sophia et se hissa sur ses bras pour la regarder lorsqu'il la pénétrerait. Pour rien au monde il ne se priverait de cette vision.

Sa poitrine se soulevant au rythme de sa respiration haletante, elle le guettait derrière ses paupières toujours mi-closes. Sam faillit sourire. Elle s'impatientait et lui reprochait sa temporisation. Qu'elle ne lui passe rien lui plaisait. Si elle se montrait trop douce et coulante avec lui, jamais elle ne pourrait lutter contre...

Il s'enfonça en elle d'une seule et puissante poussée, chassant ainsi toute pensée malvenue. Une invasion après le pillage. Un plaisir intense pour eux deux.

Avec une jolie symétrie, leurs corps s'arquèrent, faisant ressembler Sam à un ange sur le point de prendre son envol et tentant d'arracher sa compagne à la terre pour l'entraîner avec lui.

Le jeune homme fut le premier à reprendre sa position initiale. Tête penchée en avant, quelques mèches de ses cheveux dissimulant le regard qu'il posait sur sa maîtresse, il la contempla. Sophia était... juste magnifique. Offerte mais exigeante. Une dualité des plus grisantes pour un mâle ne vivant que pour la satisfaire.

Son corps brûlant l'enserrait étroitement et pulsait sur lui. S'il bougeait ne serait-ce qu'un peu, il déclencherait son orgasme et le sien. Si forte que soit la tentation et son besoin de se mouvoir en elle, Sam se l'interdit et patienta jusqu'à ce que Sophia lui revienne.

L'invasion impitoyable de Sam, outre le plaisir qu'elle lui avait octroyé, avait aussi brouillé les yeux de Sophia de larmes, des larmes de soulagement et d'autre chose qu'elle n'était pas en état de comprendre ou de vouloir se soucier en cette minute. La jeune femme savait en revanche que c'était loin de ce dont elle avait besoin. Le vide en elle avait disparu ; la douleur persistait. Il en serait ainsi tant qu'il ne bougerait pas.

Sam se retira, totalement. La sensation de vide revint. Lourde. Intolérable.

Lorsqu'il s'enfonça à nouveau en elle, plus férocement encore, comme elle le voulait, un éclat de rire s'immisça dans son gémissement ; le plaisir avait été si… éclatant. Sam recommença, sans toutefois l'abandonner complètement cette fois-ci avant de replonger en elle, terriblement lentement. Si ses va-et-vient suivants gardèrent ce rythme diaboliquement lent, ils n'étaient en rien langoureux. Plutôt déterminés. Éminemment pervers, l'éloignant ou la rapprochant sans cesse du plaisir menaçant d'exploser, ou de la folie, apaisant et ravivant cette douleur cuisante qu'elle savait née d'un manque abyssal se mêlant à toutes les sensations que Sam lui procurait.

Le jeune homme semblait souffrir du rythme qu'il leur imposait. Son regard fixe, ses muscles raidis et ses mâchoires serrées attestaient du contrôle qu'il s'imposait. Ses mouvements se firent subtilement plus rapides. Plus fougueux aussi. Un coup de reins plus vif que les autres, le cri qu'il soutira à Sophia surtout eurent le pouvoir de faire basculer l'univers ; il agit comme une décharge sur la bête, une énergie fusant dans tout son corps et mettant le feu aux poudres.

Se laissant descendre sur la jeune femme qui s'arrima à lui en enroulant ses jambes autour de sa taille, Sam glissa ses mains dans son dos pour agripper ses épaules. Une étreinte autant qu'un point d'ancrage pour pouvoir la marteler. Gémissements et sons rauques ne tardèrent pas à se muer en cris et grondements quasi animaux à mesure que Sam intensifiait sa cadence, emplissant la pièce d'une mélodie charnelle et chargeant l'atmosphère d'une tension dont ni l'un ni l'autre n'étaient conscients. À chacun de ses coups de boutoir, Sophia avait la sensation de se désintégrer. Mais elle avait aussi une conscience aiguë du poids de son compagnon sur elle, de sa chaleur, du frottement sublime de son sexe terriblement dur cherchant à atteindre ce nœud brûlant au creux de son ventre pour le faire voler en éclat.

Une image excessivement proche de ce que Sophia ressentit lorsque sa jouissance explosa. Sam ne cessa pas pour autant de la marteler. Tout au plus force et rythme de ses mouvements ralentirent-ils un peu le temps que les spasmes de son plaisir s'apaisent. Comme elle l'avait pressenti, cela n'avait pas suffi pas à apaiser cet appétit inouï tenaillant son corps. Sa volupté paraissait avoir le pouvoir de décupler la faim de Sam. Renouant avec une cadence plus que soutenue, il la propulsa vers un orgasme supplémentaire avant de se retirer, juste un peu trop tôt et un peu trop totalement pour ne pas la frustrer. Déconcertée, la jeune femme vit même Sam se redresser après s'être dégagé de l'entrave de ses bras et de ses jambes. Sophia se hissa sur ses coudes. À bout de souffle, sa faim à peine rassasiée, elle tenta de le lui faire comprendre par le biais de ses yeux. Qu'elle écarquilla après qu'ils eurent replongé dans les siens.

Le regard de Sam était de ceux que l'on aurait pu attribuer à un dément. Ses pupilles largement dilatées avaient presque absorbé la lumière de ses iris, ne laissant plus voir qu'une couronne d'ambre en fusion. Deux éclipses, surprenantes et magnifiques, braquées sur elle et où elle put lire qu'il n'en avait pas terminé.

Sophia s'autorisa un fin sourire satisfait que Sam ne lui rendit pas. Sans un mot, il abandonna le triangle de ses jambes puis lui tendit la main. Son geste n'avait rien d'une galante prévenance mais tout d'un ordre et d'un piège à la fois. La jeune femme en était consciente ; elle consentit aux deux et lui tendit la sienne. L'instant suivant, elle se sentit propulsée en avant. Heureusement, le fauteuil était tout proche. Tendant instinctivement les bras pour amortir sa collision avec le meuble, elle se retrouva dans une position opportunément intéressante, faisant face au fauteuil, ses bras en appui sur l'assise du siège.

Ne pas voir Sam resté dans son dos ne l'empêchait pas de ressentir sa présence avec une acuité inouïe, indécente même. La jeune femme sourit franchement alors qu'elle s'ingéniait à faire de sa posture une provocation flagrante, abaissant son buste à angle droit, mains à plat sur le cuir et écartant ses jambes.

Un son tenant à la fois du grondement et du ronronnement, infiniment grave, se fit entendre, aussi férocement animal que celui d'un tigre. Un fauve attaquant souvent par-derrière d'ailleurs. Sophia frémit d'impatience lorsqu'elle sentit les cuisses de Sam frôler les siennes, et plus encore quand son sexe se nicha entre ses fesses.

C'est avec une relative douceur que Sam posa ses mains sur Sophia après avoir dégagé sa nuque en ramenant sa chevelure sur son épaule droite. Relative, car leur prise sur sa taille avait quelque chose d'infiniment possessif et primitif. Elles glissèrent sur ses hanches. Une seule y resta et ses doigts s'incrustèrent dans sa peau. Quant à l'autre...

Son cœur battant comme un dingue, son sang se ruant dans ses veines alimentant le brasier lui vrillant les reins et le ventre, Sam empoigna son érection. La courte interruption dans ses ébats avec Sophia n'avait eu que peu d'incidence sur l'intensité de ses appétits. La provocation de la jeune femme, si.

Sans s'embarrasser de plus de délicatesse qu'auparavant, il s'enfouit dans la chaleur veloutée du corps de sa compagne, laissant échapper un grondement de satisfaction. Bien que son désir soit toujours aussi douloureux, il aurait voulu pouvoir rester en elle, son sexe prisonnier de sa douceur, sa chair parcourue d'ondes de plaisir, pour le reste de ses jours. Pour l'éternité. Sam enroula un bras autour de sa taille pour la retenir plaquée contre lui puis pesa sur elle. Tendant son bras gauche pour s'appuyer sur l'assise du fauteuil et la soulager un peu de son poids, il faufila sa main sous celle de Sophia dont les doigts s'entrelacèrent avec les siens. Aussi innocent ce geste soit-il, la bête y vit une complicité qui distilla une profonde satisfaction dans sa chair et l'incita, non pas à de la douceur, mais à une fougue un peu plus contenue.

Posant ses lèvres sur la nuque de la jeune femme, Sam la gratifia d'un langoureux coup de langue faisant naître un frisson qui dévala son dos. Au risque de lui couper le souffle, il resserra sa prise autour de sa taille et d'un vif coup de reins plongea plus loin en elle, lui soutirant une plainte aiguë. Sophia écarta encore ses cuisses et se cambra, une invite flagrante à l'emplir totalement qui aurait mis Sam à genoux s'il ne l'avait pas déjà été. Fou d'excitation, submergé par un besoin quasi désespéré d'être toujours plus proche de Sophia, de se fondre en elle, Sam entama de profonds et vigoureux coups de reins. Son rythme allant crescendo, une fuite en avant vers la jouissance, il s'immobilisa brusquement lorsqu'elle s'annonça. Une pause paraissant durer une éternité les gardant au bord du précipice. Sam eut l'impression de s'envoler. Sophia hurla, de frustration, de désir, puis son nom.

Sam se sentit alors mourir. Son cœur s'arrêta, son souffle se bloqua et son esprit se disloqua. S'ensuivit une longue ascension contre laquelle il ne put lutter. Puis, il explosa, l'intensité de sa jouissance le rendant aveugle, et pratiquement sourd. Momentanément prisonnier de ces cieux où le plaisir l'avait propulsé, un monde où son âme et sa chair s'évaporaient pour mieux se mêler, Sam avait abandonné Sophia à la bête. Ce fut son rugissement que Sophia entendit lorsque l'orgasme la prit, ses ondes puissantes qui la traversèrent alors que son corps cédait lui aussi brusquement à la tension. Mais ce fut Sam que la jeune femme rejoignit lorsqu'elle vola en éclats.

Chapitre 30

Les souffles un peu précipités de Sam et Sophia troublaient à peine le silence de la chambre portant sur ses ailes ces échos de leur passion à peine apaisée.

L'air s'en imprégna. Un œil surhumain aurait pu discerner ces ondes s'élevant en délicates volutes dansant paresseusement autour des amants. Comme il aurait pu ensuite les voir redescendre posément, serpenter jusques au couple qu'elles enlacèrent pour les unir dans cette dimension comme ils l'avaient été dans celle, autre, où le plaisir les avait projetés, et leur susurrer ses secrets.

Sam ouvrit les yeux, se surprenant à scruter la pièce alors qu'il savait pertinemment que ce phénomène n'était pas visible. Aussi subtile cette manifestation soit-elle, il la percevait avec une telle acuité que pendant une seconde il avait cru pouvoir la distinguer en plus de la ressentir. Ça n'en restait pas moins l'une des plus merveilleuses choses que Sam ait vécues depuis des lustres. L'autre étant d'avoir entendu son nom jaillir de la gorge de Sophia.

Une envie de rugir enfla dans sa poitrine, un cri conquérant à défaut de pouvoir être déjà victorieux.

Prenant sur lui de n'en rien faire, Sam se soucia de sa compagne qu'il sentait frémir contre lui. Se retirant avec précaution, il s'assit sur ses talons, entraînant la jeune femme avec lui ; il l'installa en travers de ses cuisses avant de l'enlacer. Dire qu'il adora sa manière de se blottir contre lui, enroulant ses bras autour de son cou et nichant son visage contre son torse aurait été un euphémisme. Toujours terrassée par le plaisir, la bête se manifesta néanmoins, lui dictant de la serrer fort contre lui afin qu'il puisse recevoir sa part de douceur. Sam se contenta de resserrer son étreinte, mais le laissa s'approcher. D'ici peu, il aurait réintégré sa place originelle, ensemble, ils ne feraient donc plus qu'un et Sophia serait à eux. Ils seraient à elle.

Inconsciente de ce qui se passait autour d'elle, Sophia vivait une expérience des plus curieuses. Magnifiquement étrange. Si elle l'avait pu, elle aurait évoqué une sorte de choc en retour de ses trois orgasmes, une brume de plaisir lui revenant pour l'envelopper puis s'insinuer dans sa chair. Autre chose flottait dans cette onde, quelque chose comblant les manques en elle et laissant à penser que jusqu'ici elle n'avait jamais été elle-même ou qu'il lui avait toujours manqué quelque chose.

Sam ?

Possible.

Sam…

Son corps chaud puissamment mâle, son étreinte ferme la bouleversèrent au-delà de toute raison. Elle se sentait tellement bien, protégée et forte à la fois, femme. Écartant son visage du torse de son compagnon pour lever les yeux vers lui, ils rencontrèrent immédiatement les siens qui l'attendaient. Le temps d'une fraction de seconde, elle crut être victime d'une hallucination. Ses iris clairs lui avaient paru striés de noir. Un battement de cils suffit à dissiper cette illusion. Sans bien comprendre pourquoi, elle le regretta.

Sophia esquissa un sourire qu'une fois de plus Sam, toujours aussi sérieux, ne lui retourna pas. En réalité, non, il n'était pas sérieux ou concentré. Il paraissait calme. Elle aurait même été jusqu'à dire qu'il était serein. Ce qui était, pour user d'une litote, fort étonnant, car si Sam lui avait semblé tout ce que l'on voulait jusqu'ici, à aucun moment il n'avait paru pouvoir être capable de sérénité, même un petit peu. Pire, même lorsqu'il plaisantait ou ne semblait pas être tourmenté par quelque chose en particulier, elle avait perçu une faille profonde en lui. Cela pouvait résulter de la situation insupportable qu'il endurait, mais Sophia aurait juré qu'il s'agissait d'autre chose et encore une fois que ça la concernait.

Quoi qu'il en soit, en cet instant, il était apaisé et Sophia aimait à croire qu'elle y était pour un peu. À moins que quelque chose n'ait changé.

La jeune femme observa son compagnon plus attentivement. Oui, quelque chose était changé. Sa manière de la regarder pour commencer, avec cette même intensité incroyable qu'un peu plus tôt, comme si... comme s'ils étaient deux hommes à la dévisager et non un seul. Ensuite, il y avait cette vigueur renouvelée émanant de lui, une force qu'elle sentait l'atteindre et surtout la pénétrer. Et enfin, cette troublante impression de reconnaître Sam s'obstinant à flotter à la lisière de ses pensées. C'était impossible, se raisonna-t-elle. Si elle l'avait déjà rencontré, elle s'en serait souvenue.

L'esprit de Sophia commençait à s'égarer vers des contrées romantiques lorsque Sam bougea, ramenant son attention sur lui et seulement lui. Glissant un bras sous ses genoux, il la souleva avant de se redresser. Puis, il se leva sans paraître fournir le moindre effort. Accrochée à son cou, se laissant bercer par le balancement de son pas lent, Sophia frissonna quand il la déposa sur le lit, surprise par la douce fraîcheur des draps de satin noir contre sa peau.

Sam la contempla un instant avant de s'incliner sur elle pour poser un baiser sur ses lèvres. Puis il l'abandonna, sans un mot.

Un peu perdue, Sophia roula sur le flanc pour l'observer s'éloigner vers le fond de la pièce, appréciant au passage la vue de son corps athlétique, le jeu de ses muscles ondulant sous sa peau, la perfection ferme de ses fesses. Elle frémit à nouveau ; cette fois-ci la fraîcheur du tissu n'était pas en cause. Songeant avec un soupçon de moquerie qu'elle ne tarderait pas à devenir totalement obsédée et débauchée à force de fréquenter Sam, la jeune femme se laissa retomber sur le dos et s'étira avec un contentement très félin.

Sam revint rapidement, muni d'un linge humide et d'une serviette moelleuse. Grimpant sur le lit, il passa au-dessus d'elle avant de s'agenouiller à ses côtés. À la fois stupéfaite et charmée par l'attention, Sophia le laissa la chouchouter, passer délicatement le linge sur son visage, son buste puis son ventre, ses bras et jambes. Sa peau se hérissa, de bien-être mais aussi en raison de l'air ambiant refroidissant l'eau sur son corps.

Toujours aussi silencieux, ce qui commençait à incommoder un peu la jeune femme, absorbé par sa tâche, Sam lui jeta un coup d'œil lorsqu'elle se crispa. Le frottement du tissu entre ses cuisses n'était pas en cause dans sa réaction, pas plus qu'une douleur quelconque occasionnée par son manque de douceur durant leurs ébats.

Elle réalisa qu'à aucun moment, ni lui ni elle n'avaient songé à utiliser de préservatifs. Et ils avaient couché ensemble… un certain nombre de fois.

En peu de temps, souligna sa conscience.

Pour ce qui était de la remarque, Sophia fut tentée de rabattre son caquet à sa conscience et l'inviter à se mêler de ses affaires. Pour le reste, son cœur se mit à battre plus vite.

— Tu crains d'être enceinte ou pour ta santé ? lui demanda-t-il, sans la regarder, alors qu'il s'emparait de la serviette pour l'essuyer.

L'éclat de dureté que Sophia perçut dans son ton la blessa. Moins que le reproche implicite. Et puis comment avait-il deviné ses pensées ? Parce qu'il avait eu les mêmes et s'en voulait de n'y avoir pas songé lui non plus ?

Sophia entrouvrit les lèvres pour répondre. Sam la prit de vitesse.

— Tu n'as rien à craindre. Je suis sain. Mon organisme en tout cas, crut-il bon de préciser. Je me suis toujours protégé.

— Moi aussi, affirma Sophia en se redressant pour s'asseoir.

Elle tendit une main vers Sam, la posa sur son avant-bras. Elle voulait qu'il la regarde. Le jeune homme referma ses doigts sur les siens, et les porta à ses lèvres. Mais il s'obstinait à ne pas poser les yeux sur elle.

— Je ne te reproche rien, poursuivit Sophia d'une voix douce. Je suis aussi coupable que toi de cet oubli.

— Je n'ai rien oublié du tout, c'était délibéré de ma part, lui dit-il, se tournant enfin.

La jeune femme reçut son regard doré de plein fouet ; il luisait d'une multitude d'émotions, fortes. Trop pour qu'elle puisse les dénombrer ou les identifier.

— Je savais que tu ne risquais rien et je n'avais pas envie de me priver de... de ta douceur, expliqua-t-il, intensifiant son regard dans le sien au point de la faire rosir.

— Tu ne pouvais pas savoir si j'étais...

— Tu es quelqu'un de raisonnable, objecta-t-il.

Remarque que Sophia n'était pas certaine d'apprécier. Elle avait l'impression d'être prévisible, et par conséquent ininté-ressante. Quoique, en l'occurrence, il eût raison et elle s'en félicitait.

— Je l'étais, rectifia-t-elle. Avant toi, ajouta-t-elle plus bas.

Des mots allumant un scintillement de malice et de tendresse dans les yeux de Sam. L'atmosphère sembla se réchauffer. À

423

moins qu'il ne s'agisse de son cœur distillant dans son corps la chaleur que ce regard y avait déposée.

Abandonnant ses soins, et la serviette qu'il jeta hors du lit, le jeune homme s'inclina vers elle.

— Ne compte pas sur moi pour te ramener sur le droit chemin, lui confia-t-il avant d'effleurer ses lèvres avec les siennes.

— Je ne te le demande pas, répondit-elle avec un brin de provocation.

— Ne me provoque pas trop non plus, mon ange, la prévint-il en caressant l'ovale de son visage du bout des doigts.

Si sa voix s'était faite charmeuse, son regard restait sérieux.

— J'ai très envie de t'en éloigner plus...

Sa main descendit pour repousser une longue mèche de feu sombre dans son dos puis se faufila sous sa chevelure pour se plaquer sur sa nuque. Se penchant encore, Sam déposa une succession de petits baisers sur son épaule droite, fit glisser ses lèvres sur la ligne de son cou, intercalant des petits coups de langue entre chaque douceur.

— Pour que tu ne retrouves plus jamais ta route, murmura-t-il contre sa peau.

Et que personne ne nous retrouve non plus, songea Sophia sans trop comprendre d'où lui venait cette pensée.

Sam se redressa.

— Et que personne ne nous retrouve, articula-t-il dans un grave murmure après l'avoir observée quelques secondes.

L'instant suivant, il se jetait presque sur elle, se servant d'un baiser rude pour la faire basculer sur le matelas. Un baiser ôtant toute capacité à l'esprit de Sophia d'élaborer la moindre question sur ses derniers mots, ledit esprit déposant les armes aux pieds du désir sans en concevoir le plus petit sentiment de défaite.

— J'adore quand tu te comportes en homme des cavernes, haleta Sophia, profitant d'une pause dans son étreinte féroce.

Une toute petite pause. Sam reprit ses lèvres avec une ardeur accrue. S'étendant sur elle, il se positionna entre ses jambes ; elle les enroula autour de ses reins.

Ce n'était pas débauchée qu'elle tendait à devenir, mais bien nymphomane. Ou peut-être juste une femme avec l'homme de sa vie…

Lui confirmant qu'il n'avait en cet instant plus rien de civilisé, Sam la pénétra d'une vigoureuse poussée. S'ensuivit un grognement de plaisir parfaitement assorti à son attitude et dont les vibrations se répercutèrent dans le corps Sophia qui frissonna de contentement.

— Je t'avais prévenue de ne pas trop me provoquer, lui rappela-t-il alors qu'il imprimait une vive impulsion à son bassin pour s'enfoncer plus loin en elle.

— J'assume, haleta-t-elle, le souffle coupé par le plaisir qu'elle avait à le sentir l'envahir totalement ; un bien-être confinant à un sentiment de plénitude prodigieux.

Sam accueillit sa réponse avec une évidente satisfaction qui fit étinceler l'or de ses iris. Reprenant son baiser avide, il ne la libéra plus.

Et s'il ne la posséda pas cette fois-ci, il ne lui fit pas l'amour non plus. Il s'agissait plutôt d'un compromis entre les deux, envoûtant, troublant, un moment intense durant lequel le plaisir se prolongea jusqu'à annihiler toute notion du temps, les mettant tous deux hors de portée.

*

La pièce baignait dans une pénombre vespérale jetant des ombres sur le torse de Sam et en faisant ressortir le modelé parfait que Sophia caressait en silence, sa tête en appui au creux de l'épaule de son compagnon la retenant contre lui. Son esprit était remarquablement dénué de pensées. Jusqu'à ce qu'elle sente sous ses doigts, juste sous de son pectoral gauche, la ligne d'une cicatrice ancienne. La peau n'y avait pas la même douceur et les tissus cicatriciels formaient une très légère boursouflure. Comment avait-elle pu ne pas la voir avant ?

Était-ce la localisation de la marque, ou le silence paisible et la respiration de Sam la berçant, ou encore ce qui emplissait son cœur en cet instant, mais l'esprit de Sophia s'envola une fois de plus vers de romantiques théories d'âmes sœurs.

Elle ferma les yeux sans cesser les doux allers-retours sur la peau de son amant.

— À quoi penses-tu ? demanda Sam, si bas que ses mots ne firent pas beaucoup plus de bruit qu'une pensée.

— À Platon.

Silence.

— À Platon ? répéta-t-il au bout d'un moment.

L'incrédulité le disputait à la perplexité dans son ton.

— Au *Banquet*, le discours d'Aristophane, précisa-t-elle.

— Tu veux guérir de ton humanité ? proposa Sam comme explication à la tournure étrange des réflexions de sa compagne. Retrouver ton état primordial ?

Sophia gloussa.

— Non, mais je réfléchissais à ce qu'il dit sur les êtres séparés cherchant la moitié qui leur a été arrachée.

Là encore, Sam ne répondit pas tout de suite. Relâchant son étreinte, il s'installa sur le flanc pour pouvoir la regarder. Une note d'espoir faisait briller ses iris. Ceux de Sophia s'y noyèrent.

— Qu'est-ce qui te fait penser à cela ? finit-il par demander, presque avec réticence pourtant, comme s'il appréhendait la réponse qu'elle lui donnerait.

— Tu es le premier homme avec lequel je me sens vraiment moi. Je... J'ai l'impression de te connaître depuis toujours et qu'il y a quelque chose de particulier entre nous.

Le cœur de Sam souffrit de quelques ratés avant de se mettre à cogner fort contre ses côtes. Toute sa vie, ou presque, il avait attendu un certain nombre de choses. Entendre ces mots en faisait partie. Mais il n'avait pas prévu qu'alors il serait mort de trouille. Après une éternité passée dans les ténèbres, la lumière vive pouvait vous blesser, vous tuer même. Pour se protéger, Sam réagit de la seule manière qu'il connaissait. Pas la meilleure.

— Tu crois ? railla-t-il.

Vaguement irritée, Sophia accueillit cette remarque avec un petit haussement d'épaules. Manifestement, Sam n'était pas touché ou ne la croyait pas.

— C'est juste une impression, répondit-elle en baissant les yeux. Ça n'est pas important.

Si, ça l'était.

Sam était conscient d'avoir blessé Sophia. Que pouvait-il faire d'autre ? Tant qu'elle ne se réveillerait pas – pas vraiment –, il était pratiquement pieds et poings liés. Une situation d'autant plus intolérable qu'il ne supportait pas de lui faire mal d'une quelconque façon.

Un nouveau silence s'instaura entre eux.

Sophia se demandait si elle parviendrait un jour à saisir qui était Sam. Il lui avait dit être tombé amoureux d'elle au premier regard et vouloir qu'elle découvre qui il était, mais, dès qu'elle faisait un pas vers lui, il se braquait. Elle ne comprenait pas pourquoi.

— D'où vient cette cicatrice ? s'aventura-t-elle à le questionner, se risquant également à relever les yeux vers les siens histoire de se faire une idée de ce qui l'attendait.

On m'a brisé le cœur...

Sam mit si longtemps à répondre que Sophia crut qu'il ne le ferait jamais.

— Peut-être qu'on t'a arrachée à moi, concéda-t-il à dire. Et que cette marque en est la preuve.

Sophia cilla. Un curieux mélange de malice et de gravité flottait désormais dans la voix de Sam. De quoi l'horripiler. Si elle devait le contraindre ou se chamailler avec lui chaque fois qu'elle souhaitait obtenir quelque chose, eh bien… soit !

— Ne te moque pas de moi, marmonna-t-elle. Réponds.

Le regard de Sam se durcit sensiblement.

— On a tenté de me tuer, laissa-t-il tomber. Je te l'ai dit.

Le sang déserta le visage de Sophia qui s'en voulut affreusement d'avoir abordé le sujet.

— Je suis désolée, souffla-t-elle. Par « on » je suppose que tu parles encore de ceux qui t'en veulent ? voulut-elle savoir alors que sa colère à l'encontre de ces individus connaissait un regain.

— Précisément.

L'aveu qu'il venait de faire n'était pas à proprement parler un mensonge. Sophia s'imaginait maintenant que l'on avait essayé de lui planter une lame dans la poitrine pour y parvenir et ça, c'en était un. Sam en avait assez de lui mentir… Non, en réalité, il ne mentait pas, n'avait jamais menti pas même lorsqu'il avait scellé son sort. Mais il ne lui révélait pas non plus l'exacte vérité. Le poids du silence accablait à la fois son cœur et sa conscience.

— Je suis contente qu'ils n'aient pas réussi, lui assura Sophia avec tant de sincérité et de chaleur que Sam n'eut plus aussi peur de la lumière.

Le jeune homme frissonna lorsqu'elle effleura sa cicatrice.

— Si je les avais en face de moi, je…

— Tu serais terrorisée, la coupa-t-il. Comme tout le monde.

— Je leur cracherais mon mépris à la figure, continua-t-elle. Ensuite, je serais terrifiée, ajouta-t-elle avec un brin de facétie.

Attendri, Sam esquissa un mince sourire.

Probable effectivement qu'elle agisse tel un petit ange vengeur si elle s'y trouvait confrontée. Pas si, quand. Dans l'esprit de Sam, il ne faisait malheureusement aucun doute que tout cela se terminerait par une confrontation tôt ou tard. Parce que s'il n'avait aucune intention de lâcher l'affaire, eux non plus. Il le savait. Et ça, c'était effroyablement angoissant. Mais il leur restait une chance de gagner en douceur. Elle se trouvait justement devant lui et il l'aimait tellement.

— Je ne me moquais pas de toi tout à l'heure, reprit Sam, déterminé à se justifier et surtout à se faire pardonner son attitude. Tu m'as seulement pris au dépourvu. Tu ne m'aimes pas (ces mots-là lui firent l'effet d'un acide déversé sur sa langue) et tu me parles d'âmes sœurs. Avoue qu'il y a de quoi être déstabilisé.

— Je n'ai pas dit que je ne t'aimais pas, mais que j'ignorais ce que je ressentais exactement et que j'avais besoin d'un peu de temps, se défendit-elle.

Sam fit semblant de prendre les choses à la légère.

— Salopard d'Éros ! Il aurait dû apprendre à viser depuis le temps. Il m'a tiré sa flèche en plein cœur mais il t'a ratée.

Sophia inspira profondément avant de répondre à cette plaisanterie qui n'en était qu'un écho. Elle savait ce que souhaitait Sam. Et si elle ne pouvait pas encore lui dire les mots qu'il convoitait, elle se devait néanmoins d'être sincère avec lui.

— Je ne crois pas, non, chuchota-t-elle.

— Pardon ? s'exclama Sam dont les yeux s'écarquillèrent presque sous l'assaut de l'espoir.

— Il m'a eue, mais sa flèche a dû se ficher ailleurs et l'élixir met du temps à remonter jusqu'à mon cœur, sous-entendit-elle, une étincelle coquine illuminant ses sombres iris.

— C'est déjà ça, murmura Sam, supportant vaillamment une déception contre laquelle il ne pouvait pas lutter.

Sophia le désirait autant que lui la voulait, était presque consciente de la connexion entre eux et acceptait même sa part d'ombre. C'était beaucoup et plus qu'il n'aurait espéré, surtout en si peu de temps. Au regard de l'impatience le tenaillant toujours plus à mesure qu'il approchait du but, ces progrès lui semblaient pourtant terriblement minimes.

Voyant que sa friponne allusion n'avait pas eu l'effet escompté, Sophia soupira.

— Je sais que ça ne te suffit pas, articula-t-elle en se lovant contre lui.

À défaut d'amour, elle pouvait lui offrir sa chaleur, son désir et sa tendresse sans risquer de lui mentir. Il en avait besoin et elle à revendre.

Le bras que Sam referma sur elle l'enveloppa dans un cocon de force et de douceur.

— Tu dois avoir confiance, poursuivit-elle, plus bas.

— En quoi ? L'avenir ?

Il avait insufflé une espèce de rage et de dédain à ce dernier mot comme s'il savait déjà n'en avoir aucun. Si Sophia le perçut, elle ne releva pas.

— En moi.

Sans la libérer de son étreinte, Sam s'écarta un peu pour essayer d'accrocher son regard. Mais elle avait fermé les yeux. Un léger sourire flottait sur ses lèvres.

— Je tiens à toi, chuchota-t-elle. Vraiment. Et... (elle souleva ses paupières ; son regard se posa directement sur la scarification ancienne) je découvrirai qui tu es.

Le cœur de Sam était sur le point d'exploser, là, juste sous la cicatrice, si proche. Il s'en fallut de peu qu'il n'éclate lorsqu'elle y posa ses lèvres avant de la parcourir du bout de la langue. Effleurer directement son cœur et l'amour le faisant battre ne lui aurait pas fait moins d'effet.

— Sophia, se plaignit-il en proie à une vive émotion mêlant sa vulnérabilité à ses sentiments et à sa passion – un cocktail des plus grisants.

— Oui ?

Oh ! ce ton innocent !

— Tu vas me tuer, souffla-t-il alors que sa délicieuse bouche remontait vers son mamelon.

— Mais non. Et pour les réclamations, adresse-toi directement à Éros.

Un long frisson lui parcourut l'échine lorsque ses lèvres se refermèrent sur son téton.

— Bon sang, grogna-t-il lorsqu'elle entreprit de le mordiller, ses délicats petits coups de dents envoyant des flèches enflammées dans son bas-ventre.

Cette douceur mâtinée de provocation délicieusement insupportable attira la bête qui, alléchée, prit le dessus sans crier gare, et sans que Sam y puisse quoi que ce soit.

— Tu cherches encore les problèmes, l'informa-t-il d'une voix âpre.

Sophia s'interrompit, juste le temps pour elle de lui répondre.

— Je ne vois pas de quoi tu parles.

— Tu sais *exactement* de quoi je parle, la contredit-il.

Sophia sourit contre sa peau. Une provocation de trop pour Sam qui la libéra de son bras puis l'éloigna un peu de lui pour refermer sa main sur son sein ; son pouce effleura son téton déjà durci.

— Tu veux vraiment que je te baise comme tout à l'heure ?

Plus qu'une question, il s'agissait d'une incompréhension de ce Sam moins tendre que Sophia avait délibérément cherché à attirer ; elle savait qu'il restait tapi dans l'ombre, volontairement brimé par… Sam. Mais la jeune femme le désirait autant que sa part lumineuse, ne le craignait pas. Et surtout, il la fascinait.

— Tu ne m'as pas baisée, protesta-t-elle en levant les yeux pour scruter son regard luisant tel celui d'un fauve dans la pénombre. Nous…

— Si, chérie, techniquement, je t'ai baisée, la coupa-t-il.

— Soit, concéda-t-elle avec un demi-sourire en se remontant un peu sur le lit pour positionner son visage juste devant le sien.

Elle n'eut pas besoin de réclamer l'attention qu'elle convoitait, son amant plaquant une bouche exigeante sur la sienne. Pinçant son téton entre son pouce et la première phalange de son index, il le fit rouler entre ses doigts, arrachant de petites plaintes à Sophia qu'il but avidement. Puis, il pesa sur elle, la faisant basculer sur le dos et approfondit son baiser qui se fit dur, invasif, profond. Quand les plaintes de la jeune femme se muèrent en gémissements, il la libéra pour lui laisser reprendre son souffle.

— Je pourrais passer ma vie avec ma bouche et mes mains sur toi, lui confia-t-il d'une voix plus rauque que jamais. Tu es comme une drogue, ajouta-t-il alors qu'il se penchait à nouveau sur elle pour emprisonner le bout de son sein entre ses lèvres.

Sophia happa une goulée d'air lorsqu'il l'aspira, et le lécha en même temps. Sam fit descendre lentement sa main sur son abdomen, son ventre puis la nicha entre ses cuisses. Elle y resta, affreusement immobile pendant une éternité durant laquelle sa langue et sa bouche la torturèrent, la conduisant au bord de cette folie que seule l'excitation pouvait occasionner, cet état où tout pouvait basculer en une seconde. La jeune femme aurait pu essayer de se soulager en bougeant sur sa main, réclamer une aumône de caresse. Elle n'en fit rien. Ce Sam-là, plus dominateur que l'autre, ou plus indomptable, était capable de la punir pour n'avoir pas su jouer avec lui. Et Sophia voulait lui plaire autant qu'elle désirait le conquérir.

Elle retint sa respiration quand sa bouche quitta son sein pour suivre le même trajet que sa main un peu plus tôt, une caresse d'une infinie douceur, exaspérante de lenteur.

Sam s'immobilisa à la lisière de l'adorable petite flamme qui l'attirait tant. Conscient de ce qu'il infligeait à la jeune femme, il prit le temps de laisser son regard glisser sur sa peau si blanche offrant un contraste saisissant avec le satin noir. Toute en courbes douces, l'attente la révélant voluptueuse, lascive, impatiente, elle était d'une féminité bouleversante, d'une beauté à couper le souffle. Et elle était à lui.

— S'il te plaît, le supplia Sophia dans un filet de voix.

Rendu à moitié dingue par la perspective de la douceur de son sexe brûlant et trempé sous sa langue, son désir exacerbé par le sien, Sam n'eut pas le cœur à leur infliger plus d'attente. S'installant à plat ventre entre ses cuisses, il y enroula ses bras et plaqua ses mains sur son ventre.

Sophia fut incapable de lutter contre le plaisir la submergeant pratiquement dès que sa bouche se pressa sur elle. Sam ne lui laissant pas une seconde de répit, la jeune femme s'abandonna à sa virtuosité diabolique, à ses caresses sinueuses, exploratrices, pénétrantes. Sublimes.

Terrassée, délicieusement épuisée, Sophia eut à peine conscience que Sam quittait le berceau de ses jambes si ce n'est par le vide qu'il y laissa et eut encore moins la force de se plaindre mentalement de ce court abandon. Sam s'étendit près d'elle pour la prendre dans ses bras. La caresse de sa main allant et venant dans son dos prolongeait le bien-être dans lequel elle avait glissé, un apaisement des sens, de l'âme et du cœur.

La jeune femme ne voulait pas s'assoupir. Elle avait l'impression de n'avoir fait que dormir depuis trop longtemps. En plus Sam n'avait pas...

— J'aimerais te peindre, lui confia-t-il, suffisamment bas pour rompre le silence mais pas la sérénité du moment.

Sophia batailla pour s'arracher à la torpeur s'emparant d'elle.

— Pas pour vendre ou exposer ces toiles, seulement pour moi, précisa-t-il comme s'il savait que Sophia était mal à l'aise avec cette l'idée.

— Comment voudrais-tu me peindre ? demanda-t-elle, rassurée mais surtout curieuse.

— En Aphrodite à la manière de Botticelli, en Pandore comme Waterhouse, en Nyx et en Gaïa à la façon de Gustave Moreau, en Lilith dans le style de Dante Gabriel Rossetti.

— Rien que ça ! s'esclaffa-t-elle doucement.

— Rien de moins, répliqua-t-il avec une passion féroce.

— C'est ainsi que tu me vois ?

— C'est ainsi que je vois la Femme, précisa-t-il. Elle est toutes ces divinités à la fois et bien d'autres encore. La plus belle des créations, la plus mystérieuse également... Et je veux aussi te dessiner en tant que femme, comme Rose par exemple...

— Comme Rose ? répéta-t-elle cherchant désespérément dans sa mémoire à quel artiste ou tableau il pouvait bien faire référence.

— Oui. Je veux que tu poses pour moi, nue et étendue comme Rose le fait pour Jack dans *Titanic*.

Sophia gloussa.

— J'espère que tu ne comptes pas me faire porter un bijou aussi laid que...

— Non, bien entendu, ce collier est immonde. Il te faut une améthyste ou une tanzanite pour aller avec ton teint et tes cheveux, l'interrompit-il. Ou...

— Ou ?

— Il faut que je réfléchisse.

— D'accord. Mais pourquoi ne pas me croquer à *ta* manière ?

— N'est-ce pas justement ce que je viens de faire, te croquer à ma manière ? plaisanta-t-il avec malice, cueillant d'un baiser le joli rosissement de Sophia. Je veux aussi te photographier à ma façon.

— C'est-à-dire ?

Au souvenir de ce que le géant lui avait avoué du travail de Sam, Sophia s'inquiétait un peu.

Cela dit, si elle savait les clichés de Sam érotiques, elle n'en avait jamais vu aucun. En outre, érotisme n'était pas pornographie et elle doutait fortement qu'il fasse dans le graveleux ; il avait un sens de l'esthétique et une sensibilité bien trop développés pour ça. De plus, il n'avait pas laissé entendre que c'était de cela qu'il s'agissait.

— Tu verras, je te montrerai mon travail, et tu me diras si tu acceptes.

— D'accord, murmura-t-elle.

— Mais j'aimerais te saisir juste après l'amour, abandonnée, comblée, ton regard encore voilé de plaisir, ton superbe corps lumineux contrastant avec un drapé noir. Du velours, et la soie de ta peau.

Bercée par le timbre bas et doux de Sam, par sa lente élocution et ses caresses, Sophia soupira de bien-être.

— Je te crois capable de saisir aussi mon âme, susurra-t-elle.

— J'aimerais beaucoup que ce soit possible, parce qu'elle est magnifique ; elle a l'orient des perles de Bahreïn, un rayon de soleil emprisonné dans une larme de déesse.

Ces mots-là, Sophia ne les entendit pas. Elle s'était endormie.

Chapitre 31

Shax se dissimulait dans la nuit.

Allongé sur la large rampe en pierre de l'escalier extérieur du château, jambes croisées au niveau des chevilles, ses mains réunies derrière sa tête, son regard s'était perdu parmi les étoiles. Ses pensées avaient suivi le même chemin.

En dépit du ciel dégagé, il ne faisait pas froid. L'air embaumait les senteurs de la nuit annonçant l'arrivée du printemps. D'ordinaire peu sensible à ce genre de considérations, se moquant comme d'une guigne du temps qu'il pouvait faire, le géant se sentait pourtant réceptif au redoux ce jour-là, un peu comme le serait un ours percevant la fin prochaine de son hibernation.

Le bruit caractéristique des roues d'une voiture sur les graviers de l'allée menant à l'entrée principale de la demeure le ramena sur terre. Il releva la tête et fronça les sourcils. Ils n'attendaient personne et à moins qu'il ne s'agisse de la Morgan Super Sport d'Amon ou de Magdalene et Ilan revenant d'une sortie, l'intrus ne pouvait qu'être une visite-surprise. Le véhicule passant à proximité de l'un des lampadaires près du grand portail, Shax put reconnaître la silhouette d'une Mini Cooper. De toutes ses connaissances, une seule était du genre à conduire un petit bolide tel que celui-ci. Un sourire rusé étirant ses lèvres, le géant jeta un coup d'œil à Francis sagement installé sur l'une des marches, reprit sa position et se tint totalement immobile.

Annette coupa le contact et prit un moment pour observer l'imposante et sombre masse de la demeure s'élevant devant elle. Aucune fenêtre n'était éclairée. Personne ne l'attendait. Et c'était tant mieux concernant un certain géant de sa connaissance. Son baiser lui avait mis la tête à l'envers et depuis elle faisait n'importe quoi, n'était plus elle-même. Elle n'avait donc aucune envie de le voir. Cela dit, le risque de le croiser était minime. Il était probablement chez lui avec son top model, agréablement occupé à une multitude de choses intéressantes.

Inspirant puis expirant profondément pour chasser toute pensée négative, elle ouvrit sa portière.

Chargée de ses deux sacs de voyage, Annette gravissait la dernière marche du perron lorsqu'une voix surgie de nulle part la fit bondir et glapir.

— Ton rendez-vous avec Amon a fait long feu ?

Elle en lâcha ses sacs et instinctivement porta une main à son cœur.

— Nom de Dieu ! souffla-t-elle en se tournant vers la zone d'ombre d'où était venue la question.

Ses yeux s'accoutumant à l'obscurité, elle parvint à distinguer la silhouette de celui dont elle avait déjà reconnu le timbre grave. Qu'il ne puisse pas plus la voir qu'elle ne le voyait n'empêcha pas Annette de lui jeter un regard noir.

— Vous m'avez fichu une de ces trouilles, lui reprocha-t-elle vertement.

— Je suis désolé.

— Vous ne l'êtes pas ! s'accusa-t-elle, furieuse. Vous l'avez fait exprès !

Sans nier, Shax se redressa mais resta assis sur la rampe.

— Alors ? Tu n'as pas répondu, insista-t-il. Ça ne s'est pas passé comme tu voulais avec Amon ?

— Ça ne vous regarde pas ! s'offusqua-t-elle.

Possible, mais il était curieux. Amon était du genre à prendre son temps. Voir Annette revenir au château pouvait signifier plusieurs choses et il avait envie de savoir laquelle de ses suppositions était la bonne.

— Tu as découvert qu'il était aussi peu recommandable que moi et tu as renoncé ? demanda-t-il sans tenir compte de la remarque.

— Je ne suis pas du genre à renoncer quand je veux quelque chose.

Annette ne vit pas la moue dubitative de Shax.

— Je veux bien te croire, articula-t-il pourtant, un soupçon de moquerie flottant dans les profondeurs de sa voix, avant de se lever.

Annette s'interdit de réagir et l'observa ramasser quelque chose sur le sol puis déployer sa haute silhouette qui se découpa dans la nuit, plus sombre encore. Il se dressait devant la jeune femme comme un mur. Pas véritablement menaçant ou sur le point de s'abattre sur elle mais certainement pas de ceux sur lesquels on pouvait s'appuyer. C'était pourtant précisément ce qu'elle mourait d'envie de faire, réalisa Annette à son grand dam. Insupportablement sensible à la proximité de cet homme odieux et injustement magnifique, elle rêvait de ses bras se refermant sur elle. Et d'un autre baiser. Un vrai.

Heureusement, l'obscurité lui évitait l'humiliation d'exposer son désir ; Shax n'aurait pas manqué de le déceler dans ses yeux.

Lorsqu'il s'approcha d'elle, Annette fut incapable de bouger, pas plus qu'elle ne put retenir un frisson. Une sorte de bruit sourd se fit entendre. Quant à savoir s'il s'agissait d'un ronronnement ou d'un commentaire inarticulé, elle n'aurait su le dire. L'instant suivant, il lui collait entre les mains ce qu'il tenait. Vu la taille du paquet, cela aurait pu être n'importe quoi, mais un n'importe quoi qui bougeait, chaud et tout doux. De surprise, elle faillit le lâcher et se rattrapa de justesse, sa réaction lui valant un petit couinement de protestation.

— Occupe-toi de lui, je prends tes sacs, ordonna Shax.

Annette dut attendre d'être entrée dans la demeure et d'y voir quelque chose pour découvrir ce qu'elle retenait exactement contre elle. Dès qu'elle posa les yeux sur le petit animal, son cœur se dilata de tendresse. Comment résister à une créature aussi craquante ? Quelle bouille adorable ! Son pelage roux était parsemé de larges taches noires ; sous deux petites oreilles courtes et pointues, deux yeux tout ronds la scrutaient. Et puis... il y avait ce petit groin rose qui se nicha dans le creux sa main. Un cochon miniature...

— C'est votre fils ? demanda-t-elle à Shax non sans une pincée de provocation alors qu'elle commençait à gratouiller l'animal entre les oreilles, s'attirant des petits bruits de contentement. Comment s'appelle-t-il ?

— Francis.

— Drôle de n...

— Bacon, précisa Shax avec du rire dans la voix. Francis Bacon.

— Oh non, fit Annette, stupéfaite et surtout choquée. C'est ignoble de lui avoir donné un tel nom. Pauvre petit chou.

— C'est Sam qu'il faut blâmer, se défendit Shax. Sam et son sens de l'humour particulier.

— Auquel des deux Bacon... des deux Francis pensait-il ? voulut savoir la jeune femme sans cesser de gratifier le petit cochon de caresses.

— Au philosophe pour ce que j'en sais.

— Et quel âge a-t-il ?

— Un mois et demi.

Totalement conquise par l'affectueuse petite créature, Annette suivit le géant dans la galerie sans plus poser de question. Francis monopolisait tant son attention qu'elle ne s'offusqua pas lorsque Shax la précéda dans l'escalier.

Son plan fonctionnant à merveille, Shax arborait un sourire quasi diabolique lorsqu'ils débouchèrent sur le palier du second étage, mimique que la jeune femme aurait pu voir ou deviner si elle n'avait pas été occupée à déverser sa tendresse sur l'animal. Toute aux mamours dont elle le gratifiait, elle ne se rendit pas plus compte qu'il ne la conduisait absolument pas vers sa suite mais la faisait entrer chez lui.

Ce ne fut qu'une fois entrés, sans doute alertée par l'atmosphère feutrée des lieux, qu'Annette se figea et reporta son attention sur son environnement. Elle faisait face à un canapé, se trouvait dans une pièce décorée de noir, d'or et de rouge…

Oh non !

Elle entendit la porte se refermer. Un petit déclic pour un gros piège.

Annette fit volte-face pour échapper à la vision s'invitant dans son esprit, réminiscence d'une expérience qu'elle aurait voulu pouvoir oublier et découvrit Shax adossé au panneau, lui coupant toute retraite. Il avait déposé ses sacs près de l'entrée et attendait sagement, si tant est que l'adverbe puisse être appliqué à cet homme… à un homme posant sur elle un regard qu'elle qualifia de définitivement lubrique.

Annette serra le petit corps chaud de Francis contre elle, comme s'il pouvait la protéger du géant et de ses intentions.

— À quoi jouez-vous ? s'enquit-elle d'une voix altérée par une sorte d'inquiétude.

Le regard qu'il posait sur elle était devenu positivement prédateur.

— Il me semble que c'est clair, lui confirma-t-il.

Oh oui, tellement qu'Annette se demanda comment elle allait bien pouvoir se sortir de ce guêpier. Si elle y parvenait. Et peut-être aussi si elle voulait réellement s'échapper.

— Je vous ai déjà dit que je ne voulais plus et pourquoi, tenta-t-elle d'invoquer, constatant avec angoisse qu'il quittait sa porte pour s'approcher.

S'il la touchait, elle était fichue.

Le géant s'immobilisa à quelques pas d'elle, suffisamment loin pour ne pas totalement empiéter sur son territoire, mais assez près pour que sa présence l'enveloppe, la charme, la déstabilise.

Annette déglutit. Refusant de le regarder, ses yeux s'étaient égarés sur la surface fascinante de son torse moulé dans un pull noir qui, traître, en révélait le moindre relief. C'était une conspiration. Le danger était partout. Là, juste sous son nez. Si son regard descendait, sa volonté réduite à néant par le désir, elle poserait les mains sur lui, s'il remontait elle s'exposait à croiser ses beaux iris si clairs et à réclamer un autre baiser. Pire, à essayer de le voler.

— Je me souviens, articula Shax avec cette indulgence que l'on destine d'ordinaire aux enfants se repentant de leurs bêtises. Et je me suis excusé. Mais je suis disposé à recommencer si de ton côté du consens à admettre que tu as toujours envie de moi.

Vraiment ?

La voulait-il à ce point qu'il était prêt à une telle concession ?

Pleine d'espoir, Annette leva les yeux. Dans ceux de Shax brillait une détermination qu'elle aurait pu prendre pour de la passion si elle avait été une oie blanche, ce qu'assurément, elle n'était pas. Elle avait simplement l'impression que son refus constituait une sorte de défi pour lui et que son acharnement à lui faire des avances relevait plus de la vengeance que d'un véritable désir.

— Sinon, je peux m'en assurer autrement, laissa-t-il entendre. C'est toi qui vois.

— Vous n'oseriez pas, souffla-t-elle, priant et redoutant à la fois qu'il le fasse.

S'il se rendait compte de l'effet qu'il lui faisait, l'effet réel, il s'approcherait de trop près de la femme qu'elle se sentait devenir : l'amoureuse. Un rôle qu'elle ne maîtrisait absolument pas. En outre, ce n'était pas elle qui intéressait le géant, mais celle qui lui avait sauté dessus la veille. Pourrait-elle encore donner le change ? Sans doute, et c'était une nécessité absolue parce qu'elle avait terriblement envie de lui. Mais pour cela, il lui fallait repasser son costume de dévergondée et espérer que les coutures ne lâchent pas.

— Si tu le penses, c'est que tu ne me connais pas.

— C'est vrai, je ne vous connais pas, répliqua-t-elle avec la feinte légèreté de l'Annette qu'il convoitait.

S'arrachant à l'irrésistible attraction qu'il exerçait sur elle pour se retourner, une fuite, elle se dirigea vers le magnifique canapé où elle s'installa légèrement de côté, le plus loin possible de la place que le géant avait occupée lorsqu'elle l'avait surpris avec sa p... copine. Puis, elle déposa Francis à moitié endormi près d'elle, son sac à main à ses pieds et croisa élégamment les jambes avant de lever les yeux vers Shax qui n'avait pas bougé. Pas encore.

— Alors ? Ces excuses ? réclama-t-elle avec une pointe d'impatience.

Après un sourire en coin bien loin de trahir sa satisfaction, le géant la rejoignit sur le sofa, s'asseyant pour sa part exactement là où Zoé... et surtout adoptant la même position, jambes largement écartées.

Provocation ou invitation ?

Les deux. Piège donc.

Annette dut à nouveau se faire violence pour empêcher ses yeux de dériver en ces contrées dangereuses pour son self-control et les garda rivés sur ceux du géant. Le péril était autre, mais tout aussi réel cela dit parce qu'elle y retrouva cette chaleur inattendue qu'elle y avait vue avant qu'il ne l'embrasse. Elle aurait dû se méfier.

— Te dois-je des excuses à titre personnel ou dois-je me faire pardonner auprès de la gent féminine dans son ensemble puisqu'il semblerait que t'offenser rejaillit sur toutes tes semblables ? demanda-t-il d'un ton que la jeune femme estima un peu trop doucereux.

— Je me contenterai d'excuses personnelles, soupira-t-elle d'un air détaché dissimulant une furieuse envie de le frapper.

L'estimait-il réellement aussi vaniteuse ?

— Très bien. Donc, de quoi dois-je m'excuser exactement ? enchaîna-t-il. De te trouver belle et sexy, de ne pas aimer les journalistes ou de... t'avoir laissée m'utiliser ?

— Quoi ? s'offusqua Annette en le fusillant du regard et surtout en rougissant. C'est faux ! Je ne vous ai pas utilisé. Et c'est vous qui m'avez fait des avances ! se défendit-elle.

Allait-il le nier ?

— C'est vrai. J'ai proposé, tu as accepté et disposé. Mais finalement, tu ne m'as pas traité d'une manière tellement différente de celle dont tu m'accuses. Ensuite, tu m'as repoussé en prétextant un manque de respect alors qu'il ne s'agissait que d'une divergence d'opinions sur ton métier.

— Je n'arrive pas à croire que vous osiez dire ça ! s'exclama-t-elle encore, outrée. Vous avez sous-entendu que j'étais une saute-au-paf, m'avez traitée de fouineuse, de... de...

Shax l'observa tandis qu'elle tentait désespérément de trouver un argument supplémentaire. Elle pouvait essayer autant qu'elle voulait, il n'avait rien dit d'autre.

Furieuse, Annette regrettait n'être pas assise plus près du géant finalement. Elle avait envie de le gifler. Pas pour ce qu'il venait de dire mais pour la moquerie brillant dans ses yeux et son calme olympien. Dieu que c'était insupportable !

Pour le reste, il l'avait habilement mais copieusement remise à sa place et cependant n'avait pas totalement tort. Baissant la tête pour échapper un instant à son regard, Annette reporta le sien sur Francis qui s'était endormi.

— Je reconnais ne pas être un modèle de délicatesse ou de galanterie, reprit Shax d'une voix étonnamment douce, mais ça ne prouve aucunement un manque de respect vis-à-vis des femmes. C'est juste ma façon d'être.

Annette lui jeta un coup d'œil de côté.

— Je ne voulais pas t'humilier, ajouta-t-il.

— Ah non ? railla-t-elle toujours sans le regarder.

L'entendant bouger, Annette leva vivement le nez. Trahi par le crissement du cuir du sofa. Shax s'était approché, et assis de côté sur une de ses jambes repliée. Ne restait encore que Francis pour les séparer vraiment. Avec délicatesse, Shax le prit au creux de ses mains sans le réveiller et le reposa plus loin sur l'assise du canapé. Il ne se rapprocha pas plus pourtant ; c'était amplement suffisant pour perturber Annette.

— Non, confirma-t-il posément. J'ai juste la fâcheuse habitude d'asticoter tout le monde.

Annette se retint de répliquer que son plus gros défaut à ses yeux concernait sa froideur et la distance que celle-ci instaurait fatalement dans ses relations avec les autres. Cela dit, et s'il n'avait effectivement que voulu la taquiner, s'il ne mentait pas pour rattraper le coup donc, la jeune femme devait bien reconnaître qu'elle avait sans doute réagi avec trop de véhémence.

— Alors, je suppose que je vous dois des excuses moi aussi, marmonna Annette peu encline à passer pour une pie-grièche.

Un éclair rusé étincela dans les yeux du géant.

— Seulement pour avoir abandonné ton rôle de voyeuse un peu trop tôt.

— Vous êtes…, commença-t-elle dans un souffle, alors qu'une ravissante nuance de rose colorait ses joues à ce rappel de son indiscrétion.

— Incorrigible, je sais, l'interrompit-il, la malice brillant plus que jamais dans ses yeux. Ça t'a plu, n'est-ce pas ? demanda-t-il d'une voix tout à coup suave.

— Oui, avoua-t-elle sans difficulté en le regardant droit dans les yeux.

— Alors pourquoi es-tu partie ? Tu aurais pu découvrir comment j'aime me servir de la chantilly, ou…

— Amon m'attendait, prétexta-t-elle.

Shax n'avait absolument pas besoin de savoir qu'elle n'avait eu aucune espèce d'envie de le voir se taper sa copine ou quoi qu'il ait fait d'elle après son départ.

— Ah, oui, Amon… fit-il avec une gravité feinte. Il préfère le chocolat, ajouta-t-il avec un sérieux tout aussi factice. Il te l'a dit ?

— Comment le savez-vous ? demanda Annette.

Shax ne répondit pas, se contentant de lui adresser un regard et un sourire entendus laissant à penser que ces deux-là avaient fait les quatre cents coups ensemble… façon de parler. Ou pas.

— Et toi ? demanda-t-il, question qu'il articula d'une voix aussi suave que la réponse qu'elle allait lui donner.

— Le miel, avoua-t-elle.

Un aveu faisant naître dans l'esprit polisson de la jeune femme l'image d'une coulée de nectar doré et tiède s'écoulant lentement sur un corps mâle ; celui du géant ferait très bien l'affaire. Acoquiné à ses prédispositions sensuelles, cette pensée se fit des plus contagieuses ; telle la douceur sucrée, elle sembla se propager jusque dans ses veines, y déversant une exquise chaleur. Annette laissa échapper un petit soupir, pas très loin du soupir conquis, s'attirant un nouveau sourire du géant, propre à désintégrer sa petite culotte celui-là parce qu'il était un sous-entendu à lui tout seul, mais surtout parce qu'un homme aussi beau que celui-ci n'aurait clairement pas dû pouvoir l'être encore plus lorsqu'il souriait. C'était pourtant le cas, et d'une injustice sans nom. Comment était-elle supposée ne pas craquer alors qu'en plus il approchait son visage du sien, que son regard limpide l'enveloppait, que ses lèvres étaient presque à portée des siennes ?

— Je pense que nous ferions une sacrée paire d'amis, lui assura-t-il tout bas ; une confidence, de celles que l'on murmure dans les alcôves, pleines de promesses.

— Vous croyez ?

Annette avait voulu ironiser, elle n'avait fait que soupirer un espoir.

— Arrête de me vouvoyer. J'en suis certain.

— Pourquoi avez-vous utilisé le conditionnel ?

— Arrête de me vouvoyer. Tu n'as pas encore admis que tu avais toujours envie de moi.

— Préférez-vous l'entendre de ma bouche ou le vérifier directement ? demanda-t-elle d'un ton ingénu jurant terriblement avec son regard brillant de gourmandise.

— Arrête de me vouvoyer. Je veux les deux.

Son costume de vilaine fille semblant tenir le coup, à coup sûr renforcé par le désir brûlant lui incendiant maintenant le ventre et anéantissant sa volonté de résister à cet homme, Annette décroisa lentement ses jambes, le doux bruissement de sa jupe et de ses bas suggérant déjà les caresses qu'elle désirait. Puis, elle prit la main du géant et la lui fit poser sur sa cuisse, juste au niveau de l'ourlet de sa jupe. Sans la quitter des yeux, Shax glissa le bout de ses doigts sous le tissu fluide et entama une lente caresse sur la soie de son bas.

— C'est vrai, j'ai envie de toi, admit-elle, espérant que cette confession autant que le tutoiement inciterait ces doigts trop sages à s'enhardir.

Ce fut le contraire, ils l'abandonnèrent. Décontenancée, Annette ouvrit grand les yeux.

Elle espérait qu'il ne s'agissait pas là d'une basse vengeance, que maintenant qu'il avait eu ses aveux, il n'allait pas lui demander de déguerpir. Ce serait l'humiliation suprême.

Le regard du géant était si impénétrable qu'un doute affreux avait éclos dans l'esprit de la jeune femme. Et si son attitude était motivée par autre chose ? Peut-être venait-il de se souvenir qu'elle n'avait quitté Amon que depuis peu et estimait-il donc qu'elle n'était qu'une traînée de la pire espèce. Cependant, il n'était pas du genre à se soucier de ce style de considérations, et devait se ficher totalement de ce qu'elle faisait ou pensait d'elle-même tant qu'elle lui donnait ce qu'il voulait... Ce qu'il avait paru vouloir jusqu'ici du moins. Quant à elle... Elle avait sa conscience pour elle.

Shax savait très précisément ce qui se passait dans cette jolie petite tête.

La jeune femme l'ignorait sans doute, mais il connaissait très bien Amon, suffisamment pour être au courant, outre de certaines de ses préférences, qu'il n'aurait jamais laissé filer une aussi jolie proie si vite ni aussi facilement. S'il ne doutait pas une seconde qu'il y ait eu quelque chose entre Annette et lui, Shax ne parvenait pas à déterminer quoi exactement. Et c'était cela qui le tracassait, un peu, parce qu'il avait le pressentiment que ces deux-là avaient comploté quelque chose. Pour le reste, rien ne serait en mesure de le détourner de ses projets.

Aussi curieux soit-il, Shax ne tenta donc pas d'en savoir plus. Il avait bien mieux à faire dans l'immédiat. Son regard quitta celui d'Annette où brillait de l'inquiétude pour sa bouche pulpeuse, un joli fruit mûr et charnu qu'il avait envie de goûter.

Une émotion bizarre s'immisça dans son cœur lorsqu'il se pencha sur la jeune femme, comme un chatouillement inédit sinuant jusque dans ses profondeurs, un territoire inconnu, même de lui. À moins de l'envisager comme une caresse érotique, un préliminaire aux préliminaires, le géant n'était pas un adepte acharné du baiser qui dans son esprit relevait de la sphère sentimentale, de la douceur, de la tendresse… Et s'il oublia l'étrange sensation quand il pressa ses lèvres sur celles de la jeune femme, avec autant de gourmandise que s'il s'agissait d'une pêche juteuse, Shax ne put occulter totalement la chaleur se propageant dans sa poitrine.

De crainte, sans doute, qu'Annette ne réclame autre chose de lui que ce baiser presque trop dur, envahissant et exigeant, il faufila sa main sous les courtes boucles brunes courant sur son cou et la pressa sur sa nuque ; une prise lui permettant de prendre totalement possession de sa bouche et dont il se servit pour l'attirer à lui.

Shax avait bien l'intention de faire durer le plaisir, de profiter de la nuit s'offrant à eux pour connaître complètement la jeune femme, tester ses limites, si elle en avait, saturer son corps de jouissance, s'offrir à elle autant qu'elle le voudrait également. Seulement, il ne songeait plus désormais qu'à lui arracher ses vêtements pour satisfaire son urgence, sur ce sofa ou sur la moquette. Bestialement, de préférence.

Ce merveilleux baiser qui n'en finissait pas était une catastrophe !

Consciente que la férocité du géant n'était que l'expression de ses appétits, Annette ne pouvait pourtant s'empêcher d'y voir de la possessivité, une envie ou un besoin de la marquer, le début de quelque chose peut-être, si elle avait osé s'autoriser cette pensée.

Plus ce baiser s'éternisait, plus Shax se montrait implacable et avide en dépit des tentatives de la jeune femme pour faire de leur étreinte un langoureux échange. Tant pis, elle ne se sentait pas le courage d'y renoncer. Il agissait sur elle à la manière d'une drogue, une exigence vitale que son corps ne pouvait qu'accepter, qu'il réclamait même autant que cette puissance à peine contenue qu'elle percevait chez son amant, que sa dureté contre elle, sa chaleur.

Dans une tentative désespérée pour s'échapper au péril la menaçant, Annette voulut repousser Shax d'une main posée à plat sur son torse. Un grondement sourd et clairement désapprobateur fit vibrer l'air autour d'eux, et elle aussi. La pression sur sa nuque se raffermit sensiblement alors que, de sa main libre, le géant l'obligea à enrouler son bras autour de son cou, la contraignant à se rapprocher et s'appuyer contre lui.

Se découvrant incapable de résister, Annette ne s'y opposa pas et gémit, de désespoir autant que de plaisir.

Chapitre 32

Shax savait qu'il aurait dû libérer Annette, ne serait-ce que pour lui permettre de reprendre son souffle. Au lieu de quoi son bras libre enlaça la taille de la jeune femme lorsqu'il sentit sa poitrine se presser contre lui, rencontre occasionnant un coup de rein instinctif de sa part. Son érection comprimée dans son pantalon lui faisait déjà un mal de chien et voulait prendre le commandement des opérations.

S'arracher finalement au cercle vicieux qu'était devenu ce baiser lui aurait demandé un effort surhumain si son esprit n'avait pas été submergé par la vision de tout ce qu'il envisageait de faire avec elle, la prendre, caresser, lécher et sucer ses seins qu'il savait déjà magnifiques, faire courir sa langue sur sa peau, partout, la goûter, la dévorer jusqu'à ce qu'elle demande grâce... et ne pas en tenir compte.

Pas nécessairement dans cet ordre non plus et surtout pas une seule fois.

À bout de souffle, ses yeux d'une nuance rappelant l'heure bleue, Annette le fixa avec tant de reproche que Shax fut tenté de reprendre sa bouche et prolonger encore un peu la torture de l'attente, cruellement exquise. Son sexe pulsant douloureusement l'en dissuada.

Se relevant et simultanément chargeant la jeune femme sur son épaule, Shax se dirigea vers le fond de la suite.

Un peu déboussolée par ces manières dignes d'un homme préhistorique ne lui ayant pourtant arraché qu'un petit cri de surprise, Annette retrouva très rapidement la civilisation lorsque le géant la reposa à terre après avoir franchi un rideau courant d'un bout à l'autre de la pièce. À en croire le regard prédateur qu'il posa sur elle, ce retour à la civilisation n'allait pas durer. Elle aurait même pu dire que son univers n'allait pas tarder à basculer dans le règne animal.

Mais Shax fit un petit détour par l'ère des goujats avant. Après l'avoir regardée de haut en bas, d'un air aussi affamé que résolu, il fit volte-face et s'éloigna dans la pièce.

Stupéfaite autant qu'outrée, Annette se figea. Comment osait-il l'abandonner au beau milieu de sa chambre ? Dans cet état ? Et pourquoi ? Faire baisser la pression ?

La jeune femme n'était pas loin du compte.

Après s'être débarrassé de son pull qu'il fit passer par-dessus sa tête puis jeta négligemment par terre, Shax observa son reflet dans le miroir de sa salle de bains. Interroger le regard de son double n'était pas une bonne idée. Pas s'il s'agissait de savoir s'il devait vraiment céder à ses envies ou non. Ses pupilles étaient presque totalement dilatées par le désir. La situation dans son pantalon était explosive. Ouais, seulement quelque chose se tramait dans sa poitrine. Quelque chose de dangereux. Un guet-apens. Et tout ça cause d'un putain de baiser ! Shax mit à profit la demi-minute qu'il lui fallut pour se laver les mains pour se forger une armure en titane. Se priver de ce qu'il voulait, l'exquise petite bombe mûre à point qu'il avait plantée dans sa chambre, était définitivement exclu.

Annette n'avait même pas eu le temps de revenir de sa surprise lorsque le géant fit sa réapparition. Quoi qu'il ait décidé pour la suite, il fit d'elle une femme émerveillée avant toute chose. La rejoignant lentement, il reprit sa place en face d'elle.

La jeune femme n'était plus en mesure de lui reprocher sa courte absence, elle était bien trop occupée à dévorer des yeux son torse impressionnant se soulevant au rythme ample de sa respiration, son buste bardé de muscles parfaits, très athlétiques sans être trop développés, la rondeur de ses épaules incroyablement larges, ses bras puissants. Son éblouissement lorsqu'elle l'avait vu nu sur le canapé n'avait rien à voir avec celui qu'elle éprouvait en cet instant. Parce qu'alors, elle n'avait pu que le regarder et fantasmer. Là, d'ici peu en tout cas, elle pourrait le caresser, ses bras musclés se refermeraient sur elle, son corps pèserait sur le sien et ses mains magnifiques exploreraient sa peau. Sa bouche aussi, espérait-elle. Dans les heures à venir, ce mâle superbe serait rien qu'à elle et elle comptait bien en profiter.

Shax détourna son attention du futur pour le présent : il s'attaquait à la ceinture et aux boutons de son treillis. À son grand dam, il s'arrêta là et ne bougea plus, attendant manifestement qu'elle entame son propre effeuillage.

S'il la laissa se débarrasser de son tailleur, l'observant attentivement, ses yeux réduits à deux fentes luisantes, il n'eut pas autant de patience lorsqu'elle s'affaira sur les trop nombreux boutons de son chemisier. Se saisissant des deux pans de soie, il tira d'un coup sec, faisant sauter toutes les petites perles nacrées d'un seul coup. Pour ce qui était de sa lingerie, son soutien-gorge échappa au carnage car elle s'en occupa elle-même, mais pas son string qui n'était pas de taille à résister à la tension rageuse qu'il lui imposa.

Pratiquement nue, Annette se livra au regard de Shax se dressant toujours immobile devant elle, étrangement distant en dépit de la faim luisant dans ses yeux, comme s'il réfléchissait à ce qu'il allait faire.

Elle aurait voté pour : tout.

Annette fit un pas et tendit ses mains vers lui. Le toucher ne souffrait plus aucun délai. Elle en fut empêchée par les doigts du géant se refermant sur ses poignets. La contraignant même à écarter un peu les bras, il se servit de son corps pour la faire reculer. Remarquablement silencieux, il lui fit tout de même passer un message par le biais de son regard lorsque Annette leva les yeux vers lui. Et si ce message semblait dire « pas touche », la jeune femme refusa d'y voir autre chose qu'un jeu. Elle le laissa donc la conduire où il voulait sans opposer la moindre résistance, se laissa faire aussi quand, après l'avoir libérée, il la poussa suffisamment fort d'une impulsion sur ses épaules pour la faire tomber sur le lit. L'instant suivant, il lui faisait écarter les cuisses du genou.

Annette se risqua à lui jeter un coup d'œil. Fatalement, il la dominait par sa position, mais son regard courant sur elle n'était pas moins souverain. En soi, cela ne lui posait aucun problème. Cependant, la jeune femme avait beau se dire que c'était la faim et sa volonté de l'assouvir qui l'animaient, elle ne put s'empêcher encore une fois de regretter ces manières terriblement distantes au mieux la reléguant au statut de gourmandise, au pire, la confinant dans un rôle de corps à disposition.

Shax voulut en disposer immédiatement. Après s'être agenouillé, emprisonnant ses chevilles entre ses doigts, il l'attira à lui, lui fit plier les jambes et largement écarter les cuisses. Les talons aiguilles de ses escarpins s'incrustèrent dans sa peau, juste au-dessus de ses pectoraux lorsqu'elle prit appui sur ses épaules.

Son sexe intégralement épilé, exposé, luisait de désir. Une vision des plus alléchantes pour l'animal affamé qu'il était. Il se jeta sur sa proie avec la précision d'un fauve passant à l'attaque. Les talons s'enfoncèrent plus profondément dans sa chair, lui soutirant un grondement satisfait. Son goût pour certaines armes typiquement féminines, incluant les talons aiguilles, lui faisait apprécier ces petites meurtrissures. S'il ne recherchait pas la douleur, les petits jeux impliquant des sensations fortes l'excitaient. Celles qu'il recevait. Celles qu'il donnait. Comme en cet instant alors que sa langue explorait, pénétrait, léchait le sexe de sa maîtresse avec une gourmandise quasi compulsive, confinant à l'avidité. Elle était tellement délicieuse, trempée, se tordait sous sa bouche, gémissait. Elle allait le tuer...

Et putain c'était bon !

Alors, si elle était déjà pratiquement sur le point de jouir, il ne s'arrêterait pas. En était incapable.

Après que le premier orgasme d'Annette eut inondé sa bouche, Shax abandonna un instant son rôle d'envahisseur pour se faire maraudeur, fureteur et joueur sans s'éloigner de sa chair palpitante. Seulement, son désir de la rendre folle reprit vite le dessus.

Il récupéra une de ses mains jusqu'ici impitoyablement plaquées sur l'intérieur des cuisses de sa maîtresse. Sans cesser de la lécher, il insinua un doigt en elle, rapidement rejoint par un deuxième. Puis un troisième. Après un soupir de satisfaction, Annette retint sa respiration. Très au fait de ce qu'elle voulait, Shax le lui refusa, par jeu là encore. Mais la demoiselle était têtue. Prenant appui sur ses épaules, ses talons s'incrustant cruellement dans sa peau cette fois-ci, elle bougea son bassin pour obtenir le mouvement qu'elle désirait. Le géant la laissa faire, mais cette provocation, cette indiscipline, éveilla des pulsions l'incitant à sévir. Implacablement, avec une gourmandise et une voracité accrues, léchant, suçant, aspirant, pinçant, il précipita à nouveau son orgasme et la priva de sa bouche et de ses doigts alors que les spasmes de sa jouissance n'étaient pas encore apaisés.

Annette serait probablement furieuse, songea-t-il avec une satisfaction un peu perverse. Mais elle serait assurément prête pour la suite. Restée sur sa faim. Telle qu'il la voulait donc.

Repoussant les jambes de la jeune femme, Shax se releva calmement, comme si aucune urgence ne le tenaillait, comme si le désir ne raidissait pas tout son corps au point que c'en était insupportable. Comme s'il n'avait pas envie de se jeter sur elle.

Il se dirigea vers la table de nuit et y récupéra un préservatif avant de grimper sur le lit.

Annette ne rouvrit pas les yeux en sentant le matelas s'affaisser près d'elle.

Le vilain tour que Shax venait de lui jouer n'avait fait que décupler l'envie qu'elle avait de lui. Elle se disait qu'elle aurait dû être folle de rage au contraire. Contre elle et contre lui. À la vérité, elle n'était qu'un peu chagrinée. Oh, elle avait adoré ses caresses, et c'était un euphémisme ; elle aimerait tout autant ce qui se passerait entre eux ensuite. Seulement, elle doutait qu'il fasse preuve de plus de chaleur. Jusqu'ici, Annette avait toujours pensé que ses aventures n'avaient été que du sexe. Elle s'était trompée. C'est avec cet homme que ça ne serait vraiment que du sexe, sans réelle complicité, sans une once de cette tendresse qu'elle avait sincèrement cru ne pas convoiter.

Alors, elle aurait pu arrêter les frais à ce moment-là. Oui, sans aucun doute c'était ce qu'elle aurait dû faire. Le risque pour qu'une telle nuit soit la seule entre eux était trop grand et Annette n'était pas disposée à se priver du plaisir qu'il ne manquerait pas de lui donner malgré tout. Au moins n'était-il pas égoïste.

Après un profond soupir pouvant aisément passer pour une manifestation de sa satisfaction, Annette souleva les paupières et tourna la tête vers Shax assis de côté au bord du lit, près d'elle. Le sourire qu'elle voulut lui offrir s'évapora, atomisé par le regard littéralement consumé par le désir qu'il posait sur elle ; ses pupilles largement dilatées semblaient avoir totalement absorbé la belle lumière de ses iris.

La jeune femme se redressa puis se recula jusqu'au centre du lit où elle se mit à genoux. Shax la suivit sans attendre, se plaçant en face d'elle dans la même position. Lorsqu'elle tenta à nouveau de le toucher, il ne l'en empêcha pas, la laissant le caresser, effleurer la marque encore visible de ses talons du bout du doigt, faire courir ses ongles sur ses flancs ensuite, parvenant à lui arracher un frisson qui la satisfit. Ses mains ne tardèrent pas à se rejoindre sur son ventre.

Leur destination était évidente.

D'un geste vif, Shax immobilisa une fois de plus les poignets de la jeune femme et la contraignit à croiser ses bras dans le dos. Annette en aurait hurlé de frustration tant elle voulait le voir, le toucher, le prendre dans sa main, sa bouche.

Le géant devait posséder la faculté de lui ôter toute rébellion, car elle céda à sa volonté une fois de plus.

C'était pour ainsi dire la première fois qu'elle se livrait si totalement aux caprices d'un d'amant et rarement elle avait connu d'homme aussi inaccessible. Mais finalement, la distance qu'il lui imposait ne lui était pas désagréable. Parce qu'elle savait qu'il la voulait. Elle l'avait vu.

Une seule des mains de Shax suffisait à menotter ses poignets dans son dos. L'autre prit un de ses seins en coupe. À mesure que son pouce passait et repassait sur son mamelon très sensible, Annette se sentait gagnée par une nouvelle vague de désir, moins vive que la précédente, plus pesante, plus sombre aurait-elle dit si elle en avait été capable, mais tout aussi brûlante. Les caresses du géant se firent insistantes. Passant d'un sein à l'autre, il les pétrissait doucement, faisait rouler ses tétons entre ses doigts, les pinçait plus ou moins

457

délicatement. Ajoutant à son excitation, la jeune femme le regardait faire. Le désir la liquéfiait et ces petites tortures ne lui suffirent bientôt plus. Elle écarta un peu ses jambes avec l'espoir que les doigts de son amant s'y faufilent.

Naturellement, il n'en fit rien.

Se glissant derrière elle, le géant ne la libéra que pour presser sa main dans son dos. Une exigence. Claire.

Shax était un peu surpris qu'Annette ne se révolte pas plus. Jusqu'ici, il ne l'avait pas imaginée encline à la moindre soumission. Il avait bien vu qu'elle était tout de même un peu troublée par son attitude. Seulement, il savait aussi à quel point elle le voulait entre ses cuisses. Même sans délicatesse. Et la docilité valait mieux que se voir réclamer ce qu'il n'était pas capable de donner.

Shax n'avait pas à proprement parlé décidé de la tester sur le point de la tendresse et sa distance relative n'était due qu'à la bestialité qui l'animait. Elle s'apaiserait, peut-être. Rien n'était moins sûr, en réalité. Car s'il l'avait jugée parfaite, il réalisait maintenant qu'elle était plus que ça. Sa soumission, ne fût-elle qu'apparente, aiguillonnait son côté dominant et pervers. L'expérience de femme d'Annette, tout comme son absence d'inhibition, qu'il ne pouvait certes que deviner mais dont il était certain, lui faisait voir en elle une partenaire exceptionnelle. Et puis son corps de pécheresse tout en courbes hallucinantes l'excitait au plus haut point. Son appétit déjà insatiable n'avait pas besoin de stimulation supplémentaire. Shax quant à lui n'avait aucune envie de se laisser atteindre plus qu'il ne l'était déjà et craignait un peu que la passion ne se greffe au désir, la sienne autant que celle de la jeune femme. La câliner, jouer à l'amant doux et gentil était exclu et aurait été la leurrer, lui mentir. C'était aussi s'exposer à se faire prendre au piège d'une relation suivie, exclusive ou passionnelle avec tout ce que cela peut receler de danger, de complications, de chaînes. Et de souffrance lorsqu'elle prenait fin...

Or, il n'avait aucune envie de la blesser.

Le mieux était donc se cantonner à du sexe pur et simple, quand bien même son attirance pour cette femme le poussait à la mieux connaître.

Shax dégagea son érection sur le point de s'échapper de son boxer et déroula le préservatif sur son sexe. Beaucoup d'hommes sinon tous appréciaient prendre une femme par-derrière ; sur ce point, le géant ne dérogeait pas à la règle. Mais il n'était pas tous les hommes et était également un peu hors-norme. Aussi expérimentée et excitée Annette soit-elle, il n'avait aucune envie de la meurtrir par une invasion trop brutale, même si le désir courant dans ses veines était on ne peut plus primitif et l'y poussait.

Retardant le moment de la pénétrer, il fit courir ses mains sur les rondeurs de ses hanches, ses fesses puis ses cuisses avant de remonter vers sa taille, son dos, la faire languir jusqu'à ce que ce soit elle qui le réclame.

Serrant les dents pour juguler son irrépressible envie de plonger dans son corps brûlant, ses mains verrouillées sur ses hanches, il la pénétra très lentement, sa longue avancée mesurée lui valant de voir la jeune femme se cambrer contre lui pour l'accueillir tout entier, avec un long et doux gémissement qui lui mit la tête à l'envers. Marquant une pause, nécessaire, Shax faillit perdre tout contrôle lorsqu'elle abaissa son buste jusque sur le matelas, s'offrant totalement ; il ne put retenir un coup de reins instinctif. Annette laissa échapper un petit cri, une flèche se fichant dans son ventre, là où son désir bouillonnait déjà.

Il commença à se mouvoir, paresseusement, savourant chaque seconde de la caresse de son corps sur lui, un rythme les entraînant ensemble sur ce sentier où le plaisir était partout, les possédait, les égarait, leur ôtait l'envie de regarder le bout du chemin, leur donnait aussi l'impression de ne plus rien peser. Un bien-être rare, un excitant tourment qu'il entendait faire durer aussi longtemps qu'il le pourrait.

Shax les maintint dans cet état d'apesanteur, jouant avec leur résistance, les laissant se rapprocher de l'irrésistible ascension pour les en éloigner l'instant suivant, un jeu estompant un peu l'absence de tendresse.

Annette cherchait désespérément à s'échapper, à s'affranchir de ce qu'il leur imposait, agrippant les draps, se cambrant, le réclamant toujours plus profondément et plus fort en elle. Shax n'avait pas envie de le lui permettre, refusait la conclusion de cette étreinte. S'il la laissait s'enfuir vers le plaisir, il devrait aussi renoncer au tableau qu'elle lui offrait. Une joue reposant sur le matelas, paupières à demi closes, lèvres entrouvertes, elle était tout juste sublime, à la fois émouvante dans l'abandon, excitante dans le plaisir.

Sa résistance s'amenuisant, ses yeux fixés sur la bouche d'Annette, Shax manqua de succomber à une soudaine envie de l'embrasser encore. Troublé par ce qui ne pouvait être qu'un caprice, il le fut plus encore de réaliser que c'était un baiser vrai qu'il voulait, voluptueux et passionné, de sa bouche sur la sienne lorsqu'elle jouirait, dont il rêvait.

Repoussant cette folie, il ferma les yeux et intensifia ses poussées, modifiant à peine la cadence de ses coups de reins, et se concentra sur le plaisir que lui procurait la possession implacable de ce corps. Pour oublier un instant que cette femme pouvait l'atteindre. En vain.

Les cris de sa maîtresse allant crescendo l'excitaient au plus haut point, le harcelaient, l'encourageaient à prendre sa bouche. Pas pour la faire taire, pour s'abreuver d'eux, d'elle. Il ne céda pas non plus à ce chant de sirène et pesa progressivement sur Annette, jusqu'à l'aplatir contre sur le matelas, la soutenant d'un bras enroulé autour de sa taille pour qu'elle reste cambrée contre lui. Alors il la martela, lui soutirant certes d'autres cris mais trouvant une échappatoire dans la puissance de ses coups de boutoir et le plaisir qu'il en retira. La privation qu'il s'imposait, en passe de se faire manque, ne résista pas plus que lui au piège du corps de sa maîtresse se contractant spasmodiquement sur lui, si fort, si fort…

Sa reddition s'accompagna d'un râle sourd et puissamment mâle prenant le relai du long gémissement aigu d'Annette perdue dans le tumulte d'un orgasme dévastateur. Tremblante de plaisir, elle en absorba les vibrations avec bonheur ; elles se gravèrent dans sa chair, l'onde trouvant son chemin jusqu'à son cœur pour s'y propager.

La jeune femme aurait aimé ne pas revenir à la réalité, pas si tôt, car dans cette dimension trop éloignée de ce qu'elle venait de vivre elle réussissait à penser et s'y trouverait partagée entre les rires et les larmes. Aucun de ses amants, jamais, ne l'avait possédée aussi totalement. Et elle ne parlait pas seulement de l'aspect sexuel mais aussi de sa présence tout autour d'elle, comme si son énergie l'avait étreinte aussi sûrement que ses bras.

Si Annette avait eu des doutes sur les sentiments qu'elle commençait à nourrir pour cet homme, ils venaient de s'envoler.

Comment expliquer autrement cet exquis pincement de son cœur parce qu'elle sentait le souffle rapide de Shax sur sa nuque, ou que sa chaleur, son poids, le contact de sa peau, son odeur virile la rassurent et la rendent si heureuse ?

N'ayant pas perdu l'esprit pour autant, Annette était consciente que ses sentiments se heurteraient toujours à un mur. Et comme elle n'était pas plus devenue idiote entre-temps, elle savait aussi qu'il lui faudrait les museler. Avec un peu de chance, ils s'estomperaient d'eux-mêmes...

Cette perspective lui apparut infiniment triste. À l'image de ce moment où Shax se sépara d'elle pour se laisser retomber sur le matelas.

La jeune femme s'étira ; le temps qu'elle s'installe sur le flanc, son amant avait déjà fui. Oh il était toujours physiquement près d'elle, mais pas beaucoup plus. Assis au bord du lit, il lui tournait le dos. Et quel dos ! Ses cheveux longs et raides toujours retenus par leur cordon en cuir dessinaient une longue lame d'obsidienne effilée dont la pointe descendait plus bas que ses omoplates. Annette trouvait cela dangereusement attirant, follement sexy. Ses mains la démangèrent tant elle rêvait de les faire courir sur sa peau, de dénouer ses cheveux pour y glisser ses doigts ; ils se refermèrent sur les draps garance. Annette eut tout de même l'opportunité plus qu'appréciable d'apercevoir la chute de reins du géant lorsqu'il se leva, lui faisant brusquement prendre conscience qu'il ne s'était défait ni de ses rangers ni de son treillis. Rejetant formellement l'idée saugrenue d'une question de pudeur, la jeune femme refusa tout aussi catégoriquement la pensée qu'il ne voulait pas être touché plus que nécessaire. Seulement, dans son esprit, l'urgence n'excusait ni n'expliquait pas tout...

Elle le suivit pensivement des yeux pendant qu'il s'éloignait de sa souple démarche animale jusqu'à ce qu'il disparaisse dans la pièce attenante.

Dès qu'il s'y fut enfermé, Annette roula sur le dos. Les bras en croix, elle observa un instant le plafond avant de se redresser pour s'installer à genoux puis fit errer son regard dans la pièce. Là aussi, les murs étaient peints en noirs, les passementeries déployaient une gamme de rouges sombres, la décoration et les meubles affichaient des lignes baroques. Le plus étonnant restait malgré tout le lit. Outre sa taille laissant à penser qu'il avait été fabriqué sur mesure et les quatre élégantes colonnes s'élevant à chaque coin, le bois très foncé du montant était matelassé de cuir noir en son centre, le tout lui donnant un cachet très raffiné et surtout très masculin.

D'une épaule contre l'encadrement de la porte, Shax observa Annette depuis le seuil de la salle de bains. Elle ne s'était pas encore aperçue de son retour. Assise à genoux au milieu du lit immense, elle lui apparut toute petite. Pas fragile comme un peu plus tôt, mais il se demandait comme une créature si fine et délicate pouvait receler autant de vie, de passion, et le rendre fou de désir. Simple, elle était divine, sensuelle, heureuse de vivre et libre, chacun de ses gestes, de ses regards trahissait un tempérament charnel qui le narguait, le défiait et le poussait vers elle sans qu'il y puisse rien.

La jeune femme se figea lorsqu'elle le découvrit, puis lui sourit. Irrésistiblement attiré, cette maudite chaleur s'épanouissant à nouveau dans sa poitrine, Shax ne réalisa ce qu'il était en train de faire qu'une fois parvenu près du lit. Il s'y assit, s'adossant contre le mur, jambes repliées et écartées et posa ses avant-bras en équilibre sur ses genoux.

Y voyant une invitation, peut-être à tort d'ailleurs, Annette hésita à le rejoindre. Rien sur le visage du géant n'indiquait que c'était ce qu'il voulait ni qu'il l'accepterait. Tant pis pour lui, c'était ce qu'elle voulait, elle. Se rapprochant, la jeune femme s'agenouilla en face de Shax sans encore oser franchir la frontière virtuelle délimitée par ses jambes et fit courir son regard un peu partout, sur son torse, ses bras, et encore son torse parce qu'il était définitivement splendide. Après un coup d'œil vers son visage l'informant qu'il l'épiait, sans doute pour voir jusqu'où elle oserait s'aventurer, elle s'approcha encore. Un nouveau regard furtif lui apprit qu'il s'amusait de la voir aussi prudente.

Réprimant un sourire, Annette tendit la main vers l'une des siennes, la gauche, et entrelaça ses doigts aux siens.

— Tu sais que les bagues en disent long sur quelqu'un ? articula-t-elle tout bas, presque éblouie qu'il la laisse faire. Si on en croit les Grecs, celle que tu portes au pouce montre ton indépendance, mais pour d'autres le pouce est le doigt de la sensualité. Celle de ton index trahirait une disposition pour la possessivité et la jalousie. L'anneau que tu portes à ton auriculaire peut vouloir dire que tu es nostalgique d'un passé révolu. Et enfin, la bague que tu portes à l'annulaire droit indiquerait que tu es quelqu'un de tenace.

— Tu y crois vraiment ? demanda Shax d'un ton indiquant clairement ce qu'il en pensait.

Annette haussa les épaules.

— Pas vraiment, mais tu as de belles mains et ça te va bien, avoua-t-elle en caressant les larges anneaux de l'index de sa main libre. Je trouve ça sexy.

— Et toi qui n'en portes aucune, ça signifie quoi ? voulut-il savoir sans cette fois-ci que son intonation ne trahisse son sentiment sur ce qu'elle venait de dire.

Annette leva les yeux vers lui avant de répondre.

— Ça pourrait vouloir dire que je suis libre.

Le sourire qui étira les lèvres du géant s'accompagna d'une étincelle dans ses yeux. Annette n'eut pas le temps de les interpréter, mais elle s'en fichait ; quelques secondes après, à peine, elle était retenue prisonnière contre le torse de Shax.

— Non, décréta-t-il.

— Non ? s'étonna la jeune femme alors qu'un fol espoir s'engouffrait dans son cœur.

— Pas cette nuit.

Une précision dont Annette se serait bien passée.

D'un cœur idiot aussi du reste.

464

Si Annette n'avait déjà su commettre l'erreur de sa vie en cédant à Shax la deuxième fois, les jours qui suivirent se seraient chargés de le lui confirmer.

En dépit des moments torrides jalonnant sa liaison avec le géant, l'évidence lui apparut chaque jour un peu plus, comme une image pixélisée se faisant de plus en plus nette pour au final vous coller ce que vous n'aviez pas envie de voir sous le nez. Ce saligaud de temps qui file s'y entendait en la matière et se fichait royalement de ce que vous pouviez ressentir une fois qu'il vous avait ouvert bien grand les yeux.

Annette était consciente de ne pouvoir s'en prendre qu'à elle-même, lucide sur le fait qu'elle aurait dû pouvoir résister à la tentation et se contenter d'une nuit. Sauf que le mal était fait avant cette nuit de folie passée avec Shax qui n'en avait même pas été le révélateur en plus. Peut-être en aurait-elle été capable si cet homme n'avait pas été semblable à une boîte de Pandore bourrée de merveilles auxquelles la jeune femme brûlait de succomber depuis qu'elle en avait eu un aperçu. Il n'y avait pas là faute grave dans l'absolu, seulement un soupçon de danger, grisant... Jusqu'à ce qu'elle comprenne qu'à la différence du mythe antique, l'espérance était la seule à s'être échappée, emportée par le souffle brûlant de la passion auquel elle avait sincèrement cru pouvoir goûter sans dommage, se disant qu'elle serait assez forte et maligne pour passer à autre chose une fois qu'elle aurait cédé à ses envies. Preuve qu'elle se surestimait grandement...

Le géant n'avait pourtant rien fait pour la séduire. Oh non. En aucun cas, elle ne pouvait lui reprocher d'avoir essayé de la suborner dans la mesure où il était resté excessivement lui-même, c'est-à-dire ténébreux, viril, impénétrable, silencieux mais aussi demandeur que généreux. Et puis il y avait sa manière si particulière de la regarder, avec une attention pouvant paraître détachée pour qui n'y prenait pas garde mais où elle lisait la sombre gourmandise couvant en permanence dans les profondeurs de ses iris, très loin au-delà de leurs eaux calmes et claires. Chaque fois, Annette en était toute chose et rosissait, réaction faisant éclore des sourires canailles et satisfaits sur les lèvres de Shax. Fatalement, elle se mettait à fondre lamentablement.

Usant de cette espèce de faculté qu'ils semblaient avoir développée de ressentir le désir de l'autre sans avoir besoin de se le dire, ils laissaient alors libre cours à ces envies les ayant conduits à satisfaire leurs appétits respectifs où qu'ils se trouvent, sans se soucier de se faire surprendre, sans se préoccuper qu'un piano, un bureau, une table ou même un mur doive accueillir l'urgence de leur désir et leurs ébats.

Cette absence absolue de poésie présidant à leur relation ne gênait pas particulièrement Annette qui n'en avait bien souvent cure dans la mesure où dès que Shax la touchait, elle se liquéfiait et ne tardait pas à évoluer dans un univers voluptueux où ses sens dérivaient, se perdaient, où elle sombrait avec l'espoir de ne plus jamais retrouver le chemin.

Exaucée. Annette avait été exaucée, tant et si bien qu'elle s'était égarée corps et âme, dévoyée par cette certitude que Shax la désirait tellement qu'il ne se lasserait jamais d'elle. Il le lui prouvait tous les jours, plusieurs fois, depuis plus d'une semaine.

Aveuglée par ce qu'elle avait pris pour une réelle complicité, Annette n'avait pris conscience que sa relation avec lui n'était qu'un mirage, un hologramme de ce qu'elle souhaitait tant voilant la réalité, qu'à l'occasion d'une discussion sur l'oreiller après des heures de passion d'une fabuleuse intensité entre ses bras.

Cette nuit-là, ils avaient exceptionnellement trouvé refuge dans le lit d'Annette. Mais en fait de conversation, la jeune femme avait été seule à parler, de tout, de rien, Shax se contentant de l'écouter, mains croisées derrière la tête, les yeux fermés, et avec une patience qu'elle qualifiait avec le recul d'indulgente, ou de vaguement complaisante. Annette avait donc fini par se taire, laissant ses mots s'éteindre comme on laisse mourir un feu.

Jamais la jeune femme ne se serait doutée que son silence agirait tel un signal. Shax avait quitté le lit une minute après qu'elle se fut tue. À peine.

Plus meurtrie que réellement vexée, Annette l'avait observé ramasser ses affaires éparpillées sur le coûteux tapis puis se diriger vers la salle de bains. Et ce jour-là, la vue de son superbe corps nu caressé par les ombres baignant la pièce n'avait pas éveillé que des idées polissonnes en elle. L'image de cet homme ne s'éloignant que physiquement en avait fait naître une autre dans son esprit, symbolique mais pour le même résultat. Sa façon de s'éclipser comme ça, sans un mot, sans un regard laissait augurer une séparation imminente. Sans cris, sans heurts. Seulement un lien qui se défait de lui-même, un fil abandonnant un nœud trop lâche.

Brusquement frigorifiée, Annette avait rabattu le drap sur elle. Un bras enlaçant son oreiller, elle s'était installée sur le flanc de manière à tourner le dos à son amant lorsqu'il ressortirait de la salle de bains. Ce qu'il fit environ trois minutes plus tard.

Un laps de temps amplement suffisant pour qu'Annette fasse le point sur les quelques jours passés avec lui.

Peu disert – et c'était peu dire –, pas une fois le géant ne s'était livré d'une quelconque façon, avait-elle réalisé. Jamais il n'avait répondu à ce qu'elle disait en lui donnant ne serait-ce que son avis sur le sujet du moment. Pas plus qu'il n'était resté dormir avec elle. Et en dehors de leurs… séances de sexe, il ne l'embrassait pas, ne manifestait aucune tendresse, pas même un geste, une simple caresse, une étreinte, sauf si son but était de remettre le couvert bien entendu.

Annette aurait dû avoir la puce à l'oreille alors qu'elle-même avait toujours évité de se montrer câline, avait systématiquement résisté à son envie de se blottir contre son amant. Oh, il ne l'aurait sans doute pas repoussée, par politesse ou crainte de passer pour un salaud. Encore qu'Annette doutait qu'il se soit jamais soucié de l'opinion de quiconque. Comme elle contestait au géant la possession d'un cœur. À moins que celui-ci soit fané depuis longtemps, oublié dans un coin. Ou pire, emprisonné dans une cage dont on aurait délibérément jeté la clef. Pas « on », « il ».

Comment expliquer autrement la distance que cet homme instaurait avec tout le monde alors que dès qu'il s'agissait de cul, il était le plus attentionné des amants ? À moins de souffrir d'un handicap, d'une espèce de syndrome l'empêchant d'éprouver des sentiments, d'avoir subi une déception amoureuse telle qu'il se défendait catégoriquement de s'attacher à quelqu'un.

La jeune femme ignorait quelle thèse était la bonne. Ne le saurait jamais car elle ne se fatiguerait pas à poser la question. Il ne répondrait pas.

En dépit des efforts d'Annette pour se faire une raison, se dire que ce n'était pas la fin du monde, la mélancolie lui était malgré tout tombée dessus comme une répugnante bestiole. Elle avait eu le mérite de lui dessiller les yeux. C'était bien là le seul. Son cœur s'était fendillé. Il avait suffi d'un silence pour le briser en même temps que son rêve. Un silence de trop.

Annette était peut-être percluse de défauts, bourrée de torts, mais savait quitter la scène lorsqu'il le fallait. Dignement. Même si ça faisait mal.

Yeux fermés pour parfaire son rôle de dormeuse, affreusement réveillée et consciente de la présence de Shax sur le seuil de la pièce, la jeune femme n'avait pas pris la peine de contenir les larmes s'échappant de ses paupières closes. Les chances que le géant s'approche d'elle, dépose un baiser sur son front ou sa joue pour lui souhaiter bonne nuit étaient nulles. Celles qu'il se soucie de son attitude inexistantes.

Le bruit des pas de Shax se dirigeant vers la sortie avait résonné de manière horriblement terne aux oreilles d'Annette. Le déclic de l'huis se refermant peu après, bruit net, presque innocent, résumant tous ces mots qu'il n'avait pas prononcés avait achevé de l'anéantir.

Endosser à nouveau son costume d'Annette insouciante lui avait procuré la sensation de passer un vêtement trop grand aussi rigide qu'une armure mais curieusement sans cesse sur le point de craquer. Heureusement, elle n'aurait plus à le porter encore très longtemps. Comme elle pourrait enfin se défaire de ce foutu sourire qu'elle s'obligeait à arborer.

Après une journée passée seule dans sa chambre à travailler sur son reportage, presque seule car Francis ne la quittait plus, Annette avait fait l'effort de rejoindre leur petite assemblée pour le dîner par égard pour son hôte et surtout afin de ne pas éveiller les soupçons. Elle avait l'intention de quitter le château aussi discrètement qu'elle était sortie de la vie de Shax. Une décision qu'elle avait bien vite regrettée en constatant que tout le monde était présent, tout le monde incluant Ilan, Magdalene, et surtout Amon. Son entrée aurait pu passer inaperçue si le chauffeur de Sam ne s'était pas précipitée vers elle. Vers Francis en réalité, qu'elle la supplia presque de lui confier à nouveau, arguant qu'il lui avait affreusement manqué. Annette avait failli éclater de rire. Failli seulement. Elle comprenait d'autant mieux qu'elle-même vouait un amour inconditionnel au petit animal. Ce fut donc avec un terrible pincement au cœur qu'elle s'en sépara. Si elle avait pu, elle aurait adopté l'adorable créature lui permettant de trouver un exutoire à son trop-plein de tendresse ; finalement, elle se déverserait dans le vide, perdue, gâchée.

Le repas fut un supplice. Épuisant. Participer aux conversations comme si de rien n'était et rester maîtresse d'elle-même en présence de Shax relevait de la gageure. D'autant que le géant persistait dans ses petits jeux, cherchant à accrocher son regard. Se pouvait-il qu'elle ait mal interprété sa fuite l'avant-veille ? Quand bien même, sa décision était prise. Elle n'avait pas le pouvoir de changer les choses.

Il devenait même urgent qu'elle mette les voiles. Ne pouvant s'éclipser sans trahir son indisposition ou ses intentions, elle endura l'épreuve vaille que vaille et avait rejoint le trio formé par Madgalene, Ilan et Francis installés près de la cheminée dès le café servi.

C'était d'ailleurs l'adorable petit cochon qu'elle persistait à fixer. Pour oublier le regard affectueusement moqueur qu'Ilan posait sur sa compagne occupée à bêtifier avec Francis. Pour ne pas voir le tendre conciliabule né entre Sam et Sophia partis s'isoler dans un coin du petit salon. Mais aussi pour se protéger du double regard d'Amon et de Shax qu'elle sentait peser sur elle de temps à autre. Un la brûlait, l'autre la glaçait.

Annette n'avait pas revu le blond sexy depuis le jour où il l'avait reconduite chez elle. Pour ce qu'elle en savait, il n'avait pas remis les pieds au château avant ce soir-là. L'eût-il fait, elle n'était pas certaine d'avoir cherché à le revoir de toute façon, même pour le plaisir de sa compagnie.

Quoi qu'il en soit, à ce stade de la soirée – c'est-à-dire prise entre deux feux aussi positivement affolants que l'étaient Shax et Amon –, la femme qu'Annette avait été aurait déjà eu la tête envahie d'idées très très coquines où tous trois auraient eu un rôle délicieux à tenir. Seulement, celle qu'elle avait été s'était également offert un petit détour sur les chemins de l'amour, promenade dont elle était revenue transformée. Désormais, son cœur idiot était branché en direct avec son imbécile de conscience, les deux se liguant contre sa nature profonde pour la contrôler.

Songeant qu'elle devait impérativement s'éloigner de ce sentier, et vite, pour se retrouver et surtout pouvoir raccommoder son joli déguisement de dévergondée, Annette se leva et souhaita un bonsoir guilleret à la cantonade après avoir prétexté un peu de fatigue. N'accordant un regard qu'à Sophia, elle lui adressa un sourire lumineux destiné à la convaincre que tout allait bien.

Annette n'avait pas eu le courage de parler de ses peines de cœur ou de ses craintes à son amie. Pour cela, il leur aurait déjà fallu trouver le moyen d'en discuter en tête-à-tête, ce qui, compte tenu du temps qu'elles avaient passé avec leurs amants respectifs, n'aurait pas été une mince affaire. Et puis, surtout, Annette n'avait pas souhaité ternir ne serait-ce qu'un peu le bonheur de sa très chère amie qui, elle, filait le parfait amour avec Sam. Elle s'en serait affreusement voulu de lui gâcher son plaisir, et même le sien d'ailleurs parce que les voir ensemble était tout bonnement craquant. Ils étaient vraiment adorables.

Si Annette ne se trompait pas, Sam et Sophia étaient faits l'un pour l'autre. Avoir été l'instigatrice de leur rencontre, constater que sa traîtrise avait débouché sur quelque chose de positif la consolait presque.

Sa bonne action semblait pourtant n'avoir aucune incidence sur son karma et Annette se demandait quelle faute impardonnable elle avait bien pu commettre dans une autre existence pour être punie et souffrir de découvrir l'amour.

Deux regards avaient suivi la sortie d'Annette. Le premier d'un bleu azuré pouvant facilement se faire glacial mais en l'occurrence adouci par l'ombre du regret. Le second, noir, que le sourire de la jeune femme n'était pas parvenu à leurrer.

Chapitre 33

Sophia aurait sans doute été un peu plus mesurée qu'Annette pour qualifier sa relation avec Sam. Elle n'aurait probablement pas parlé d'amour. Pas encore.

Dans son esprit, le mot appartenait au domaine du sacré.

Néanmoins…

Elle s'était dit qu'une femme devait saisir le bonheur lorsqu'il se présentait à elle, arrêter de réfléchir et surtout que l'amour était le seul jeu où l'unique perdant était celui s'abstenant de participer.

Fidèle à elle-même, Sophia s'était livrée à un compromis, s'emparant du premier mais se réservant le droit de raisonner. Un petit peu. Il fallait dire que Sam n'était pas non plus n'importe quel homme. Probablement le plus complexe et le plus secret qu'elle ait jamais connu, mais surtout le premier qu'elle avait autorisé à prendre une vraie place dans sa vie. Alors, si elle se sentait amoureuse, vraiment, avec ce que cet état implique d'euphorie et d'exaltation des émotions, elle n'était toujours pas encline à brûler les étapes. Après tout, cela ne faisait qu'une semaine qu'ils s'étaient rencontrés. Seulement une semaine… ? Plus la jeune femme apprenait à le connaître, plus elle avait la sensation de plutôt le *reconnaître*, comme si, amnésique, elle recouvrait peu à peu ses souvenirs, le redécouvrait lui. Cette idée revenait à la surface de ses pensées avec une récurrence singulière. Logique cela dit, elle passait le plus clair de son temps avec Sam.

Si Sophia n'était pas crédule, elle n'était pas non plus dénuée de sensitivité. Sinon elle n'aurait jamais utilisé son « don » pour ses photos. Et puis elle persistait à vouloir croire que la magie faisait partie du monde. Elle seule avait le moyen de le rendre moins… inexorable.

Finalement, l'hypothèse des âmes sœurs n'était pas plus invraisemblable que l'amour immédiat et absolu de Sam pour elle. Pas plus inquiétant non plus.

De son propre aveu, Sam l'avait aimée au premier regard. Ses sentiments n'avaient cessé de croître. Il n'en avait rien dit, ne la harcelait pas, n'en parlait pas, mais Sophia savait qu'il l'aimait avec une intensité pouvant l'effrayer, elle, et le faire souffrir, lui. Elle ne la craignait pas, plus, et veillait à se montrer particulièrement sincère avec lui. Une franchise impliquant de ne pas lui dissimuler sa réelle tendresse. De toute manière, elle en aurait été incapable.

Comment aurait-elle pu ne pas être touchée par cet homme ?

Sam avait le fait serment de la séduire et ne prenait manifestement pas ses promesses à la légère.

Alors, bien sûr, Sophia aurait pu s'imaginer, ou redouter, que tous ses efforts, toutes ses attentions ne soient que manœuvres aussi éhontées que trompeuses si elle n'avait su, vu et surtout ressenti que Sam y prenait autant de plaisir qu'elle.

Aussi manipulateur puisse-t-il se montrer pour atteindre son but, un homme finissait toujours par se trahir à un moment donné. Sam ne commit pas le moindre faux pas. Cela pouvait le placer sur le podium des maîtres ès séduction ; honnêtement, Sophia n'y croyait pas une seule seconde. Mieux, pour le ressentir dans son cœur, son corps et son âme elle savait que Sam était précisément ce qu'il disait être : fou d'elle.

L'un des moments ayant positivement charmé Sophia avait été ce dîner aux chandelles sur le toit-terrasse du château, une soirée d'un romantisme fou dans un cadre magnifique. Encore que la jeune femme ait plus prêté attention à Sam, sensationnel dans un smoking noir porté avec une chemise tout aussi noire, qu'à la vue sur le parc ou celle du ciel étoilé. Tout avait été parfait, du souper fin à leurs discussions tour à tour tendres et passionnantes, en passant par la musique diffusée en sourdine. Sam avait délaissé le classique au profit d'une playlist de tubes pas vraiment récents qui tous parlaient d'amour. L'incontournable *You Are the First, My Last, My Everything* faisait partie du lot. Ce genre de clin d'œil capable de la toucher et de la faire rire à la fois était typique de Sam. Et Sophia adorait cette faculté qu'il avait d'y parvenir.

C'est peut-être au cours de ce dîner en tête-à-tête que Sophia tomba réellement amoureuse de Sam, ou qu'elle le comprit, mais ce fut assurément à partir de ce jour-là qu'elle découvrit à quel point cet homme était extraordinaire, à bien des titres.

Sophia avait eu un aperçu de son humour, de sa sensibilité, de ses passions, de son intelligence et surtout de sa culture ahurissante grâce à leurs conversations. Elle n'avait pas tardé à découvrir qu'elle était encore loin du compte ; tout ce qu'elle avait entrevu n'était en réalité qu'une infime partie de la richesse de Sam. Le mot passion n'était pas un vain mot lorsqu'il lui était associé.

Sophia croyait que Sam aimait les livres et la lecture ? Sam n'aimait pas les livres, il les révérait, les vivait, en avait autant besoin que d'air pour respirer.

Il avait lu chacun des ouvrages que contenait sa magnifique bibliothèque, et même du château, se souvenait de chacun d'eux, de leurs mots, leurs rythmes, des émotions qu'ils avaient fait naître en lui, quelles qu'elles soient. Profitant de l'occasion pour glisser une jolie déclaration dans la discussion, il lui récita cette phrase extraite des *Chants de Maldoror*, un de ses livres favoris : « *Une fois sortis de cette vie passagère, je veux que nous soyons entrelacés pendant l'éternité ; ne former qu'un seul être, ma bouche collée à ta bouche.* »

La jeune femme s'était imaginé qu'il ne s'agissait là que d'une simple citation, d'une phrase innocente. Elle n'avait jamais lu cet ouvrage. L'aurait-elle fait, peut-être aurait-elle alors compris l'indice que Sam venait de lui fournir. Peut-être... Ou peut-être pas.

Parce qu'ensuite, Sam l'avait embrassée. Dès lors, plus rien d'autre n'avait compté que son baiser.

Sophia croyait que l'existence du jardin d'hiver occupant une place de choix dans l'univers du jeune homme n'était due qu'à une volonté d'amasser et de posséder ?

Elle se serait trompée là aussi.

S'il admettait volontiers un penchant pour les collections, Sam lui confia avoir désiré un lieu de préservation pour des espèces rares ou en voie de disparition et surtout nourrir une fascination toute particulière pour le règne végétal, s'émerveiller de l'art avec lequel la nature créait, avec quelle malice elle combinait le superbe et le toxique, le moins joli et l'inoffensif, ou l'inverse, ou encore comment elle donnait au discret quelconque le pouvoir de soigner. Naturellement, Sam connaissait le nom scientifique de chacune des plantes en sa possession. Et puis, lui avait-il avoué avec petit un sourire d'autodérision, il aimait les fleurs, le simple myosotis l'émouvant autant que la plus sophistiquée des orchidées et il adorait les fruits dont, Sophia l'avait remarqué, il faisait une grande consommation. Notamment ces pommes si étonnantes qu'elle eut l'occasion de goûter. Issues du verger entretenu par Ilan,

que la jeune femme n'avait pas encore eu le plaisir de découvrir, le verger pas le jardinier qu'elle trouva au demeurant charmant, elles portaient des noms très évocateurs tels que Red
Devil, Red Love ou Red Merylinn. Le rouge était bien de
mise, mais quoi de plus banal finalement qu'une belle pomme
cramoisie. Sauf que celles-ci réservaient une surprise, car si ces
variétés méconnues et anciennes pour certaines étaient surprenantes, elles le devaient à leurs chairs sanguines, rouge vif ou
d'un rose très soutenu, ce qui était déjà beaucoup moins commun. À dire vrai, Sophia n'en avait jamais vu ni même
entendu parler avant cela.

Avec un clin d'œil laissant supposer qu'il songeait encore à
un film d'animation de Disney, Sam lui en avait proposé une.
Si Sophia ne craignait aucunement de plonger dans un sommeil éternel, elle n'avait cependant pas prévu de développer
une sorte d'addiction à ces fruits à la saveur unique, à la fois
très sucrés et très acidulés. Accoutumance que Sam s'était fait
un devoir d'alimenter, lui proposant un de ces fruits chaque
jour. À moins que l'un et l'autre ne soient devenus dépendants
aux baisers qu'ils s'offraient ensuite. Des baisers au goût de
plaisir, d'éternité. Au goût d'interdit. Au goût de pomme.

La passion de Sam pour son jardin n'avait cependant pas
été suffisante pour inciter Sophia à y remettre les pieds. C'était
bien assez de percevoir sa proximité lorsqu'elle se trouvait dans
la chambre du jeune homme.

La jeune femme avait finalement découvert que le balcon
donnait sur la grande serre lors de sa première nuit passée
avec Sam. Réveillée à l'aube, elle s'était levée et, sa curiosité
l'y poussant, s'en était approchée. Elle s'était instantanément
sentie mal à l'aise. Comme si elle avait su les plantes capables
de la happer si elle se penchait trop depuis balustrade, elle
s'était contentée d'un rapide coup d'œil et avait rapidement
rejoint Sam contre lequel elle s'était pelotonnée. Il l'avait enlacée

dans son sommeil, rassurée, réchauffée. Elle avait souri et s'était rendormie immédiatement après.

Honnêtement, le lieu était superbe. Évoquant une paisible mer végétale, il la perturbait pourtant parce que lui faisant revivre ses cauchemars et sa mésaventure après sa rencontre avec Sam, mais aussi pour une autre raison qu'elle ne s'expliquait pas vraiment, ou pas encore. Elle aurait pu invoquer une sorte de mauvais pressentiment, mais elle avait fini par comprendre qu'en réalité il s'agissait de tristesse ; une mélancolie ambiante que la beauté ne parvenait pas à évincer.

Si, d'une manière générale, Sophia préférait donc occulter l'existence du jardin d'hiver, il était au château un lieu qui au contraire titillait férocement sa curiosité : la crypte. Parce que ce lieu était empli de trésors, mais plus encore parce qu'elle savait pouvoir y approcher Sam dans ce qu'il avait de plus intime. Ses toiles, ses photos et manuscrits, nécessairement tous preuves et témoins à la fois de sa sensibilité, ne pourraient qu'être des reflets de ce qu'il gardait en lui, de cette part d'ombre qu'elle distinguait parfois et qui faisait vaciller la clarté ambrée de son regard.

Mais Sophia aurait dû se douter que Sam lui ferait découvrir ses collections historiques avant toute chose. Pour ménager le suspense et la faire languir, car il savait pertinemment à quel point elle était curieuse de voir son travail.

Dès que Sam eut actionné les interrupteurs des spots jetant une lumière douce et idéale sur ses trésors, Sophia se crut projetée des années en arrière alors qu'éblouie elle découvrait les trésors conservés au Musée national de Bahreïn avec ses parents. La jeune femme n'avait malheureusement jamais eu la possibilité de visiter celui de Bagdad. Elle n'avait que trois ans lorsqu'il avait été fermé à cause du conflit. Et quand son père avait quitté son poste à l'ambassade, des années plus tard, il l'était toujours, à son grand regret. Depuis, Sophia s'était consolée avec quelques visites au Louvre, mais elle aurait vraiment aimé pouvoir découvrir l'incroyable richesse du musée irakien.

Les antiquités de Sam ne pouvaient pas rivaliser avec celles d'un musée ; elles n'en avaient pas moins de valeur. Et puis elles étaient à l'abri de toute déprédation même si peu avaient la chance de pouvoir les contempler autrement qu'en photo.

Abstraction faite des stèles et fragments de frises assyriennes et néobabyloniennes, splendides, vibrantes de couleurs, rangées dans les différents meubles d'exposition consacrés à ces époques, les œuvres conservées dans les vitrines restaient assez confidentielles : elles consistaient en beaucoup de tablettes cunéiformes. Textes que la jeune femme était totalement incapable de lire ou traduire, et qui, pour ce qu'elle en savait, auraient pu être des poèmes tout aussi bien que des contrats commerciaux ou même des recettes de cuisine. Elle ne put donc que croire Sam sur parole lorsqu'il lui précisa qu'il s'agissait d'écritures relatant la création du monde selon les Sumériens, plus tardivement unifiées dans le poème appelé *Enuma Elish*, des mots du mythe mésopotamien d'Enki et Nimah racontant la création de l'être humain par des dieux, narrant comment Uta-Napishtim avait été sauvé du déluge provoqué par la colère des divinités ou encore contant le mythe d'Enki et Ninhursag. Sophia connaissait bien ces histoires grâce à son père notamment et accordait une très grande valeur à ces tablettes d'argiles témoignant des croyances des débuts de la civilisation. Elle avait pourtant une préférence pour les objets figuratifs illustrant ces mythologies ancestrales. Sam en possédait quelques-uns, et plus particulièrement des sceaux provenant du site de *Qal'at al-Bahreïn*, dont il avait pris soin de laisser l'empreinte dans de l'argile afin que l'on puisse se faire une idée de la scène gravée, des illustrations des mêmes mythes en l'occurrence, ainsi que nombre d'objets provenant de la nécropole d'A'Aali tels des vases en céramique, des statuettes et petites boîtes d'ivoire ou de bois ciselés, fibules ou ornements pour cheveux en or délicieusement parés de motifs floraux ou végétaux. Enfin, découverts sur des sites plus réputés de Mésopotamie, d'Irak et de Syrie notamment, il s'y trouvait une multitude de figurines, prêtres, déesses, femmes stylisées en terre cuite, d'amulettes en albâtre figurant des grenouilles, des poissons, des caprinés ainsi que le fameux Pazuzu réputé protéger des maladies et effrayer les esprits malfaisants, et accessoirement connu pour apparaître dans *L'Exorciste*. Comme quoi, certaines divinités ne devenaient démons qu'en vertu d'un point de vue.

Cette modeste mais riche et magnifique collection mésopotamienne était complétée par des objets issus d'autres civilisations plus récentes : fragments de mosaïques grecques, cratères représentant le jardin des Hespérides, le mythe de Prométhée ou encore la légende de Pandore pour ne citer que ceux-là, et enfin quelques reliques égyptiennes, minoennes comme ces statuettes de la Déesse aux serpents. Sans oublier encore et toujours la statuaire de chacune de ces époques intercalées avec les vitrines. Anubis, Seth, Ptah ou Isis côtoyaient Dionysos, Pan, Aphrodite, Hermès ou Éros, mais surtout veillaient ensemble sur les trésors.

Dès lors, Sophia aurait pu imaginer que Sam n'était que féru d'histoire. Là encore, l'adjectif aurait été trop pauvre. Non content d'avoir des connaissances très poussées de cette vaste et riche période historique qu'était l'Antiquité dans son ensemble, mythologies comprises, il connaissait et parlait les incontournables latin et grec anciens. Mais pas seulement. Sam maîtrisait également le sumérien, l'araméen, l'hébreu biblique, l'akkadien, ou encore l'égyptien, sans oublier l'anglais, l'allemand plus quelques notions d'autres langues.

De quoi donner le vertige. Faire peur aussi.

La singularité devenait vite monstruosité.

Sophia ne voyait pas Sam comme un monstre et voulait bien croire qu'alliée à ses facultés exceptionnelles, sa solitude l'ait autorisé à apprendre tout cela. Mais tout de même...

Elle se demandait si l'on ne devait pas plutôt chercher un début d'explication dans son exécration quasi viscérale du mensonge et de l'injustice. Les débusquer jusque dans l'histoire et le temps. Vaste quête s'il en était...

Il ne fallait pas oublier non plus la propension de Sam à provoquer. Sophia l'avait qualifié de rebelle, d'agitateur, mais alors elle ne s'était basée que sur ce qu'elle avait pu lire de ses écrits et sur ce qu'elle avait ressenti lorsqu'il avait évoqué l'acharnement de ses ennemis. À l'entendre parler de son nouveau projet de livre, tout cela allait bien au-delà de la seule provocation.

Sa propension, pour ne pas dire son obsession à dénicher la vérité aurait pu le conduire vers des travaux philosophiques aussi bien qu'à tomber dans la paranoïa, ou à voir l'œuvre de conspirationnistes un peu partout.

En réalité, il fallait prendre les choses dans le sens inverse. Sam aimait le savoir pour ce qu'il était et cultivait ce qu'il possédait. À partir de là, il s'en servait pour dénoncer les mensonges lorsque cela lui était possible. Sans prendre de gants.

En somme, Sam cherchait les ennuis, aimait cela et devait sans aucun doute les trouver.

Peut-être pas suffisamment car il avait décidé de s'attaquer une fois de plus à sa cible favorite, celle s'attirant inévitablement ses foudres et son mépris : les religions monothéistes, celles que l'on disait grandes ou principales. Sam ne jugeait pas ceux choisissant telle ou telle foi, bien qu'il ait laissé entendre qu'à son avis leurs adeptes devaient avoir une parenté avec une race ovine atteinte de cécité atavique. En revanche, ce qui le mettait hors de lui était le mensonge élevé au rang de vérité. Et c'était là ce qu'étaient les religions à ses yeux : des impostures établissant des dogmes despotiques, une occultation délibérée des sagesses anciennes que ces cultes avaient pourtant pillées, plagiées, détournées parfois, insultées, écrasées avec une horrible et violente récurrence aussi. Alors oui les nouveaux dieux aimaient le sang autant que les anciens, vénéraient le pouvoir autant que ceux supposés les servir, mais les Imposteurs, comme Sam les appelait, s'étaient livrés à un hypocrite syncrétisme afin de mieux suborner leurs nouveaux fidèles.

Pire, selon lui, dans leur arrogante certitude d'être uniques, souveraines, supérieures en tout et à tout, sous couvert de la foi, ces religions assuraient détenir la Vérité et la Connaissance, cette connaissance dont elles ignoraient tout ou plutôt ne voulait surtout pas se souvenir, ces religions conduisaient sur la voie de l'ignorance, celle de la soumission, celle du mépris de soi car éloignant l'être de sa vraie nature.

Des mots durs, un jugement sévère que Sophia aurait aisément pu qualifier de gratuitement intolérant si Sam ne lui avait pas exposé certains de ses arguments... tout droit sortis de l'Histoire. Des arguments non pas en béton mais en argile, en terre cuite, en albâtre, en marbre. Sam lui pointa du doigt les indéniables plagiats, les arrangements pris par les rédacteurs surtout afin que leurs écrits collent avec ce qu'ils souhaitaient imposer, au pouvoir qu'ils voulaient exercer, au jugement qu'ils faisaient peser sur tous les rebus de la création, femmes et mécréants se situant au premier rang d'entre eux. Sam n'avait pas expressément parlé de tyrannie spirituelle, mais c'était tout comme.

Sam disposait également de quelques preuves des mensonges qu'il dénonçait. Celles-ci étaient en cuir et parchemin, conservées dans des bibliothèques et vitrines spécialement conçues pour accueillir des livres anciens, fragiles et précieux. Le plus impressionnant d'entre eux était exposé seul, dans une vitrine et consistait en un manuscrit. Un très très grand manuscrit médiéval du XIIIe siècle écrit et enluminé par un moine bénédictin. Ses dimensions – plus de quatre-vingt-dix centimètres de haut pour cinquante de large et vingt-deux d'épaisseur, format suffisamment exceptionnel pour être noté – s'étaient chargées à elles seules de lui donner son nom : *Codex Gigas*. Géant et pesant aussi, accusant un poids d'environ soixante-quinze kilos.

Pas très pratique pour lire au lit...

Quoi qu'il en soit, l'ouvrage, splendide, merveilleusement calligraphié et enluminé avec art, était exposé à plat, ouvert sur la page lui ayant valu le surnom de Bible du Diable. Il n'avait de démoniaque que son enluminure au folio 290.

Le démon, grotesque, affublé des inévitables cornes, griffes et bouche grimaçante, était confronté à une représentation tout aussi naïve du Paradis. Suprême punition.

Sophia avait parfaitement compris que Sam avait fait sa devise de ces mots de Gandhi : « *Une erreur ne devient pas vérité parce que tout le monde y croit, pas plus qu'une vérité ne peut devenir erreur lorsque personne n'y adhère* » et voulait remonter aux sources de cette connaissance qui lui était si chère, pour placer son lecteur d'un point de vue précis, celui où l'on avait le recul nécessaire afin de traquer les mensonges que beaucoup tenaient pour parole d'évangile. Sophia comprenait sa volonté de remettre certaines pendules à l'heure, ne redoutait pas particulièrement la violence de son discours ou de son jugement sur les religions si elle restait confinée dans ses mots et ne manifestait que sa liberté d'expression. N'ayant pour sa part aucune conviction spirituelle, pas plus que d'idée arrêtée sur le sujet, la jeune femme appréciait néanmoins sa soif de vérité ; il n'était jamais aussi séduisant que lorsqu'il la défendait, avec passion, laissant la flamme qui l'animait s'échapper et l'atteindre, elle.

Sam était incroyable, exceptionnel dans son genre, mais l'intérêt de Sophia ne se limitait pas à ses connaissances, sa mémoire ou son intelligence ni à sa beauté, pourtant toutes si extraordinaires, presque surhumaines, qu'elles auraient pu en devenir inquiétantes. Sophia ne les percevait pas ainsi mais les recevait comme une fleur l'eau et le soleil, avec la sensation de s'épanouir sous leur rayonnement, grâce à la richesse qu'ils apportaient à leur relation.

Sam n'en conservait pas moins une ultime part d'ombre qu'elle n'était pas encore parvenue à atteindre ni comprendre. Peut-être l'aurait-elle approchée, ou seulement effleurée si elle avait compris que tout ce que Sam lui laissait découvrir correspondait en réalité aux termes d'une équation, ou à autant d'indices dont elle aurait besoin pour faire la lumière sur ses secrets. Ses ou son ? Dans l'absolu, cela ne changeait pas grand-chose. Piètre mathématicienne, mauvaise enquêtrice, Sophia était surtout plus encline à vivre chaque instant pour ce qu'ils étaient, des moments forts, excitants ou émouvants lui apportant beaucoup, qu'à systématiquement chercher à percer les secrets du jeune homme au risque de laisser s'échapper ce qui était vraiment important. Cela n'empêcha nullement la jeune femme de se voir confirmer que sa personnalité était tout en contraste, très fidèle à sa façon d'être, jonglant avec les extrêmes.

Lumineux lorsqu'il parlait de ses passions, diaboliquement séduisant quand il était déterminé à la faire rire, ces attitudes ne compensaient pas toujours ces moments de gravité extrême lui venant parfois, quand il lui faisait l'amour notamment, l'aimant comme si sa vie en dépendait, ou encore quand il la contemplait, en silence, son regard s'assombrissant singulièrement sous le coup de pensées qu'il lui taisait. Sophia ne retirait aucune gêne de ces regards-là qui semblaient avoir un effet notable sur son cœur, cette attention soutenue qui, comme si

Sam l'en suppliait dans le secret de son esprit, l'incitait à se blottir entre ses bras pour lui offrir sa tendresse.

Sophia ne la lui refusait jamais ; cela se produisait toujours lorsqu'elle en avait besoin elle aussi.

Donc, si la jeune femme avait appris une chose sur lui, c'était assurément celle-ci : Sam était une âme inquiète, constamment sur la brèche. Sophia ne voulait pas le changer ou le guérir à tout prix, si tant qu'il y ait quelque plaie à panser, plutôt le comprendre, savoir pourquoi il prenait parfois ces airs de petit garçon perdu la touchant profondément. Comment ne pas craquer quand un homme, brillant, splendide, vous annonçait qu'il dormait mal si vous n'étiez pas près de lui ? C'était tout bonnement impossible et Sophia ne pouvait que fondre. Fondre et se poser des questions malgré tout.

Cette vulnérabilité qu'il lui laissait entrevoir avait-elle un rapport avec le fait que Sam ne parlait jamais de sa famille, n'évoquait jamais ni père ni mère, pas plus que frères et sœurs, grands-parents ou cousins ? Sophia s'était demandé s'il n'avait pas été abandonné, ou livré à lui-même trop tôt. Elle avait également noté qu'aucune des pièces du château, pas même sa chambre, n'accueillait le moindre souvenir qui aurait semblé personnel, hormis la photographie qu'elle-même lui avait offerte et qui trônait désormais sur sa table de chevet.

La vaste demeure, et plus particulièrement la crypte où Sam travaillait, regorgeait pourtant de mémoire, mais celle-ci ne concernant que l'Humanité, pas lui. Était-ce à dire qu'être singulier, oubliant son individualité, Sam n'aspirait qu'à se fondre dans la masse, au contraire de beaucoup d'autres ne cherchant qu'à se distinguer pour s'en extraire ? Sophia comprenait un tel désir d'invisibilité. Combien de fois avait-elle souhaité qu'on ne la remarque pas ?

Pourtant, la jeune femme pressentait qu'il s'agissait d'autre chose. Car, en l'occurrence, Sam ne se serait pas perdu que dans la multitude mais aussi dans le temps. Et puis, ça ne collait pas avec le reste. S'il avait vraiment désiré se faire oublier, il n'aurait pas publié ces livres tellement provocateurs qu'ils engendraient des scandales quasi systématiquement, n'aurait pas peint ni surtout mis ses toiles sur le marché, aussi sacrilèges et séditieuses que l'étaient ses textes.

Sam avait guetté ses réactions devant ses œuvres impies, avec l'impatience d'un sale môme ravi que l'on découvre ses bêtises. Sophia avait surtout noté sa remarquable facilité à copier les styles de Goya, de Vinci ou encore Clovis Trouille pour se moquer d'un peu tout et tout le monde.

A contrario, il avait fait montre d'une pudeur particulière à propos de deux de ses tableaux qui, selon elle, reflétaient bien plus qui Sam était au fond de lui. C'est ainsi en tout cas que Sophia interpréta sa proposition de la laisser étudier les deux toiles pendant qu'il allait chercher ses croquis et travaux photographiques. Un prétexte pour la laisser les contempler en paix ou un moyen de fuir son regard et ses interrogations ?

Si Sophia respecta sa pudeur, les questions n'en surgirent pas moins dans son esprit.

S'inspirant de Gustave Courbet, preuve qu'il savait aussi parfaitement restituer des émotions, Sam avait copié *Le Désespéré* en lui donnant ses traits. Sophia reçut son regard un peu fou admirablement reproduit en plein cœur, en plein ventre et en pleine âme.

Avec cet autoportrait, Courbet avait peut-être produit l'une de ses toiles les plus mystérieuses et révélatrices de sa personnalité à la fois. Lui que son entourage connaissait sous un masque riant, l'avait tombé et avait montré qui il avait été : un jeune homme marqué par un romantisme triomphant que son idéal avait conduit à l'abîme.

Était-ce là le message de Sam ?

Non, Sam faisait toujours plus.

De par sa couleur, le regard noir de Courbet interdisait presque de véritablement lire les tourments de son âme ; ça n'était possible que par la volonté du peintre à montrer, crûment certes, le paroxysme de la crise mélancolique. Sur le tableau de Sam, son regard limpide autorisait au contraire à les entrevoir. Sophia n'aurait pas été surprise d'apprendre qu'à l'aide d'une puissante loupe l'on pouvait distinguer dans les iris du sujet peint quelques miniatures infernales évoquant Bosch, habilement dissimulées dans l'or, l'ambre, l'airain... ou dans les ténèbres des pupilles à moitié dilatées. Quoi qu'il en soit, en plus du désespoir, Sophia y lisait qu'au moment de la réalisation de ce chef-d'œuvre, Sam avait été aussi perdu, égaré et terriblement désemparé. S'il ne l'était plus, cet état d'âme persistait néanmoins grâce à cette toile et Sophia regrettait de l'avoir vue tant cela lui faisait mal. Abandonnant ce tableau, elle s'intéressa à l'autre, guère plus joyeux et tout aussi mélancolique quoique d'une manière moins brutale.

Sam figurait également sur l'autre toile copiant cette fois-ci *Le Sommeil*, du même Courbet, à ceci près qu'il avait pris la place de la jeune femme blonde et avait été délaissé par sa compagne brune ; ne restait que l'empreinte de son corps sur les draps, un vide à même de perturber l'équilibre de la peinture.

Encore une vacuité. Encore du désespoir, moins flagrant pour celui-ci mais plus poignant. Le visage du dormeur n'avait rien de serein, laissait même supposer qu'il feignait le sommeil ; sa main avait été représentée reposant sur sa cuisse paume vers le haut, comme une supplique pour qu'on lui rende ce qui lui avait été enlevé, ou comme un geste de renoncement résigné...

Curieux pour un être aussi rebelle que Sam.

En ce qui la concernait, Sophia les interpréta, pour *Le Désespéré*, comme une conséquence de la situation intenable imposée par l'acharnement de ses ennemis, et, plus romantiquement pour *Le Sommeil* à une attente de Sam.

Celle d'un retour ?

Songeant qu'elle ignorait si une femme, ou plusieurs, avait compté dans la vie de Sam, Sophia s'apprêtait à se montrer indiscrète malgré tout lorsque le jeune homme lui tendit une liasse de croquis ainsi que deux porte-vues professionnels.

Sophia oublia cette question dès qu'elle posa les yeux sur le premier dessin.

Sa réponse était là, juste sous son nez. Une en tout cas, mais engendrant une multitude d'autres questionnements.

Lentement, avec une inquiétude grandissante à mesure qu'elle les découvrait, Sophia passa les croquis en revue avant de revenir au premier.

Tous sans exception représentaient une femme, la même ; une femme qui n'était pas vraiment elle mais lui ressemblant étrangement bien que son visage ne soit que suggéré. Depuis quand quelques traits de crayons avaient-ils le pouvoir de montrer ce qu'ils ne figuraient pas ? Sam avait-il utilisé ses émotions ou ses sentiments pour dessiner cette personne qui donnait à Sophia l'impression de regarder une version plus accomplie d'elle-même, à la fois plus femme, plus sage, plus sereine ?

Émue et troublée, Sophia l'était. Mais ce fut la perplexité qui prima sur le reste ; celles des esquisses qui se trouvaient datées l'étaient d'au moins dix ans avant sa rencontre avec Sam. Ce ne pouvait donc pas être elle sur ces dessins.

Son regard abandonna le croquis pour s'élever jusqu'à celui de Sam braqué sur elle.

— Qui est-ce ?

Une question motivée par la curiosité plus que par une réelle envie de savoir. L'aiguillon de la jalousie s'attaquait déjà à son cœur.

La prenant par le coude, Sam l'invita à gagner le coin salon aménagé à l'écart de son atelier et de son bureau. Sophia prit place sur l'un des sofas puis déposa feuilles et books sur ses cuisses. Incapable de s'en empêcher, elle reposa les yeux sur le premier croquis où la femme représentée était vêtue d'une robe longue toute simple ; le vent jouait tant avec le tissu qu'il plaquait contre son corps pour en révéler les formes qu'avec ses cheveux, dégageant ainsi son profil à peine esquissé. La silhouette y était seule, y était nulle part, aucun décor n'avait été ajouté à cette esquisse.

— Qui est-ce ? s'entendit-elle répéter.

À choisir, Sophia préférait nettement entendre Sam lui annoncer l'avoir dessinée par prémonition plutôt qu'apprendre qu'elle ressemblait à une ancienne conquête. Encore que conquête impliquait une notion d'éphémérité démentie par le dessin lui-même. Et il y avait là beaucoup plus que de simples lignes sur un papier bistre. Elle y voyait une harmonie de désir, d'espérance, de souvenir et d'amour. Cette femme-là était aimée, perdue, regrettée. Sophia ne voulait prendre la place de personne et surtout voulait être appréciée parce qu'elle était Sophia. Comme la femme du dessin semblait être plus qu'une simple mortelle. Sophia songea à une allégorie…

Sam ne répondant pas, elle leva les yeux et se tourna vers lui. Si son expression restait neutre, son regard, lui, brillait d'un feu intense.

— Toi, répondit-il simplement et le plus naturellement du monde.

Une évidence qui n'en était pas une pour tout le monde.

— Elle n'est pas moi, protesta Sophia.

— Tu es elle, contra-t-il.

C'était bien le moment de jouer sur les mots.

— C'est un peu facile, Sam, fit Sophia, agacée. Elle pourrait être n'importe qui.

— Mais elle ne l'est pas ! J'ai réalisé ces dessins en rêvant à celle que je voulais, à toi. Seulement, je ne pouvais pas savoir à l'avance que tu lui ressemblerais autant ni que tu serais aussi belle.

— Cette femme est ton rêve, ton fantasme ou un souvenir, pas…

— Tu crois qu'il s'agit d'une ex ? Tu es jalouse ?

Il y avait eu autant d'étonnement que d'espoir dans les questions de Sam.

Bien sûr qu'elle était jalouse. Sam faisait tout pour la séduire et maintenant que c'était fait – car elle était irrémédiablement séduite –, il lui montrait des dessins d'une femme datant de plus de dix ans !

Sophia baissa précipitamment les yeux sur ce fichu croquis ; elle voulait tant qu'il s'agisse vraiment d'elle. Son cœur se serra sous le coup d'émotions contradictoires, dépit, désir, tendresse, colère.

— Non. Enfin, si, un peu, rectifia-t-elle immédiatement après, incapable de lui mentir.

Sam resta étrangement silencieux. Le choc sans doute. Sophia lui jeta un coup d'œil. Non, il n'était pas le moins du monde choqué ! Un plaisir évident se lisait sur son visage. Celui d'apprendre qu'elle avait plus que de l'affection pour lui, mais surtout cette satisfaction vaurienne arborée par un chenapan face au succès de ses manigances.

Le chameau !

— Tu l'as fait exprès ! lui reprocha-t-elle, lui frappant ensuite l'épaule du poing en guise de représailles.

Sam s'empara de ce petit poing ne lui ayant pas fait le moindre mal et le porta à ses lèvres ; ne lui rendant pas sa main, il s'en servit pour l'attirer à lui.

— Je n'aime pas la jalousie, grommela Sophia en se laissant faire. Je déteste l'insécurité et la peur qui l'accompagnent.

Sentiments qui s'évaporèrent dès que les bras de Sam se refermèrent sur elle. Elle inspira profondément, son parfum citronné acheva de la rassurer.

— Ta peur n'a pas dû être bien grande, lui fit-il remarquer. Tu n'es qu'un peu jalouse.

— J'ai peut-être minimisé les choses, laissa entendre Sophia qui en son for intérieur devait bien admettre qu'elle l'avait été plus qu'un peu. Mais tu n'as pas le droit le jouer comme ça avec mon cœur.

— Je suis désolé. J'avais besoin de savoir ce qu'il contient.

— Tu aurais pu me le demander.

— Et tu m'aurais répondu autre chose que : je ne sais pas ? *Je ne sais pas.*

Sophia grimaça mentalement.

— Je me serais montrée honnête.

— Mais moins spontanée. Tu as pratiquement changé de couleur et tes yeux lançaient des éclairs, se moqua-t-il.

— Tu es fier de toi, hein ? bougonna-t-elle.

— Pas particulièrement. Mais j'adore te savoir jalouse, même si c'est de toi.

— J'ai un rire ironique extra. Je te le ferai écouter un de ces jours.

Sam la repoussa un peu pour pouvoir la regarder. Il craignait vraiment de l'avoir blessée. Son regard sombre brillant encore d'un peu de contrariété s'adoucit.

— Je veux que tu me dises pour quelle autre raison tu m'as montré ces dessins. Avec toi, il y a toujours une autre explication. Alors que voulais-tu que je comprenne exactement puisque tu savais que j'y verrais une ressemblance ? Et si je n'avais jamais existé, qu'aurais-tu fait ?

— Ce n'est pas le cas. Tu es là.

La logique de Sam…

— Dis-moi.

Le jeune homme prit une profonde inspiration, signe qu'elle allait avoir droit à une de ces explications dont il avait le secret, entre leçon de philo, déclaration et allusion.

— Je voulais que tu entrevoies que certaines choses dépassent notre entendement, que tu aies la preuve que l'amour est une force sur laquelle le temps n'a aucune prise, qu'il est capable de surgir de nulle part pour éclore dans la réalité. Que tu réalises que je t'aime depuis plus longtemps que tu ne le penses. Je me suis senti terriblement seul s... avant toi et maintenant que tu es là, je n'ai pas l'intention de te laisser partir.

— Tu comptes me retenir prisonnière ?

— Oui, si ce sont tes sentiments qui te lient à moi plutôt que ma volonté.

Un sourire fleurit sur les lèvres de la jeune femme. Sam avait vraiment le chic pour dire de jolies choses.

— Tu es une preuve irréfutable que certaines choses dépassent l'entendement. Tu as une mémoire phénoménale, une intelligence hors norme, une culture monstrueuse, une sensibilité exacerbée et un talent fou dans tout ce que tu fais.

Ces compliments ne semblèrent pas émouvoir Sam particulièrement. Ils n'en restaient pas moins vrais et mérités ; son génie était indéniable, dans ces domaines comme dans d'autres que Sophia n'avait pas évoqués mais auxquels elle pensait toujours quand il était près d'elle, son indéniable don pour l'amour et la facilité avec laquelle il la conduisait sur ses chemins sensuels.

— Tu n'as pas encore regardé les photos, fit-il. Je suis peut-être un photographe exécrable.

La platitude de son ton dénotait singulièrement avec l'étincelle brillant dans ses iris, preuve qu'il connaissait ses pensées et surtout en était honteusement satisfait.

— J'en doute, s'esclaffa Sophia. C'est de l'érotique ? voulut-elle savoir.

La jeune femme déposa soigneusement les croquis près d'elle sur l'assise du canapé puis reporta son attention sur la couverture noire du porte-vues.

— À toi d'en juger.

Sophia n'avait pas l'intention de juger quoi que ce soit. Elle était seulement malade de curiosité.

Le premier book contenait une série noir et blanc et portait un curieux titre : *?!*

Sophia le comprit dès les premiers clichés. Les corps féminins et masculins photographiés nus avaient été envisagés comme les deux symboles de ponctuation et s'opposaient par paires.

Grâce à d'habiles éclairages créant un fort contraste, parfois avec l'aide de jeux de tissus, les courbes féminines évoquaient toute la sinuosité charnue du point d'interrogation, l'ondulation d'une hanche descendant vers la finesse d'une taille, le galbe d'une cuisse, celui d'une fesse, la courbure d'une épaule, l'arrondi d'un sein, ou parfois même un corps dans son ensemble. En miroir, on ne voyait des corps masculins que les sexes en érection, perçant les ténèbres, émergeant presque avec violence de l'ombre.

Une superbe série témoignant du réel talent de Sam.

La seconde, intitulée *Murmures*, en noir et blanc elle aussi, consistait en une suite de clichés en gros plan montrant de la peau nue au moment d'un frisson. Sophia comprit alors que le froid ou la peur n'étaient pour rien dans ces hérissements et que si érotisme il y avait eu au moment du déclenchement, il s'était niché dans les mots chuchotés aux modèles, faisant naître des émotions capables de créer des paysages sous l'objectif.

Moins sombre que la première série, celle-ci était tout aussi belle et poétique.

Quant au second book, il contenait des clichés que Sophia estima plus sexy que réellement érotiques. Certains montraient des couples simplement enlacés, dans des situations de domination respectant l'alternance des rôles, ou suggérant un BDSM très soft, Sam ayant préféré utiliser des matières douces pour restreindre vue et mouvement, foulards, bandeaux en satin…

Sophia ignorait naturellement qui étaient toutes ces jeunes filles ayant servi de modèles, mais le superbe mâle présent sur chacune des photos ne pouvait qu'être Shax. Il lui avait avoué avoir posé pour Sam et le spécimen en question possédait la même carrure impressionnante ainsi qu'une longue chevelure noire.

La jeune femme dut rester un moment à contempler la dernière épreuve, un peu trop longtemps au goût de Sam en tout cas, car elle le sentit s'impatienter. À sa décharge, il était superbe. Le cliché. Le géant aussi du reste, surtout à demi nu et dans cette attitude possessive, penché sur sa partenaire, sa bouche plaquée sur son cou et une main empoignant sa chevelure pour l'empêcher de s'enfuir. Sophia sourit. Annette aurait jugé n'importe quelle femme animée par la volonté d'échapper au géant comme la dernière des cruches. Le sourire de Sophia s'estompa peu à peu.

Elle n'avait eu que peu d'occasions de voir Annette qui passait presque tout son temps à folâtrer avec Shax, elle-même restant le plus souvent avec Sam. Cela avait toutefois été suffisant pour que la jeune femme note un subtil changement chez son amie, comme une ombre de plus en plus présente dans ses jolis yeux. Oh, elle essayait de le cacher à tout le monde, mais Sophia la connaissait suffisamment pour voir lorsque quelque chose la tracassait. Annette avait en outre commis l'erreur fatale de lui adresser son plus joli sourire de journaliste ce soir-là, au dîner.

— Je crois qu'Annette est tombée amoureuse de Shax, murmura-t-elle, ses yeux quittant enfin la photographie pour retrouver ceux de Sam.

— Comme toutes les autres.

— Non, pas comme toutes les autres ! Je ne suis pas amoureuse de lui, moi.

— C'est pour ça que tu bavais devant cette photo ? grommela-t-il.

— Je ne bavais pas ! se défendit Sophia dans un éclat de rire.

Elle referma le porte-vues qu'elle déposa avec les croquis puis s'installa de côté pour faire face à Sam, son coude s'incrustant dans le cuir du dossier du sofa.

— Ton travail est superbe, reprit-elle sincèrement. Vraiment. Mais… dis-moi. Tu ne bavais pas d'envie, toi, en prenant ces photos ? Ces jolies nymphes dénudées ne t'ont pas inspiré que des idées artistiques, j'imagine ?

Les yeux de Sam pétillèrent de malice.

— Tu veux vraiment le savoir ? insinua-t-il.

En fait, non, Sophia ne le souhaitait pas vraiment et cette non-réponse impliquant qu'il avait eu des aventures avec ses modèles lui soutira un froncement de nez. Mais sa vraie question, celle qu'elle n'osait pas poser de peur de la réponse concernait surtout une femme spéciale, une qui aurait compté plus que les autres… ou comptait encore.

Sam y répondit sans qu'elle ait besoin de la poser. S'inclinant sur elle, il effleura ses lèvres des siennes.

— Seulement toi, Sophia. Au passé, au présent et au futur, il n'y a que toi.

Un aveu et un serment qu'il scella d'un baiser laissant Sophia tout alanguie, état qu'il ne souhaitait pas la voir quitter, l'embrassant à nouveau, ménageant de courtes pauses pour lui murmurer des mots tendres.

Et une requête.

— Pose pour moi… Ce soir… Maintenant…

Non, elle ne poserait pas pour lui maintenant. Parce qu'avant, il allait lui faire l'amour, plusieurs fois.

Il la voulait nue, comblée, abandonnée, sur ses draps défaits, sa somptueuse chevelure en désordre l'auréolant d'un halo de feu, ses yeux sombres à demi clos plongés dans les siens. Sam la voulait aussi libérée de toute pensée, débarrassée de la carapace que tout être social revêt en présence de ses semblables, vraiment nue, telle que son âme la voyait.

Chapitre 34

Sophia se réveilla avec l'impression que la dernière syllabe de son prénom s'étirait dans son esprit alors qu'elle quittait les profondeurs de l'inconscience pour rejoindre la réalité. Comme la persistance d'un songe.

Quelques battements de cils lui suffirent pour se rappeler où elle se trouvait et constater qu'elle était seule dans le lit.

Sam ne l'avait pas abandonnée pour autant. Physiquement absent, il était là pourtant. Son parfum s'attardait sur les draps, sur sa peau. La tendre passion avec laquelle il lui avait fait l'amour imprégnait encore sa chair, son cœur. Ses regards tantôt intensément brûlants, tantôt empreints des sentiments vrais et forts avaient marqué son âme. Sophia aurait cependant préféré le trouver près d'elle. S'il avait été éveillé, elle aurait pu lire dans ses yeux qu'il allait bien. S'il avait été endormi, elle aurait su que c'était le cas et aurait pu le contempler dans le sommeil. Et puis la tendance de Sam à l'instabilité lorsqu'il laissait ses démons le perturber avait fait naître en elle le besoin de veiller sur lui. Outre le fait qu'elle aimait sa présence à la fois rassurante et protectrice. C'était amusant cette impression qu'ils se complétaient et cette volonté de se protéger mutuellement. Était-ce cela que l'on nommait amour ?

Sophia se redressa.

La chambre baignait dans un clair-obscur la nimbant d'une atmosphère flirtant avec le féerique. Son œil exercé et son expérience de photographe habitué à traquer une telle ambiance lui assurèrent que la lumière sélène était responsable de la pénombre particulière de la pièce.

Désertant le lit, renonçant à s'enrouler dans le drap si grand que l'on aurait pu lui tailler une dizaine de robes dedans, Sophia gagna le balcon.

Sa nudité ne l'incommodait pas. Elle se sentait même particulièrement bien et libre ainsi, plus qu'elle ne l'avait jamais été de sa vie, nota-t-elle. Sa relation avec Sam, intense et intéressante, même ne faisant que commencer, lui apportait beaucoup. Bien plus qu'elle ne l'aurait imaginé car elle comblait un manque que sincèrement elle n'aurait pas cru si profond. La jeune femme avait nettement l'impression de s'être réconciliée avec elle-même, de s'être trouvée elle en le trouvant lui.

Sophia laissa errer son regard sur les plantes, fleurs et arbres s'étendant devant elle. Agrippant la rambarde pour refouler l'angoissante tristesse qu'ils généraient systématiquement chez elle, elle leva les yeux vers la coupole vitrée du jardin d'hiver. L'astre nocturne, bel et bien en cause dans la lumière imprégnant les lieux, lui fit l'aumône d'un clin d'œil poétique.

Le sommet de la voûte transparente était marqué par un cercle de verre ceint d'une couronne métallique d'où partaient toutes les armatures maîtresses du dôme. Par une curieuse coïncidence ou en vertu de la perspective, l'orbe lunaire tel que Sophia le voyait s'inscrivait très exactement dans cet oculus, donnant l'impression qu'un œil pâle surveillait la serre. Mieux, l'illusion d'optique conférait des attributs solaires à la Lune, la dotant des rayons stylisés souvent employés pour dessiner l'étoile.

La jeune femme reporta son regard sur le jardin. Une certitude confinant au don de voyance lui assurait que Sam était là, quelque part dans ce fouillis de verdure. Honnêtement, vue d'ici, la végétation offrait un tableau impressionnant, mais impressionniste uniquement parce que la lumière blafarde de la lune jetait un voile sur les pensionnaires de la serre, triste cependant car leur subtilisant la vivacité de leurs couleurs.

Animée d'un courage la surprenant elle-même, prenant appui sur le garde-fou puis s'y agrippant, la jeune femme se pencha en avant. Le parfum tiède et caractéristique de l'union de toutes les fragrances végétales lui chatouilla le nez, l'enivra au point d'en avoir la tête qui tournait un peu.

Au moins ne risquait-elle pas de se faire happer par la verdure cette fois-ci, songea-t-elle, repoussant le léger vertige d'un mouvement de tête.

Sam s'était déjà détourné de sa contemplation pensive et s'apprêtait à rejoindre Sophia lorsque la jeune femme émergea de l'allée traversant sa collection d'orchidées et autres fleurs rares. Il se serait peut-être laissé aller à quelques pensées romantiques, tendrement poétiques, mièvres et faciles, en se disant qu'elle était la plus belle et la plus exceptionnelle d'entre elles à ses yeux s'il n'avait remarqué son regard fixé sur un horizon connu d'elle seule et cette espèce de détermination automatisant sa démarche.

Un peu soucieux, interloqué aussi par le comportement de la jeune femme pouvant évoquer une crise de somnambulisme, Sam l'observa le rejoindre puis s'arrêter devant lui. Son cœur se mit à battre comme un fou lorsque leurs yeux se rencontrèrent. Toute hypothèse de noctambulisme se volatilisa. C'était sa Sophia qui le regardait, celle qui savait tout de lui, celle qui le connaissait. Celle qui était sa force, sa vie, son alliée, son âme. Il était son énergie, sa raison d'être.

Statufié Sam n'osait pas plus y croire que la prendre dans ses bras de peur de rompre le charme. Sophia était toujours cette jeune femme superbe qu'il avait appris à connaître, mais elle était aussi cette parcelle de son âme qu'on lui avait arrachée. La savoir si près à nouveau lui était un insupportable bonheur, une félicité telle qu'il en avait le cœur en miette et les larmes aux yeux.

— Tu m'as manqué, articula-t-elle d'une voix douce en réponse à une fugitive roulant sur sa joue qu'elle récupéra du bout du doigt.

Réentendre non pas ce timbre mais cette inflexion si particulière qu'avait son élocution unissant la sincérité de ses sentiments à l'autorité, sa douceur à sa puissance, eut une incidence notable sur le rythme cardique de Sam déjà effréné. La voir, puis la sentir se blottir contre lui comme elle l'avait si souvent fait acheva de le terrasser. Douce et chaude, vibrante d'énergie, elle était...

Sophia était vraiment là ! Avec lui !

Si c'était un rêve, il refusait catégoriquement de se réveiller. Jamais.

— Toi aussi, répondit Sam tout aussi bas qu'elle, refermant ses bras autour de sa compagne, espérant que son étreinte donnerait à ces deux misérables mots la profondeur qu'il ne savait pas exprimer.

Si ses paroles simples restaient vraies, elles étaient tellement en deçà de ce qu'il éprouvait qu'il en avait presque honte.

Faisant remonter une de ses mains dans le dos de la jeune femme, Sam enfouit ses doigts écartés en éventail dans ses cheveux défaits avec une satisfaction lui soutirant un soupir de bonheur. Il ne connaissait rien de plus apaisant que ses boucles soyeuses sur sa peau.

— J'avais froid sans toi, murmura-t-elle contre son torse.

Quatre mots. Quatre foutus petits mots dictés par l'amour mais abolissant toute idée légère chez Sam dont l'âme sembla se fissurer plus qu'elle ne l'était déjà. Ce froid, lui aussi l'avait ressenti ; il avait emprisonné son cœur brisé dans une gangue de glace, figeant la douleur à son paroxysme et dans le temps, empêchant l'oubli, tuant l'espoir. Une malédiction dont il avait toujours cru sa compagne épargnée.

— Je me sentais si vide et seule, poursuivit-elle.

— J'étais mort.

— Je sais.

Une souffrance si pure sourdait de la réponse de Sophia que l'angoisse pétrifia son compagnon.

— Tu sais ? répéta-t-il, d'une voix altérée.

Sophia hocha la tête contre son torse.

— Dans le...

Elle frissonna.

Sam n'aurait su dire si c'était de peur et de colère pour la réclusion qu'elle avait endurée ou parce qu'elle revivait son calvaire. Il resserra son étreinte sur Sophia, pour la rassurer, l'apaiser. Il n'avait pas été là pour elle, n'avait pas fait assez pour la retrouver.

— Là où j'étais, reprit-elle, je connaissais ton supplice, mais je ne pouvais rien faire pour toi. Je voulais tant t'aider, te dire que j'étais là...

Sentant Sam se raidir plus encore contre elle, Sophia leva son visage vers le sien.

— Je vais le tuer, gronda-t-il en la regardant droit dans les yeux ; chacune de ces syllabes était une promesse chargée de haine, de désir de vengeance – sanglante de préférence –, et de détermination.

Elle lui sourit avec indulgence.

— Tu sais bien que non.

— Il le mérite, argumenta-t-il avec hargne, son regard assombri par la colère sous ses sourcils tellement froncés qu'ils se rejoignaient presque.

— C'est vrai, il le mérite, concéda posément la jeune femme. Je ne lui pardonne rien et j'irais même jusqu'à dire qu'il devrait disparaître. Mais nous devons penser à nous avant toute chose. C'est primordial et tu le sais.

Le beau visage de Sam s'éclaira comme par magie, celle de sa fierté et de sa tendresse enveloppant sa colère pour la désamorcer, étouffer son explosion.

— Tu as raison, chuchota-t-il avec passion. Comme toujours.

— Je ne détiens pas la Vérité, rectifia sa compagne alors qu'un soupçon d'ironie passait dans ses yeux magnifiques.

— Sophia…

Sam s'interrompit. Le regard de la jeune femme n'était déjà plus tout à fait le même.

Son cœur se serra.

Le rêve prenait fin.

Non !

— Je t'aime tant, susurra-t-il après avoir déposé un baiser sur ses lèvres offertes.

Cela ne suffit pas à la retenir. Son regard se voilait.

— Moi aussi, souffla-t-elle. Plus que je ne saurais le dire.

Sam rattrapa sa compagne qui, comme subitement privée d'énergie, s'affaissait contre lui. Passant un bras sous les siens et l'autre sous ses genoux, il la souleva et la cala contre lui.

— Sophia, murmura-t-il, de l'urgence se faufilant dans sa voix.

Une éternité s'était écoulée depuis qu'elle avait prononcé son nom pour la dernière fois. Cela avait été dans un cri désespéré, lorsqu'ils avaient été arrachés l'un à l'autre. Jamais personne, pas même Shax ni aucun de ses amis ne l'avait utilisé, à tel point que Sam avait presque oublié qui il était. Il avait besoin de l'entendre à nouveau, besoin de voir ses lèvres former les syllabes, mourait d'envie que sa jolie voix l'articule, car il savait n'y entendre ni jugement, ni dégoût, ni mépris, seulement du respect et de l'amour.

Le jeune homme n'eut pas besoin de formuler sa requête. Élevant sa main pour la poser sur la joue de son compagnon, son pouce effleurant ses lèvres, Sophia prononça les trois syllabes avant de fermer les yeux.

Elles résonnaient encore à ses oreilles lorsque Sam s'adossa au mur le plus proche. Un mélange d'espoir et de nostalgie tournoyant dans son esprit, il s'assit à même le sol. Puis, il installa Sophia de côté entre ses jambes. Ses bras la retenant tout contre lui, il attendrait qu'elle revienne à elle. Mais pas encore à lui.

Leurs retrouvailles avaient été brèves, trop, et Sam était beaucoup plus affecté par le sentiment doux-amer qu'elles avaient déposé dans son cœur que son visage ne le laissait paraître. Il appuya sa tête contre la paroi, soupira profondément et ferma les yeux. Après avoir ressassé ce qu'il venait d'apprendre, ses pensées s'envolèrent jusqu'à ses souvenirs de ces temps bénis où tout était bien dans le meilleur des mondes, ces temps où il n'avait rien d'autre à se soucier qu'être et aimer, qu'exister et être lui, un être puissant, un mâle et un amant, un ami, un complice. Et pourtant, ces heures avaient été de celles passées dans une prison dorée. Dans les faits, Sam avait échangé une geôle pour une autre, troqué une vie idyllique pour une existence rongée par la solitude et la souffrance. Il ne regrettait pas ce qu'il avait fait. Jamais il ne se repentirait non plus. Jamais ! Mais peut-être demanderait-il pardon à Sophia.

Elle se fâcherait s'il s'avisait de le faire, songea-t-il. Ils avaient été complices dans la faute.

Ses lèvres s'incurvèrent.

— Qu'est-ce qui te fait sourire ?

Sam rouvrit les yeux et les baissa sur Sophia qui l'observait, son grand regard sombre encore empreint de la présence de celle qu'elle avait toujours été et redeviendrait. Bientôt, s'il y avait une justice.

— Toi.

Quelque chose dans cette unique syllabe intrigua la jeune femme, plus encore que l'intensité du regard que Sam faisait peser sur elle, comme s'il avait dissimulé des mots secrets entre chaque lettre. Ils échappaient à sa conscience alors qu'elle était certaine que son inconscient, lui, avait su les saisir, les avait compris.

— Comment te sens-tu ? se soucia Sam en repoussant une mèche enflammée barrant le front de la jeune femme.

Sophia réalisa qu'il lui fallait réfléchir un petit peu avant de répondre. La question laissait supposer qu'elle aurait pu ne pas bien se sentir. Or, si elle ignorait comment elle était arrivée jusque-là et ne saisissait pas plus pourquoi elle était assise par terre dans les bras d'un Sam à demi nu, la jeune femme se sentait plutôt bien.

— Ça va, sourit-elle. Enfin…, je suppose que j'irai bien quand je saurai ce que je fais ici.

— Dans mes bras ?

— Dans ce maudit jardin, rectifia-t-elle.

Sam ne releva pas l'adjectif même s'il le chagrinait.

— Tu es arrivée et tu m'es tombée dans les bras.

— Ah bon ?

— Si tu ne t'en souviens pas, c'est que tu es somnambule.

— Mais…

Sourcils froncés, Sophia rassembla ses esprits et souvenirs.

— Je ne suis pas somnambule, nia-t-elle en se redressant un peu.

Croyant qu'elle voulait quitter ses bras, Sam la serra plus fort contre lui. Il avait encore besoin de la sentir tout contre lui. Tellement besoin.

— J'étais réveillée. Je ne me rappelle pas m'être rhabillée mais je me suis approchée du balcon. Ensuite je... je ne me souviens plus, et je me suis retrouvée dans un rêve.

— C'est ce qu'on appelle être somnambule, mon ange, se moqua-t-il gentiment.

— C'est autre chose, réfuta encore la jeune femme avec un soupçon irritation, refusant de croire qu'elle était subitement atteinte de ce trouble du sommeil alors qu'elle ne l'avait jamais été.

— Qu'est-ce qui te fait dire ça ?

— Le fait qu'il s'agisse d'un rêve récurrent, répondit-elle, réprimant mal un frisson.

— Pas agréable, manifestement.

— Pas vraiment, non.

— Tu veux m'en parler ?

— Tu es psy en plus du reste ?

— Je sais écouter, argua-t-il, renonçant à lui dire que ce n'était pas d'un psy dont elle avait besoin mais de lui.

Sophia détourna les yeux de Sam pour les reporter sur le jardin s'étendant devant eux. Elle ignorait dans quelle partie ils se trouvaient exactement et ne tenait pas particulièrement à le savoir. Rien n'aurait pu ressembler plus à cette zone que celle qu'elle avait déjà eu le malheur de visiter. Éclairé par des petits globes lumineux descendant de la voûte transparente, leur reflet sur le verre donnant l'impression que la verrière avait capturé des étoiles. La jeune femme savait pourtant que la lumière ne prémunissait en rien contre le danger des lieux. Elle s'y était promenée et perdue en plein jour, avait vu le jardin d'hiver de haut sous la lueur sélénite et le voyait maintenant sous un autre angle, le plus humble de tous. Mais en dépit de sa beauté, des merveilles et trésors qu'il devait abriter, à ses yeux il restait un lieu ressemblant beaucoup trop au terrain de jeu de son inconscient. Son regard revint vers le jeune homme.

Au moins, n'y était-elle pas seule. Mieux, elle était avec Sam.

Sophia avait déjà raconté ses cauchemars à pas mal de personnes ; aucune d'entre elles n'avait été en mesure l'aider ni de lui dire pourquoi ils hantaient certaines de ses nuits, pourquoi ils la harcelaient ou ce que cela pouvait signifier. Pourquoi pressentait-elle que ce serait différent avec Sam ? Parce qu'il était Sam et avait ses propres failles ? Ou parce qu'avec ce dernier rêve l'ayant conduite jusqu'à lui, elle avait la sensation d'avoir enfin atteint la mystérieuse destination de ses rêves, celle qu'on l'empêchait de toujours de rejoindre ?

— C'est si terrifiant que cela ? s'inquiéta le jeune homme d'une voix douce.

Pour être désormais au courant, Sam savait que ça l'était. Il ignorait en revanche précisément comment Sophia l'avait ressenti. Il n'y avait qu'elle pour le lui dire. Qu'elle pour lui laisser entrevoir ce que peut-être elle avait interprété ou réalisé du malheur s'étant abattu sur eux deux.

Sam avait raison d'employer ce verbe, sans aucun doute ses terreurs nocturnes avaient été épouvantables pour la petite fille. Son dernier rêve avait été le pire de tous. La femme qu'elle était devenue, raisonnable et forte d'un recul suffisant pour reléguer ses angoisses au second plan, ne craignait plus de les évoquer. Pourtant Sophia commençait à se demander si tout ça ne cachait pas quelque chose qui la dépassait. Elle n'était pas certaine d'avoir vraiment envie de savoir de quoi il s'agissait. Parce que cela pouvait bien se révéler aussi perturbant que ses songes eux-mêmes.

Sophia inspira profondément et consentit finalement à raconter son cauchemar récurrent, enchaînant avec le dernier en date.

Sam l'écouta attentivement, endurant ses derniers mots comme il put. Ce qu'elle avait subi était innommable et réveillait ses envies de meurtre. Des envies de se frapper aussi, pour l'avoir enfermée et abandonnée ici.

— Tu sais, commença-t-il peu après qu'elle se soit tue, d'une voix dissimulant ses aspirations meurtrières, la majorité des mythologies ou des religions, sinon toutes, estiment que l'âme voyage ou n'est pas irrémédiablement ligotée au corps qu'elle anime. Honnêtement, je ne pense pas qu'il s'agisse d'une coïncidence.

— Tu veux dire que mes rêves pourraient être causés par des... des souvenirs d'une autre vie ?

— D'une autre existence, nuança-t-il.

— À supposer que j'y croie, il n'y a aucun moyen de le savoir.

— Si. Grâce à une séance de régression, par exemple.

— Je ne suis pas sûre de vouloir savoir en fait. Et l'idée que l'on trifouille dans ma tête me déplaît assez.

Sam accusa le coup et se raisonna. Qu'elle ait peur de savoir était normal et ne signifiait aucunement qu'elle le refusait, lui, puisqu'elle ignorait encore pratiquement tout de ce qui les rapprochait. Mais tout de même, ça faisait mal.

— Toi, peut-être pas, mais d'après ce que tu viens de me raconter, ton esprit, lui, veut se souvenir et te le fais savoir. Depuis toujours.

— Ça implique des concepts auxquels je ne porte pas foi, argumenta Sophia. C'est du domaine du surnaturel, de la magie. Je ne crois à pas à tout ça.

— Mais tu as bien foi en quelque chose, tout de même ?

— Oui, en ce que je peux voir. En la beauté, en la laideur, en...

— Il y a un monde entre la laideur et la beauté, la coupa-t-il. Et un univers tout entier au-delà de la vision. Ce n'est pas parce que les yeux ne percent par le voile qu'il n'existe pas. Et c'est avec nos émotions que l'on peut le percevoir, ou par nos rêves.

— Tu crois ?

— Je le sais ! Viens, je vais te montrer quelque chose.

— Sam, protesta Sophia alors que le jeune homme la libérait et l'invitait à se relever.

Sans tenir compte de son manque d'enthousiasme manifeste et de sa résistance, la prenant par la main, il l'entraîna avec lui. Pas très loin. Vers une allée bordée de tablettes supportant tout un tas de pots alignés.

— Regarde, ordonna-t-il en lui désignant une fleur magnifique.

Une grande tige droite d'un vert bleuté portait sept fleurs évoquant un peu celle du lys. Chacune déployait trois sépales rouge et jaune tachetés de noir et trois pétales parme mouchetés d'améthyste. En son cœur, son labelle s'élevait tel une petite flamme jaune vif.

— Elle est splendide, répondit Sophia, faute de savoir quoi dire d'autre et surtout de comprendre où Sam voulait en venir.

— Oui, et très rare. On l'appelle communément Reine de Saba. Mais cette orchidée ressemble à une fleur. Regarde celles d'à côté. Que vois-tu ?

Sophia fit glisser son regard sur sa droite.

— Oh ! fit-elle, ravie. On dirait des petits singes.

De fait, l'agencement des différents organes des fleurs créait d'adorables petits visages simiesques, tous distincts.

— D'où le nom de leurs variétés : Dracula Simia. Continue.

Sophia consentit à poursuivre sa visite et découvrit rapidement que la nature réservait bien des surprises. Après les singes, virent des bourdons, des canards en vol, des papillons de nuit, des léopards, des colombes, des aigrettes blanches… une véritable ménagerie végétale, toutes des orchidées... Le règne animal n'était pas le seul représenté par cette stupéfiante famille de fleurs, car elles pouvaient aussi prendre la forme d'une danseuse, d'un ange... celle surnommée « l'homme nu » l'amusa beaucoup.

Les yeux emplis de toutes ces surprenantes beautés colorées, Sophia laissa Sam la conduire vers d'autres plantes, certes moins spectaculaires mais laissant à penser que la nature était experte en géométrie, ce qui n'était certes pas son cas, comme avec cette variété d'Aloès formant une spirale parfaite.

Enfin, Sophia put constater que la nature ne manquait pas non plus d'humour, grâce à cette plante tropicale rare dont la fleur aux deux pétales rouge vif recourbés ressemblaient à s'y méprendre à une bouche pulpeuse, caractéristique lui ayant valu le surnom de « Plante à bisous ».

Aussi agréable cet intermède soit-il, Sophia ne voyait toujours pas exactement ce que Sam essayait de démontrer ou de lui faire comprendre. Elle savait déjà que la nature était capable de merveilles. À moins que son intention ne soit de la réconcilier avec son jardin...

Mais la visite s'arrêta là. Sam se plaça devant elle et enroula ses bras autour de sa taille.

— La magie est partout, commença-t-il. Il y a celle tellement évidente que tu n'as pas besoin de vraiment regarder pour la voir parce que tu y évolues, comme ici. Ensuite, il y a celle invisible aux yeux que l'on peut découvrir grâce des outils palliant les limites des facultés humaines. Et enfin, tu as cette magie qui demande d'autres dispositions, une sensibilité particulière de l'âme. Une sensibilité que *tu* possèdes.

— Moi ? fit la jeune femme interloquée.

— Tu es une artiste. Grâce à ton objectif, tu perces le voile qui sépare les deux univers, tu entraperçois cette magie qui ne procède ni de la vie ni de la science, mais de l'émotion, du temps et du spirituel. C'est pour cette raison que tes photos sont si fortes. Tu vas au-delà du regard.

Sam marqua une courte pause durant laquelle il la scruta attentivement.

— Seulement, reprit-il, dès que tes yeux s'éloignent de ton appareil, tu redeviens aveugle.

Ce commentaire sonnait comme un reproche, ou un dépit nourri par un professeur notant « *peu mieux faire* » sur le bulletin d'un élève. Sophia n'était pas loin de prendre la mouche.

— Donc, j'imagine que maintenant tu vas essayer de me délivrer de ma supposée cécité ?

Sa question valut à Sophia de voir Sam arquer un sourcil d'une manière qu'elle qualifia d'indignée.

— Absolument pas. J'aimerais juste te montrer l'un de mes trésors.

L'espace d'une seconde, la jeune femme se demanda dans quelle mesure ce n'était pas la même chose. Le connaissant, il était bien capable de détenir une preuve de l'existence de cette magie dont il parlait.

Sam leur fit rebrousser chemin puis s'engagea dans une zone plus sauvage de jardin. Instinctivement, Sophia se rapprocha de son compagnon, refoulant tant bien que mal son angoisse d'être engloutie par la végétation comme dans ses rêves. À chaque pas, la verdure se faisait plus dense, gênait leur progression et se refermait sur eux. La peau de la jeune femme se couvrit de sueur ; le froid l'envahissait alors qu'ils débouchèrent dans une...

Techniquement, c'était une clairière, mais ce fut le mot trouée qui s'imposa à l'esprit de Sophia ; un vide créé ou aménagé pour...

Sophia en oublia d'avoir peur.

Sam ne lui demanda pas ce qu'elle voyait ou pensait voir. De toute manière, elle n'était pas certaine d'avoir pu répondre s'il l'avait fait ; ce sur quoi ses yeux s'étaient posés ne ressemblait à rien qu'elle avait déjà vu.

Sophia observa attentivement cette œuvre dont l'auteur ne pouvait qu'être Sam lui-même. Tout en elle, ses lignes pures, sa beauté à la fois irréelle et nostalgique, jusqu'à son lieu d'exposition, révélait la sensibilité du jeune homme, son talent, témoignait aussi de sa créativité.

La sculpture occupant presque totalement l'espace aménagé pour elle représentait un arbre, féerique, merveilleux, improbable, dont l'écorce de calcaire prenait un reflet argenté sous la lueur pâle et caressante de la lune. L'on aurait dit qu'il n'avait ni début ni fin. Ses branches, nues, peu nombreuses, toutes maîtresses et élancées, paraissaient naître directement de la lumière de l'astre, s'en écouler pour se rassembler et former un tronc large et court, noueux, se séparer à nouveau et composer une étonnante corole constituée de tout un réseau de racines traçantes ; longues et tortueuses, elles s'étalaient sur le sol avec lequel elles semblaient vouloir fusionner.

La magie existait. Sophia devait bien en convenir. Un artiste capable de créer une telle beauté la tenait au creux de ses mains.

Beauté. Magie. Le surnaturel n'était plus très loin.

Quoique finalement y avait-il une réelle différence ? Le mot magie n'était-il pas seulement un terme plus décent, sobre ou ingénu, ou même plus poétique, en tout cas dénué de cette connotation attirant un dédain moqueur sur celui qui l'utilisait pour évoquer ce qui échappait à l'entendement ? De même, le vocable beauté n'était-il pas un moyen tout aussi pudique employé pour qualifier la manifestation la plus évidente d'un sortilège ?

Toute sa vie ou presque Sophia avait traqué la beauté et la laideur avec son appareil photo. Celles faisant l'unanimité ou trop flagrantes ne l'intéressaient pas ; elle voulait celles se dissimulant là où ne les attendaient pas. Cette beauté clandestine et cette laideur secrète qui une fois révélées au grand jour avaient le pouvoir de changer les choses, le regard, les émotions...

N'avait-elle pas souhaité être au bon endroit au bon moment, poursuivant sans le savoir cet instant insaisissable où la tension entre le réel et l'irréel cédait brusquement pour lui permettre d'entrevoir des secrets par le voile déchiré ?

Sam avait nié vouloir la confronter à quelque chose d'extraordinaire mais l'avait conduite jusqu'à cet arbre fabuleux.

Éblouie, portée par les émotions que l'œuvre faisait naître en elle, Sophia discernait jusqu'à la nostalgie, la tristesse, la passion et la souffrance ayant présidé à la création de cette représentation d'une beauté extérieure si éclatante qu'elle en devenait presque abjecte. Un leurre magnifique destiné à dissimuler un secret. Sombre. Douloureux aussi, sans doute. Celui de Sam.

La raison pour laquelle Sophia avait peur de céder, peur de lâcher prise. Peur de ce qui se produirait si elle approchait la sculpture et touchait la gangue de calcaire, parce qu'alors elle ressentirait vraiment. Elle saurait...

Nul doute que si sa faculté à voir était transformée par le simple fait de côtoyer cette création, son empathie en serait elle aussi décuplée.

Sa sensibilité ne s'était jamais manifestée comme un pouvoir magique se déclenchant au toucher mais résultait d'un processus nécessitant qu'elle soit témoin d'une souffrance. En l'occurrence, rien pourtant ne lui disait que cela n'arriverait pas alors qu'il lui avait suffi d'observer cette œuvre pour percevoir les émotions de Sam emprisonnées dans la matière. Que se passerait-il si, en l'effleurant, elle les libérait ? N'allait-elle pas déclencher cette rupture qu'elle sentait sur le point de se produire ? Là, dans ce jardin aussi beau que laid, et en elle aussi.

La vibration la parcourant, et qui ressemblait étonnamment à ce frisson courant habituellement le long de son bras lorsqu'elle travaillait, semblait vouloir s'attaquer au lien la rattachant à la réalité, l'effilochant jusqu'à ce qu'il ne tienne plus qu'à un fil. Celui de son acceptation.

Échappant aux mains que Sam avait posées sur ses épaules, Sophia fit quelques pas, veillant à ne pas piétiner les racines de crainte de les briser. Parvenue tout près du tronc, elle leva les yeux vers les branches qu'elle découvrit ciselées d'un entrelacs de feuilles falciformes d'une extraordinaire délicatesse. Bêtement émue et rassurée que l'arbre ne soit pas nu ni mort, fût-il habillé d'une vie seulement symbolique, elle éleva une main pour effleurer la pierre façonnée du bout des doigts. Elle la récupéra en entendant Sam prendre une brusque inspiration. Lentement, elle tourna la tête pour le regarder par-dessus son épaule. Les yeux du jeune homme abandonnèrent la sculpture pour les siens. Son regard avait la limpidité d'une topaze impériale, de cette rare nuance cognac aurait-elle dit, ce qui aurait pu expliquer pourquoi la tête lui tournait. La cause en était plus sûrement l'intensité extraordinaire de son regard lui coupant le souffle. Non, définitivement non, Sam ne l'avait pas conduite ici par hasard et encore moins pour simplement lui montrer ce trésor.

Sophia reporta son attention sur l'arbre dont elle entreprit de faire le tour, sa main glissant sur le tronc comme une caresse – car c'en était une –, respectueuse et amicale.

Chapitre 35

L'amitié ne faisait pas partie des émotions animant Sam alors qu'il observait Sophia. Ou alors, elle était reléguée en fin de cortège.

Il avait rêvé, voire fantasmé, ce moment un nombre incalculable de fois et maintenant qu'il le vivait c'était le désarroi qui primait sur le reste.

Pourquoi ne le reconnaissait-elle pas, ne se réveillait pas ? Pourquoi ne percevait-elle pas l'odieux sortilège ? Pourquoi ne voyait-elle pas ?

Oh, elle était troublée, émue, avait fini par oublier ses craintes aussi, il le sentait, mais elle restait aveugle et imperméable à cette magie qui l'éblouissait, lui, tant elle était tangible.

Sophia semblait ne jamais vouloir réagir comme il l'espérait et ça le mettait dans une rage folle. D'un autre côté, la jeune femme était si désarmante dans son inconscience qu'à la colère de Sam se mêla sa tendresse, si vraie, si profonde qu'elle parvint à imprégner le feu de son exaspération. Ces sentiments discordants eurent comme effet notable de réunir définitivement l'homme et la bête, tissant les fils de cette toile complexe faisant de lui le Sam qu'il n'aurait jamais dû cesser d'être. Un phénomène latent depuis que Sophia avait charnellement provoqué sa part bestiale ; jusqu'ici, les deux créatures n'avaient fait que se tourner autour, s'entrelaçant comme les deux serpents du caducée d'Hermès, ou encore se liant à la manière de la double hélice de l'ADN. Si la survenue de cet événement n'avait pas été invisible et silencieuse, elle aurait pu évoquer un mécanisme qui s'enclenche après que ses deux pièces se sont ajustées. L'on aurait même pu ajouter un son à cette image. Un son d'inexorabilité. Un petit « clic » empli de promesses de revanche.

Ce processus ne signifiant pas encore tout à fait l'équilibre de l'ombre et de la lumière chez Sam ne se fit pas sans violence, et certainement pas sans douleur, mais le jeune homme n'était pas en état de s'en soucier. L'impatience se ruant dans ses veines, il estima qu'il était grand temps de donner un coup de pouce au destin. Ce serait la seconde fois qu'il se risquerait à prendre une décision nécessaire. Quoique la première ait été plus mûrement réfléchie.

Interceptant Sophia qui revenait à son point de départ, Sam se servit de son corps pour l'acculer au tronc de la sculpture, de ses mains pour emprisonner son visage ; sa bouche captura la sienne en un baiser affamé.

L'attaque avait pris Sophia par surprise. Ce n'était toutefois rien à côté de celle procurée par tout ce qui l'assaillit.

Ses yeux écarquillés n'étaient pour une fois pas responsables de ce qu'elle voyait.

Les images emplissant sa tête laissaient à penser qu'il s'agissait plus de souvenirs que de faits à venir ; la jeune femme n'aurait pu en jurer, car rien n'était en mesure de prouver quand ils se seraient produits ou à quelle époque ils se réaliseraient. Pourtant, ces visions portaient en elles des fantômes de sensations, d'émotions, de sentiments. Sam et elle s'y aimaient, riaient ensemble, discutaient étendus dans l'herbe, sous les cieux étoilés ou des nues se diaprant des couleurs de

516

l'aurore. Sam y était plus beau que jamais aussi, heureux. Quant à Sophia, elle y était différente et la même à la fois ; jamais elle ne s'était vue si sereine.

Au-delà de ces images oniriques troublantes, la jeune femme avait délicieusement conscience du baiser de Sam et de son corps se coulant contre le sien, mais le plus bouleversant fut de réaliser que la chaleur prenant possession de sa chair ne leur devait pas tout. C'était un peu comme si à ce qu'elle ressentait s'alliaient des sensations et émotions n'étant pas les siennes. Et si Sophia avait été capable de réfléchir, si elle avait pu y croire aussi, peut-être aurait-elle été à même de comprendre qu'il s'agissait de l'amour et du désir de Sam, mâles et bruts, s'attaquant à ses défenses pour se faufiler en elle.

C'était là ce que Sam avait voulu et n'était possible que parce que le lien entre Sophia et lui commençait à se réparer. Sam le rêvait déjà chaîne indestructible ; il n'était encore qu'un fil un peu fragile tendu entre eux n'autorisant qu'un flux inégal. Car si la jeune femme n'acceptait qu'un peu de lui, Sam pour sa part accueillait avec avidité la passion féminine de Sophia s'écoulant dans son corps avec l'ardeur suave d'un miel chaud et épicé. Un délice, un baume à même de guérir la plupart de ses blessures. Son envie de la faire sienne flirtant avec une pulsion avait pourtant moins à voir avec une insatiabilité de sa part qu'avec son désir de forcer le destin en stimulant le réveil de Sophia. Encore que passer l'entièreté de sa vie à aimer la jeune femme lui apparaissait comme la plus enchanteresse des occupations. À condition qu'ils aient une vie à vivre…

Interrompant son baiser, sans vraiment s'éloigner, Sam contempla sa compagne. Le souffle court, ses joues délicatement rosies, lèvres entrouvertes, Sophia mit du temps à lui revenir et à soulever à demi ses paupières.

Son acquiescement étincelait au cœur de ses iris ; un désir pur faisant chatoyer leur nuit de nuances mordorées. Soulignant son accord par de l'impatience, Sophia s'activa sur les boutons du jean de Sam. Découvrir qu'il ne portait rien dessous lorsqu'elle faufila une main sous le tissu lui arracha un petit frisson de satisfaction. Rien de comparable toutefois à celle qu'elle éprouva quand ses doigts s'enroulèrent autour de son sexe rigide. Plus qu'une envie, il s'agissait pour elle d'un besoin viscéral de le toucher, de combler un manque abyssal dont elle ignorait la provenance. Sophia n'était plus en mesure de se soucier du pourquoi ni du comment, seulement des conséquences du baiser farouche de Sam. Elle oublia ses questions, les visions et les souvenirs.

Sam n'avait pas l'intention de laisser Sophia le pousser à bout. Il y était déjà. Elle aussi, apprit-il bientôt. Libérant le visage de la jeune femme, il fit courir ses mains sur ses courbes somptueuses en une lente caresse appuyée trouvant naturellement son chemin jusqu'à l'ourlet de sa robe qu'elles firent remonter sur ses jambes.

Se moquant éperdument de l'opinion que quiconque pourrait avoir d'elle alors que le désir la submergeait une fois encore, Sophia inclina son bassin, venant à la rencontre de la main de Sam se faufilant entre ses cuisses. Un ronronnement profond et velouté répondit à son doux gémissement lorsqu'il glissa un doigt entre les replis de son sexe.

L'un et l'autre savaient que l'étreinte se profilant serait de celles passionnées mais brèves exigées par un désir indomptable, que la seule solution de s'en libérer était de s'y soumettre. En revanche, le jeune homme était le seul à savoir que le plaisir pourrait ne pas en être l'unique conséquence.

Son excitation, le besoin qu'elle faisait naître surtout étaient si lourds que Sophia peinait à garder les yeux ouverts.

Les traits tendus du jeune homme et sa mâchoire crispée lui apprirent qu'il se trouvait dans un état similaire au sien.

Sans un mot, ses yeux se réduisant à deux fentes lumineuses et dorées, il la souleva et ne lui laissa que le temps de nouer ses jambes autour de sa taille et ses bras autour de son cou avant de l'empaler. N'accordant que quelques secondes de sursis à leur jouissance, Sam pesa sur elle, la coinçant littéralement entre le tronc de la sculpture et son corps et se mit à bouger en elle. Des coups de reins vigoureux et impitoyables les propulsant presque immédiatement dans le plaisir.

Sa chair abandonnée à la volupté, comme sujette à un dédoublement, Sophia n'en avait pas moins perçu cette vibration brûlante et électrisante qui s'était enroulée autour de leurs corps enlacés dès que Sam l'avait embrassée. Sans début, sans fin, elle semblait remonter des profondeurs de la terre aussi bien que descendre des cieux pour les encercler dans sa double spirale pour les protéger. Les unir. Les réunir.

La jeune femme la ressentit comme une manifestation presque palpable de l'amour quasi surnaturel de Sam ayant pris vie pour l'enchaîner à lui, attiser ses sentiments à elle, les inviter à quitter leur repaire et se joindre aux siens, pour qu'ils brûlent ensemble.

Ce en quoi ce fut une belle réussite.

La magie que Sophia n'avait pas vraiment su voir avait œuvré et œuvrait encore. Tout près. Juste derrière elle. Sam fut à nouveau le seul à la percevoir à travers les brumes les enveloppant toujours, puis à en être témoin directement lorsqu'il put rouvrir les yeux. Chaude, lumineuse, elle enveloppait l'être unique que formait son corps uni à celui de sa compagne et ne s'évanouit pas lorsqu'ils se séparèrent.

Se retirant avec douceur, Sam aida Sophia à se remettre debout puis rajusta la robe de la jeune femme avant de reboutonner son pantalon.

Lorsqu'il releva la tête, les yeux sombres de la jeune femme le guettaient, attentifs. Interrogateurs également. Y dansait aussi une petite flamme très intrigante qu'il ne parvint pas à interpréter. Le regard de Sophia se fit tout à coup plus doux, presque complice. Une tentative pour lui faire délibérément oublier cette étincelle ? Sam l'enlaça, plaquant une main au creux de ses reins, l'autre au niveau de sa nuque ; ses doigts plongèrent dans sa chevelure, entamant un lent et doux massage. Une façon pour lui d'apaiser son besoin de tendresse et de contact, mais surtout de juguler sa déception. Franche comme elle l'était, si Sophia avait été témoin de la moindre chose en mesure de la perturber ou de l'intriguer, elle lui en aurait parlé. Peut-être même pour le lui reprocher. Il aurait préféré qu'elle le fasse. Tout plutôt que ce silence aux échos de défaite inéluctable.

— Tu devrais aller te recoucher, murmura Sam alors que la jeune femme réprimait un bâillement.

Épuisée tant physiquement qu'en vertu de toutes ses émotions récentes, y compris l'expérience qu'elle venait juste de vivre, Sophia hocha la tête puis leva son visage vers celui de son compagnon.

Leurs regards s'accrochèrent.

Maintenant que l'instant magique était passé, Sophia se demandait si finalement elle n'était pas encore dans un rêve. Elle était bien placée pour savoir qu'ils pouvaient se montrer affreusement réalistes. Non, elle ne rêvait pas. Mais cette magie qu'elle avait sincèrement cru voir et ressentir avait-elle seulement existé ailleurs que dans son désir de correspondre à ce que Sam voulait ? Troublée par l'atmosphère féerique des lieux, ne s'était-elle pas laissée emporter par son imagination ?

Peut-être.

Dans ce cas, d'où avaient surgi ces images qu'elle avait vues ? De son inconscient ? De sa volonté à elle d'être liée à cet homme dans le temps par peur de le perdre, comme si ce lien avait le pouvoir de l'enchaîner à elle ? Ou elle à lui ?

Comme Sam l'avait si joliment dit, l'amour était le lien le plus efficace pour y parvenir.

Pour l'heure, l'expression de Sam ne correspondait pas exactement à l'idée que Sophia se faisait d'un homme éperdument amoureux venant de faire l'amour, comme une bête, à celle qu'il avait choisie. Son air était à la fois sombre et désenchanté. Ou juste sérieux, peut-être.

— Ça ne va pas ? s'inquiéta-t-elle.

Les quelques mots de sa question parurent le ramener trop brusquement à la réalité. Il cilla.

— Si.

Sophia n'obtint rien de plus. Même son regard ne laissait rien transparaître.

Désappointée, le cœur serré, Sophia ne tenta pas de lui soutirer plus et laissa Sam la reconduire jusqu'à la chambre.

Ce ne fut qu'une fois recouchée et blottie entre les bras du jeune homme qu'elle se risqua à réitérer sa question. Même son étreinte avait quelque chose de distant.

— Dis-moi ce qui ne va pas, sollicita-t-elle dans un murmure.

Pour la même réponse.

— Rien.

Elle passa outre la sécheresse du ton.

— Tu mens.

— Il paraît, oui.

— Pardon ?

— Laisse tomber.

Des mots qui la peinèrent.

— Tu es fâché parce que je n'ai pas vu ce que tu voulais que je voie ? C'est ça ?

Silence.

La respiration profonde régulière de Sam lui apprit qu'il s'était endormi. Ou simulait le sommeil. Qu'il feinte ou pas, il refusait donc de répondre.

Sophia eut un mal de chien à se rendormir. Son cœur affreusement serré et sa déception qu'il n'ait pas accepté de lui avouer la raison de sa distance y étaient cependant pour moins que les reproches émanant de sa propre conscience. Sophia aurait dû lui avouer tout ce qu'elle avait ressenti et surtout qu'elle avait entraperçu quelque chose. Un quelque chose qu'elle ne pouvait imputer à la magie d'un moment où à une ambiance propice. Il ne s'en était sans doute pas aperçu, mais avant qu'ils ne s'éloignent de la sculpture, Sophia avait jeté un coup d'œil par-dessus son épaule. Comme ça. Sans raison particulière. *A priori*. Toujours est-il que la jeune femme n'en avait pas cru ses yeux. Quelle ironie !

L'arbre, cette œuvre fabuleuse, était nimbé d'une aura d'un blanc légèrement rosé. La Lune n'était pour rien dans ce curieux phénomène ; cette douce lumière ne venait pas du ciel nocturne, elle émanait de la sculpture elle-même. Sophia n'en aurait pas juré, mais il lui avait également semblé que ce halo s'étirait sur leur sillage, traçant un sentier faiblement lumineux derrière eux.

La jeune femme se promit de le dire à Sam dès le lendemain. Au réveil.

Sans se douter qu'alors Sam aurait disparu.

Sophia décréta ce matin-là qu'elle détestait se réveiller seule. Définitivement !

Un coup d'œil vers le réveil l'informa qu'il était encore relativement tôt. Et le silence absolu imprégnant l'immense pièce lui apprit qu'elle n'était pas seule que dans le lit de Sam. Pour ce qu'elle en savait, elle aurait même pu être l'unique résidente du château tant le calme était total.

Chagrinée, loin de s'alarmer toutefois, Sophia quitta la couche. Récupérant sa robe qu'elle passa en vitesse, la jeune femme jeta un coup d'œil dans la salle de bains, par acquit de conscience. Et peut-être aussi avec l'espoir d'y surprendre son compagnon sous la douche.

Raté.

Tant pis.

Gagnant la porte de l'appartement, Sophia s'engagea dans le couloir où régnait le même silence, à peine rompu par le déclic lorsqu'elle la referma derrière elle.

Quelque chose de lourd rôdait dans cette absence de son, quelque chose imprégnant l'atmosphère et ressemblant étonnamment à l'idée qu'elle se faisait du maléfice pesant sur le château de la Belle au bois dormant.

Sophia gagna rapidement sa chambre, se surprenant à vouloir courir dans le corridor comme si elle avait le diable aux trousses.

Une nouvelle déception l'attendait dans sa suite.

La jeune femme n'aurait pas été plus étonnée que cela de découvrir Sam l'y attendant, une petite plaisanterie tout à fait dans son style. Ne pas l'y trouver la désappointa plus que de raison.

Une longue douche acheva de la réveiller, mais ne la débarrassa pas de son moral en demi-teinte. Aucun mauvais pressentiment n'en était la cause. Seulement l'absence de Sam qu'elle aurait aimé trouver près d'elle à son réveil.

Aurait-elle l'amour… adhésif ?

Peut-être…

Sam lui manquait. Et elle n'aimait pas son attitude distante et désenchantée après l'épisode dans le jardin d'hiver. Elle avait l'impression d'avoir fait une bêtise et se retrouver dans les baskets d'une gamine décevante ne lui plaisait pas outre mesure. Au-delà de cela, elle craignait que cela ne déclenche une phase mélancolique chez Sam, qu'il ait décidé de se cacher d'elle.

Sans doute s'alarmait-elle pour rien. Sam pouvait encore être à peu près n'importe où. N'importe où sauf avec elle ? Cette pensée amère lui arrachant une grimace, elle la repoussa.

Vêtue d'un simple jean et d'un gros pull, chaussée pour une promenade dans le parc et bien entendu armée de son appareil, Sophia gagna tout d'abord le petit salon où le petit déjeuner était servi d'ordinaire, ne rencontrant pas âme qui vive en route. Absolument personne. Pas même l'un des employés du château. Peut-être était-ce leur jour de congé ? Ce qui aurait expliqué également l'absence de brunch dans le petit salon.

Ne croiser ni Shax ni Annette n'était pas étonnant. Il était encore un peu tôt pour eux.

Personne ne semblait non plus avoir mis les pieds à l'office où elle prit tout de même le temps d'avaler un café suivi d'un verre de jus de fruit.

Plus que jamais déterminée à trouver où se cachait Sam, Sophia inspecta ensuite toutes les pièces dont les portes n'étaient pas fermées à clef, ce qui donc lui interdit de jeter un œil dans la bibliothèque et son bureau. Ne restaient guère que la grande salle à manger, la salle de billard et… le jardin d'hiver.

Sans doute aurait-elle dû commencer par là, eu égard à l'amour inconditionnel du jeune homme pour le lieu. S'il ne voulait vraiment pas la voir, Sam n'aurait pu dégoter meilleure cachette. Toujours peu encline à s'y aventurer seule, même s'il ne lui faisait plus aussi peur, Sophia décida qu'elle pourrait y jeter un œil depuis l'extérieur lorsqu'elle se promènerait dans le parc. Sa destination suivante fut donc la crypte, autre pièce où elle avait de grandes chances de trouver celui qu'elle cherchait.

Sophia appela Sam depuis le haut de l'escalier. Un écho vague de sa propre voix fut le seul à lui répondre. Elle réitéra son appel juste avant d'atteindre les dernières marches, puis une autre fois en débouchant dans l'immense salle plongée dans une obscurité totale.

Cette fois-ci, sa voix sembla se noyer dans les ténèbres. Pas de résonance. Pas de réponse non plus.

Sans s'éloigner des escaliers, Sophia tâtonna à la recherche de l'un des interrupteurs. En trouvant toute une série et faute de savoir lequel allumait quoi, elle les actionna tous ensemble du côté de la main.

Plissant les paupières sous l'afflux d'autant de luminosité d'un coup, elle dirigea d'abord son regard vers l'atelier. S'il était logique que Sam n'y soit pas à travailler dans l'obscurité, sauf à tenter une expérience, en revanche, il pouvait tout à fait se trouver dans sa chambre noire.

Sophia n'avait pas l'intention de l'interrompre ou le déranger, mais s'il était là, elle voulait le savoir. Le trajet jusqu'au fond de la pièce l'informa que Sam n'avait pas non plus trouvé refuge sur l'un des trois coûteux canapés pour méditer ou se reposer.

Ses quelques coups frappés à la porte du labo n'obtinrent pas plus de réponse que ses appels un peu plus tôt et lui arrachèrent un soupir. Se détournant, elle s'approcha du grand bureau croulant sous des bouquins, dossiers et notes. Au milieu de tout ce fatras, l'ordinateur de Sam était éteint et refermé. Un livre était posé dessus, un exemplaire en format poche des *Contes de Maldoror*, son ouvrage préféré. Un feuillet en dépassait, à la manière d'un marque-page ; Sophia ne résista pas à la tentation de jeter un œil. Sam ne lui en voudrait sans doute pas. Le billet marquait une page au tout début du livre où un paragraphe avait été coché d'une accolade :

« Hélas ! Qu'est-ce donc que le bien et le mal ! Est-ce une même chose par laquelle nous témoignons avec rage notre impuissance, et la passion d'atteindre à l'infini par les moyens même les plus insensés ? Ou bien, sont-ce deux choses différentes ? Oui... que ce soit plutôt une même chose... car, sinon, que deviendrai-je au jour du jugement ! Adolescent, pardonne-moi ; c'est celui qui est devant ta figure noble et sacrée, qui a brisé tes os et déchiré tes chairs qui pendent à différents endroits de ton corps. Est-ce un délire de ma raison malade, est-ce ton instinct secret qui ne dépend pas de mes raisonnements, pareil à celui de l'aigle déchirant sa proie, qui m'a poussé à commettre ce crime ; et pourtant, autant que ma victime, je souffrais ! Adolescent, pardonne-moi. Une fois sortis de cette vie passagère, je veux que nous soyons entrelacés pendant l'éternité ; ne former qu'un seul être, ma bouche collée à ta bouche. Même, de cette manière, ma punition ne sera pas complète. Alors, tu me déchireras, sans jamais t'arrêter, avec les dents et les ongles à la fois. Je parerai mon corps de guirlandes embaumées, pour cet holocauste expiatoire ; et nous souffrirons tous les deux, moi, d'être déchiré, toi, de me déchirer... ma bouche collée à ta bouche. »

Eh bien... Voilà qui n'était pas très gai et donnait à la phrase que Sophia avait prise pour une tendre déclaration, une dimension dramatique, pessimiste et douloureuse, mélancolique. Et même un peu morbide.

Sophia jeta un coup d'œil aux quelques mots tracés sur le bout de papier avant de le remettre à sa place.

Une demi-vie pendant une éternité ne fait pas une demi-éternité, seulement un enfer infini.

La belle écriture énergique de Sam leur conférait plus de rage positive que la douleur ressentie qu'ils semblaient exprimer.

Sophia ne put empêcher un sourire tendre d'étirer ses lèvres. Sam était toujours... tellement Sam. Complexe, torturé, vulnérable, et pourtant si naturel et franc. Sensible aussi.

Merde ! il lui manquait tant.

Sophia ignorait où il se cachait, craignait qu'il n'aille mal et... Et puis, zut, elle voulait être avec lui, un point c'est tout.

Reposant le livre là où elle l'avait trouvé, la jeune femme leva les yeux vers les trésors archéologiques conservés dans l'autre partie du sous-sol. Les seuls regards qu'elle rencontra furent ceux des statues veillant sur les précieuses antiquités et qui tous semblaient lui reprocher de troubler leur tâche ou leur sommeil. Sophia eut un frisson aussi irraisonné qu'incontrôlable.

Vraiment ? Irraisonné ? Cela ne coïncidait-il pas pourtant avec ce que son regard venait de capter au-delà des vitrines et de leurs gardiens ? Bien au-delà, vers cette zone d'ombre tout au fond de la crypte. Une zone que justement les ténèbres avaient partiellement abandonnée.

En actionnant tous les interrupteurs d'un coup, la jeune femme avait donc poussé celui du seul et unique spot installé dans les profondeurs de la pièce. Sa lumière peu intense n'empêchait nullement de poser les yeux sur ce qui, à première vue, semblait être...

Non, elle devait avoir la berlue.

Sophia cilla plusieurs fois. Sans que cela ne change rien. Elle n'était toujours pas certaine que ses yeux ne la trompaient pas.

Gagnant le fond de la salle tout en se représentant mentalement un plan du rez-de-chaussée afin de déterminer au niveau de quelle pièce elle se trouvait, Sophia se rapprocha, pas trop, de ce qui ressemblait à d'immenses racines descendant depuis le plafond de la crypte. Tout un réseau de racines, entremêlées les unes aux autres, certaines radicelles s'étirant à l'horizontale et donnant l'impression de mèches frisottées toutes décoiffées, hirsutes. Une large colonne de tentacules végétaux qu'elle n'aurait pas été surprise de voir se mettre à remuer. Pour essayer de l'attraper...

Sans s'approcher plus, Sophia fit le tour de ce pilier grisâtre, noueux, presque sec, descendant jusqu'au sol où il plongeait, s'enfonçait. Son plan mental lui assurait qu'elle se trouvait approximativement au niveau du jardin d'hiver.

Parfait. Au moins n'y avait-il rien de surnaturel là-dedans. Il s'agissait là des racines d'un arbre. Toutefois, Sophia se demandait auquel elles pouvaient bien appartenir. Il devait être ancien, et probablement très grand aussi. Un autre trésor de Sam ? Mais surtout, la jeune femme s'interrogeait sur l'utilité de les avoir dénudées, contraignant le végétal à chercher plus profondément de quoi se sustenter... Si le but avait été de l'intégrer au château, à la serre plus particulièrement, pourquoi le maltraiter ainsi ? Car c'était bien de cela qu'il s'agissait, l'arbre souffrait. Sophia le percevait aussi nettement que s'il le lui avait lui-même dit ou si elle l'avait touché. Ce qu'elle était tentée de faire, comme si cela avait pu apaiser le végétal. C'était faire montre d'une fatuité sans nom que s'en croire capable.

Mais il souffrait tellement...

La jeune femme réalisa ce qu'elle faisait alors qu'il était déjà trop tard ; déjà ses doigts effleuraient les racines. Elle ne se souvenait même pas s'être approchée ni avoir tendu le bras pourtant...

Sophia poussa un cri de douleur dès que sa main toucha la surface irrégulière et froide mais ne l'ôta pas. Elle ne pouvait pas. Sa main était collée au végétal comme par puissant courant électrique, celui de la souffrance qu'elle partageait désormais avec lui et qu'elle ne pouvait qu'endurer.

Un châtiment pour avoir osé le profaner ?

La souffrance parcourait les méandres des racines comme elle le faisait le long des nerfs chez un être de chair, circulait tel un poison, distillant non seulement sa brûlure mais véhiculant également un désespoir sans nom dans cet organisme agonisant et luttant pour survivre coûte que coûte.

La jeune femme n'était pas en mesure de faire la part des choses, de se dire que peut-être elle perdait la boule pour ainsi accorder sensations et sentiments à un végétal. Ou était-elle terriblement lucide au contraire ? La souffrance possédait parfois cette faculté de vous éclairer plus sûrement que ne le faisaient la douceur ou le plaisir.

Auquel cas, Sophia n'avait jamais vu clairement de sa vie. Ni autant souffert non plus d'ailleurs, tristesse et souffrance s'enchevêtrant pour rendre le tout encore plus insupportable. Des larmes roulant sur ses joues, les dents serrées, la jeune femme supporta vaille que vaille le prix de sa témérité.

La douleur n'était cependant pas réputée donner la solution au problème qu'elle révélait. Sophia ignorait d'où venait le mal de cet être, comment l'apaiser, et par là même faire cesser son propre supplice. Elle aurait pu tenter à nouveau d'écarter sa main. Elle fit le contraire, l'appliqua plus fermement sur les racines ; la seconde se joignit à la première. Sans autre résultat que ressentir toujours plus et plus fort cette souffrance au point d'en avoir des sueurs froides et la nausée, comme avant un malaise.

Son cœur était sur le point de déclarer forfait lorsque la douleur cessa. Brusquement. Comme ça. Sans raison.

Oui, elle était partie, mais restait gravée en elle, une marque au fer rouge sur son âme. Pour toujours.

Sophia ne récupéra pas ses mains pour autant. Elle patienta le temps que les battements de son cœur s'apaisent un peu pour faire courir ses mains sur les racines noueuses. Plus qu'une découverte tactile, plus qu'une caresse, ses gestes évoquaient une conversation muette, pleine d'interrogations en ce qui la concernait. L'arbre ne lui donna aucune réponse, naturellement. La jeune femme eut pourtant la sensation d'un frémissement sous ses doigts juste avant qu'elle ne les éloigne.

Sans encore comprendre, sans voir ni même seulement entrevoir encore le résultat final des connexions échafaudées par son esprit, Sophia avait la certitude que trouver Sam était devenu plus que nécessaire. Il avait les réponses qui lui manquaient. Elle en était certaine.

Et foi de Sophia, qu'il le veuille ou non, il les lui donnerait.

Chapitre 36

Annette bouclait son dernier sac de voyage lorsque la porte de sa suite s'ouvrit.

À sa connaissance, il n'existait qu'un homme capable d'emplir une pièce de sa seule présence comme Shax le faisait. Un seul homme à se moquer royalement de savoir si elle avait envie de le voir ou pas, de surgir dans sa vie, se faufiler jusqu'à son cœur et surtout à se ficher éperdument des dommages qu'il y causait.

La jeune femme réprima une grimace douloureuse, ne put rien faire contre l'atroce serrement dans sa poitrine, refoula les émotions voulant la submerger pour se composer son air le plus neutre. Sans pour autant se retourner. Il ne fallait pas trop lui en demander quand même.

— Je peux savoir ce que tu fais ? articula la voix terriblement grave de Shax, signe qu'il avait tout de même remarqué que quelque chose n'allait pas.

Pour le bien que ça lui faisait...

Annette s'éclaircit la gorge.

— Mes valises.

— C'est ce que je vois. La vraie question était : pourquoi fais-tu tes valises ?

Elle soupira.

— C'est comme ça.

Un silence lui répondit. Puis des pas lents se firent entendre, étouffés par le tapis comme si cela avait pu amoindrir l'effet de l'approche du géant sur le rythme cardiaque d'Annette.

— C'est donc comme ça que tu les quittes ?

Une note de reproche, vague, errait dans ces mots-là. Ou de déception peut-être. Annette n'était pas naïve au point de s'imaginer qu'il était vraiment peiné par son départ. En revanche, elle était certaine qu'il n'appréciait guère être traité comme il croyait qu'elle le faisait avec ses ex-amants.

Elle fit semblant d'arranger quelque chose dans son bagage pour occuper ses mains qui s'étaient mises à trembler.

— Sans un mot, sans la moindre explication ? Sans raison ? ajouta le géant.

Sans raison ?

Il ne manquait pas d'air !

Les doigts de la jeune femme se crispèrent sur son plus joli chemisier en soie.

— Tu pourrais au moins me regarder quand je te parle, non ?

Hors de question !

S'il posait les yeux sur son visage, il saurait dans la seconde ce qui n'allait pas chez elle. Eh oui, parce que pour lui, éprouver quelque chose était avoir quelque chose qui clochait.

Annette entendit deux ou trois pas supplémentaires. Figée, butée dans son attitude, elle retint son souffle.

Pourquoi fallait-il qu'il la torture ? Ça ne lui suffisait pas de lui avoir brisé le cœur ?

— Si tu ne veux plus qu'on couche ensemble, ce n'était pas la peine de me fuir, tu n'avais qu'à le dire, je…

Un sanglot lui coupa la parole.

Annette plaqua sa main sur sa bouche. Il était bien trop tard pour essayer d'empêcher cet aveu de s'échapper. Trop tard pour le rattraper aussi.

Un silence de mort régna en maître dans la pièce durant quelques secondes. La jeune femme attendit le coup de grâce. Des mots sans doute. Affreux, dégoûtés. Ou pire, ennuyés. Si elle avait eu le choix, elle aurait opté pour un truc rapide, comme un coup de hache pour lui décoller la tête ou tout autre procédé idoine. Tout plutôt qu'avoir le cœur arraché et offert en sacrifice à… au dieu des briseurs de cœur !

Elle glapit et bondit hors de portée lorsque deux mains se posèrent sur elle pour l'inviter à se retourner. Ces mains qu'elle avait adoré sentir parcourir son corps ou même seulement regarder la brûlaient. Annette garda la tête baissée dans une tentative désespérée pour lui cacher son honteux secret et par là même conserver le peu de dignité qui lui restait. Mais Shax était tenace et avait un don tout particulier pour malmener sa fierté.

— Qu'est-ce que tu me fais ? demanda-t-il en s'approchant encore, trop.

Quelque chose comme de l'angoisse s'était faufilé dans la voix du géant. Qu'est-ce que ce serait quand il saurait ! Eh bien… de la colère très probablement. De la colère et du dégoût.

Annette réalisa qu'elle ne supportait pas sa proximité. Plus. Ça faisait mal.

Si elle avait su qu'être amoureuse pouvait être aussi douloureux, elle se serait montrée beaucoup plus prudente. Et si elle avait pu, elle aurait intenté un procès à tous ceux osant prétendre que l'amour était quelque chose de merveilleux. Oh bien sûr elle n'était pas la seule à voir ses sentiments non payés en retour. Sauf que dans son cas, elle n'avait jamais eu aucun espoir. Elle avait su dès le début que c'était mort.

Tétanisée, la jeune femme fut incapable de fuir, tout comme elle fut impuissante à empêcher Shax de relever son visage de son index replié sous son menton. Ses yeux restèrent toutefois baissés.

— Regarde-moi, ordonna-t-il, d'une voix si étonnamment douce qu'elle ne put qu'obéir là encore.

Shax n'avait jamais rien vu de plus effrayant que ces beaux yeux bleus emplis de larmes et cette jolie bouche pincée pour retenir les petits bruits qui les accompagnaient souvent.

Les seuls qu'il n'aimait pas entendre.

Et merde !

— Depuis quand ? voulut-il savoir, son ton s'étant singulièrement durci, sans qu'il y puisse rien.

En réalité, il ne voulait pas savoir. Il voulait juste s'être trompé, que ce qu'il avait vu n'existe pas. Elle avait tout gâché.

Shax recula de quelques pas, comme s'il craignait d'être contaminé.

Son attitude sembla agir à la manière d'un petit coup de fouet, redonner un peu de consistance et de hargne à Annette qui plutôt que détourner le regard le plongea dans celui du géant, se redressa et carra les épaules. L'adrénaline sans doute. Ou ce sentiment d'injustice absolue de se voir reprocher un amour contre lequel elle ne pouvait pas lutter. Qui l'aurait pu ?

— Depuis le début, avoua-t-elle d'une voix claire. Je suis tombée amoureuse de toi pratiquement dès le début, précisa-t-elle, comptant sur l'adjectif pour l'agacer. Mais j'ai décidé d'arrêter les frais puisque ça ne me mènera que droit dans le mur. Tu es l'homme le plus détestablement insensible que j'aie jamais eu l'occasion de rencontrer. Et j'en ai connu, crois-moi ! Tu ne dis jamais rien, on ne sait jamais ce que tu penses. Tu n'as jamais un geste tendre ou même gentil. Tu te moques des autres. C'est simple, tu n'as pas de cœur.

— Je sais.

C'est tout ce qu'il avait à dire ? C'était décidément pire qu'elle ne l'imaginait !

— Alors, comme je n'ai pas l'âme d'un martyr, je m'en vais.

— Je suis désolé.

Annette éclata d'un rire aussi acide que ce qui suintait sur son cœur.

— Non, répondit-elle en secouant la tête. Tu ne l'es absolument pas. Et c'est ça le plus triste.

Là, elle était très sincère. Shax le voyait à ses jolis yeux brillant à nouveau.

Le plus navrant était pourtant qu'il n'avait rien à lui dire, rien à nier, rien à dire en mesure de la réconforter. Son cœur était déficient, ne battait que pour lui permettre de vivre ; il n'était capable que d'amitié et il ne la destinait qu'à Sam et à Sophia. Seulement, ce jour-là, il le regretta. Allez savoir pourquoi.

— Tu m'as menti, lui reprocha-t-il.

— Et alors ? Tu y as trouvé ton compte toi aussi. Non ? Mais si ça peut te rassurer, je n'ai rien simulé.

Des paroles qu'elle regretta en voyant le regard du géant s'assombrir dangereusement.

Qu'elle ose ramener ce qu'ils avaient partagé ensemble au niveau d'une sordide histoire de cul le fichait en rogne. Bien sûr, ça n'avait été que sexuel pour lui, ou charnel plutôt parce qu'en dépit de l'absence de sentiment, il y avait eu une réelle entente entre eux, une harmonie et une complicité vraie dans leurs jeux. Il n'en restait pas moins que l'entendre dénigrer leurs moments l'attristait. Même s'il était conscient que ses mots lui avaient été dictés par la douleur et la colère.

D'un autre côté, il n'osait imaginer ce qu'elle avait dû ressentir. Le fait de n'être pas capable de sentiments ne l'empêchait pas de savoir comment ils s'exprimaient ou quelles attentes ils généraient chez la personne amoureuse. Annette avait dû endurer une épreuve réelle. Il s'était montré égoïstement satisfait à la découvrir si peu câline, rassuré de voir qu'elle ne réclamait jamais rien de plus que ce qu'il lui donnait, ne s'accrochait pas...

Donc, tous deux étaient aussi coupables l'un que l'autre. Elle d'avoir caché ses sentiments et lui de n'avoir rien vu.

Et maintenant ?

— Je... Je peux peut-être apprendre, articula Shax.

La stupéfaction se peignit sur le visage de la jeune femme et l'horreur sur celui du géant.

Qu'est-ce qui lui avait pris de sortir un truc pareil ? Il n'avait même pas envie d'essayer. Tout ce qu'il voulait se résumait à : le corps de cette femme. Même lui était capable de voir à quel point c'était méprisable d'espérer changer juste parce qu'il avait envie d'en profiter encore. Comme il était abject de lui mentir uniquement parce qu'il savait qu'il lui faudrait du temps pour l'oublier, qu'il ne voulait pas fournir non plus l'effort de ne plus penser à elle, à son corps et surtout à leur exceptionnelle complicité charnelle.

L'étonnement de la jeune femme ne tarda pas à se muer en rancœur. Ce fut pourtant avec douceur qu'elle répondit.

— C'est inutile. Et trop tard. Souviens-toi la dernière fois que... la dernière fois, tu ne parvenais même plus à faire semblant de supporter mon bavardage. Tu n'avais pas *envie* de le supporter et tu es parti sans un mot. C'est voué à l'échec et ne servirait qu'à me rendre malheureuse. Il me reste un peu d'amour propre et j'aimerais autant que possible le conserver.

Shax se garda bien de soupirer de soulagement. D'autant que la réponse d'Annette ne le soulageait en rien. Elle le jetait. Point. Une curieuse expérience pour lui car, en définitive, s'il n'avait jamais rompu avec quiconque, personne ne l'avait encore fait avec lui non plus. Logique puisque ses liaisons n'avaient ni début ni fin ; elles ne consistaient qu'en des suites d'instants sans cohérence. Une expérience nouvelle donc, mais de celles qu'il ne goûtait pas. Son regard s'assombrit encore.

Non, décidément ça ne lui plaisait pas. Et lorsqu'il intercepta dans le babillage de la jeune femme qu'il n'écoutait plus vraiment les mots « autre homme » associés à « liaison durable », « amour », « sexe » et « heureuse », il vit rouge.

Shax n'eut pourtant pas le temps de s'appesantir sur cette réaction aussi viscérale qu'inédite. Son signal d'alarme interne se déclencha. Un danger menaçait Sam. Ou Sophia.

— Ne bouge surtout pas d'ici ! ordonna-t-il d'un ton excluant toute velléité de désobéissance avant de se ruer dans le couloir.

— Compte là-dessus, murmura la jeune femme alors que le bruit de sa course s'était éteint depuis longtemps.

Chapitre 37

Sophia n'avait pas trouvé Sam, ni dans le parc ni ne l'avait aperçu par les baies vitrées de la serre. S'étant éloignée dans le jardin, elle s'était tournée vers le château, pour le voir dans son ensemble mais aussi avec l'espoir de... eh bien oui, de distinguer sa silhouette à une fenêtre ou même sur le toit-terrasse. Espoir déçu, une fois de plus.

Traînant sa langueur et des questions pesant de plus en plus lourd dans son esprit, le spectre de la douleur ressentie dans la crypte rôdant encore le long de ses terminaisons nerveuses, Sophia avait abrégé sa promenade après quelques clichés de la demeure, dignes d'un touriste, et d'autres, un peu plus professionnels d'un bouquet d'eucalyptus arc-en-ciel. Leurs troncs surprenants donnaient l'impression qu'ils avaient été peints à la main par un artiste désirant apporter une touche de couleurs vives à l'environnement du parc n'offrant que le camaïeu de verts de la pelouse et des conifères qu'il accueillait.

Sophia avait presque atteint le perron lorsqu'on l'interpella par son prénom. Son cœur avait dû espérer qu'elle appartenait à Sam mais quand elle se tourna en direction de la voix il cessa de battre en découvrant qu'il n'en était rien.

Quatre hommes marchant de front suivaient le sentier gravillonné. Quatre hommes vêtus de longs manteaux anthracite.

Quatre hommes se ressemblant comme des frères, même taille, même blondeur, même coupe de cheveux, même allure, même élégance. Même attitude aussi, calme. Non. Flegmatique, de celle que l'on attribue souvent au tueur psychopathe assuré du succès de son entreprise. Tranquille et déterminée. Affreusement menaçante donc.

Quatre hommes trop parfaits dont elle avait déjà eu le malheur de rencontrer l'un d'entre eux. Au moins, son sentiment de déjà-vu n'avait rien de curieux cette fois-ci. Rien de rassurant non plus, ceci dit.

Glacée, mue par son instinct de survie, Sophia jeta un coup d'œil en direction du perron, évaluant ses chances de l'atteindre avant que les quadruplés ne puissent lui mettre la main dessus. Elle en avait une. Si elle se bougeait. Tout de suite !

Sophia se rua en direction des marches, faillit en rater une et s'étaler. Elle se rattrapa *in extremis* et gagna la terrasse. Son souffle court devait moins à sa brève course qu'à sa terreur d'être interceptée avant d'avoir pu gagner la porte.

La jeune femme se trouvait approximativement au centre du palier lorsque la même voix qui l'avait interpellée, impersonnelle, articula des mots… surprenants.

— Attendez ! Sophia ! Nous voulons seulement vous parler.

Qu'elle attende ? Lui parler ? Mais bien entendu ! Elle allait s'arrêter et taper la discute avec une bande de mafieux comptant dans ses rangs un de ceux ayant voulu la kidnapper.

Sophia leur jeta malgré tout un coup d'œil par-dessus son épaule, commettant en cela l'erreur que beaucoup, peut-être, auraient faite de vérifier leurs dires ou la position de l'ennemi au lieu de filer se mettre à l'abri sans réfléchir, perdant ainsi un temps précieux.

Sauf que les quadruplés s'étaient effectivement immobilisés avant la première marche du perron et ne semblaient pas vouloir aller plus loin. Se tenant bien droits, bien rangés de front, ils paraissaient effectivement n'avoir d'autre intention que discuter. Une attitude collant suffisamment avec leurs mots pour que la jeune femme s'interroge. Cela empestait le piège.

N'ayant aucune intention de tomber dedans, Sophia réquisitionna ses forces pour pousser la lourde porte d'entrée.

— Vous parler de Sam, précisa l'un d'eux.

Sophia se figea puis regarda à nouveau par-dessus son épaule. Il y avait quelque chose de profondément dérangeant dans la neutralité du ton mais aussi dans cette voix qu'elle trouva passablement creuse, vide de toute émotion. Sauf lorsqu'elle avait articulé le dernier mot. Là, quelque chose s'était clairement immiscé dans la syllabe. Quelque chose à mi-chemin entre la lassitude et la contrariété.

— De Sam ? s'entendit-elle répéter.

Non, non, non, elle ne devait écouter que son instinct de survie, pas ces types.

— Savez-vous qui il est vraiment ? la questionna-t-on encore.

Sophia n'aimait pas ce genre de questions impliquant qu'on allait lui mentir d'ici peu. Ou qu'on l'avait déjà fait.

Peu encline à s'éloigner de la porte, elle se retourna néanmoins. Si ces mecs décidaient de s'en prendre à elle, ses petits bras et ses petits poings ne lui seraient d'aucune utilité, mais à la moindre entourloupe, elle pourrait se ruer à l'intérieur et appeler à l'aide. N'en déplaise à son instinct, elle était curieuse d'écouter ce qu'ils avaient à lui dire.

Sophia croisa les bras contre sa poitrine pour juguler le froid s'insinuant en elle. La faute à leurs regards pâles à tous les quatre. La transparence de leurs iris, qu'elle connaissait pour l'un d'eux et devinait pour les trois autres, la perturbait ; elle donnait l'impression de huit fenêtres ne s'ouvrant sur rien, ou sur un désert glacé, un univers dépourvu d'âme. Heureusement, elle était suffisamment loin d'eux pour ne pas avoir à en supporter l'insupportable clarté sur elle.

Pour le reste, ils avaient l'air de gens bien comme il faut, beaux, trop d'ailleurs pour que leur beauté ne flirte pas avec une perfection obscène, ou artificielle. Admirables mais sans aucun charme. Bien sûr, cela pouvait tenir au fait que l'un d'eux avait tenté de mettre la main sur elle ou à ce qu'ils étaient : des criminels. Mais ce pouvait tout aussi bien être cette laideur sous-jacente qu'elle parvenait souvent à débusquer sous les aspects les plus attrayants, une infamie morale par exemple, et qui en l'occurrence exsudait d'eux.

Le parrain employant ces hommes de main, s'il s'agissait bien de cela, les avait extrêmement bien choisis. En plus d'être parfaits, ils semblaient particulièrement intelligents et efficaces.

Brrr.

— Je sais qui vous êtes et ce que vous avez fait à Sam, s'aventura-t-elle à répondre. Je sais aussi que vous avez tenté de m'enlever. C'est suffisant pour moi. Au revoir, messieurs.

— Vraiment ? Vous savez qui nous sommes ?

— Oui, vous êtes des…

Pouvait-on traiter des mafieux de… mafieux sans risquer sa peau ou des conséquences sanglantes ? Sans doute que non. Mieux valait choisir ses mots avec soin.

— Des personnes très peu recommandables qui, pour ce que j'en sais, n'ont rien à faire ici.

À force de les dévisager, loisir qu'elle eut puisque sa réponse ne paraissait générer aucune remarque de leur part, Sophia réalisa qu'elle s'était trompée sur leur parfaite ressemblance. S'ils avaient l'air de quadruplés, ils n'étaient pas totalement identiques. Déjà, le dernier à s'être exprimé semblait un tout petit plus grand que les trois autres, de même que ce qui se dégageait d'eux, hormis le dédain, était sensiblement différent. L'un paraissait plus belliqueux que les trois autres (et prêt à en découdre), le second avait l'air intraitable, le troisième brillait par son arrogance et le dernier, le plus grand donc, le messager, avait l'air… presque humain, moins froid en tout cas mais avec plus d'autorité.

Quoi qu'il en soit, Sophia ne les aimait pas. Du tout du tout.

— Vous vous trompez, Sophia, lui fut-il finalement répondu le plus calmement du monde. Nous avons plus que quiconque le droit d'être ici.

Réponse incitant la jeune femme à se redresser et carrer les épaules, dans une attitude aussi bravache que risquée, mais pas à répliquer autrement que par une inspiration suivie d'une expiration, toutes deux exaspérées.

Comme elle aurait aimé n'avoir rien à craindre à s'approcher pour les gifler à la volée, tous autant qu'ils étaient, ne serait-ce que pour leur insolence, leur assurance, leur calme, pour la peur qu'ils généraient chez elle ! Et aussi pour ce qu'ils faisaient endurer à Sam.

— Mais là n'est pas la question, reprit Monsieur Chef. La raison de notre présence est de vous mettre en garde contre Sam. Il est mauvais, pour vous. Ne lui faites surtout pas confiance. Tout ce qui sort de sa bouche n'est que séduction et mystification.

— Mauvais pour moi ?! Je n'ai jamais rencontré quelqu'un d'aussi adorable, sensible, instruit et intelligent, se laissa-t-elle aller à plaider. Et s'il veut garder ses secrets, c'est son droit. Si je sais une chose sur Sam, c'est qu'il exècre le mensonge par-dessus tout !

Le type sembla décontenancé, ce qui plut énormément à Sophia. Elle aurait peut-être souri, s'il n'avait pas ajouté :

— Il vous manipule dans le seul but de se sauver, lui. Demandez-lui de vous dire qui il est. S'il le fait, vous saurez à quoi vous en tenir. S'il refuse aussi, cela dit. Et demandez-lui son nom.

— Pourquoi faire tous ses mystères ? s'énerva Sophia. Pourquoi ne pas me le dire puisque vous en mourez manifestement d'envie.

— C'est à lui de le f...

L'individu leva les yeux vers le ciel laiteux, comme s'il réfléchissait ou venait de percevoir une présence et que cela le contrariait.

Une attitude rappelant étonnamment à Sophia ce passage du film *Le Silence des agneaux*, lorsque Hannibal prisonnier de sa cage s'entretient avec Clarice et que tous deux sont dérangés par le Dr Chilton.

Puis, il eut un petit sourire en coin.

Normalement, un sourire, même en coin, était supposé éclairer ou animer un tant soit peu un visage, non ? Pourquoi était-ce le contraire chez ce type ? Et surtout pourquoi cette mimique semblait-elle aussi déplacée, voire choquante ?

— Bonjour, Sam, articula-t-il avec nonchalance.

Sam ?

Sophia était si concentrée sur son interlocuteur qu'elle ne l'avait pas vu arriver. Derrière les quatre hommes.

S'il s'était agi d'une bataille, on aurait donc pu dire que Sam avait prévu son coup et les avait pris à revers, créant une surprise capable de lui faire remporter la victoire.

En cet instant, la jeune femme se moquait de savoir d'où il sortait et ce qu'il avait mijoté. Elle était juste ravie de le voir. Ravie et rassurée. Presque. Parce que l'envie de lui hurler d'aller se mettre à l'abri la submergeait.

Manifestement, Sam était moins inquiet qu'elle ; il ne prit même pas la peine de les contourner, contraignant les quatre hommes à briser leur rang pour le laisser passer.

Quel étrange comportement de leur part ! À tous. Vraiment. Il laissait à penser que Sam savait ne rien risquer, que l'autorité qu'il avait pu avoir sur eux existait toujours en dépit de sa déchéance et surtout qu'il avait encore droit à une sorte de respect. À moins, et cette hypothèse était assez rassurante, que les quatre inconnus ne craignent encore Sam au point de se montrer déférents.

Cela pouvait tout aussi bien découler d'un accord tacite, ou d'un statu quo décidé d'un commun accord lorsque l'un des camps se trouvait sur le territoire de l'adversaire.

Cela étant, personne, aucun être sensé en tout cas, pas même Sophia, ne se serait risqué à lui chercher noise. Le beau visage de Sam était résolument fermé, voire totalement hermétique, mais la rage s'inscrivait sur la ligne de sa mâchoire, sa bouche avait pris un pli impitoyable qu'elle ne lui avait jamais vu. Le pire pourtant était ses yeux, étincelant d'une haine pure derrière ses paupières plissées, comme s'il avait voulu la concentrer en un faisceau capable de désintégrer quiconque le croiserait. Sophia la devinait dirigée contre les quatre intrus ne pouvant être que les sbires du parrain contre lequel il s'était rebellé. Toutefois, lorsque son regard glissa sur elle, elle crut en recevoir un éclat rien que pour elle, une esquille se plantant en plein dans son cœur.

Ajoutez à cela qu'après l'avoir rejointe, Sam se posta près d'elle. Pas devant pour la protéger, mais à côté d'elle et même légèrement en retrait. Franchement, il y avait de quoi être troublée.

Shax arriva sur ces entrefaites, franchissant le seuil du château, non pas tel un taureau rendu furieux, affichant au contraire un calme olympien. La cavalerie était à l'heure pour une fois. Le géant se plaça *illico* devant Sam et elle de manière à les protéger en cas de besoin, ajoutant à la perplexité de Sophia. Certes, il avait tout d'un garde du corps, mais Sam n'était-il pas censé la défendre ? Faire semblant au moins ? Être prudent aussi. Après tout, ces hommes étaient leurs ennemis.

— Y avait longtemps ! soupira le géant, laissant ostensiblement filtrer son exaspération dans son souffle. Les quatre Fantastiques !

Égal à lui-même, Shax alla jusqu'à glisser ses mains dans les poches arrière de son jean, signifiant ainsi le peu de cas qu'il faisait de la menace supposée.

Aussi rassurée soit-elle par la présence du géant qui vraiment ne semblait pas craindre les quatre hommes plus que cela, Sophia ne commit pas l'erreur de les croire totalement hors de danger. Surtout si Shax persistait à les provoquer. Les quatre types n'avaient pas l'air du genre bonhomme.

— Vous jouez les touristes ? continua-t-il dans la même veine. Vous voulez visiter le petit musée de Sam ou vous faire dédicacer un bouquin ?

Bien qu'elle ne saisisse pas ce qui ne pouvait qu'être une allusion, sauf à ce que Sam se soit laissé aller à les diffamer ouvertement dans un de ses ouvrages, la jeune femme fut ravie de voir les mots atteindre leur cible. Les quatre visages pratiquement identiques se fermèrent.

— Nous avions un message à délivrer à Sophia.

Ce n'était pas Monsieur Chef qui avait parlé, mais celui que la jeune femme avait estimé le plus agressif. Prouvant qu'elle n'était pas tombée loin, il avait même gravi quelques marches, attitude laissant supposer qu'il y allait avoir du grabuge d'ici peu.

— Vous ignorez comment composer un numéro de téléphone, envoyer un mail ou une lettre ? ricana Shax.

Provocation que Sophia trouva un rien aventureuse en l'occurrence. Si elle avait eu toute confiance en lui lorsqu'il n'avait été confronté qu'à un seul de ces hommes, si elle voulait bien croire que le géant puisse s'en sortir aussi contre deux de ces types, là ils étaient quatre.

Elle jeta un coup d'œil à Sam qui semblait métamorphosé en statue et persistait à projeter sa haine sur les quatre types par le biais de son regard. Sophia était à peu près certaine qu'il ne bougerait pas le petit doigt en cas de bagarre. Elle pouvait se tromper. Elle l'espérait.

— Vous avez rompu le *statu quo*, intervint-il alors. Pourquoi ?

Des paroles articulées d'une voix étonnamment douce, patiente mais aussi potentiellement mortelle que son regard, adressées non pas à l'homme le plus proche, qu'il ignora, mais au plus prolixe d'entre eux.

— Il était temps d'intervenir, répondit ce dernier. Tout ceci n'a que trop duré.

— Je suis d'accord.

— Tu ne gagneras pas.

— Nous verrons bien.

L'inconnu ne répondit pas au fatalisme affiché de Sam. Sans doute pour changer de tactique. C'est en tout cas ainsi que Sophia traduisit son brusque changement d'attitude. Son visage se fit presque aimable. Elle aurait même pu dire que l'homme nourrissait une certaine affection pour son ennemi.

— Si seulement tu avais des remords, poursuivit-il. Si tu regrettais, il te pardonnerait.

— Preuve que tu ignores qui il est vraiment, répondit Sam d'un ton acerbe. Tu ne le connais pas comme je le connais.

Son interlocuteur garda le silence. Répliquer ne changerait rien. Tous deux avaient une idée bien arrêtée sur le sujet et chacun camperait sur ses positions. Et il était clair qu'ils le savaient aussi bien l'un que l'autre.

— J'en ai plus qu'assez, reprit Sam d'un ton trahissant effectivement une lassitude acoquinée avec une colère incommensurable. Cassez-vous et ne remettez plus jamais les pieds ici. Sinon, je jure que je fais un carnage.

— Tu ne peux pas.

— Ah oui, c'est vrai, j'oubliais ! s'esclaffa Sam dans un rire acide. Ce privilège vous est réservé.

— Sam. Si tu nous éliminais, tu serais définitivement perdu.

— Je le suis déjà, non ? Maintenant, barrez-vous.

— Je crois qu'il est temps de dire au revoir, renchérit Shax qui comme Sophia sentait Sam à bout de patience en dépit de son flegme apparent.

— Très bien, soupira le négociateur. Nous partons. Tu as bien conscience que c'était notre dernière tentative amiable ? La prochaine fois...

Cette phrase destinée à rester en suspens le demeura.

Probablement claire pour Sam et Shax, elle l'était beaucoup moins pour Sophia qui avait malgré tout compris que la prochaine fois ça barderait. Restait donc à espérer qu'il n'y aurait pas de prochaine fois. Seulement, la situation semblait bloquée et ne pouvoir se démêler qu'avec du sang ou des morts.

L'homme fit volte-face, immédiatement imité par ses semblables. C'était le cas de le dire.

Ni Sam ni Shax ne bougèrent. Pas tant que les quatre silhouettes n'auraient pas franchi le grand portail tout au bout de l'allée.

Sophia, elle, s'était déjà détournée et regardait Sam.

Elle aurait apprécié qu'il daigne lui accorder son attention, même avec son regard pétrifiant. À dire vrai, elle aurait surtout aimé qu'il la prenne dans ses bras, pour la rassurer, la réchauffer. Ça, et comprendre pourquoi il agissait ainsi avec elle également.

Naïvement, elle avait cru avoir découvert toutes les facettes de Sam, et Dieu savait qu'elles étaient nombreuses, pensait l'avoir cerné lui. Un peu au moins. Elle avait même appris à aimer ses différents aspects. Mais là… il ne se ressemblait même plus.

La seule chose que Sophia obtint à le regarder avec insistance fut de lui faire tourner la tête dans sa direction. Mais pas encore qu'il baisse les yeux sur elle. Il persistait à fixer un point loin au-delà d'elle.

— Sam, appela-t-elle doucement.

La gentillesse n'était pourtant pas l'émotion première qui l'habitait.

— Nous devons parler, Sam.

— Pas maintenant, décréta-t-il, ses yeux retrouvant enfin les siens.

Son regard ne luisait plus de cette haine si vive qu'elle aurait entaillé quiconque se trouvait dans son champ. S'il y avait un léger mieux, il était encore loin de ressembler à de paisibles eaux ambrées.

— Si, opposa-t-elle. Maintenant.

— Elle a raison, Sam, intervint Shax.

Sophia le remercia d'un coup d'œil. Celui que le géant reçut de Sam était beaucoup moins reconnaissant et laissait à penser qu'il s'estimait trahi. Shax ne moufta pas, ne cilla pas et surtout ne l'asticota pas, preuve que l'affaire était sérieuse. Très sérieuse.

— Tu vas me demander qui je suis ?

Sam avait articulé sa question d'un ton inquiet s'accordant si fort à l'air de gamin paumé qu'il arborait tout à coup que la jeune femme sentit son cœur se serrer.

— Oui, mais j'ai aussi des choses à te dire, répondit Sophia toujours aussi paisiblement. Des choses importantes.

— Alors, si c'est important…

Rêvait-elle ou il y avait eu un soupçon de condescendance ironique dans ces mots-là ?

C'était fou cette faculté qu'avait Sam de changer d'état d'âme comme ça en une seconde. À croire qu'il s'était exercé toute sa vie pour devenir le meilleur des transformistes de l'humeur. En réalité, il évoquait surtout à Sophia une pierre précieuse dont il exposait tour à tour les facettes à la lumière pour les faire miroiter. Mais c'était la gemme dans son ensemble que Sophia voulait voir, pour comprendre de laquelle il s'agissait.

La jeune femme aurait donc pu laisser couler. Si elle n'en avait pas eu assez et si elle n'avait pas tenu absolument à ses réponses. Voir Sam en plus lui tourner le dos pour rentrer dans la demeure sans l'attendre, fuir donc, eut le don de lui mettre les nerfs en pelote.

— Sam ! appela-t-elle en lui emboîtant le pas.

Pas de réponse. Aucun résultat non plus.

— Sam ! insista-t-elle en le poursuivant.

Sans plus d'effet.

Pratiquement obligée de lui courir après tant il marchait vite, Sophia parvint à le dépasser juste avant qu'il n'atteigne la porte du jardin d'hiver. Fort heureusement. Elle n'avait aucune espèce d'intention d'y entrer, et encore moins de s'y promener pour l'instant. Lui mettant la main dessus, littéralement puisqu'elle la tendit pour la plaquer sur son torse, elle le sentit tenté de résister. Il hésita. Et renonça.

— Qu'est-ce que tu fichais dehors ? gronda Sam alors qu'elle ouvrait la bouche pour exiger des explications sur son comportement.

Zen, ma fille. Zen.

— Je te cherchais, figure-toi ! cria-t-elle presque oubliant sa zen attitude. J'ai fureté partout mais tu n'étais nulle part.

L'absence de réaction de Sam laissait à penser que ça ne lui faisait ni chaud ni froid.

— Je me suis même demandé si tu ne cherchais pas à m'éviter !

La colère étincela dans les yeux du jeune homme.

Ah ! Enfin !

— T'éviter ? gronda-t-il.

Son regard prit une dangereuse teinte bronze, implacable.

— Quand je me suis réveillée, tu n'étais plus là et tu es resté introuvable, avoue qu'il y a de quoi se poser des questions ! Et quand tu arrives, tu me regardes comme si j'avais fait quelque chose de mal ou comme si tu m'en voulais de... j'ignore de quoi, d'ailleurs. Après, tu m'engueules parce que j'étais dans le parc alors que c'était pour te chercher parce que tu me manquais. Ce n'est pas de ma faute si ces mecs se sont pointés. Et pour couronner le tout, tu te conduis comme... comme...

— Comme un lâche ? proposa Sam. Un sale con ?

— Mais non ! pesta la jeune femme, exaspérée. Comme si je ne comptais pas. Ces types m'ont fichu la trouille de ma vie mais ça n'a pas eu l'air de t'émouvoir plus que ça. Je ne sais pas ce que tu as depuis cette nuit, mais je ne te reconnais pas.

— Peut-être parce que tu ne me connais pas ?

Les épaules de Sophia s'affaissèrent.

— Ouais, ça doit être ça, soupira-t-elle, aussi lasse qu'attristée. J'essaye pourtant, mais chaque fois que je crois te connaître, chaque fois que je découvre un côté de ta personnalité, que j'apprends à l'apprécier, tu m'en montres d'autres. On dirait que tu me mets à l'épreuve ou que... je ne sais pas mais c'est épuisant, Sam. De quoi as-tu tellement peur ? Que je t'aime ou que je ne t'aime pas ?

— Si tu savais...

— Mais justement ! J'ai besoin de savoir ! Dis-moi ce que tu me tais. S'il te plaît.

— Pourquoi ? se braqua-t-il. Parce que les quatre zozos ont laissé entendre que je te cachais quelque chose ?

— Parce que je *sais* que c'est le cas.

Sam se crispa. Sans doute en fut-il inconscient, mais il s'écarta aussi d'elle, imperceptiblement.

— Si je te le dis, tu vas…

— Je vais quoi ? s'emporta-t-elle. Tu pourrais être le Diable en personne que ça ne changerait rien. Je t'aime déjà, Sam.

Les mots de Sophia emplirent le silence qui les suivit, s'y répandirent comme une vaguelette mourante s'étirant sur le sable humide d'une plage. Un phénomène similaire sembla se produire dans les yeux de Sam. Son regard s'éclaira avec le reflux, la portée de ses paroles emportant la colère et peur avec elle, révélant cette lumière intérieure qui faisait scintiller toutes les paillettes qu'il recelait.

Sam ne faisait plus confiance aux mots depuis bien long-temps. Trop de personnes les articulaient vainement, les déna-turant quand elles ne les reléguaient pas au statut de coquilles vides. Ceux de Sophia avaient jailli de son cœur, ciblant le sien, l'atteignant avec une précision digne d'éloges ; ils étaient emplis de sens, de chaleur et de lumière. La sienne. Et il avait confiance en elle, savait qu'elle ne les aurait jamais prononcés s'ils n'avaient eu aucune signification pour elle. Mais il avait peur d'y croire, d'y croire vraiment. Si peur. Qu'est-ce qui lui disait qu'une ultime malédiction ne flottait pas au-dessus de sa tête ? Qui pouvait lui assurer que dès l'instant où il les accepterait, le piège n'allait pas se refermer sur lui et une autre punition lui broyer le cœur. Définitivement.

Il les voulait ces mots pourtant. Tellement.

Pour Sam, l'amour de la jeune femme avait valeur de bou-clier. Tout aurait été tellement plus facile si Sophia s'était sou-venue. Mais la seule idée de la malmener, de la forcer à se réveiller lui donnait la nausée. Cette solution restait probablement la seule issue possible, pourtant. Le temps jouait contre lui. Enfin le temps…

Sam se sentait plus que jamais tiraillé entre ce qu'il devait faire pour sauver sa peau et son désir de préserver Sophia autant que possible. Écartelé aurait été plus juste. Torture ou méthode d'exécution, le supplice collait bien mieux à sa situation. Et revenait au même.

Sophia commençait à se demander si Sam avait bien entendu ce qu'elle venait de dire. Les mots lui avaient échappé et elle aurait aimé les lui dire autrement. Enfin, non, pas autrement, à l'occasion d'un moment plus romantique qu'une prise de bec. Quoi qu'il en soit, ils avaient jailli sans qu'elle puisse les retenir. S'étaient-ils sentis prisonniers ? Ou s'agissait-il de l'argument ultime, celui capable d'abattre toutes les barrières ? Même celles de Sam.

Peu importait au final. Car si l'esprit de Sam les avait intégrés, son cœur, lui, était à la traîne.

Sam ne bougeait pas, la regardait comme s'il la croyait devenue folle ou comme si, terriblement perturbée par son comportement ou sa rencontre avec les hommes de main de son bourreau, elle n'avait voulu que se réfugier dans le monde doux et sucré des sentiments partagés. Il y avait plus simple encore, il pouvait ne pas la croire.

Heureusement, il sortit de son mutisme un peu vexant. Seulement…

— Mon ange ? Tu es sûre que ça va ? Tu viens de dire…

— Oui, je vais très bien. Et je sais ce que je viens de dire. Je t'aime, répéta-t-elle.

Elle n'avait pas fini d'articuler ces mots qu'un jour se fit dans l'esprit de Sophia. Vif. Trop.

— Ne m'appelle mon ange, murmura-t-elle sans reconnaître sa propre voix. Tu sais que je n'en suis pas un. Je suis…

Ce que l'illumination lui avait laissé entrevoir disparut aussitôt, dissous par une lumière trop violente, trop blanche, trop éblouissante. L'éclair avait été si bref que même sa mémoire n'avait pas été gravée. Ou alors le flash avait tout effacé immédiatement.

Sam n'en croyait ni ses yeux ni ses oreilles. Sophia… Pendant un instant, Sophia avait été elle et Elle.

Son cœur rata tous ses battements suivants. Une véritable anarchie cardiaque.

— Tu es… ? l'invita-t-il à poursuivre aussi posément que possible ; il ne voulait pas l'effrayer.

Son état l'était pourtant, effrayant. Son espérance presque contentée venait de se connecter directement sur son amour démesuré et le tout s'était logé dans son cœur qui n'en faisait qu'à sa tête. Ce qui revenait à planter un détonateur dans un pain de C4 et de confier la bombe à un dingue.

— Je ne sais pas, soupira-t-elle en secouant la tête, contrariée que son éclatante révélation persiste à la fuir.

Ou comment arrêter le compte à rebours de la bombe à une seconde de son déclenchement ?

Si ce genre de faux espoir s'était produit plus tôt, Sam aurait *illico* plongé dans un état de dépression gravissime qui l'aurait anéanti.

Seulement, il n'était plus tout à fait celui qu'il avait été alors. Cette femme lui avait rendu son intégrité et la majeure partie de sa lumière. Elle. Elle était sa lumière et venait tout juste de lui montrer qu'il était grand temps de reprendre ce qui était à lui. Maintenant.

Sam estompa la distance entre eux, prit délicatement le visage de Sophia en coupe entre ses mains et s'inclina sur elle.

— Moi je le sais, mon cœur, mon trésor, ma douce, égrenat-il, soulignant chaque douceur d'un effleurement de sa bouche sur la sienne.

— Alors, dis-le-moi, supplia la jeune femme dans un souffle.

— Tu es ma passion, mon amour, répondit-il tout bas, comme on murmure un secret. Avec un A majuscule pour un amour capital.

L'embrassant, il se servit de son étreinte pour la repousser contre la porte du jardin d'hiver. Lentement, avec une animalité farouche mais patiente, positivement excitante.

Il ne s'agissait pas d'un simple baiser. C'était un sortilège au goût d'amour et de désir. Un divin maléfice auquel la jeune femme succomba.

— Sam, haleta Sophia, profitant de ce que le jeune homme lui laissait un court répit, faisant glisser sa langue sur ses lèvres.

— Sam n'est pas mon nom, murmura-t-il avant de reprendre sa bouche.

Chapitre 38

Tel un dragon veillant sur son trésor, à moitié dissimulé par le grand escalier, Shax observait attentivement le couple. Se montrer indiscret et laisser traîner ses oreilles ne lui avaient jamais posé aucun souci. Surtout si c'était pour apprendre une bonne nouvelle.

S'il n'avait pas tout entendu, il avait compris l'essentiel. Sam adorait Sophia, Sophia aimait Sam.

L'histoire liant les deux jeunes gens était suffisamment exceptionnelle pour que leur amour devienne une histoire de logique, quelque chose d'inévitable. Ils ne venaient pas de se trouver, mais de se retrouver. Sophia l'ignorait encore, qu'elle l'apprenne n'était qu'une question de temps.

C'était occulter tout l'aspect romantique de la chose. Shax n'était pas réputé pour l'être de toute façon. Et les chances qu'il le devienne étaient nulles.

Contrairement à ce dont les quatre Fantastiques étaient persuadés, la fin de l'histoire n'était donc pas écrite. Pas comme ils la souhaitaient en tout cas. Savoir qu'il restait un peu de justice en ce bas monde avait soutiré au géant un sourire qui s'était figé puis envolé.

Le couple ne s'était pas éclipsé depuis plus d'une minute lorsqu'une silhouette fit son apparition dans l'escalier. De quoi sortir le Shax de ses pensées pour le plonger dans d'autres réflexions.

L'approche d'Annette s'accompagnait du cliquetis régulier de ses talons aiguilles sur le marbre des marches. Un son aussi hypnotique que l'excitant balancement de ses hanches.

Un grondement s'éleva, sourd, trahissant le désir de Shax autant que son mécontentement.

Il aurait dû se douter que cette chipie désobéirait.

Une désobéissance méritant punition. Shax aurait opté pour une fessée ou tout autre moyen lui permettant de poser ses mains sur son magnifique petit cul. Quoique ses seins étaient superbes, comme ses jambes et...

Le géant repoussa tant bien que mal les images prenant spontanément vie dans sa tête ; elles mêlaient tous les moments torrides passés avec cette jeune nymphe et tous ceux qu'il voulait... qu'il aurait voulus entre eux.

Il devait bien y avoir un moyen de l'empêcher de se sauver, bon sang !

Shax se souvint que cela ne changerait probablement rien. Même si Annette restait, il n'aurait plus le droit de la toucher. Il aurait fallu plusieurs miracles pour que cela se reproduise. Un pour que son cœur accepte de fonctionner normalement, un pour qu'il se laisse approcher ensuite et surtout un pour qu'Annette lui pardonne la distance délibérée qu'il avait instaurée en eux, en plus de tout ce qu'elle pouvait avoir d'autre à lui reprocher.

Autant dire que c'était mort.

Et puis rien ne lui disait qu'entamer quelque chose de différent de ce dont il se contentait d'habitude ne se révélerait pas une grossière erreur au final.

Tant pis.

Le géant refusait qu'elle s'en aille, qu'elle le jette, le prive de ce dont il avait envie, besoin... Besoin ?

Drapée dans sa dignité, le visage fermé, Annette s'immobilisa sur la dernière marche juste devant Shax lui barrant la route tel le colosse qu'il était, respectant toutefois une distance de sécurité essentielle, soit un peu plus que la longueur d'un bras. Un de ses bras à lui.

— Pousse-toi, demanda-t-elle sans le regarder, ses yeux restant au niveau de son torse, là où gisait le cœur vain de cet homme.

— Non.

Un refus résolu incitant Annette à s'interroger. Et à lever les yeux vers ceux du géant.

Le regard très bleu de la jeune femme tirait sur le violet dans la lumière relative de la galerie. Shax en fut troublé. Charmé…

— Tu ne peux pas me retenir contre mon gré.

On parie ?

Il aurait dû la tenir en laisse comme il y avait pensé le premier jour.

— Et avec ?

— Ça ne mènera nulle part, regretta-t-elle.

Shax ne releva pas. Il avait des arguments à même d'obtenir qu'elle reste, que ça mène quelque part ou non.

— Quoi qu'il en soit, il est hors de question que tu t'en ailles maintenant.

Annette arqua un sourcil délicatement dessiné, un pourquoi non formulé.

Parce que j'ai envie de toi. Encore. Et encore. Et encore. Toujours ?

— Nous venons de recevoir une visite extrêmement déplaisante et le danger rôde encore. Donc tu as interdiction de partir *et* de sortir du château.

Oh ! Alors ça n'avait rien à voir avec elle. Annette ravala sa déception ; elle eut un goût amer. Pendant un instant, elle avait cru…

Idiot de cœur ! Crétin d'espoir !

— Quel danger ? fit-elle mine de vouloir savoir.

— Du genre qui met la vie en péril.

— Je ne suis pas la seule femme à t'en vouloir, alors ? Combien sont-elles dehors à compter se venger de toi ? Une armée entière, je suppose.

Il n'y avait vraiment que ce petit bout de femme pour lui sortir un truc pareil. Éclater de rire aurait saboté son entreprise et ôté toute crédibilité à ses mots. Shax se retint tant bien que mal.

— Il y a pire qu'une femme en colère, répondit Shax d'une voix qu'Annette trouva bizarrement enrouée.

— Pire qu'une femme furieuse contre un mec ? s'étonna Annette.

— Sans aucun doute quand on sait qu'il s'agit d'individus sans scrupules qui n'hésiteront devant rien pour obtenir ce qu'ils veulent. Et je t'informe d'ores et déjà que tu es le genre de personnes qu'ils aiment à maltraiter juste pour le plaisir. Donc, il vaut mieux qu'ils ignorent ton existence. Je les connais, ils doivent faire le guet aux abords de la propriété. Par conséquent, tu restes ici.

Annette posa ses bagages comme si elle escomptait se servir de ses mains d'ici peu, pour le gifler par exemple, et prit le temps de le dévisager pensivement un instant.

Le bout de sa langue passait et repassait sur sa lèvre inférieure, lentement, tandis qu'elle réfléchissait. Une petite manie attirant inévitablement le regard de Shax qui suivit ces exquis va-et-vient lui donnant envie de s'en charger lui-même, ou de sentir la caresse de cette petite langue agile sur lui.

Un ronronnement fauve enfla dans sa poitrine. Ce n'était pas tout ce qui gonfla, mais tout le monde resta bien sagement à sa place.

— Très bien, soupira finalement la jeune femme. Maintenant que tu t'es bien amusé à mes dépens avec tes farces idiotes, s'il te plaît, pousse-toi. J'aimerais rentrer chez moi.

Il y avait bien mieux que cette défiance pour éloigner Shax de ses idées canailles. Quand son regard retrouva celui d'Annette, il s'était singulièrement assombri.

Une farce ? Si seulement...

— Y a-t-il quelque chose que tu ne comprends pas dans les mots « reste ici » ? se fâcha-t-il.

— Ce que je ne saisis pas bien c'est surtout ton penchant à te moquer de moi. Cette histoire de danger est ridicule.

— Ce danger est bien réel. Et en ce qui te concerne, mes penchants n'ont rien à voir avec une tendance à me moquer. Ça se passe beaucoup plus bas, sous la ceinture.

— Oh, je le sais bien, avec toi il se passe beaucoup de choses sous la ceinture mais jamais rien là, regretta-t-elle en pointant le plexus solaire du géant avec son index. C'est dommage, c'est ce qui m'intéressait.

— Là, tu n'es pas totalement sincère, ma belle, riposta le géant en s'emparant de la main de la jeune femme qu'il contraignit à se presser sur son torse et garda prisonnière sous la sienne. Tu convoites ma queue autant que mon cœur. Ça fait donc deux fois que tu n'es pas honnête avec moi.

— Je suis désolée de t'avoir menti, s'empressa-t-elle de s'excuser, mais si j'avais été franche, je n'aurais jamais eu ce que je voulais.

— Tu crois ? Qu'est-ce qui te dit que je n'ai pas été délibérément sourd et aveugle pour obtenir ce que *je* voulais ?

Ne pas réagir au sourire troublant de Shax et à la lumière que celui-ci plaça dans ses yeux demandait un effort qu'Annette n'avait pas envie de fournir. Il mentait encore, se convainquit-elle. Elle s'était montrée prudente et n'avait rien laissé voir de ce qu'elle ressentait, rien en dehors du désir contre lequel elle ne pouvait lutter.

Lui faire croire le contraire, qu'il avait tout compris était cruel en plus d'être odieux parce que cela signifiait que tous deux s'étaient joués de l'autre d'une certaine manière. Il fallait que cela cesse, la situation était intenable. Elle le serait tout autant loin de lui, mais elle finirait probablement par guérir. Seulement, si elle savait devoir partir, ne pas l'écouter et encore moins tenir compte de ce qu'elle ressentait, Annette n'avait pas envie de s'en aller. Oh non, pas du tout ! Pas au fond de son cœur. Un cœur qui battait en canon avec celui du géant dont elle percevait les coups puissants sous sa main. Malheureusement, l'un et l'autre ne suivaient pas du tout la même partition.

Elle doutait qu'il soit possible de changer cet état de fait, et ignorait comment le faire.

La tristesse qu'elle était parvenue à garder à distance depuis qu'ils discutaient s'engouffra dans ce maudit organe bien trop sensible. Avec pour incidence de gagner aussi son regard dont elle sembla diluer le bleu intense, emportant un peu d'outre-mer dans ses flots pour révéler ses bleus à l'âme.

— Quoi qu'il en soit, c'est terminé, regretta Annette une fois de plus d'un ton morne et résigné. Inutile de te prendre encore la tête avec ça.

Shax avait été terrifié par les larmes d'Annette, terrifié et vraiment contrarié. C'était une chose qu'il ne savait pas gérer et détestait quand les femmes les utilisaient telle une arme sournoise. Mais elle ne pleurait pas et ne bluffait pas. Ses jolis yeux, grands ouverts, offerts aux siens sans fausse pudeur, étaient certes un peu embués mais il n'y vit qu'un chagrin sincère.

La peur et le mécontentement fuirent, Shax ne savait trop où ni pourquoi, laissant place à une très désagréable sensation surgie de nulle part, une espèce de rage mâtinée de passion logée juste sous la main qu'il maintenait encore sur son torse. Il détestait le mal qu'il infligeait à Annette et l'idée qu'elle soit tombée amoureuse de lui malgré ses manières le troublait profondément. Il n'avait rien fait pour que cela arrive. Et même, il avait tout fait pour cela n'advienne pas. Alors où était le bug ?

Au-delà de cela, la perspective de devoir se priver d'elle, de son corps mais aussi de cette vive petite flamme qu'elle allumait dès qu'elle l'approchait lui déplaisait de plus en plus pour finir par se faire inacceptable.

Peut-être resterait-elle s'il le lui avouait ? En dépit de son mensonge par omission, elle semblait sensible à la franchise.

— Je refuse que ce soit terminé, Annette. Écoute, je... je ne veux pas te mentir, ni te faire mal ou te donner de faux espoirs, mais je ne veux pas que tu partes.

Il avait l'air tellement sincère qu'Annette ne sut plus trop que penser. Son cœur lui le savait. Il se mit immédiatement à battre d'espérance. Et fort. Comme un dingue.

— Je me connais, soupira la jeune femme. Je ne suis pas quelqu'un de raisonnable. Si je reste, tu vas profiter de ce que je ressens et...

— Je te promets que non.

— Tu ne peux pas faire une telle promesse ! s'agaça-t-elle en essayant de récupérer sa main, en vain. Le seul fait de me demander de rester uniquement parce que tu veux encore coucher avec moi prouve que tu te sers déjà de mes sentiments pour obtenir ce que tu désires.

— Tu te trompes. La seule chose que ça prouve c'est que je ne mens pas quand je dis que j'ai encore envie de toi.

— Je sais que tu ne mens pas, maintenant, mais ça ne durera pas, tu le sais comme moi. D'ici peu tu te lasseras et rappelleras une de tes copines.

— Me lasser ?! Bon sang, c'est tellement chaud entre nous qu'on pourrait mettre le feu au château. Alors comment pourrais-je me lasser quand que je veux que ça continue, que je ne veux personne d'autre dans mon pieu ?

Annette ouvrit des yeux ronds. Preuve qu'elle ne le croyait toujours pas. Logique. Il n'était pas précisément le genre de mec à se contenter d'une seule maîtresse. Seulement…

— Que faut-il que je dise pour que tu comprennes que je refuse que tu t'en ailles ? s'emporta le géant, mécontent que son aveu ne reçoive pas meilleur accueil. Que dois-je dire pour que tu comprennes que je flippe à l'idée que les abrutis qui attendent dehors s'en prennent à toi ? poursuivit-il sur sa lancée. Que je vois rouge quand tu parles de te trouver un autre mec ? L'idée qu'un connard puisse poser ses sales pattes sur toi me donne envie de casser quelque chose, de te tenir en laisse ou t'attacher à mon lit pour te faire jouir pendant des heures parce que tu m'excites à un point que tu n'imagines même pas et que te voir prendre ton pied est la plus jolie chose que j'aie jamais vue.

Shax était presque choqué des aveux qu'il venait de faire, mais devait bien convenir que cette vérité nue était ravissante. Sexy. Autant qu'Annette dont le regard s'était considérablement assombri sous le coup de l'émotion. Sous sa main, sous celle de la jeune femme retenue prisonnière, toute petite, brûlante soudain, son cœur se mit à battre plus vite. Un peu, mais c'était suffisant pour que Shax comprenne le message. Il en voulait plus. Plus d'elle. Et faire naître encore plein d'autres émotions chez cette femme. Et surtout…

— Je veux être le seul. C'est moi que tu veux, uniquement moi, alors je refuse que tu guérisses de moi, parce que… parce que je… je…

— Parce que tu commences à être malade ? se risqua à demander Annette le plus bas possible pour ne pas briser le rêve qu'elle était en train de vivre.

Car ce ne pouvait être qu'un songe, n'est-ce pas ? Elle n'avait jamais quitté son lit en réalité, et le cauchemar s'était transformé en rêve merveilleux. Ou alors, elle avait débarqué sans le savoir sur une autre planète géniale.

Dites oui !

— Ouais, c'est peut-être ça, bougonna le géant vaguement inquiet. Ou alors je deviens totalement dingue.

Son cœur au bord de l'explosion, Annette aurait pu s'amuser de son air grognon, rire aux éclats parce que la réalité était plus belle encore que son rêve ou la nouvelle planète. Elle n'en fit rien, préférant prendre les choses en mains. Façon de parler pour une fois. Pour l'instant en tout cas. Et si sa bonne étoile veillait sur elle, il lui restait une petite chance.

Shax n'avait absolument pas dit qu'il était amoureux et encore moins qu'il l'aimait. Mais il tenait à elle et ne supportait pas l'idée qu'un autre que lui la touche. Plus important encore, il avait été extrêmement sincère. Un homme déterminé à convaincre une femme usait d'autres arguments, souvent mièvres ou flagorneurs. Mais un mâle désireux d'obtenir ce qu'il voulait vraiment était honnête, sortait de ses gonds, se fichait de sa pudeur ou de ce qui franchissait ses lèvres. Et la flamme brillant dans les yeux d'un homme sincère à ce moment-là était exactement celle qu'elle voyait en cet instant embrasant le regard du géant.

Sans parler du fait que Shax ne lui avait jamais adressé autant de mots à la fois.

C'était bon signe, non ?

Annette s'en contenterait pour l'instant.

— Tu es peut-être un peu des deux, proposa-t-elle sans trop se mouiller, estimant inutile de le braquer maintenant. Ce trouble a des symptômes un peu déroutants au début, expliqua-t-elle en descendant la dernière marche et surtout laissant sa main là où elle se trouvait. On se sent un bizarre. Et dingue.

De fait, Shax ne se sentait pas au mieux de sa forme. Après ce qui avait été pour lui l'équivalent d'un saut dans le vide sans parachute, il avait cru recevoir la moitié d'une montagne sur le coin de la figure en réalisant que tout ce qu'il avait dit à Annette était vrai. Comprendre qu'il était jaloux lui avait aussi fait un putain de choc. Parce que s'il appréciait sincèrement la jeune femme, s'agissait-il pour autant de sentiments naissants ? La réponse était peut-être dans la peur. Celle qu'il éprouvait à l'idée de ne plus jamais la revoir. Même si cette certitude de vouloir la garder près de lui, vraiment très très près, avait aussi quelque chose de franchement flippant.

— Et après ? s'enquit-il.

Un soupçon d'angoisse errait dans cette question.

Normal.

Annette aussi avait ressenti cette anxiété ; elle entreprit de le rassurer avec les moyens du bord, sa passion, ses sentiments et sa sincérité.

Se hissant sur la pointe des pieds, la jeune femme posa son autre main sur le torse du géant dont le bras libre vint s'enrouler autour de sa taille. L'étincelle malicieuse avait fait son grand retour dans le regard azur. Et elle avait invité une copine. Une petite lueur ni vraiment douce ni véritablement tendre, mais du plus bel effet. En tout cas, elle eut le don de faire s'envoler une nuée de papillons dans le ventre de la jeune femme.

— Après ? C'est pire encore, lui confia-t-elle d'un ton docte, mots qu'elle accompagna d'un gracieux sourire. Les symptômes s'aggravent de façon dramatique. Tout est plus fort et ça peut faire mal, mais c'est aussi délicieux. Tu sais, un peu comme quand je garde mes talons pendant que tu…

Un grognement très rauque lui coupa la parole, une sourde vibration qui la fit frémir.

Les lèvres d'Annette s'étirèrent en un sourire canaille parfaitement satisfait.

— Ou que je m'en sers pour…

— J'ai compris, la coupa encore Shax dans un autre grondement tout aussi sourd. Ensuite ?

— Ensuite, on devient complètement idiot et habité par une obsession.

— Laquelle ?

— Être avec celui ou celle qui nous a inoculé ce fichu virus.

Fasciné par Annette et son petit discours très intéressant, pratiquement hypnotisé par son regard et excité par ses formes tendres et chaudes se pressant contre lui, Shax se pencha sur elle.

— C'est tout ? souffla-t-il.

S'il n'était pas encore devenu complètement crétin, le géant commençait à ressentir des symptômes. Déjà, il semblait avoir du mal à s'exprimer.

Mais cela pouvait tenir au supplice auquel Annette le soumettait, celui de la tentation ; elle avait incliné son visage et approché ses lèvres des siennes. Il mourait d'envie d'y goûter et cette envie prenait le pas sur tout le reste.

— Ça peut suffire, oui. Il n'y a pas de règle. On peut faire tout ce dont on a envie, tant que c'est avec l'autre.

— Discuter ?

— Ou s'embrasser.

— S'embrasser me paraît une bonne idée.

Une très bonne idée même. D'autant qu'Annette n'avait rien trouvé de mieux que gratifier ses lèvres de petits coups de langue après en avoir redessiné le contour. Il paya sa tentative réussie de provoquer un contact avec la sienne d'un coup au cœur.

Comment un si petit effleurement pouvait-il faire l'effet d'un électrochoc ? Peut-être était-ce de cela dont son organe jusqu'ici stérile, ou lui, avait eu besoin : une femme capable de le mettre à genou, et accessoirement à sa merci, avec seulement une petite caresse de rien du tout ?

— J'en suis heureuse.

— Je te croyais novice en la matière, mais tu as l'air bien savante sur le sujet.

— Parce que ça ne s'apprend pas, Shax. Ça se vit.

Annette pressa sa bouche sur la sienne. Enfin.

Plus qu'une nuée de papillons, ramenant l'expression à son gabarit, le géant eut l'impression d'une volée de moineaux s'égayant dans son ventre.

Lovée contre lui, offerte mais exigeante, Annette ne lui donnait pas qu'un baiser mais une multitude, tous différents, tous merveilleux, tour à tour chastes et canailles, fureteurs, joueurs, l'un prenant le relai du suivant, une débauche de sensations nouvelles. Elle le charmait, le goûtait, le taquinait, le mordillait. Shax aurait pu céder à son envie d'en prendre le contrôle et de l'approfondir. Oui, il aurait pu. S'il n'avait craint que ce délice ne s'arrête un jour.

Lorsque ce baiser s'éteignit de lui-même, encore que le verbe ne soit pas véritablement approprié eu égard aux braises incandescentes qu'il avait allumées et capables de se consumer durant des heures, le géant avait perdu la plupart de ses repères, avait plus que jamais la certitude que les sentiments étaient une maladie potentiellement mortelle et qu'il était salement contaminé. Fichu donc. Mais à dire vrai, il s'en moquait un peu. C'était divin.

— Je tuerais pour un autre baiser comme celui-là, avoua-t-il d'une voix infiniment rauque qui fit frissonner Annette.

— Tu n'auras pas à le faire. Il te suffit de demander. Je pourrais passer des heures à t'exciter comme ça.

De fait, ça marchait du tonnerre. Il bandait, et son érection lui faisait déjà mal, une douleur exquise qui incitait à la patience, même s'il devait en devenir irrémédiablement dingue.

Ce qui pourrait bien arriver prématurément si elle ne cessait pas de se frotter contre lui tout en l'agaçant de ses petits coups de langue.

— Annette, protesta-t-il dans un murmure rauque.

— Mmm ?

— Si tu continues à me chercher, je ne vais pas rester civilisé encore bien longtemps.

Annette gloussa, se frotta de plus belle en lui mordillant la lèvre.

— Diablesse, gronda-t-il.

— Tu crois ? badina-t-elle, se faisant l'innocence incarnée.

— Ouais. J'adore ça.

Shax repoussa néanmoins la jeune femme, un tout petit peu. Ils n'allaient pas rester dans la galerie pour le millier de projets lui trottant dans la tête, et ailleurs. Et puis il avait besoin de lui dire quelque chose. Quelque chose de sérieux.

— Ne change pas, Annette. Ne t'attends pas non plus à ce que je devienne une espèce de prince charmant.

Un prince charmant ? Pouah !

— Je ne veux pas te changer, lui assura-t-elle avec ferveur. Je te veux tel que tu es.

— Dans ce cas...

Saisissant la jeune femme par le poignet, il l'entraîna dans l'escalier.

— Ta chambre ou la mienne ? demanda Annette en se laissant bien volontiers emporter.

— La mienne, chérie. J'ai déniché un pot de miel.

Chapitre 39

Depuis qu'il les avait enfermés dans le jardin d'hiver, Sam n'avait pas décroché un mot. Si elle avait pu choisir, Sophia aurait préféré que ses peut-être futurs aveux aient lieu ailleurs. Tant pis, elle ferait avec. Enfin... à condition que Sam parle ; la confession tardait vraiment à venir. Cela faisait deux bonnes minutes qu'elle observait le dos du jeune homme qui n'avait pas bougé et semblait même se murer dans le silence. Sa posture raide et crispée. Sophia se demandait s'il essayait d'échapper à l'inévitable ou s'il s'interrogeait sur la meilleure façon de lui avouer son secret.

Adossée contre la porte, la jeune femme s'était aussi armée de patience. Le contraindre à parler risquait de le braquer. Alors, elle n'avait d'autre choix que patienter.

Que Sam ait menti sur son nom n'était pas grave en soit. Pouvait-on reprocher à quelqu'un d'utiliser un pseudo, surtout dans le monde artistique ? Cela étant, Sophia savait pertinemment qu'il s'agissait de bien plus que d'une histoire de pseudonyme et avait bien compris que Sam craignait sa réaction. Plus que pour toute autre personne, son nom semblait intimement lié à celui qu'il était et c'était cela qui lui posait un véritable problème. Ce que Sophia trouvait un rien plus chagrinant parce que Sam n'y pouvait rien. Pas plus qu'elle.

La jeune femme aurait aimé qu'il soit sincère avec elle dès le début, mais ne pensait pas devoir lui reprocher cette cachotterie. Combien de fois en prononçant son prénom avait-elle eu la sensation qu'elle n'articulait pas les bonnes syllabes ? Elle aurait pu le lui demander. Ne l'avait pas fait. Parce que finalement, ça ne devait pas être si important que cela à ses yeux.

Quoi qu'il en soit, Sophia était désormais affreusement curieuse, si impatiente de l'entendre qu'elle commençait déjà à faire défiler les hypothèses dans son esprit. Si elle ne pouvait dire que rien ne l'avait préparée à ce que Sam lui révéla, en revanche elle s'était attendue à presque tout, sauf à...

— Samaël.

Sophia cilla. Plusieurs fois. Sam avait parlé si bas qu'elle n'était pas certaine d'avoir bien compris.

— Pardon ?

— Mon nom véritable est Samaël.

Inhabituel, certes, prouvant que ses parents avaient des goûts spéciaux. La jeune femme n'en était pas choquée outre mesure. Surtout quand on savait de quelles horreurs certains étaient parfois capables lorsqu'il s'agissait d'être original dans le prénom de leurs enfants.

— Juste Samaël ou tu as un nom de famille ? demanda-t-elle supposant que là résidait le réel problème de son identité.

— Tu ne comprends pas. Ce nom est le mien parce que je *suis* Samaël.

Oh non !

Il avait définitivement perdu la tête !

Sam se retourna. Instinctivement, la jeune femme se colla contre la porte après que ses yeux se furent encore plus spontanément levés. Ils s'écarquillèrent. Puis s'avérèrent incapable de lâcher le regard du jeune homme... le regard du... Son regard était toujours aussi beau, plus cuivré que doré désormais. Seulement ses pupilles n'avaient plus grand-chose d'humain. Fines et elliptiques, elles scindaient ses magnifiques iris en deux.

Sophia n'avait pas un bagage théologique très important, suffisant toutefois pour faire le rapprochement entre ce qu'elle voyait et le mot que Sam venait de prononcer.

Il n'était pas fou. Donc, c'était elle.

Un frisson dévala sa colonne vertébrale et son cœur se logea dans sa gorge.

Bien, elle était folle. Mais encore une fois, si tel était le cas, elle n'aurait pas dû s'en rendre compte. Par conséquent, elle avait définitivement intégré cette dimension parallèle ne cessant de frôler la sienne depuis qu'elle était au château.

Elle pouvait aussi faire un ultime cauchemar ou être victime d'une farce ignoble.

Il était pourtant une hypothèse bien pire : ça pouvait être vrai.

Elle en avait d'ailleurs la preuve sous le nez.

Croisant ses bras contre sa poitrine, geste qui blessa son vis-à-vis dont les épaules s'affaissèrent, elle se contraignit à garder son calme.

La peur ne l'avait pas encore engloutie.

Cela pouvait ne pas durer.

Cela ne dura pas.

Sophia était tellement déboussolée qu'elle se sentait presque au-delà de la peur et commençait à se demander ce qui l'effrayait réellement : que Sam soit ce qu'il avait dit être, qu'elle ait perdu la boule ou... la peur elle-même ?

Parce qu'elle était absolument certaine de ne pas rêver, tristement consciente d'avoir encore toute sa tête, que l'homme se tenant devant elle était bien réel, et surtout semblait bien être ce... Samaël.

— Je suis toujours le même Sophia, plaida Sam de sa voix la plus douce, celle qu'il utilisait d'habitude pour lui murmurer qu'il l'aimait. La seule différence c'est que maintenant tu sais qui je suis.

Une sacrée différence quand même.

S'attendait-il réellement à ce que la pilule passe toute seule ?

— Tu es… tu es un…

Rien à faire, ça ne passait pas.

Même sa voix était affolée ; elle chevrotait.

Ou alors, cela était dû au conflit entre ce qu'elle voyait et ce qu'elle savait… ce qu'elle croyait savoir et ce qu'elle ressentait. Un sacré bazar.

Sam… enfin, Samaël n'était pas supposé exister, voyons !

Cet homme ne *pouvait* pas être une créature censée ne vivre que dans les peurs des gens, dans les livres, dans le Livre…

Sophia n'avait jamais cru en quoi que ce soit, n'avait pas la foi et…

Et pourtant Sam était bien là, devant elle, ses iris reptiliens rivés sur elle. Alors que penser ? À quoi s'accrocher ? À ses certitudes et à la raison s'il lui en restait un brin ? Ou bien à ce que ses yeux s'évertuaient à lui montrer, là, dans la lumière sans concession du jour filtrant par dôme de verre du jardin d'hiver : un homme bien réel. Un homme auprès duquel elle venait tout juste de se déclarer, à qui elle avait demandé de lui confier ses secrets, un homme qui n'avait cessé de la conduire jusqu'à ce moment-là, pas à pas.

Et un homme terrifié à l'idée qu'elle le repousse.

Un homme capable d'une telle crainte ne pouvait pas être un danger pour elle. Il l'aimait…

Sophia inspira puis expira profondément, refoulant sa peur pour utiliser son cerveau. Essayer en tout cas. Si cela servait à quelque chose. Parce que raisonner ne lui serait peut-être d'aucune utilité en l'occurrence. Ce qu'il était se trouvait au-

574

delà de toute raison, dépassait largement l'entendement de la jeune femme qui pourtant n'était pas particulièrement obtuse.

— Je ne comprends pas, comment peux-tu…, commença-t-elle d'une voix mal assurée.

— Exister ?

— Oui. Exister et être un… une sorte de démon ? C'est ça ? Celui responsable de la chute, de la perte du paradis, du malheur des humains ? Le serpent ?

Blessé par cette conclusion rapide mais inévitable et logique, Sam se rembrunit, carra les épaules, mais ne se mit pas en colère. Pourtant, une part de lui hurlait. Si Sophia s'était souvenue, elle n'aurait pas posé ces questions, comme elle n'aurait pas non plus apporté un quelconque crédit à cette croyance fondée sur des mensonges. Mais surtout, elle n'aurait pas eu peur de lui. C'était ça qui lui faisait le plus mal.

Ça et cette envie le tenaillant, mais destinée à être frustrée dans l'immédiat, de la prendre dans ses bras, de la toucher, de lui prouver qu'il était toujours le même, celui qu'elle aimait… si cela était encore d'actualité.

— Je suis avant tout un ange que l'on a trahi et stigmatisé, rectifia Sam d'un ton posé mais où la rancœur était très présente. La touche reptilienne n'est qu'une incidence perverse de la malédiction, pour que la réalité colle à la fable. Une vicieuse petite cruauté supplémentaire. Parce que tu te doutes bien que rien ne s'est passé tel que cela a été écrit.

En fait non, Sophia ne se doutait de rien du tout. Cela étant, elle n'avait toujours vu dans ce passage de la genèse précis qu'un moyen des rédacteurs pour serrer la bride aux croyants. Et incidemment un procédé bien pratique de ces mêmes personnes pour exercer leur phallocratie en collant tous les maux de la terre sur les femmes…

Sur les femmes et Samaël, donc, puisqu'il semblerait qu'il fasse partie des victimes.

— Alors, tu n'es donc pas réellement… heu… le serpent ?

Comment pouvait-elle poser une question pareille ?

En dépit de ses efforts pour se convaincre que tout ceci était vrai, Sophia avait la sensation de nager en pleine féerie. Pas celle des contes malheureusement ; ces eaux-là étaient trop froides.

— Tu es un ange, Samaël plus précisément, mais tu n'as jamais corrompu qui que ce soit ? demanda-t-elle encore, avec un rien de téméraire dérision.

— Je suis plus qu'un ange, en réalité. Beaucoup plus.

— Ah. Un archange alors ?

— Plus encore.

Oh…

Qu'y avait-il de plus gradé qu'un archange ? Sophia l'ignorait, faute de s'en être jamais souciée.

Quoi qu'il en soit, ange sonnait mieux que démon ou serpent. Encore que, pour ce qu'elle en savait, les démons étaient réputés avoir été anges. Ce qui ne signifiait pas pour autant qu'elle ne devait pas le craindre. Les uns ou les autres étaient aussi dangereux et puissants.

Mais ce fameux reptile qui n'en était pas un, alors ?

Sophia comprit qu'il lui faudrait attendre encore un peu pour connaître le fin mot de cette histoire. Le voulait-elle ? Oui. Le devait-elle ?

Sam commençant à s'éloigner, la jeune femme n'eut d'autre choix que celui de le suivre si elle voulait savoir. L'idée qu'il puisse s'agir d'un piège avec des réponses pour appât ne l'effleura même pas, preuve qu'une part d'elle acceptait. Ou à tout le moins avait suffisamment confiance en lui.

Sam la conduisit jusqu'à cette alcôve qu'elle avait eu du mal à éviter lorsqu'elle s'était perdue dans le jardin le premier jour. Charmante, mais la situation avait tendance à ôter tout son attrait au lieu.

— Va t'asseoir, ordonna Sam.

Sophia arqua un sourcil. Les nerfs déjà à fleur de peau, cette invitation un peu trop ferme eut le don de la hérisser.

— S'il te plaît, ajouta-t-il. Si je dois tout t'expliquer depuis le « Au commencement, il n'y avait rien » ça risque de prendre un peu de temps.

Surtout s'il répétait trois ou quatre fois la même chose d'une manière différente comme c'était le cas dans de nombreux passages de la Bible...

Quoi qu'il en soit, l'entendre ironiser contribua à tranquilliser un peu la jeune femme qui consentit à s'avancer jusqu'à l'une des chaises en fer forgé où elle s'installa, adoptant néanmoins et sans réfléchir une attitude de protection, jambes et bras croisés.

Sam mit un certain temps à la rejoindre.

Pour lui laisser celui de s'enfuir en hurlant pour le cas où elle reprendrait ses esprits ?

C'était peu probable. Qu'elle se sauve. Que Sam la laisse partir aussi. Sa manière de la dévisager avec intensité comme s'il pensait au meilleur moyen de la convaincre, mais aussi comme s'il s'était projeté dans ses souvenirs avait quelque chose de déroutant. De gênant également ; Sophia avait la sensation d'être non pas assise sur une chaise de jardin, mais sur la sellette. Une position quelque peu inconfortable lui donnant une furieuse envie de se tortiller sur son siège.

Impression qui partit en fumée lorsque Sam s'approcha d'elle car au lieu de prendre place à ses côtés, il s'agenouilla à même le sol devant elle avant de s'asseoir sur ses talons. Vaguement gênée par cette humilité ne lui ressemblant pas vraiment, et qu'*a priori* l'on ne s'attendait pas à voir chez un être supposé angélique, Sophia scruta son regard. Ses yeux redevenaient peu à peu ceux qu'ils avaient toujours été pour elle. Humains. Et lumineux. La jeune femme réalisa surtout que son cœur à elle n'avait pas changé, lui rappelant qu'elle l'aimait aussi. Vraiment. Au point de pouvoir passer outre ce qu'il disait être.

La peur était partie. Sam le lisait dans les yeux de Sophia. Y séjournait encore beaucoup de perplexité ainsi que le doute. À peine une consolation en somme, pas un véritable bien-être. Sam mourait d'envie de se blottir contre elle, de qué-mander l'étreinte rassurante de ses bras à elle. L'angoisse refu-sait de le quitter et il en serait ainsi tant que Sophia ne se souviendrait pas.

La colère quant à elle s'accrochait à lui comme une teigne.

Quelle ironie de devoir lui expliquer ce qu'au fond de son âme elle savait déjà. Une ironie moins cruelle que leur histoire toutefois.

— Toutes ces conneries d'arbre, de fruit et de serpent sont des images pour me qualifier moi, commença le jeune homme.

Ce à quoi Sophia ne répondit que par un battement de cils.

— Ma nature est celle d'un séraphin, poursuivit Sam, c'est-à-dire littéralement un « brûlant », un être de feu, ce que tu peux trouver de plus puissant, au moins autant que celui que tout le monde connaît sous le nom de Créateur.

Sophia ouvrit des yeux comme des soucoupes. Elle croyait que...

Enfin, non elle ne croyait rien, mais n'avait-on pas toujours laissé entendre qu'Il, quel que soit son nom, était le créateur de tout, le tout-puissant. Aurait-on menti ?

— Il ne l'est pas ? s'étonna-t-elle.

— Ça dépend de quel point de vue on se place. Mais ça n'est pas important.

Même pas un petit peu ?

— Je suis la Connaissance, reprit Sam après une courte pause. La sienne et celle de tout, du Tout. Pas un simple détenteur de ce savoir et encore moins son incarnation, insista-t-il pour qu'elle comprenne bien. Je *suis* la Connaissance absolue. Et c'est moi, mon énergie que tout le monde connaît sous le nom d'Arbre de la Connaissance du Bien et du Mal. Mais il s'agit en réalité d'un courant d'énergie vitale ascendant et descendant dispensant ses bienfaits… sur la terre comme au ciel. Alors, je suppose qu'on peut le voir effectivement comme un arbre. Beaucoup de spiritualités le considèrent d'ailleurs comme un lien vers les cieux par ses branches et vers la terre par ses racines…

— Et donc, s'il n'y a pas d'arbre en tant que tel, il n'y a pas de fruit non plus.

— Pas le moindre.

Cette discussion surréaliste et ces allégations tout bonnement stupéfiantes n'empêchèrent nullement Sophia de vouloir savoir la suite. D'autant qu'aucune foudre ne s'abattait sur eux, pas plus que les cieux ne s'ouvraient pour déverser une pluie de grenouilles, de criquets ou autre horreur du genre. La jeune femme n'en jeta pas moins un coup d'œil discret au ciel par la verrière. Sait-on jamais…

Pas si discret que cela. Sam le surprit et eut un sourire mi-taquin mi-tendre qui en dépit de la situation la chavira ; elle adorait quand il faisait cela et le lui rendit spontanément.

— Qu'as-tu fait exactement, dans ce cas ? voulut savoir Sophia. Enfin, si tu as fait quelque chose, naturellement.

— Oui, j'ai bien fait quelque chose, confirma-t-il. Un cadeau. Un don. Un putain de cadeau, même ! Mais en faisant ce que je croyais être un geste beau et désintéressé, un acte juste qui plus est, n'ayant rien à voir avec l'orgueil ou la rébellion, je me suis heurté à l'incommensurable autolâtrie du démiurge et à ses desseins despotiques ! C'est la seule faute que j'ai commise. Voilà pourquoi Il a maudit sa propre création ; voilà l'unique raison pour laquelle Il m'a condamné moi, amputé d'une part de mon essence et exilé avec ceux que j'avais voulu aider et aimais plus que lui. Et tu sais pourquoi ?

— Non.

— Parce qu'Il avait peur. Il avait menti et ne voulait pas que ça se sache.

— Vraiment ? s'étonna Sophia avec une moue dubitative.

— Vraiment. Il est même le premier menteur d'entre tous. Le plus grand aussi. Si tu reprends la genèse, texte saupoudré çà et là de quelques vérités pour celui qui sait lire, il dit au couple originel que s'ils mangent du fruit de l'Arbre de la Connaissance du Bien et du Mal, ils mourront. Le serpent, lui, leur dit autre chose, à savoir que s'ils mangent du fruit, ils seront comme Dieu. D'ailleurs, tu remarqueras qu'une fois le fruit consommé, ni l'homme ni la femme ne meurent...

Ben mince alors !

Sophia n'y avait jamais fait attention.

— Parce qu'en réalité, « manger de ce fruit » signifiait accéder à la connaissance, l'éclaira Sam. Donc, devenir l'égal de Dieu. Sans oublier que posséder cette connaissance permettait aussi de trouver le chemin jusqu'à l'autre arbre du jardin : l'Arbre de Vie et de Mort, et par conséquent recevoir le pouvoir sur tout lui y compris. Naturellement, pour un être résolu à régner en despote sur ses créatures, il était hors de question que quiconque partage ses pouvoirs, et encore moins ait celui de l'évincer. Il a donc enlevé les panneaux, posté des gardes et délibérément maintenu l'homme dans un état d'ignorance dans la prison qu'était le jardin.

Même en ouvrant son esprit tous azimuts, cela restait difficile à avaler... de quoi se retrouver avec un morceau de pomme coincé dans la gorge...

Toutefois, pour Sophia, que Sam soit Samaël ou qu'une énergie correspondant à la Connaissance avec un grand C existe quelque part était presque moins difficile à croire que la réalité du Dieu. Et accessoirement qu'Il soit un gros menteur doublé d'un mythomane. Cela tenait très probablement au fait que personne ne l'ait jamais vu et à celui que la propagande standard des cieux avait fonctionné du tonnerre. En tout cas, s'Il répondait à l'image que Sam en donnait, la jeune femme n'avait aucune espèce d'envie de le rencontrer.

Parce que si elle avait l'air de prendre ses révélations pas trop mal, voire un peu à la légère, ce n'était pas le cas. Son détachement apparent, très relatif, était avant tout un moyen pour elle de se protéger et de tenter d'intégrer les confidences proprement hallucinantes de Sam. Quelque chose lui disait que la suite serait du même acabit.

— Tu n'y vas pas un peu fort en parlant de prison ? releva-t-elle.

— Non, c'était bien une prison, dorée, certes, mais une geôle malgré tout, de très haute sécurité, un lieu où ils étaient épiés et réprimandés pour la moindre broutille et soumis à l'autorité d'une effroyable voix désincarnée.

— Et donc, ça t'a paru tellement injuste que tu leur as offert la connaissance.

— Bien sûr que c'était injuste ! À mes yeux, il était essentiel et légitime de leur faire ce cadeau. Et ça leur a valu d'être bannis.

— Mais Il n'était pas tout-puissant puisque tu as dit l'être autant que lui, comment expliques-tu qu'Il ait réussi à t'évincer, toi.

— Il ne m'a pas évincé. Il m'a pris en traître, détruit et...

Sam se tut et baissa la tête.

Sophia eut une conscience aiguë de sa détresse qui, elle, n'avait rien d'imaginaire et surtout de son besoin à elle de le réconforter. Elle détestait le voir souffrir. Après tout, son devoir n'était-il pas de le lui éviter ? Ignorant d'où venait cette certitude qu'il s'agissait d'un devoir plutôt que d'un besoin dicté par ses sentiments ou son empathie naturelle, Sophia se contenta d'y obéir. Décroisant bras et jambes, elle se pencha vers lui et caressa sa joue du dos de la main.

Sam releva la tête. Son pâle sourire n'atteignit pas ses yeux définitivement redevenus tels qu'elle les avait toujours connus mais assombris par sa douleur, trop ancienne pour disparaître grâce à seulement un peu de tendresse.

— Il m'a banni, articula-t-il avec hostilité. Après m'avoir arraché le cœur, après m'avoir déraciné, maudit et torturé, Il m'a exilé avec ceux que j'avais voulu défendre.

Sophia serra les dents. Était-ce bien d'une divinité juste et bienveillante dont tous deux parlaient depuis le début ? La jeune femme s'interrogeait de plus en plus sur ces qualités manifestement totalement usurpées.

— Cet être n'a rien d'un père aimant, enchaîna Sam avec virulence. S'Il l'était, il n'aurait pas besoin de bataillons d'anges armés jusqu'aux dents pour régner. Tout avec lui n'est que fléau, malédiction, punition et peur. Il n'est même pas un souverain, juste un tyran qui tourne autour de son propre nombril, un dictateur qui préfère l'odeur du sang du sacrifice et celle de la mort à celle de la terre, des fruits et des fleurs. Les seuls sons qui flattent son ouïe plus que les louanges de ses fidèles sont ceux de la douleur et du malheur montant jusqu'à ses oreilles... et bien souvent ce sont ceux de ses adorateurs mis à l'épreuve. Les mots d'amour des amants lui sont une musique insupportable et...

— Sam, intervint Sophia le sentant sur le point de se laisser submerger tant par sa rancœur que par sa volonté de se venger.

Et il y avait peu de chance pour que cette ambition ne soit que verbale. Son regard flamboyait tellement de haine exaltée qu'il aurait pu mettre le feu au jardin. L'instinct de la jeune femme lui dictait de le détourner, pour le préserver lui.

Sam expira profondément, paraissant expulser un peu de tout ce qui bouillait en lui. Si son ressentiment n'était plus trop présent dans ses mots lorsqu'il reprit la parole, il persistait dans ses yeux, faisant chatoyer les paillettes d'or bruni de ses iris.

— J'avais un gardien, poursuivit-il, un ton plus bas, comme s'il n'avait en réalité que planqué sa rancœur dans les profondeurs de sa voix. Parce que la Connaissance livrée à elle-même est une arme terriblement dangereuse. Un poison. C'est ce que Samaël signifie : « Poison de Dieu ». Il m'a... arraché à mon gardien et l'a arraché à moi. Sans ce protecteur, je m'empoisonne. C'est ce qu'il escomptait. Comme il ne peut pas éliminer directement ce qui a été créé, officiellement en tout cas, il s'arrange toujours pour que ça se produise d'une manière ou d'une autre, par des moyens détournés, ou se débrouille pour que ses créations s'en chargent elles-mêmes. Et c'est précisément ce qu'il prévoyait en nous séparant. Seulement, je n'ai jamais cessé d'espérer.

Donc, l'espoir était capable de miracle... lui aussi, songea Sophia que l'histoire de Sam bouleversait.

— En voulant protéger les chemins jusqu'à ses pouvoirs, enchaîna Sam qui visiblement n'avait pas fini son réquisitoire, Il a détruit le lien existant entre moi et mon gardien. Ce faisant, Il a aussi totalement barré la route entre les hommes et le Savoir, entre les hommes et lui pour que jamais ils ne puissent avoir conscience de leur divinité, pour que jamais ils ne puissent l'égaler. Et c'est à eux qu'Il en veut pour sa faute, eux qu'Il ne cesse de punir pour son arrogance à lui. Le pire de tout c'est qu'Il est prêt à tout pour gagner, tout est bon pour servir ses desseins.

— Ce gardien ? Qui était-ce ? demanda Sophia profitant d'une pause pour à nouveau tenter de le détourner de sa cible.

Sam paraissait sur le point de basculer à tout moment. Comme toujours. Se confier semblait ne lui avoir fait aucun bien.

— La Sagesse. Elle seule a le pouvoir canaliser l'extraordinaire puissance de la Connaissance brute. Et la Connaissance ne doit être envisagée qu'à travers le filtre de la sagesse sinon…

— Je comprends bien, répondit Sophia. Où est-elle ?

Sam s'attendait probablement à ce qu'elle trouve la réponse à sa question toute seule. Sans doute la raison pour laquelle il ne le lui disait pas, se contentant de la fixer droit dans les yeux. Il allait être déçu. C'était un peu trop lui demander ; elle n'avait pas précisément le cerveau à l'endroit.

— Sophia…, commença-t-il. Que signifie ton prénom ?

La jeune femme ouvrit la bouche pour répondre, la referma immédiatement, puis la rouvrit l'instant d'après.

— Mon prénom ne veut absolument pas dire que…

— Bien sûr que si ! la coupa-t-il avec ferveur. Enfin non, mais je sais que c'est toi. Je l'ai su dès que je t'ai approchée.

— C'est pour ça que tu dis m'aimer ? Uniquement parce que je m'appelle Sophia et que tu me prends pour elle ? Seulement parce que tu as besoin de moi pour survivre ? s'exclama la jeune femme en se levant d'un bond, si brusquement que sa chaise tomba à la reverse.

Le bruit aigu du siège en fer heurtant le sol carrelé déchira le silence. Aussi douloureux mais moins bruyant, le cœur de Sophia sur le point de se briser.

— Non ! se récria Sam. Non ! Il y a une vibration particulière entre nous, tellement familière pour moi. Et je t'aime parce que tu es douce, intelligente, forte, curieuse, sensible, et beaucoup d'autres choses encore.

Il vous manipule dans le seul but de se sauver lui…

Non ! C'est faux !

La jeune femme ne voulait pas accorder le moindre crédit à ces paroles-là. Sam l'aimait ! Dans ce cas, alors qu'elle l'avait défendu auprès des quatre inconnus, pourquoi peinait-elle désormais à le croire ? Était-elle perturbée à ce point ? Oui, sans aucun doute.

— Peut-être, mais des choses que tu ne pouvais pas apprendre au premier coup d'œil, argua-t-elle pourtant un peu durement.

— Bien sûr que si, je le pouvais, opposa immédiatement le jeune homme. Tes photos parlent de toi aussi clairement que toi-même. Et j'ai été foudroyé dès que je t'ai vue, avant même de te connaître. Tu es tellement...

— Parfaite ? proposa Sophia, avec exaspération.

La suspicion dans les beaux yeux noirs de la jeune femme était comme une dague plantée dans le cœur de Sam. Une lame enduite d'un poison mortel qui l'aurait détruit s'il n'avait su qu'elle ne révélait que la peur de Sophia et que cette peur naissait de ce qu'elle ressentait pour lui. Si elle ne l'avait pas aimé, pas vraiment, elle se serait moquée du pourquoi de l'amour qu'il lui portait. Une certitude amenant Sam à la contempler un moment, à se laisser envahir par ses propres sentiments pour trouver les bons mots, les seuls à même de la convaincre.

Se redressant sur ses genoux, il s'avança jusqu'à elle puis enroula ses bras autour de ses hanches, gardant son visage levé vers le sien.

Une position humble, un geste mêlant un soupçon de vénération à une tendresse vraie, un regard franc et direct.

Au même titre que la flamme de sa peur dans son regard, la défiance de la jeune femme vacilla.

— Non, Sophia, dénia Sam avec douceur. Pas parfaite. Unique. Une femme exceptionnellement belle et magnifiquement unique.

— Parce que je s...

— Parce que tu es toi.

La jeune femme esquissa un sourire n'ayant rien de gai ni de tendre

— Si je suis moi, je ne peux par conséquent pas être elle, ta Sagesse. Tu oublies que je suis tout ce qu'il y a de plus humaine.

— Je n'oublie rien du tout. Ton corps merveilleux est assurément humain, mais ton âme, elle, procède d...

— Du divin ?

— Oui. Du même feu pur que la mienne. Telle que lorsqu'elle m'a été arrachée, belle et lumineuse.

— Trêve de flatterie, Sam. Ça suffit.

Le jeune homme sembla ne pas goûter cette injonction articulée d'un ton un peu trop sec. La libérant de son étreinte, il se releva ; son profond soupir fut à la hauteur de sa déception.

— C'est la vérité.

Tout ça était peut-être bien la vérité. Seulement, elle était totalement invraisemblable !

Sophia dut faire une drôle de tête pendant un instant car le visage de son compagnon se durcit sensiblement.

— Tu ne me crois pas, c'est ça ? lui reprocha Sam ; une pointe de désespoir filtrait dans sa voix. Tu n'as pas cru un seul mot !

— J'essaye de toutes mes forces Sam, se justifia la jeune femme. Reconnais quand même que ce n'est pas évident. D'abord, tu m'annonces que tu es un... un ange, Samaël, autrement dit la Connaissance. Ensuite, tu me dis que je suis la Sagesse, rien de moins, et que nous étions ensemble. Mais tu es le seul à t'en souvenir. Si j'étais celle que tu crois, il me semble que je me le rappellerais, non ?

— Tu t'en souviens ! s'exclama-t-il. Tes rêves en sont la preuve. Ta mémoire, celle que tu es véritablement tout au fond de ton âme essaye de te parler depuis ta plus tendre enfance. Tout ce que tu m'en as dit est assez clair.

— Je ne t'ai jamais vu dans mes rêves, argua Sophia qui pourtant sentit son incrédulité chanceler lorsqu'elle se souvint que dans son dernier songe elle rejoignait quelqu'un. Il n'y avait personne, j'y étais toujours seule, abandonnée et...

— Oui, abandonnée... Parce que tu n'y as vu que ce qui s'est passé au moment de notre séparation ou après. Tu m'as dit toi-même avoir eu l'impression d'être punie.

Ça se tenait. Et son dernier cauchemar en date collait effectivement plus que parfaitement à ce que Sam venait de lui raconter... Révéler ?

— Je me doute que c'est difficile à appréhender, reprit Sam, radouci. Pourtant, il te suffirait de me faire confiance, de *me* croire si tu ne peux pas croire. Alors tu saurais que je n'ai pas menti et que nous sommes l'un à l'autre. Tu m'as toi-même dit avoir l'impression d'être mon âme sœur. Et si tu ne te souviens pas, ce n'est pas grave, mentit-il. Tes souvenirs finiront par te revenir...

C'était vrai, elle-même avait évoqué un lien tout à fait particulier avec Sam. Sans parler de toutes ces sensations fugaces ou non l'ayant systématiquement amenée à penser que Sam était spécial, pour elle mais pas seulement, qu'il cachait un lourd secret. Et que dire de tous les efforts de Sam pour la diriger sur le chemin menant à lui.

— Essaye de me faire confiance..., insista doucement Sam. S'il te plaît.

Sophia estima que oui, elle pouvait faire cet effort. Pour l'homme qu'elle aimait. Elle hocha la tête. Sam ne bougeant pas, elle comprit que c'était à elle de faire le premier pas. S'approchant de son compagnon, elle plongea son regard dans celui de Sam étincelant de toutes ses nuances d'or et d'ambre. Une chaleur ne tarda pas à s'insinuer en elle, dans son corps, mais aussi dans sa tête. Elle aurait pu s'imaginer qu'il ne s'agissait là que des sentiments du jeune homme si, mû par une force semblable à celle d'un aimant, l'esprit de Sam ne s'était pas empressé de rejoindre le sien, presque avec avidité, comme s'il en avait été privé trop longtemps. Dans celui de Sophia, ce curieux phénomène se matérialisa sous la forme d'une image, celle d'une énergie lumineuse et brûlante sinuant jusqu'à elle pour s'enrouler autour d'elle, se fondre en elle ensuite.

S'ensuivit une intense et surprenante sensation de bien-être lui donnant le vertige, comme un manque enfin assouvi, la fin trop brutale d'une torture qu'elle ignorait avoir jamais endurée. Nul doute que Sam percevait la même chose. Le sentiment de plénitude qu'elle éprouvait était bien trop inouï pour qu'il s'agisse d'autre chose que d'une union… d'une réunion. Que Sam matérialisa en l'enlaçant, la serrant étroitement dans ses bras. Sophia perçut alors quelque chose s'ouvrir au fond de son âme. Son cœur se mit à battre la chamade. Peut-être ses souvenirs se faufileraient-ils par cette brèche pour lui rendre son histoire ? Elle se prépara à l'illumination. Mais si son corps, son cœur et son esprit reconnaissaient Sam, un être sans qui elle n'était pas complète, sans qui elle ne pourrait être heureuse, ce qu'elle savait déjà, rien d'autre ne se produisit. Sophia resta dans le noir. Une déception sans nom tomba sur elle. Cela signifiait-il pour autant qu'elle ne croyait pas Sam, en Sam ?

Non. C'était juste une preuve qu'il n'avait pas menti.

— Je ne me souviens pas, regretta-t-elle dans un murmure désenchanté en se serrant plus fort contre le torse de son compagnon. Rien du tout.

— La mémoire te viendra, lui assura-t-il.

Plus qu'une conviction, c'était son souhait.

— Dis-moi ce qui s'est passé, Sam, insista Sophia. Je veux me souvenir. Je le veux vraiment.

Sam ne répondit pas, se contentant de lui caresser le dos tendrement.

— Si je l'ai vécu, si c'est ce dont j'ai rêvé, je peux l'entendre, chuchota encore la jeune femme en réprimant un frisson d'angoisse... prémonitoire ?

Chapitre 40

Annette ne se lassait pas de contempler Shax.

D'une manière générale, mais plus particulièrement en cet instant. Elle aurait nettement préféré qu'il n'interrompe pas son striptease, mais même seulement torse nu, elle avait largement de quoi s'en mettre plein la vue. La pénombre ambiante conférait un velouté très tentant au modelé parfait de ses pectoraux, de ses bras puissants, des muscles ciselés de son ventre. Les yeux de la jeune femme suivirent la fine ligne de poils bruns disparaissant sous son pantalon, une flèche que seul Éros pouvait avoir dessinée et indiquant le plus sûr sentier pour se perdre. Annette n'attendait que cela. Se perdre encore. Et encore.

Cet homme possédait pourtant une arme bien plus meurtrière dans son arsenal que sa perfection physique ou son sexe fabuleux : cette façon qu'il avait de l'observer avec un air sauvage de prédateur la faisant fondre *illico*. À ceci près qu'une lueur presque câline venait tout juste de s'inviter dans son regard, comme s'il avait enveloppé sa voracité dans un cocon de velours. Une arme terriblement efficace sur elle. Redoutable.

Toutefois, depuis que Shax s'était assis au bord du lit, il lui semblait un peu soucieux. De quoi qu'il s'agisse, Annette espérait que ce n'était pas grave et ne compromettrait pas toutes ces délicieuses activités récréatives qu'ils avaient prévues pour occuper leur journée.

Rejoignant son compagnon, franchissant le triangle de ses jambes écartées en une posture très mâle, Annette posa les mains sur ses épaules et se vit instantanément enlacée par ses deux bras puissants. Rarement, elle avait eu l'occasion de le contempler de haut, en dehors de toute affaire charnelle en tout cas. Et les seules fois où elle lui avait vu cet air presque doux avaient été ces moments où elle l'avait surpris à couver Sam et Sophia des yeux.

— Sam va dire à Sophia qui il est, l'informa-t-il, son regard aigue-marine rivé au sien.

Ah…

Il y avait eu dans sa voix comme un petit goût de « l'heure est grave ».

Annette se demanda ce que cela pouvait bien signifier, en dehors du fait que cela impliquait donc que ni Sophia ni elle-même ne savaient qui était Sam. Mais surtout, elle pressentait que cela avait une incidence sur ce que Shax était lui aussi.

— C'est-à-dire ?

— C'est-à-dire que… Je crois que tu devrais t'asseoir, lui conseilla-t-il, la faisant pivoter pour qu'elle puisse s'installer sur sa cuisse.

— C'est si grave que cela ? s'inquiéta Annette en se laissant faire.

— Pas grave, important.

Annette chercha dans les yeux de son compagnon le moindre signe que ça l'était quand même, sans en trouver aucun.

Et si dans l'absolu ce n'était effectivement pas dramatique, rien ne l'avait préparée à la réponse de Shax.

Important ? Le géant avait le sens de la litote !

La première partie des explications laissèrent Annette dans un état d'incrédulité absolue. Apprendre qu'une autre réalité, ou une autre vérité que celle qu'elle connaissait avait pied dans son univers revenait peu ou prou à lui signifier que toutes les créatures fantasmagoriques rencontrées dans les films ou les romans existaient bel et bien.

Mais Shax s'était exprimé sérieusement et calmement, presque pudiquement, aurait-elle dit. Et surtout sans cette lueur canaille habitant d'ordinaire son regard, excluant de fait toute velléité de blague de sa part. Si bien qu'Annette n'eut d'autre choix que d'intégrer ces aveux comme l'on assimile une vérité bien cachée dans des documents classés secret-défense. Cela avait même quelque chose d'exaltant pour la journaliste qu'elle était. Ça, c'était du scoop !

Pourtant, en bonne amie qu'elle était, la jeune femme n'osait imaginer ce que Sophia ressentait en cet instant alors que Sam lui faisait les mêmes révélations. Allait-il lui en fournir des preuves ?

La pauvre petite chérie en serait bouleversée. Au moins autant qu'elle, cela dit, même si, stoïque, Annette restait en apparence parfaitement calme.

Faisant appel à toute son ouverture d'esprit, surtout sans autre preuve que celle qu'elle avait déjà, à savoir l'exception que Sam constituait à ses yeux, Annette attendit vaillamment la confidence concernant Shax qui fatalement n'allait pas tarder. Parce que lui aussi était assez exceptionnel dans son genre.

Apprendre que Shax, au même titre qu'Ilan, Magadalene et Amon, était ce que l'on appelle communément un ange déchu, la surprit moins qu'elle ne l'aurait cru. Peut-être parce que son compagnon ressemblait étonnamment à l'idée qu'elle se faisait d'êtres tels tant physiquement que dans son comportement. À la vérité, elle fut plus touchée et bouleversée d'entendre dans les mots du géant les échos d'un respect immense pour Sam et son geste qu'il estimait légitime, une admiration sans bornes l'ayant incité à veiller sans relâche sur lui, à alléger autant que faire se pouvait la punition infligée à cet homme extraordinaire ayant sacrifié sa liberté, sa vie, pour la justice en laquelle il croyait.

Alors Shax était peut-être bien cet ange déchu qu'il disait être, mais Annette le voyait avant toute chose comme l'homme qu'elle avait choisi. Un homme bien... beau... sexy... et surtout doté de cette âme et de ce cœur dont elle l'avait accusé d'être dépourvu.

La jeune femme n'avait pas besoin d'autre preuve que ses mots et de ce qu'elle ressentait à son égard pour le croire.

Et puis, cela avait le mérite d'expliquer l'hallucinant taux de beauté au mètre carré ayant cours au château.

Restait toutefois un souci. Un gros. À la mesure de la peur l'étreignant soudain.

Annette n'avait pas quitté Shax des yeux une seule seconde jusqu'ici. Son regard l'abandonna un court instant pour se porter sur un point imaginaire de la pièce.

— Cela signifie donc que tu es... que ta vie n'aura pas de fin ? laissa-t-elle entendre déjà au bord des larmes. La mienne...

Incapable de formuler à haute voix cette fin inéluctable, celle de sa vie autant que celle de leur histoire, furieuse de cet horizon soudainement assombri alors qu'une minute auparavant il y faisait grand soleil, elle préféra se taire.

Shax ne supportait décidément pas de voir des larmes dans les beaux yeux d'Annette. Celles-ci plus que toutes les autres. Il l'invita à le regarder à nouveau lui faisant délicatement tourner la tête du bout de l'index sur son menton.

— Ta vie sera ce que tu veux qu'elle soit. Si tu veux la... la lier à la mienne, c'est possible.

— Je suis mortelle, lui rappela-t-elle, faisant taire l'espoir un peu fou essayant de jaillir dans son cœur.

— Et moi, j'ai le pouvoir de changer cela. Je suis peut-être déchu mais ça ne modifie en rien ce que je suis. J'ai encore le droit de faire des cadeaux si je le veux.

— Vraiment ?

— Ouais.

— Comment ?

— Je te montrerai, lui confia-t-il avec un clin d'œil laissant à penser que l'expérience n'avait rien de désagréable.

Rassurée, Annette retrouva le sourire. Un sourire si lumineux qu'il fit s'évaporer toute rosée dans ses yeux couleur de bleuet... et éclore quelque chose dans le cœur de Shax.

— Alors si je comprends bien, reprit la jeune femme son regard brillant d'une lueur friponne, cette histoire sur les anges n'ayant pas de sexe, c'est du flan ?!

— Tu as déjà pu constater que le mien n'avait rien d'un mythe, s'esclaffa Shax en resserrant sa prise sur sa taille. Et je t'assure qu'en ce moment il n'a pas la consistance d'un flan, ajouta-t-il, sa voix chutant dans les graves.

— Tu permets que je vérifie quand même ? badina Annette, sans attendre d'autorisation.

*

Sam n'eut pas trop de difficulté à conduire Sophia au cœur du jardin d'hiver. Il espérait qu'en dépit de son hostilité pour ce lieu s'y promener pendant qu'il lui raconterait ce qu'il savait la guiderait en douceur jusqu'au réveil, si toutefois cela pouvait se produire sans violence.

— Comme je te l'ai dit, reprit-il alors qu'ils déambulaient parmi une collection de fleurs rares déployant un millier de couleurs, Il ne peut détruire directement ses créations. C'est pourquoi je pense qu'après t'avoir arrachée à moi, Il t'a emprisonnée quelque part, comme dans une sorte de boîte de Pandore ne contenant qu'un seul fléau.

— Il considère la sagesse comme un fléau ?! s'offusqua la jeune femme.

— C'est que nous sommes tous les deux à ses yeux, confirma tristement Sam. Et là où Il est particulièrement vicieux, c'est que nous ne sommes le mal que dans la mesure où selon Lui nous incitons à désobéir à la loi divine édictant que l'on ne doit écouter que Lui, ne croire qu'en Lui, ne voir que Lui. Donc, pour éliminer ce mal, Il nous a séparés dans l'espoir que notre éloignement mènerait à notre disparition. Sans sagesse, la connaissance s'auto-empoisonne. Sans la connaissance, la sagesse dépérit.

Sophia garda pour elle ce qu'elle pensait. Ne pas l'exprimer n'amoindrissait aucunement son dégoût pour celui qu'elle entrevoyait sous un jour de plus en plus nouveau. Et ça n'était pas joli joli.

— J'ignore exactement comment tu t'es échappée, poursuivit Sam, mais je sais une chose : ton âme n'a jamais été incarnée.

— Comment peux-tu en être sûr ?

— Je la vois ; ton énergie est aussi pure et belle que lorsque nous avons été séparés. Dans ton dernier cauchemar, ta punition et ta captivité correspondent à l'impression que tu as eue d'avoir été désintégrée puis enfermée dans un endroit sombre et froid. Tout le reste, les rêves de ton enfance également, ne sont à mon sens que des réminiscences de notre séparation et de la destruction de notre univers.

— C'est fou.

— Plus que d'être née à Bahreïn ? laissa entendre Sam.

— Ça arrive à plein de gens, lui fit-elle remarquer en lui jetant un coup d'œil.

Si c'était là un argument supposé finir de la convaincre, il allait devoir trouver mieux.

— C'est vrai, mais combien de personnes se prénommant Sophia naissent sur l'ancestrale île de Dilmun connue pour être l'ancien Éden ? Une île paradisiaque, lieu de villégiature de ce cher Enki créateur des hommes et de sa tendre compagne, Ninhursag qui, ô surprise, est la gardienne des plantes merveilleuses – et médicinales – qu'elle y cultive pour le bien des humains ? Combien de gens rêvent d'un jardin ou d'une jungle depuis leur plus tendre enfance sans que personne ne puisse l'expliquer, combien parviennent à saisir sur la pellicule l'âme d'un arbre survivant dans le désert contre toute logique, un arbre ancien que l'on surnomme l'Arbre de Vie ? Combien de ces personnes habitent rue Bleue, anciennement rue d'Enfer et se trouvant dans le prolongement de la rue de Paradis et... je continue ?

— Je crois que ça suffira, marmonna Sophia qui devait bien convenir que cela faisait un peu trop de coïncidences pour que ça en soit au final.

— Mais surtout, combien de femmes me supporteraient à ton avis ? plaisanta son compagnon.

— Beaucoup trop ! répondit spontanément Sophia sous l'aiguillon de la jalousie.

L'obligeant à s'arrêter, Sam se plaça devant elle.

— Une seule, lui assura-t-il le plus sérieusement du monde. Parce que tu n'étais destinée qu'à un seul. Moi. Tu es ma passion, ma douleur, ma vie, mon vice, délicieux, le seul capable de m'apaiser, de juguler ma faim éternelle. Tu es mon éternité, tu possèdes la partie de moi qui m'a été arrachée en punition de notre faute.

Sophia en avait les larmes aux yeux. Mais Sam était déterminé à s'en prendre encore à son cœur.

— Je dis notre faute parce que nous étions complices. Je n'aurais rien pu faire sans ton accord. Je ne suis rien sans toi, Sophia. C'est toi la plus importante dans toute cette triste histoire, toi qui me protèges, toi qui me fais vivre. Tu es l'espoir qui m'a soutenu durant tout ce temps. Parce que rien, personne, ni aucune force au monde ne possède le pouvoir de t'arracher à mon cœur. Pas même toi.

Bouleversée au-delà des mots, Sophia n'en fut pas moins chagrinée par une pensée assez dérangeante se mêlant de gâcher un peu ceux de Sam.

— Celle dont tu parles, celle que tu aimes n'est pas vraiment moi. Si je me souviens, si elle se réveille, je vais me perdre, elle va prendre ma place et...

— Tu te trompes encore, mon amour, réfuta Sam en l'enlaçant. Tu as toujours été elle. Si... Quand tu te réveilleras, tu seras juste encore plus toi-même. Elle ne prendra pas ta place puisqu'elle est déjà en toi depuis le début.

— Tu crois ? lui fit murmurer son espoir.

— J'en suis absolument certain. C'est la raison pour laquelle je t'ai reconnue immédiatement. Tout dans ta façon d'être me rappelle celle que tu étais.

Presque rassurée, Sophia leva son visage vers lui.

— C'est vraiment moi que tu aimes ?

— Oui. Comme un fou.

— Tu étais déjà fou, plaisanta-t-elle dans un murmure affectueux.

— CQFD.

La jeune femme lui sourit. Elle aimait sa folie.

— Mais au fait, reprit-elle, d'où vient cette histoire de pomme ?

— D'une mauvaise traduction, l'informa-t-il avec une moue pour le moins ironique. Le mot latin pour ce fruit est très proche de celui désignant le mal, « *malus* », pour le mal, et « *malum* » pour la pomme. Il a suffi d'aussi peu qu'un médiocre traducteur et d'une erreur de déclinaison pour que ce fruit délicieux devienne le symbole du mal.

— OK. Mais la pomme, ou le Mal, désignent la connaissance biblique donc l'acte sexuel. En quoi est-ce une faute ?

— On en revient encore à cette idée très arrêtée du Mal, c'est-à-dire ce qui éloigne de la loi. Parce qu'il procure du plaisir, parce qu'il peut faire naître l'amour, ce en quoi il est comparable à un pouvoir magique, et surtout parce que Monsieur Nombril du Monde ne supporte pas que l'on se détourne un tant soit peu de lui, ce qui se produit lorsqu'on aime une personne, le sexe est donc le Mal. Et ce n'est pas un hasard si dans la fable, c'est la femme qui est fautive. Qui plus est, en contrôlant l'être sensuel qu'est l'homme, en le brimant, on s'assure une emprise toujours plus grand sur lui.

— Il ne comprend rien à la vie, déplora Sophia.

— Précisément.

— La tienne a dû être épouvantable ici et… Mais au fait, tu vas me dire que tu es âgé de combien de milliers d'années ? Comment as-tu supporté de vivre ?

— Mon exil ici ne veut pas dire que je sois totalement dépourvu de ressources, Sophia. Ce serait oublier qui je suis. Jamais je n'aurais pu endurer cette vie si j'étais devenu totalement humain.

— Ce qui signifie exactement ?

— Que je suis et resterai un être de feu tant que j'existerai. Je n'ai pas d'âge, je suis, c'est tout. Mais je n'existe encore que parce que je t'ai enfin retrouvée.

— Et moi ?

— Tant que j'existe, tu es.

— Tu veux dire que je suis… immortelle ? Et toi aussi ?

— Comme toutes les âmes. Leur feu ne peut s'éteindre.

— Je parlais de la chair, de nos corps.

— Nous ne sommes pas faits de chair.

— Moi si, je suis née comme tous les autres êtres humains.

— Sauf que ton âme n'est pas précisément celle d'un être humain. Ton feu est plus puissant que n'importe quelle âme humaine, comme la mienne. Grâce à cela, notre... enveloppe est immarcescible. Ce qui signifie que nous pourrons nous aimer pendant l'éternité.

Une perspective des plus attrayantes en vérité.

— Sam... Je peux continuer à t'appeler Sam ?

Il hocha la tête. Sophia put toutefois lire dans ses yeux qu'il aurait préféré qu'elle utilise son nom véritable. La jeune femme ne s'en sentait pas encore le courage. Aussi étonnant que cela puisse paraître eu égard aux ragots qui circulaient, donc, elle excluait tout mensonge de la part de Sam. Il lui faudrait sans doute un peu de temps pour accepter tout cela mais elle savait d'ores et déjà qu'il ne lui mentait pas.

Sophia venait d'avoir la preuve qu'elle vivait un moment exceptionnel, si extraordinaire d'ailleurs qu'il était destiné à ne plus jamais se reproduire. Mais se retrouver projetée dans un univers où ses seuls repères auraient pu être des souvenirs persistant à la fuir, un monde que ses rêves lui avaient appris à redouter et tellement éloigné de sa dimension habituelle, aurait eu de quoi perturber la plus forte des âmes... ce qu'elle ne pensait toujours pas être à défaut de sentir une quelconque différence en elle.

— J'ai encore du mal à admettre que tout ça puisse être réel, se confia-t-elle en guise d'excuse. Je crois que je préférais ton histoire de mafia, même si j'avoue que l'image était plutôt bien choisie.

— Je m'en doute. Seulement, j'ai peur que tu ne doives l'accepter. Parce que la présence des quatre Fantastiques ici ne présage rien de bon.

— Qui sont-ils exactement ?

— Mickaël, Raphaël, Uriel et…

— Gabriel, compléta Sophia à sa place, dans un murmure. Ils sont laids.

— Ils sont surtout aveugles et soumis à l'autorité, jugea Sam avec un certain fatalisme laissant à penser qu'il le regrettait.

— Que veulent-ils ?

— Eux rien, ils ne sont que des messagers. Mais le but est encore et toujours de nous éliminer de l'équation. En nous séparant.

— Eh bien, je n'aime pas leur message. L'un d'eux m'a dit que tu étais mauvais pour moi. C'est inepte, tu es…

Sophia s'interrompit d'elle-même et s'inclina un peu en arrière pour examiner son compagnon, attitude motivée par cette conviction aussi subite que troublante qu'elle n'avait jamais su le regarder vraiment, jamais su le voir. Comme elle ignorait d'où provenait sa certitude, la jeune femme ne comprit pas par quel processus sa manière d'observer Sam se modifia. Toujours est-il que ce fut le cas, et que la révélation fut de taille.

Comment avait-elle pu n'estimer Sam que beau, sensible ou cultivé jusqu'ici alors qu'en réalité il était extraordinairement séduisant, exceptionnellement attirant, excessivement attachant, en plus d'être supérieurement intelligent et formidablement érudit ?

Parfait, d'une manière quasi surnaturelle.

Et pour cause…

Sophia ne se sentait pas fautive, pas plus que son regard, son esprit ou son cœur ne l'étaient eux non plus. Pourtant, à eux quatre, ils étaient coupables de l'erreur qu'elle avait commise. Parce qu'elle n'avait pas pris la peine de fusionner ce que chacun d'eux percevait individuellement de Sam. Autrement dit, elle aurait dû utiliser à échelle organique la technique photographique dite HDR[1] , une méthode ressemblant à peu à sa façon de travailler d'ailleurs. En photographie, ce procédé permet de surpasser les capacités d'un appareil numérique notamment pour produire un cliché plus proche de la vision et surtout de l'émotion ressentie par l'œil humain. Exactement comme son regard de photographe l'autorisait à capter ce qui échappait à la plupart des gens même s'il n'était pas toujours possible de le fixer. Cette technique consistant à prendre plusieurs clichés d'une même scène exposés différemment que l'on réunissait ensuite en une seule image permettait d'obtenir une photographie à l'exposition parfaite. C'était en quelque sorte ce qui venait de se produire avec Sam. Les perceptions de Sophia s'étaient superposées pour lui donner une image vraie du jeune homme.

Une vérité telle qu'elle éclaira Sophia mais surtout éblouit son âme, la lui dévoilant littéralement. Aveuglée par cette éblouissante et subite clarté capable de lui révéler où ses souvenirs avaient trouvé refuge, Sophia cilla plusieurs fois avant de plisser les paupières.

— Pourquoi ne comprennent-ils pas, eux et Lui, que tu es ma lumière ? demanda-t-elle à Sam avec dans la voix un petit quelque chose qu'elle ne reconnut pas. La seule dont j'ai besoin pour être. Ma lumière…, répéta-t-elle.

Si elle ne voyait plus le jeune homme la retenant contre lui, Sophia le percevait en revanche de toutes les autres manières possibles, avec son cœur, son corps, son âme et aussi cette si précieuse mémoire dont elle avait été privée.

Mais avec elle, vint la douleur. Là, juste dans cette partie de son âme fraîchement blessée. Ce fut par cette plaie à vif, cette marque laissée par la douleur qu'elle avait ressentie en touchant les racines de la crypte, une brèche dans les murs

---

1. HDR : *High Dynamic Range ou imagerie à grande gamme dynamique.*

de son esprit, que sa mémoire s'écoula, y déversant des flots de souvenirs. Ceux qu'elle avait entrevus la veille lorsque Sam l'avait embrassée, nets, précieux, mais surtout ce que son exil dans sa tombe lui avait coûté de désespoir, de colère, de douleur. Enfermée dans les ténèbres, possédée par elles, punie pour une faute qui n'en était pas une.

Sophia entraperçut alors, hélas, à quel point Sam s'était trompé. Il avait été complètement séparé d'elle. Ça n'avait pas été son cas. Chaque seconde de son isolement avait été un supplice de solitude éternelle et d'impuissance, un calvaire de peine se mêlant à chaque particule de son essence disloquée. Une éternité dont chaque instant s'égrenait lentement, trop lentement, se démultipliant pour l'emplir de la conscience aiguë qu'elle avait eue de la douleur de Sam. Un poison. *Son* poison le rongeant peu à peu. Inéluctablement.

Jusqu'à ce que la cupidité d'un voleur la libère de sa prison.

Libre, sa lumière s'était jetée sur la plus proche source de vie à sa portée. Une petite vie toute neuve s'apprêtant à éclore. Un miracle d'une beauté indescriptible. Un soulagement indicible que d'être accueillie par l'amour. Un bonheur de courte durée. L'oubli était venu immédiatement après.

Vingt-huit ans s'étaient écoulés depuis.

Pour Sophia, c'était maintenant. Colère, désespoir, désir de justice plutôt que de vengeance. L'amour était présent aussi, celui qu'elle portait à Sam en tant que compagnon et pour ce qu'il était. Quand le doute disparut enfin, balayé par ces souvenirs, un nouveau pic de douleur lui coupa le souffle et manqua de la terrasser. Ce qu'elle avait ressenti au moment de sa séparation d'avec Sam la submergea, une souffrance aveuglante, crue mais aussi sournoise donnant la sensation qu'un milliard de lames tailladait votre chair et votre âme à la fois, et parce que ça n'était pas assez, l'impression que l'on vous broyait, vous écrasait, vous piétinait jusqu'à ce que plus rien de subsiste de vous, pas la plus petite étincelle d'existence.

Plus d'espoir.

Plus de lumière.

À travers les brumes de cette douleur fulgurante, Sophia entendit la voix de Sam empreinte d'amour. Son fil d'Ariane ne l'attirant pas hors du dédale de ses souvenirs, pas plus qu'il ne la contraignit à gagner le cœur du labyrinthe, mais s'enroulant autour d'elle, l'enveloppant tel un cocon soyeux pour l'apaiser, la protéger.

La fin de sa cécité ne fut que partielle. La jeune femme distinguait le visage de Sam à travers les larmes lui brouillant la vue. Il était lumineux. Tellement lumineux. Se gorgeant de la lumière de son compagnon, Sophia s'arracha définitivement aux terribles ténèbres avec l'impression de naître à nouveau. Une naissance, avec ce que cela comportait de violence, mais une éclosion également, une renaissance s'accompagnant d'une sensation qu'elle avait oubliée : être. Tout simplement.

Oui. Elle était.

Et à eux deux, Sam et Sophia étaient aussi.

Sam avait enduré chaque seconde du calvaire de Sophia, mais avait aussi ressenti chaque instant de son réveil, chaque émotion, jusqu'à ce moment, merveilleux, magique, où sa compagne l'avait regardé droit dans les yeux. Son regard était redevenu cette nuit parsemée des étoiles qu'il lui avait offertes et que ses larmes faisaient scintiller.

Il n'imaginait pas pouvoir contempler un jour spectacle plus magnifique que celui-ci. Le lien s'était reconstruit.

En échange de cette constellation, Sophia lui avait fait don de quelques éclairs de nuit.

Conquérir la Compréhension, ou le Savoir, fruit des amours de la Connaissance et de la Sagesse, demandait de parcourir des sentiers aussi lumineux que ténébreux.

Cet instant qu'il avait attendu une éternité, qu'il avait désespéré pouvoir vivre, Sam le vivait en cette minute. Encore que le verbe encore une fois soit trop faible pour exprimer cette incroyable vitalité l'habitant de nouveau. Plus qu'une vitalité, il s'agissait d'une énergie formidable, celle circulant enfin librement après une perpétuité d'immobilité. Elle était partout en lui, claire, impétueuse, fraîche, en elle, resplendissante et pure ; elle était aussi entre eux, exaltante, magnifique.

Sam ne résista pas à la tentation de sceller ce lien restauré par un baiser.

Emprisonnant délicatement le visage de Sophia entre ses mains, il posa ses lèvres sur les siennes. Un baiser tout simple. Tellement simple qu'il en devenait merveilleux. Essentiel. Il s'éternisa, se transformant peu à peu en une multitude de petites caresses, des centaines de répliques du baiser originel, autant de serments, d'aveux et de mots d'amour que ni Sam ni Sophia n'avaient besoin d'exprimer pour se les offrir.

Ce baiser magique prit fin lorsqu'un grondement sourd se fit entendre, celui qu'aurait pu faire un tremblement de terre. Un son qui n'était encore qu'un lointain vrombissement mais qui incita le couple à en contempler la cause.

Leur promenade les avait conduits jusqu'à la collection d'orchidées non loin de la sculpture de l'arbre merveilleux.

À l'instar du couple original qui avait non pas découvert sa nudité mais avait vu sa peau de lumière devenir peau de matière à cause de la malédiction, la Connaissance s'était cristallisée elle aussi. Endormie. Ses flux ralentis s'étaient peu à peu pétrifiés, enfermés dans une coquille les faisant ressembler à l'Arbre pour lequel ils avaient toujours été pris. L'enveloppe de calcaire contenait encore cette énergie. Et si elle avait été sur le point de s'éteindre, sa gangue désormais translucide prouvait qu'elle avait été ravivée.

L'Arbre ne tarderait plus à se défaire de sa vieille écorce, comme un serpent se sépare de sa mue.

À mesure que le bruit s'intensifiait au point de troubler l'atmosphère du jardin, des vibrations faisant palpiter l'air ambiant, la peau morte de l'Arbre s'étiolait, s'amincissait, se détachait comme une vieille peinture écaillée, laissant peu à peu voir le feu immaculé qu'elle avait emprisonné. Puis ce furent des éclaboussures de vie qui jaillirent, remontant le long des branches pour être projetées vers le ciel, des torrents de lumière pure courant jusqu'aux racines avant d'être propulsés dans la terre.

Ni Sam ni Sophia n'avaient à craindre cette force incommensurable, elle faisait partie d'eux. Ils étaient cette merveille. Car c'en était une.

Se produisit un autre prodige peu de temps après que le couple se fut approché de l'Arbre.

Enveloppés par l'éclatante aura de l'énergie qu'ils avaient ravivée, Sam et Sophia lui firent un don, celui de leur amour. Se mêlant à la sève de la Connaissance, sans vraiment adoucir l'intensité de la lumière, il la diapra d'incroyables feux arc-en-ciel.

Plus rien ne serait désormais capable d'emprisonner sa splendeur. Jamais.

Incroyable ne faisait plus partie du vocabulaire de Sophia.

Sa satisfaction se manifestant par un soupir mêlant bonheur, bien-être et accomplissement, Sophia se tourna vers son compagnon.

Sam n'avait pas menti. Elle était. Elle était aussi toujours la même.

La magie dont elle venait d'être témoin ne l'avait pas pour autant saturée de toutes les connaissances du monde, ou de tout le savoir de l'univers. Seulement d'une faculté à apaiser

Sam, celle d'adoucir le feu l'animant pour lui permettre de le supporter, le pouvoir de garder unis l'être spirituel et celui que l'on avait appelé la bête.

Pareillement, Sophia était *la* Sophia, mais resterait aussi la jeune femme qu'elle avait toujours cru être ; elle le serait toujours.

Et cette jeune femme pensait en cet instant que Sam lui avait offert bien plus que la comédie romantique qu'elle avait souhaitée.

Sophia avait évolué entre les pages d'un conte fait de secrets, d'émerveillement, de souffrance et de peur, de sentiments en tous genres et de passion, de beaucoup de passion, de mots murmurés. De mystère aussi, dont le principal avait été l'homme se tenant devant elle.

Si le traditionnel mot fin se profilait, ce n'était pas la fin de l'histoire. Seulement le début de la leur.

Sam sourit.

Sophia était à lui pour toujours.

Toujours.

Savoir qu'il pourrait encore utiliser ce mot manqua de faire exploser son cœur. Réveillant incidemment son appétit. Un appétit à la mesure de l'éternité qui les attendait.

— Je meurs de faim, laissa-t-il entendre dans un murmure.

— Tu veux une pomme ? proposa Sophia de son air le plus ingénu.

Sam arqua un sourcil.

— Essaierais-tu de me tenter ?

— Oui, Samaël. C'est exactement cela.

*

Shax n'avait pas été témoin du miracle, mais l'avait entendu et ressenti.

Normal. Les murs en avaient tremblé. Lui aussi.

S'il avait pris le temps de rassurer Annette persuadée qu'un tremblement de terre apocalyptique allait engloutir le château, il n'avait pas pris celui de la libérer des menottes la retenant à son lit. Au risque de devoir affronter sa colère lorsqu'il reviendrait. Ça n'était pas un problème, il avait déjà en tête un certain nombre de moyens fort intéressants pour la calmer. Pour corser le jeu, il était même prêt à la libérer, se frotter à ses délicieuses petites griffes et...

Bref.

Shax avait donc couru comme un dératé jusqu'au jardin d'hiver, se foutant d'être à moitié nu.

Ilan et Magdalene s'apprêtaient à y entrer lorsqu'il y parvint. L'espoir et l'angoisse présents dans leurs yeux faisaient écho aux siens propres.

Le trio s'était d'emblée dirigé vers cet espace où dépérissait l'Arbre, craignant d'ores et déjà d'être témoin de la pire catastrophe que leur esprit puisse imaginer : l'Arbre réduit en miette, Sam... éteint et Sophia en pleurs.

Ce fut un tout autre tableau qui s'offrit à leurs yeux. Mais seulement lorsqu'ils furent en mesure de supporter l'intense éclat irisé baignant cette zone qu'ils n'avaient tous connue que désolée.

Sam et Sophia se tenaient enlacés au cœur de la lumière, auréolés de cette merveilleuse aura diaprée de couleurs mouvantes.

Si tous trois furent pris de l'envie de hurler à la vue de cette victoire éclatante contre une injustice sans nom, aucun d'eux ne s'y laissa aller.

Ilan étreignit sa compagne qui, profondément émue en avait les larmes aux yeux. Puis le couple s'était pudiquement éclipsé laissant l'autre couple à leurs retrouvailles.

Shax quant à lui n'avait pas fait montre d'autant de délicatesse.

L'aurait-il voulu, il ne l'aurait pu.

Fasciné par la beauté du spectacle, bien plus bouleversé qu'il n'était prêt à l'admettre, il était resté un long moment à les contempler, un sourire parfaitement idiot plaqué sur ses lèvres.

Tandis qu'il se réjouissait de l'issue merveilleuse, magique même, de ce qui aurait pu finir en une sinistre tragédie, alors qu'il se laissait envahir par le plaisir d'être témoin du bonheur de Sam et de Sophia, Shax songea à la vie qui l'attendait désormais.

Il la voulait avec Annette.

Ouais, putain ! C'était avec elle qu'il voulait la vivre !

Et si, comme il le lui avait précisé, il n'était pas un prince charmant, cela ne l'empêchait pas de vouloir être le sien.

Walt Disney a dit : « Pour que la vie soit un conte de fées, il suffit peut-être simplement d'y croire. »

Le géant y croyait…

Mais n'allez pas le répéter à tout le monde ! Et surtout pas à Sam.

Shax avait une réputation à tenir, Nom de Dieu !

NORD COMPO
m u l t i m é d i a

Composition et mise en pages
Nord Compo à Villeneuve-d'Ascq

N° d'édition : L.01EUCN000709.N001
Dépôt légal : novembre 2015

CET OUVRAGE
A ÉTÉ ACHEVÉ D'IMPRIMER
SUR CAMERON
PAR L'IMPRIMERIE NIIAG
À BERGAME (ITALIE)
EN OCTOBRE 2015